KB152284

ATLAS OF DIGITAL DENTISTRY

디지털 치과임상의 모든 것

허인식

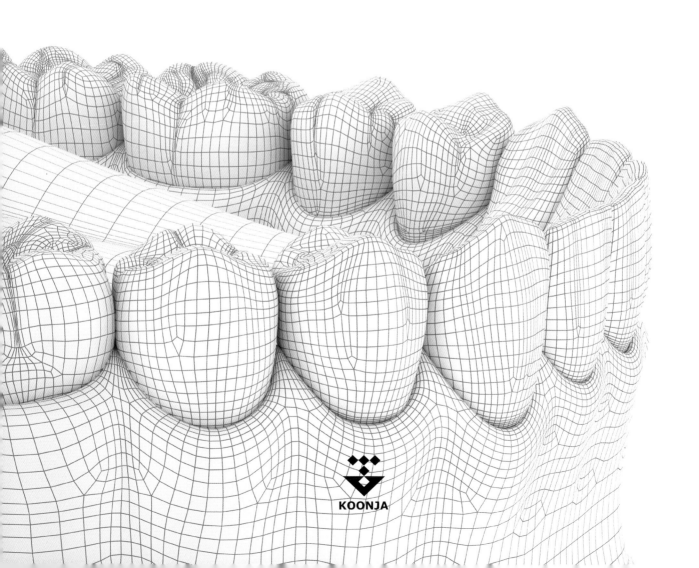

KOONJA

ATLAS OF DIGITAL DENTISTRY
디지털 치과임상의 모든 것

첫째판 1쇄 인쇄   2021년 4월 30일
첫째판 1쇄 발행   2021년 5월 14일

지 은 이   허인식
발 행 인   장주연
출 판 기 획   한수인
책 임 편 집   이경은
편집디자인   양란희
표지디자인   박한나
일 러 스 트   유시연
발 행 처   군자출판사
　　　　　등록 제 4-139호(1991. 6. 24)
　　　　　본사 (10881) 경기도 파주시 회동길 338(서패동 474-1)
　　　　　Tel. (031) 943-1888   Fax. (031) 955-9545
　　　　　홈페이지 | www.koonja.co.kr

ⓒ 2021년, ATLAS OF DIGITAL DENTISTRY - 디지털 치과임상의 모든 것 / 군자출판사
본서는 저자와의 계약에 의해 군자출판사에서 발행합니다.
본서의 내용 일부 혹은 전부를 무단으로 복제하는 것은 법으로 금지되어 있습니다.
www.koonja.co.kr

* 파본은 교환하여 드립니다.
* 검인은 저자와의 합의 하에 생략합니다.

ISBN 979-11-5955-696-8

정가 180,000원

ATLAS OF DIGITAL DENTISTRY
디지털 치과임상의 모든 것

저자 소개

경희대학교 치과대학 졸업

경희대학교 치과대학병원 치주과 수련

치주과 전문의

치의학 박사

경희대학교 치과대학 치주과 외래교수

허인식치과 원장

" 병에 대해 말하는 것,
그것은 〈아라비안 나이트〉를 즐기는 것과 같다. "

윌리엄 오슬러

프롤로그

누구나 인생의 멘토가 한 사람 즈음은 있을 것이다. 저자 역시 치과의사로서 이 자리에 있기까지 많은 사람들부터 도움을 받으며 성장했다. 그러나 나에게 영향을 주었던 멘토 중 가장 중요한 한 사람을 꼽으라면 신경학자이자 소설가로 우리에게 익히 알려져 있는 올리버 색스(Oliver Sacks, 1933~2015)를 들고 싶다. "병에 대해 말하는 것, 그것은 〈아라비안 나이트〉를 즐기는 것과 같다"라는 윌리엄 오슬러의 말을 처음으로 접한 것도 올리버 색스의 저서 〈아내를 모자로 착각한 남자〉에서였다. 그의 책은 모두 그가 상대했던 환자들의 실제 이야기를 바탕으로 쓰여진 것이다. 그의 책을 보면 원인 모를 병으로 침상에 누운 채 평생을 보내고 있는 환자들에 대한 그의 깊은 애정과 헌신을 접할 수 있다. 환자들을 옭아매고 있는 병의 사슬을 벗겨내기 위해 올리버 색스가 했던 일은 환자에 대한 기록을 아주 사소한 것이라도 계속해서 글로 남기는 것이었다. 아주 사소한 변화라도 그는 깊은 호기심을 가지고 기록하고 새로운 시도들에 대한 결과를 계속해서 정리하고 모았다. 동료 의사들에게는 그저 당연한 듯 보이는 사소하게 지나치는 일들이 그에게는 병의 실마리는 풀어나가는 하나의 열쇠였다. 환자 한 사람 한 사람에게 선한 호기심을 가지고 집중하고 병의 실체에 접근해 가는 그의 모습에 깊이 감동받았고 공감했다.

올리버 색스에게 글을 통한 기록이 환자의 문제를 해결하기 위해 접근이었다면 나에게는 사진을 통한 지속적인 기록이 비슷한 역할을 했다고 할 수 있다. 환자들의 진료내용을 사진으로 남기고 이를 지속적으로 피드백하면서 무엇이 문제이고 어떻게 해결해야 하는지를 체계화해갔다. 대학을 졸업하고 공중보건의로 근무하던 시절 월급을 받아 가장 먼저 장만했던 것이 '덴탈아이'라고 하는 구강촬영용 카메라였다. 사진을 찍고 이것들을 돌이켜보면서 나의 부족한 부분들을 보완하고자 끊임없이 노력했다. 치료했던 환자들에 대한 기록을 삼십 년 가까이 사진 촬영하고 모아 오면서 언젠가 이것들을 정리해서 말할 때가 올 것으로 생각했다. 그리고 이런 생각은 2020년 가을, 코로나로 모든 활동이 위축되어 있을 때 비로소 책을 써야겠다는 계획으로 구체화되었다. 책을 출간하자는 요청을 받은 지는 오래전이었지만 차일피일 미루고 있었다. 임플란트에 관한 책을 출간하고자 했던 예전의 계획과는 다르게 이번에는 디지털 치과임상과 관련한 책을 집필해야 한다는 생각이 강하게 다가왔다. 디지털 치과임상에 관한 책이 너무 없었고, 설령 있다고 해도 너무 이론적인 내용에 치우친 것들이 대부분이었다. 이러한 상황은 해외라고 다르지 않았다. 아마존을 통해 구입한 디지털 관련 서적 대부분은 디지털을 시작하려고 하는 이들에게 큰 도움이 되기 어려운 내용이었다. 개원의로서 디지털 치과임상을 다년간 하면서 겪었던 각종 시행착오들을 공유할 수 있다면 많은 동료들이 디지털 진료에 대해 가지고 있는 막연한 편견과 두려움을 없애는 데 큰 도움이 될 것이라고 생각했다. 이 책이 가지는 가장 큰 의의는 진단과 치료계획부터 수술과 보철, 보철기공 전 과정을 필자가 직접 혼자서 했다는 것이다. 특히 보철기공을 직접 해보면서 겪은 무수히 많은 시행착오들을 통해 디지털 보철이 왜 필요한지를 독자들에게 보다 사실적이고 정확하게 전달하고자 노력했다. 치과진료의 디지털화는 과거에는 꿈도 꾸지 못했던 것들을 가능하게 하고 있다. 예측 가능한 진료를 할 수 있다는 것만큼 매력적인 것은 없다. 일단 임플란트를 심어놓고 보자는 식의 진료가 아니라 보철을 위해 가장 좋은 위치에 임플란트를 심고 최종적으로 보철을 마무리하게 되었다는 것은 의사와 환자에게 크나큰 축복이 아닐 수 없다. 손으로 크라운을 왁스업해서 만드는 것이 아니라 캐드 프로그램을 통해 크라운을 디자인하는 것이 얼마나 효율적이고 탁월한 결과를 야기하는지를 확인하는 순간 느꼈던 전율을 아직도 잊을 수 없다. 치과진료의 디지털화는 이제 본격적으로 성장하는 단계의 초입에 있다고 생각한다. 먼저 이 책을 읽을 때 처음부터 한 장 한 장 자세하게 연구하듯 줄을 쳐가면서 읽지 않았으면 한다. 처음부터 끝까지 필자가 무엇을 말하고자 하는지에 대한 전체적인 윤곽을 가볍게 살펴보았으면 한다. 그런 다음 각 장을 깊이 있게 살펴보고 임상에 적용한다면 이해하는 데 어려움이 없을 것으로 생각한다. 여러 가지 면에서 기존에 출판되어 나와 있는 학술서적과는 조금 다른 표현 방식을 사용했다. 그리고 철저하게 임상적인 접근을 통해 독자들에게 저자의 생각을 말하려고 하였다. 디지털은 변화의 속도가 너무 빨라 논문으로 나올 때 즈음에는 이미 그 이슈에 대한 문제가 해결되었거나 임상적으로 적용하기에 진부한 내용이 되어있을 가능성이 있다. 따라서 논문을 통해 디지털에 대한 관련 지식을 확보하려는 노력은 그다지 효율적이지 않다. 많이 디자인해보고 많이 적용하는 것 이상의 방법이 없다. 아무쪼록 이 책이 독자들의 임상에 여러 가지로 도움이 되었으면 하는 마음이 간절하다.

감사의 글

끝으로 감사의 마음을 전하고 싶은 분들이 있다. 처음 구강스캐너와 캐드 프로그램을 도입하고 어찌할 바 몰라 우왕좌왕할 때 많은 도움을 주었던 케어덴트코리아의 김요한 사장님과 이찬규 씨에게 고마운 마음을 전한다. 디지털에 대한 경험이 많지 않았던 초기에 여러 디지털 강의를 할 수 있도록 배려해주시고 지속적으로 도와주셨던 메가젠 임플란트 박광범 사장님께 감사드린다. 저자의 디지털 임상은 몇 번의 위기와 도약의 시기가 있었다. 그 중 가장 중요한 사건이 트리오스 구강스캐너와 덴탈시스템을 만난 것이다. 트리오스 구강스캐너와 관련 시스템을 진료에 접목할 수 있도록 큰 도움을 주셨던 오스템 임플란트 최규옥 회장님, 엄태관 사장님께 감사드린다. 옆에서 부족한 부분들을 도와주고자 항상 애써주었던 오스템 임플란트 최병용 본부장께 감사의 마음을 전한다. 트리오스와 덴탈시스템을 도입하던 초기에 잘 활용할 수 있도록 많은 배려를 해주셨던 오스템 임플란트 디지털 PM실 유재호 실장님께도 감사드린다. 밤이고 낮이고 주말이고 할 것 없이 수시로 전화를 걸고 물어보아도 짜증 한 번 내지 않고 도움의 손길을 주었던 오스템 임플란트 박정은 씨와 이규민 씨에게 감사드린다. 새로운 장비를 병원에 들일 때마다 일이 하나 둘 씩 늘어났지만 원장을 믿고 따라주었던 병원의 소중한 동료인 백동화, 박예은, 유정미, 김유진, 장미, 구은혜, 김은지, 강남주 선생님께 고마운 마음 전하고 싶다. 책을 기획하고 집필하는 내내 큰 도움을 주었던 군자출판사 한수인 씨에게 감사드린다. 일면식도 없던 내게 책을 출판하자는 용감한 제안을 하였는데 드디어 결실을 보게 되었다. 저자의 여러 가지 요구사항을 멋진 모습으로 표현해준 군자출판사 이경은 씨와 디자이너인 박한나, 양란희 씨에게도 감사하다는 말을 전하고 싶다. 그 밖에도 이 책이 출간될 수 있도록 애써주신 군자출판사 모든 관계자 여러분께 감사드린다. 이제까지 살아오면서 위기 때마다 아들을 위해 기도해주셨던 어머니 김순희 권사님의 사랑이야말로 이제껏 나를 지탱하게 해준 가장 큰 힘이다. 장인이신 박건유 박사님께 깊이 감사드린다. 박건유 박사님의 따뜻한 격려와 후원이 지금의 이 책을 가능하게 했다. 끝으로 사랑하는 아내 박혜진과 두 아들 준영과 민영에게 고마운 마음 전하고 싶다. 가족들의 헌신 어린 도움이 있었기에 이 모든 것이 가능했다. 끝으로 이 모든 일들이 가능할 수 있게 크고 작은 도움을 주셨던 모든 분들께 감사드린다.

허인식

2021년 4월

차 례

서론

Atlas of Digital Dentistry

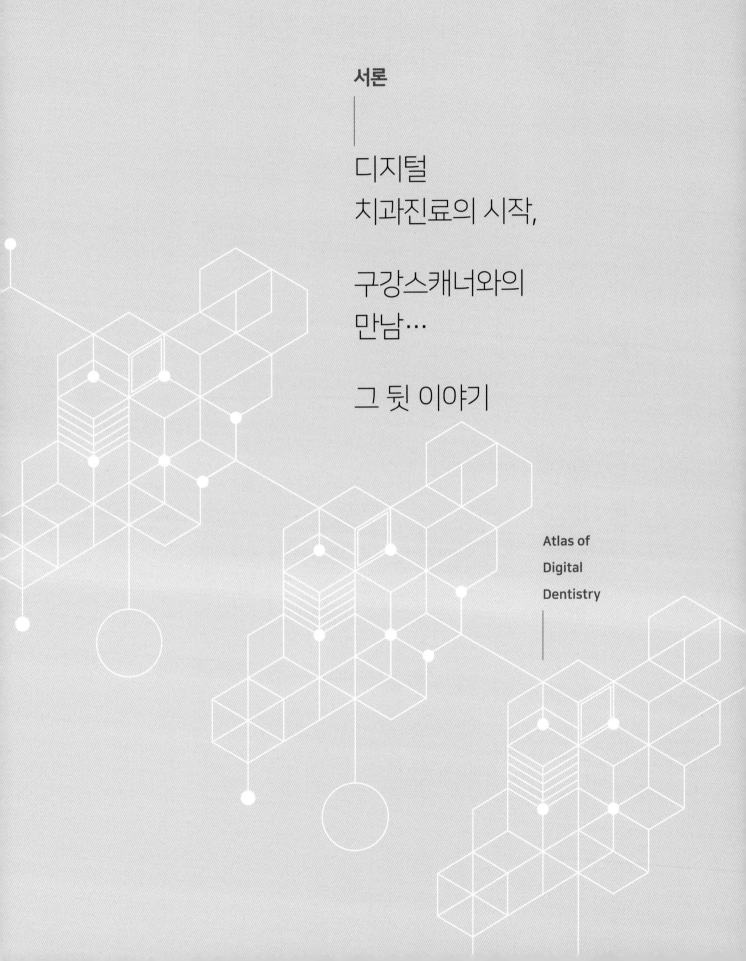

서론

디지털
치과진료의 시작,

구강스캐너와의
만남…

그 뒷 이야기

Atlas of
Digital
Dentistry

서론.

디지털 치과진료의 시작,
구강스캐너와의 만남… 그 뒷 이야기

구강스캐너와의 설레었던 첫 만남

구강스캐너를 처음 접한 것은 2011년이었다. 실리콘 인상재를 사용하지 않고 구강스캔을 통해 모델 없이 보철물을 제작한다는 것은 생각만 해도 미소가 지어지는 꿈이었다. 궁금하면 못 참는 성격 탓에 스캐너 업체에게 도움을 요청하고 데모를 해보았다(📷 1-1). 실제 환자의 자연치를 스캔하여 3D 프린터로 모델을 만들고 풀지르코니아 보철을 제작해보았다. 그리고 실리콘 인상으로 만든 석고모델상에서 지르코니아 크라운을 하나더 제작하였다. 스캔을 통해 만든 보철이 실제 구강 내에서 맞지 않을 때를 대비하고, 두 가지 술식의 비교를통해 디지털 진료가 실제 임상에서 사용 가능한지를 확인하기 위함이었다. 그러나 결과는 생각보다 좋지 못했다. 3D 프린팅된 모형에서 제작한 크라운을 석고 모형에 적합시켜보았을 때 환자에게 적합하기 어려울 만큼 치관변연이 짧았다. 이렇듯 구강스캐너에 대한 첫인상은 실망스러웠다. 지금에 와서 이런 결과를 가져온원인이 무엇이었을까 돌이켜 생각해보면, 부정확함의 원인이 스캐너의 하드웨어적인 성능 미달에만 있었다고 말할 수 없다. 술자의 치아삭제에 부정확함의 원인이 있었을 수도 있고, 기공사의 캐드 디자인에 문제가있었을 수도 있다.

📷 **1-1A 그 당시 사용했던 구강스캐너인 iTero®**
시로나사의 세렉®과 함께 비교적 초창기에 개발된 구강스캐너
이다. 현재는 투명교정 업체인 인비절라인사에서 인수하여 판
매하고 있다.

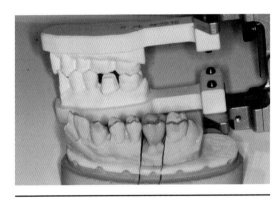

📷 **1-1B**
실리콘 인상재를 이용하여 석고모형을 제작하고 지르코니아
보철물을 제작하였으며(앞쪽 모델), 3D 프린터로 출력한 모델
상에서 지르코니아 크라운을 다시 한 번 적합해 보았다.

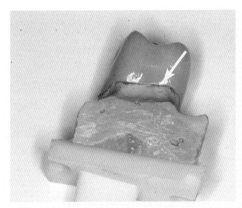

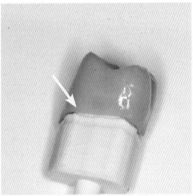

📷 **1-1C**
석고모형에서 제작
한 크라운을 3D 프
린터로 만든 모형에
적합시켜보니 치관
의 변연이 맞지 않
았다.

실리콘 인상 + 석고모델   **구강스캔 + 3D 프린팅 모델**

하여간 구강스캐너에 대한 첫인상(moment of truth, MOT)은 좋지 않았다. 아직은 시기상조.

구강스캐너와의 두 번째 조우, 반복된 상처일까 아니면 기다리던 인연일까?

이후 3년의 시간이 지나갔다. 2014년에 열린 서울시치과의사협회 종합학술대회(SIDEX2014)에서 내 눈길을 사로잡는 스캐너가 있었다. 당시 병원에서 본격적으로 사용되던 구강스캐너는 시로나의 세렉 옴니캠이 거의 유일했다. 그런데 케어스트림의 CS3500 스캐너가 도전장을 내민 것이다. 사진 필름으로 한 시대를 주름잡고 세계 최초로 디지털 카메라를 개발했던 코닥의 기술을 바탕으로 하는 케어스트림사가 구강스캐너를 출시한 것이었다. 가격도 기존 시로나 스캐너의 절반에 가까운 가격으로, 보기에도 매우 세련된 외형을 가지고 있었다. 그럼에도 불구하고 실제 구입까지는 많은 고민이 있었다. 실제 임상에서 적용할 수 있는 수준의 결과를 도출할 수 있을 것인지에 대한 확신이 없었고, 이에 대해 조언을 구할 사람도 없었다. 그나마도 '조금 더 기다리면 더 좋은 제품이 나올 것이기 때문에 구강스캐너의 도입을 미루는 것이 좋다'라는 카더라 류의 이야기가 대부분이었다. 모든 디지털 제품이 마찬가지겠지만 이런 제품은 기술 개발이 지속적으로 이루어지기 때문에 언제까지 기다려야 하는지 그 시기를 특정하기가 어렵다. 내가 원하는 수준의 결과를 얻을 수 있다면 그때가 바로 그 기술을 도입해도 되는 시기라고 생각하는 것이 맞다. 먹어보지 않은 사람이 먹어본 양 이야기하고, 가보지 않은 사람이 가본 양 이야기하고, 해보지 않은 사람들이 해본 양 이야기하는 구강스캐너에 대한 초기 평가들은 구강스캐너를 선택하는 데 전혀 도움이 되지 못하고 혼란만 야기했다. 한 분야의 전문가였던 사람은 마치 다른 분야에서도 자신의 전문적인 식견이 통할 것으로 생각하는 경향이 있지만, 디지털은 완전히 다른 패러다임으로 접근해야 하는 것임을 여러 가지 시행착오를 통해 깨닫게 되었다.

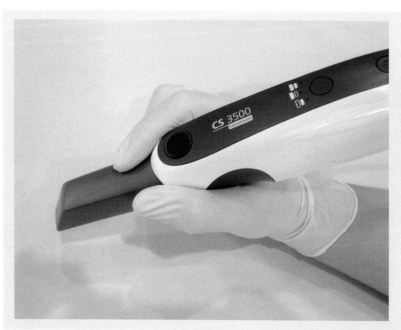

📷 1-2 2014년에 처음 도입했던 구강스캐너인 CS3500
사진을 연속적으로 촬영하여 이미지를 이어붙이는 방식으로 데이터를 만들어주는 스캐너였다. 사진의 이미지가 부정확하면 원하는 데이터를 얻기 어렵고, 시간이 상당히 오래 소요되는 단점이 있었다.

오랜 고민 끝에 CS3500 구강스캐너를 도입하다

정확한 정보도 없었고 임상적인 결과에 대한 확신도 없이 CS3500 스캐너를 구입한 것은 일종의 모험이었다. 경쟁 제품인 세렉을 구입하지 않고 CS3500을 구입한 이유는 첫째, 가격에서 너무 많은 차이가 있었고, 둘째, 세렉이 추구하는 진료 방향이 우리 병원에 매우 낯선 접근법이었기 때문이었다. 스캔 후 세라믹과 하이브리드 레진세라믹 블록을 즉시 밀링하여 당일 세팅하는 진료 프로토콜은 스캐너와 밀링기계, 소성기계를 동시에 보유하고 있어야 그 효과를 확실하게 누릴 수 있었다. 따라서 인레이와 라미네이트 같은 심미치료를 선호하는 병원에 최적화된 프로토콜이라고 할 수 있다. 인레이와 라미네이트와 같은 심미치료를 주력으로 하지 않았던 우리병원 입장에서는 조금은 다른 접근이 필요했다.

CS3500을 구입하고 가장 먼저 하고자 했던 것은 자연치아 보철과 임플란트 보철을 위한 인상채득이었다. 과연 변연 적합도는 어떨지, 교합은 잘 맞을지, 접촉점은 어느 정도 정확한지를 파악하는 게 최우선 과제였다. 그러나 그것을 확인하기 전에 이 장비를 익숙하게 다루는 데 더 큰 노력과 인내가 필요했다. CS3500 스캐너는 정지된 사진을 찍어서 중복 촬영된 부분을 이어붙이는 방식으로 데이터를 완성하는 스캐너였다. 따라서 각각의 사진을 매우 정확하게 찍어야만 했다. 그러므로 사진(📷 1-3 참고)에서 보는 것처럼 스캐너의 팁을 매우 정확한 각도로 위치시키지 않으면 촬영이 어려웠다. 특히 스캔해야 할 치아가 길거나 피사체 간격이 매우 좁은 경우에는 심도가 맞지 않아 촬영에 실패하는 경우가 다반사였다. 스캔하는 데 시간이 너무 오래 소요되었고 환자와 원장, 직원의 수고가 이만저만이 아니었다. 촬영 도중 치은열구액이나 타액이 올라오거나 출혈이 되는 경우에는 촬영을 여러 번 다시 해야 했다. 따라서 스캐너 팁의 위치와 이로 인한 촬영 결과를 사전에 숙지하고 있지 않는 한 촬영하기 무척 어려웠다. 오죽하면 환자가 "선생님 너무 힘들어요! 예전에 본뜨던 방식으로 하면 안 돼요?"라는 하소연까지 필자에게 했을까. 그 당시 스캐너의 사용에는 의사와 환자 모두에게 큰 인내가 필요했다. 편하고 쉽고, 보다 정확한 보철 결과를 얻기 위해서 엄청난 비용으로 디지털 진료방식을 도입한 것인데 결과는 예상과 다르니 참으로 난감할 수밖에 없었다. 대부분의 환자가 이런 반응을 보인다면 이 방식을 계속 밀어붙이는 것에도 한계가 있다. 직원들도 이 진료 방식에 확신을 못하고 볼멘소리를 하게 된다. 또 한 번 고민에 빠질 수밖에 없었다. 수년 전 시도할 때는 장비를 빌린 상황이었지만 이때는 많은 자본을 투입해 장비를 구입한 상황이었다. 그렇기에 후회하기에는 이미 늦었다.

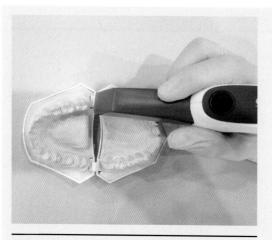

📷 **1-3A CS3500 스캐너로 교합면을 촬영할 때 스캐너 팁의 위치**

교합면 촬영은 가장 먼저 촬영하는 위치이다. 촬영각도가 단순하고 촬영면적도 넓기 때문에 모든 스캔 촬영의 시작이자 정합의 기준이 된다.

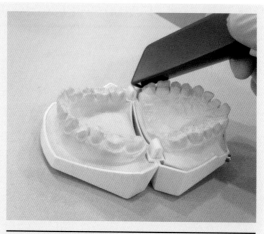

📷 **1-3B**

교합면 일부를 중첩하여 피사체의 원심을 촬영한다. 각각의 치아마다 이 위치에 스캐너 팁을 위치시키고 원심을 촬영했다. 그러나 대구치 후방으로 갈수록 환자의 개구량이 충분하지 못한 경우가 많았고, 관골이 인접하여 스캐너를 이와 같은 각도로 위치시키기 매우 힘들었다.

📷 **1-3C**

교합면을 일부 중첩하여 피사체의 협면 중 상부를 촬영할 때 사용하는 각도이다. 구강스캐너는 기존에 촬영된 이미지 일부를 중첩하여 다음 촬영을 이어가기 때문에 겹치는 부분이 없으면 촬영을 이어가지 못한다. 특히 전치부 촬영 시 주의해야 한다.

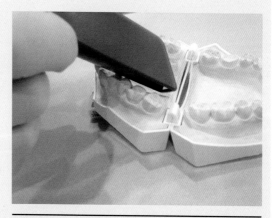

📷 **1-3D**

설측의 근심면을 촬영할 때 사용하는 스캔 팁의 각도이다. 보통 원심면이나 근심면의 촬영은 가장 마지막에 이루어진다. 교합면을 가장 먼저 촬영하고, 이를 기준으로 스캔팁을 협측과 설측으로 30도가량 기울여서 협측과 설측의 상부 1/3가량을 촬영한다. 그리고 협면과 설면을 정면에 위치한 채로 촬영한 후 마지막에 근심과 원심면을 촬영하게 된다.

현재 출시되는 거의 모든 스캐너는 이와 같은 임상적 어려움 때문에 동영상 스트리밍 방식으로 스캔을 진행한다. 실제 동영상으로 촬영하는 방식일 수도 있고, 고속으로 촬영한 사진을 이어붙이는 방식일 수도 있지만 술자가 경험하는 것은 동영상 촬영이다.

6개월 후 CS3500 구강스캐너를 이용한 자연치 보철을 포기하다

6개월 정도 정말 열심히 CS3500 구강스캐너를 사용했다. 환자와 직원의 불평을 뒤로하고 최신 진료시스템을 사용하고 있다는 자부심으로 버틴 시간이었다. 그러나 더 이상 이 방법을 지속하는 것이 어렵다는 판단을 하게 되었다. 스캔해서 작업한 보철물의 결과가 기대했던 것과는 달랐기 때문이다. 예측 가능하지 않은 진료를 지속하는 것은 어렵다는 판단이 들었다.

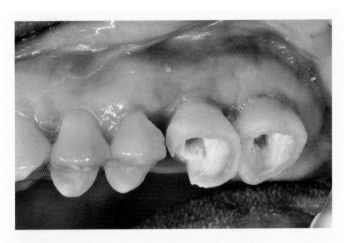

📷 **1-4A**
크랙이 존재했고 치은연하 치아파절이 심하게 존재한 상악 좌측 제1,2대구치를 근관치료하였다. 파절선을 노출하고 적절한 치아길이를 확보하기 위해 치조골 삭제를 포함하는 치관 길이연장술(clinical crown lengthening)을 시행하였다.

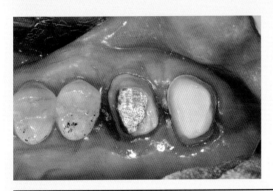 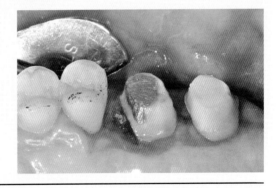

📷 **1-4B**
구강스캐너는 치은연하변연을 읽지 못하기 때문에 무조건 치은연상으로 치아삭제를 해야 한다는 것이 그 당시 디지털 진료를 하는 사람들의 보편적인 콘센서스였다. 따라서 그런 프로토콜에 따라 치은연상으로 치관변연을 형성하였다. 치아파절이 심했던 제1대구치에는 금속으로 주조한 포스트와 코어를 제작하여 접착하였다.

현재 이러한 치은연상변연 프로토콜은 더 이상 유효하지 않다. 스캐너의 성능과 관련 캐드 프로그램의 성능이 일취월장하여 눈에 보이기만 하면 다 스캔할 수 있다. 그리고 이런 주조 방식의 포스트도 사용하지 않는다. 근관내에 삽입하는 포스트는 가급적 사용하지 않고 있다. 크랙이 있거나 파절된 치아에 포스트를 이용하는 것이 오히려 장기적 예후에 나쁜 영향을 줄 수 있다고 생각한다. 레진 형태의 코어를 사용하는 것이 오히려 교합력으로부터 치아를 보호하는 방법이라고 생각한다.

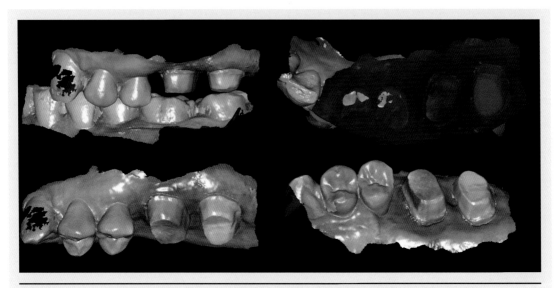

📷 1-5
CS3500 스캐너로 지대치와 대합치, 교합을 채득한 후 렌더링이 끝난 다음의 이미지이다. 치은연상으로 형성된 삭제변연을 확실하게 볼 수 있다.

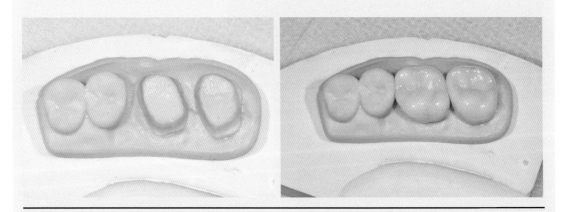

📷 1-6
함께 작업하던 기공소에서 반드시 모델이 필요하다고 주장하여 3D 프린터로 모델을 제작하여 전달하였다. 구강스캐너를 이용하면 모델이 필요 없기 때문에 관련 비용이 줄어들 수 있을 것으로 생각하였으나 오히려 더 큰 비용이 발생하였다. 기공소에서 모형을 요구했던 것은 아마도 디지털 보철기공에 대한 확신이 부족했기 때문이었을 것이다. 좋고 나쁨, 옳고 그름을 떠나 보철 제작 후 보철물이 환자의 구강내에서 맞지 않으면 그 몫은 고스란히 기공소의 재제작으로 귀결되곤 한다. 그러므로 기공소 입장에서는 그런 문제를 최소화하기 위한 안전판으로 3D 프린팅 모델을 요구했던 것으로 생각한다.

현재 필자는 거의 모든 증례를 모델 없이(model-less) 직접 제작하고 있다. 캐드상에서 디자인한 보철물의 교합과 접촉점 재현은 매우 정확하기 때문에 모델이 따로 필요 없다. 모델이 필요한 경우는 전악 보철 증례와 같이 교합관계를 구강 내에서 직접 채득하기 어려운 경우에 한정된다.

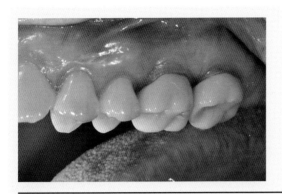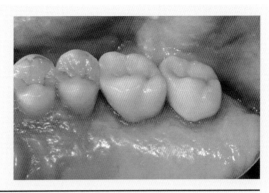

📷 1-7

치은연상으로 보철물 변연을 설정하여 스캔하였고, 기공소에서 요구하는 대로 3D 프린팅된 모델을 제공하였음에도 불구하고 실제 구강내에서 보철물 변연이 정확하지 않았다. 문제는 상당히 많은 증례에서 이런 결과들이 반복되었다는 것이다. 어떤 경우에는 변연이 잘 맞았지만, 상당히 높은 빈도로 변연이 짧고 변연이 뜨는 보철물을 받게 되었다. 그 이유를 정확히 알 수 없는 상황에서 디지털 술식을 계속 진행해야 하는지에 대한 고민을 할 수밖에 없었다. 따라서 구강스캔을 이용하여 자연치 보철수복을 하는 것은 아직은 시기상조라는 결론에 도달하였다.

CS3500 스캐너의 마지막 희망이었던 임플란트 보철… 그러나…

구강스캐너를 이용한 임플란트 보철은 자연치 보철과는 다른 문제 때문에 어려움을 겪었다. 임플란트는 자연치아와는 다르게 보철물의 변연을 그리지 않아도 된다. 보철물의 변연이 지대주를 통해 기계적으로 사전에 결정되어 있거나 술자가 맞춤형 개별지대주(customized abutment) 디자인을 통해 새롭게 만들어주기 때문이다. 그러나 구강스캐너를 사용하던 초기에 맞닥뜨렸던 문제는 크게 두 가지였다. 첫 번째는 보철물의 제작 유형에 대한 문제였고, 두 번째는 스캔바디가 스캔이 잘 되지 않는다는 것이었다. 당시 디지털 스캔파일을 전송받아서 기공물을 제작해 주는 기공소는 손에 꼽을 정도였다. 인상체와 석고모델 없이 보철물을 제작한다는 것을 치과의사뿐 아니라 기공사들도 매우 회의적인 시각으로 바라봤던 시절이었다. 선택의 여지 없이 디지털 기공을 해준다고 하는 기공소 중 한 곳을 택해 스캔파일을 전송하였다. 앞서 자연치 보철에서는 보철물 변연의 일관성 있는 결과 도출에 실패하여 스캔을 통한 보철물 제작을 포기한 터였다. 그런데 기공물을 의뢰했던 기공소에서 임플란트 보철을 한 가지 종류로 권하는 것이었다. 내가 원했던 것은 기성지대주를 편하게 사용할 수 있어야 하고, 필요한 경우에는 맞춤형 개별지대주를 사용할 수 있는 프로토콜이었다. 그러나 기공소에서 강력하게 권유한 프로토콜은 링크와 지르코니아 지대주, 지르코니아 크라운 3가지로 구성된 보철이었다. 당시 기공 과정에 지식이 없었던 터라 별다른 이의를 제기하지도 못한 채 기공을 진행하였고, 이 기공소와의 불편한 협업관계는 얼마 못 가서 끝나게 되었다.

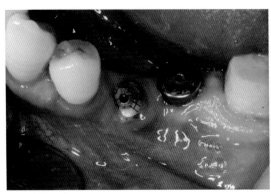
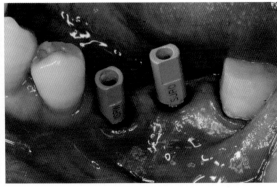

📷 1-8
임플란트(SS3, Osstem Co.)를 식립하고 3개월 정도 지난 다음 보철을 위해 스캔바디를 체결하였다. 이후에도 여러 번 언급하겠지만 이런 원통형 스캔바디는 모델스캐너에서 사용하기 위해 고안된 것으로 구강스캔용으로는 적합하지 않다. 스캔바디가 서로 인접해 있는 경우에는 스캔이 가능할지 모르나 브릿지처럼 스캔바디 사이의 거리가 많이 떨어져 있거나 임플란트 식립체가 많아지면 스캔이 힘든 경우가 많았다.

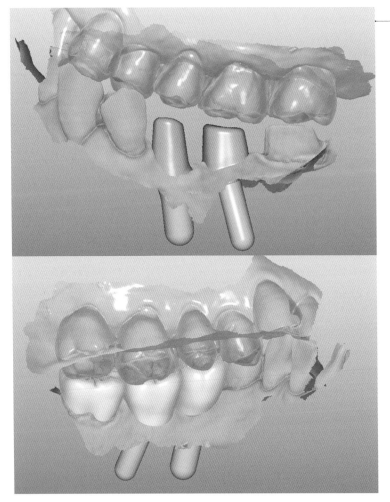

📷 1-9
스캔자료를 바탕으로 링크와 지르코니아 지대주, 지르코니아 크라운으로 보철을 디자인하였다.

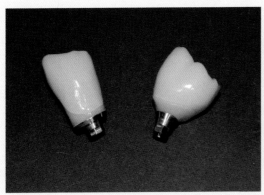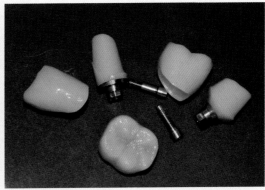

📷 **1-10**

기성품으로 시판되는 링크지대주와 이에 맞는 지르코니아 코핑, 지르코니아 크라운 3가지 부분으로 보철물이 제작되었다. 현재도 보편적으로 많이 사용하는 심미적인 임플란트 보철방법 중 하나이다. 지르코니아 보철을 할 때 금속지대주 색상으로 인해 야기되는 보철물의 비심미적인 결과를 근본적으로 차단할 수 있다. 그러나 기공료가 일반적인 임플란트 보철기공에 비해 많게는 3배 가까이 비싸고, 링크와 지르코니아 코핑 접착계면이 골면과 매우 근접해 있음으로 인해서 오는 생물학적인 문제를 고려하지 않을 수 없었다.

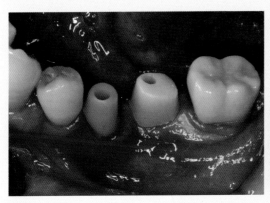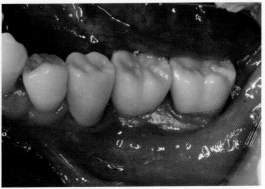

📷 **1-11**

링크와 지르코니아 코핑을 구강내에 연결하였고 지르코니아 크라운을 최종적으로 접착하였다. 전치부에서는 이러한 프로토콜이 여전히 중요하지만 과연 구치부에 이런 프로토콜을 이용하는 것이 어떤 장점이 있는지에 대해서는 아직도 회의적이다.

디지털 임플란트 보철기공, 또 다른 길을 모색하다

구강스캐너를 구입하면서 맺었던 새로운 기공소와의 인연은 오래가지 못했다. 왜 임플란트 보철은 링크를 이용해야만 하는가에 대한 납득할 만한 해답을 얻지 못했기 때문이다. 또 다른 기공소와도 작업을 해보았지만 만족할 만한 결과를 얻지 못했다. 마지막으로 원래 거래하던 기공소 소장님을 설득하여 스캔자료를 이용해 보철기공을 할 수 있도록 독려하는 수밖에 없었다. 그래서 몇 가지 방법으로 디지털 파일을 이용한 임플란트 기공을 시도해 보았다.

첫 번째, 치과에서 실리콘 인상재로 인상을 채득하여 맞춤형 개별지대주(customized abutment)를 제작하였다. 그리고 개별지대주를 구강내에 연결한 다음 실리콘 인상재로 최종인상과 바이트를 채득하였다. 이 방법은 지대주의 변연부 인상을 정확하게 인기하기 위해 코드를 넣거나 치은절제를 하는 등의 번잡스러운 절차를 피할 수 있기 때문에 인상채득에 소요되는 시간이 매우 적게 들었다. 그러나 실리콘 인상으로 인한 환자와 술자의 불편함을 어쩔 수 없이 감내해야 했다. 물론 치과의사는 아날로그적인 술식만을 이용한 것이었고 디지털적인 적용은 기공소에서 활용하였다.

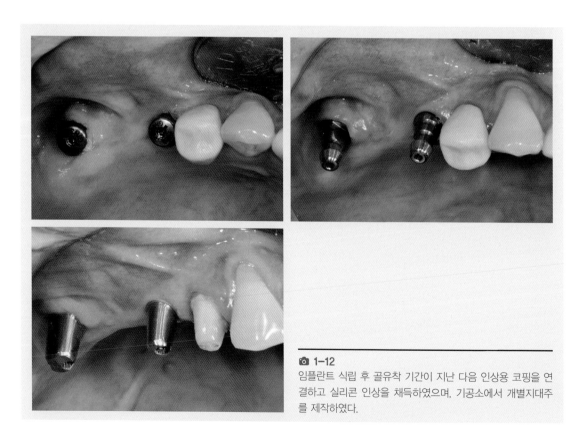

📷 1-12
임플란트 식립 후 골유착 기간이 지난 다음 인상용 코핑을 연결하고 실리콘 인상을 채득하였으며, 기공소에서 개별지대주를 제작하였다.

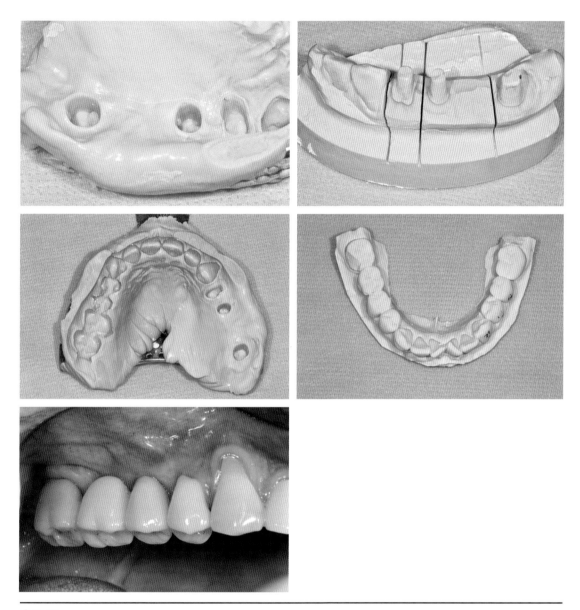

📷 1-13

구강 내에서 개별지대주를 연결한 다음 최종보철을 위해 다시 한 번 실리콘 인상을 채득하였다. 적절한 전악 모형으로 교합을 재현한 모형을 만들었고, 정확한 지대주 변연의 재현을 위해 부분악으로 2차 모형을 만들어 개별 다이(die)를 제작하였다. 이후 캐드상에서 지대주 정합 과정을 거쳐 변연이 정확히 표현된 전악 모형을 얻게 된다.

아날로그 인상에서는 변연이 확실히 노출되어 있어야 인상을 채득할 수 있는데, 이를 위해 치은절제술 같은 방법이 동원되기도 했다. 치은연하 깊숙이 변연이 위치해 있으면 출혈 등의 이유로 인상 실패가 발생하는 경우도 잦았다. 그러나 데이터 정합 과정(data merging)을 이용하면 변연을 노출시킨 모형을 기존 모형의 동일한 위치에 복제할 수 있어 이런 문제를 매우 쉽게 피해갈 수 있다. 교합관계를 확실하게 얻었다는 확신이 있다면 한 번의 픽업인상으로 개별지대주와 최종보철까지 동시에 마무리할 수 있지만, 시행착오를 줄이기 위해

두 번에 걸쳐서 나누어 진행하였다. 개별지대주 제작 시 포지션 에러도 상당 부분 존재하기 때문에 2회로 나누어 진행한 면도 있다. 매우 초기에 사용한 방법으로 현재는 하지 않는다.

두 번째, 시도한 것은 실리콘 인상을 통해 개별지대주를 만들고 이를 구강내에 장작한 다음 구강스캔을 하여 최종보철을 제작하는 방법이었다.

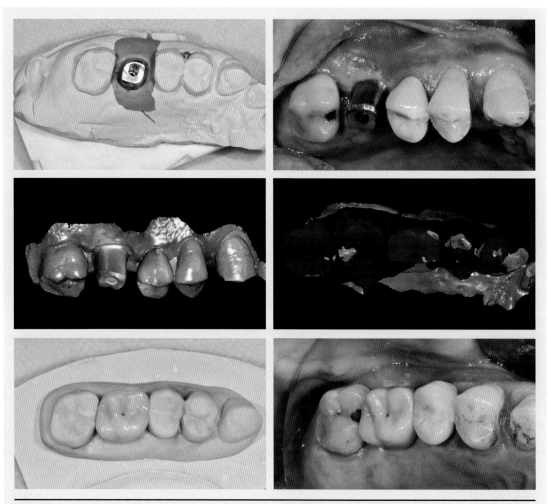

📷 1-14

아날로그 인상으로 개별지대주를 만들고 구강내에 연결한 상태에서 CS3500 구강스캐너로 스캔하였다. 기공소에서 이 파일을 바탕으로 3D 프린팅 모델과 최종보철을 제작하였다. 앞서 소개한 방법과 마찬가지로 지대주와 인접치아가 모두 나온 스캔파일을 촬영하고, 지대주를 별도로 스캔한다. 그리고 두 파일을 정합하여 변연이 정확하게 나온 통합파일을 만들어야 한다. 구강스캔으로 보철물을 제작할 때 가장 큰 문제가 발생하는 부분은 교합이다. 따라서 인접치아의 교합점이 잘 찍혀 있는지를 렌더링하기 전에 확인해야 한다. 이것은 지금 시점에도 매우 중요하게 확인해야 하는 중요한 과정이다. 두 번째 방법도 현재는 사용하지 않는 과거의 방법이 되었다.

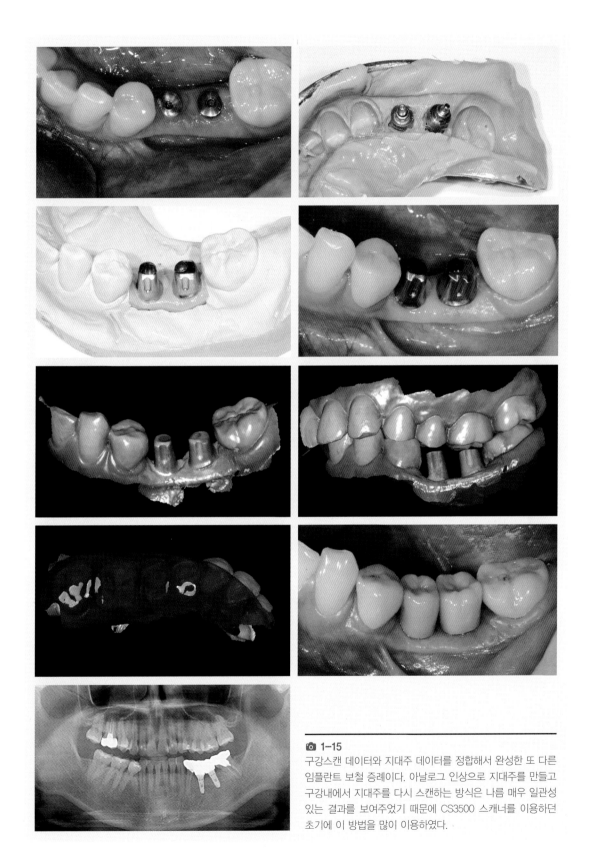

📷 1-15

구강스캔 데이터와 지대주 데이터를 정합해서 완성한 또 다른
임플란트 보철 증례이다. 아날로그 인상으로 지대주를 만들고
구강내에서 지대주를 다시 스캔하는 방식은 나름 매우 일관성
있는 결과를 보여주었기 때문에 CS3500 스캐너를 이용하던
초기에 이 방법을 많이 이용하였다.

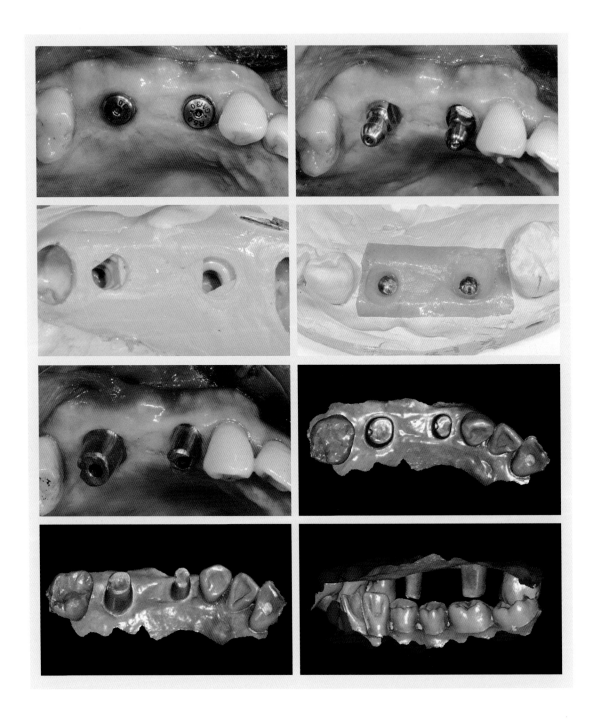

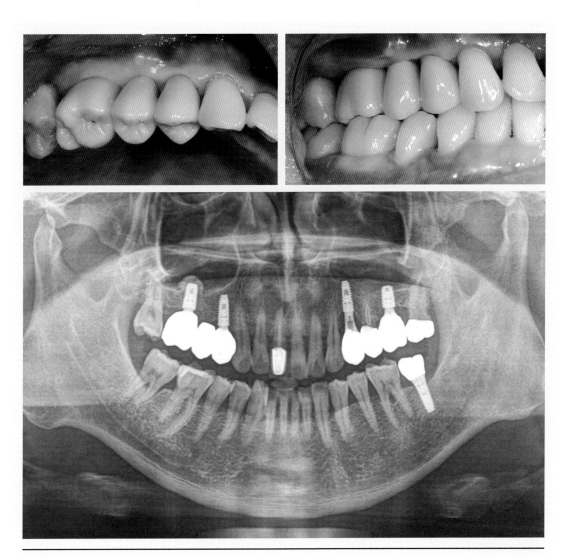

📷 1-16

구강스캔 데이터와 지대주 데이터를 정합해서 완성한 또 다른 임플란트 브릿지 증례이다. 아날로그 인상과 디지털 스캔을 정합하는 방식은 기존의 순수 아날로그 인상 방법에 비해 몇 가지 장점이 있었다. 지대주를 연결하고 직접법(direct impression)으로 인상을 채득할 때보다 정확한 마진 인기를 위해 애쓸 필요가 없으므로 인상채득에 소요되는 시간이 매우 단축되었고, 인상실패가 거의 없어졌다. 그리고 파노라마 상에서 보여지는 보철물과 지대주 사이의 적합도가 기존 방법에 비해 무척 정확했다.

비록 스캔바디를 이용해서 최종보철까지 만들 수 있는 수준까지는 아니었으나 아날로그와 디지털 기법을 병용하여 맞춤형 개별지대주를 이용한 임플란트 보철을 할 수 있게 되자 이번에는 기성지대주를 사용해서 동일한 정합 프로토콜을 평가해 보았다.

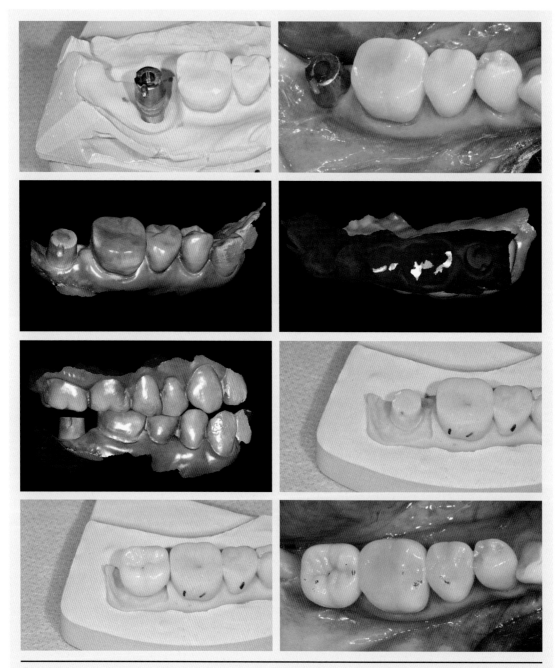

📷 1-17

아날로그 인상을 통해 모델을 만들고 기성지대주를 원하는 형태로 밀링하였다. 밀링한 지대주를 구강내에 연결한 다음. 작업
측 스캔과 대합치 스캔. 교합을 차례대로 스캔하였다. 비록 디지털로 스캔하고 캐드 프로그램에서 보철 디자인을 완성하였지만
기공소에서는 별도의 3D 프린팅 모델을 요구하였다. 스캔을 통한 디지털 기공에 확신이 없었던 시기였기 때문으로 생각한다.
현재는 보철물 적합을 위한 3D 프린팅 모델 출력은 불필요한 과정이 되었다. 모델 없이 기공 전 과정을 할 수 있을 정도로 데
이터의 품질이 매우 좋아졌기 때문이다.

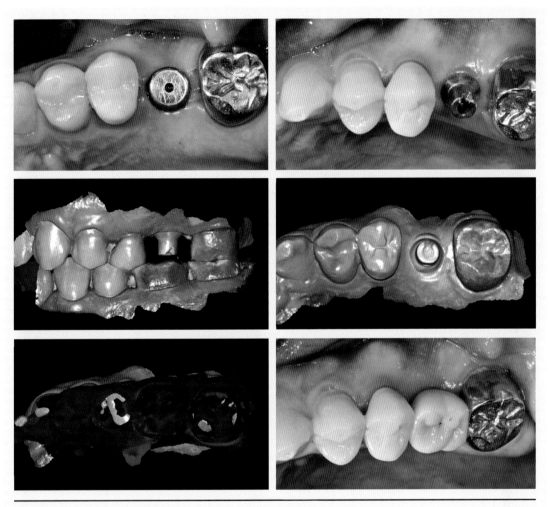

📷 1-18

기성지대주를 구강내에 연결하고 대합치와의 거리를 확보하기 위한 밀링을 해야 하는 경우에는 삭제한 지대주를 스캔한 후 데이터와 함께 기성지대주를 기공소에 보냈다. 그러면 기공소에서 지대주에 대한 별도 스캔을 진행한 후 이 데이터를 구강스캔 데이터와 정합하여 보철물을 제작하였다.

기성지대주가 맞춤형 지대주에 비해 갖는 장점은 크게 두 가지다. 첫째는 가성비가 좋다는 것이고, 둘째는 임플란트와 지대주 모두 동일한 회사에서 생산한 정품이기 때문에 부품 간의 적합도가 좋다는 것이다. 그러나 현재 CNC 밀링으로 가공되는 맞춤형 개별지대주의 가격이 매우 저렴해졌고, 부품 간 적합도 역시 상당한 수준을 보여주고 있다. 한편, 기성지대주는 상대적으로 크기가 작아서 정합에 이용할 수 있는 면적이 적다는 단점도 있다. 물론 임플란트 회사에서 지대주 관련 라이브러리를 제공하고 있다면 이런 문제는 쉽게 극복되지만 이런 술식을 적용하는 초기에는 라이브러리를 이용할 수 없었기 때문에 하나하나 밀링하고 이를 다시 스캔해야 하는 번거로움이 있었다.

디지털 기법을 이용하여 임플란트 보철을 제작할 때 **세 번째로** 시도한 것은 스캔바디를 구강내에 연결하여 스캔한 다음 이 데이터를 바탕으로 기공소에서 지대주를 제작하고, 이 지대주를 구강내에 연결한 후 두 번째 스캔을 시행하는 방법이었다. 이 방법을 사용하면 치과의사는 아날로그적인 술식을 사용하지 않고 두 번에 걸친 스캔으로 보철을 완성할 수 있게 된다. 그렇다면 당연히 다음과 같은 질문을 하게 된다. "왜 한 번의 스캔으로 지대주와 보철물을 동시에 제작하지 않나요?" 현재 시점에서는 당연히 한 번의 스캔으로 모델 없이 지대주와 보철의 동시제작이 가능하다. 예측 가능한 결과를 매우 정확하게 얻을 수 있다. 그러나 수년 전까지만 해도 스캔바디 디자인의 문제, 스캐너의 부족한 성능, 치과의사와 기공소의 소통 문제 등으로 중간에 오류가 발생하는 일이 빈번하였다. 따라서 이와 같이 몇 번에 나누어 작업을 하였고, 지대주와 보철 스캔을 별도로 하는 것을 선호하였다.

이러한 원통형 스캔바디는 모델 스캐너에서는 문제없이 스캔되지만 구강 내에서는 스캔오류가 발생하는 경우가 많았다. 임플란트 숫자가 2개 이상 넘어가면 스캔이 잘 되지 않아 '정밀 스캐너를 왜 샀나'라고 생각할 정도였다. 그 당시 CS3500 스캐너가 정지 사진을 찍어서 이어 붙이는 방식이었기 때문에 스캔 자체도 매우 힘들었는데, 스캔바디 디자인도 좋지 않으니 스캔이 얼마나 어려웠을지 상상이 가능할 것이다. 아날로그 방식으로 인상을 채득하는 것보다 시간도 훨씬 오래 소요되고 술자와 환자 모두에게 정말 힘든 과정이었다. 오로지 새로운 것을 시도하고 있고, 이 방식이 곧 미래라는 확신과 자부심으로 버텼던 시간이었다.

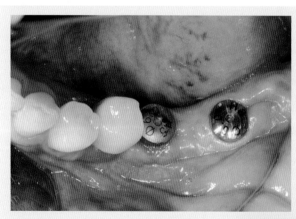

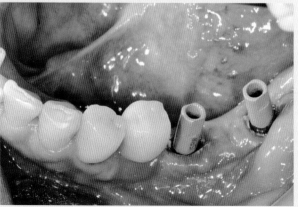

임플란트(SSII, Osstem Co.) 식립 3개월 후 보철 과정을 진행하였다. 스캔바디를 연결하고 스캔을 시행하였다.

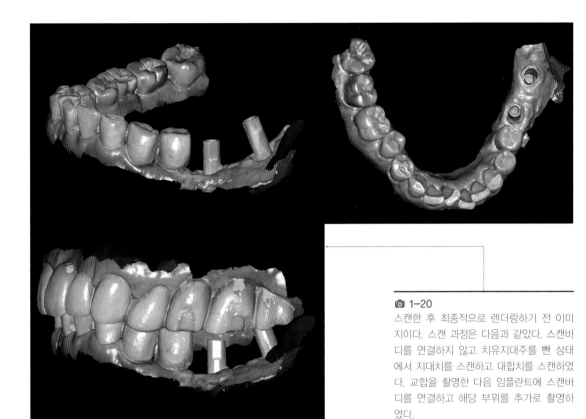

📷 1-20

스캔한 후 최종적으로 렌더링하기 전 이미지이다. 스캔 과정은 다음과 같았다. 스캔바디를 연결하지 않고 치유지대주를 뺀 상태에서 지대치를 스캔하고 대합치를 스캔하였다. 교합을 촬영한 다음 임플란트에 스캔바디를 연결하고 해당 부위를 추가로 촬영하였다.

📷 1-21

스캔을 이용하여 자연치와 임플란트 보철을 할 때 교합에서 가장 많은 오류가 발생하였다. CS3500 스캐너로 전악 스캔 후 교합을 촬영하면 그림과 같이 교합평면이 한쪽으로 기우는 현상이 발생하였다. 따라서 지대치나 임플란트 숫자가 많거나 양측성으로 보철을 해야 하는 증례에서는 스캐너를 사용하기 어려웠다. 최종보철의 교합이 심하게 낮거나 심하게 높아져서 임상적으로 조정하기 어려운 수준으로 오차가 발생하였기 때문이다. 따라서 당시에는 기껏해야 편악 브릿지 정도에서 디지털 보철 제작을 만족해야했다.

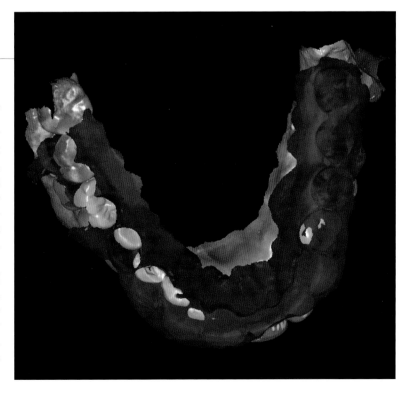

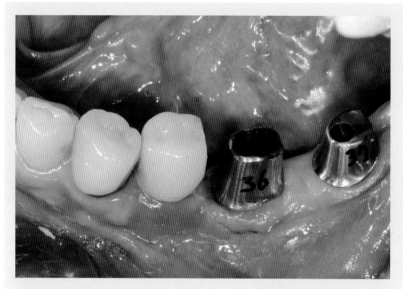

📷 1-22
스캔파일을 이용하여 기공소에서 맞춤형 개별지대주를 만들었다. 지대주를 구강내에 연결한 후 최종보철을 위한 스캔을 다시 시행하였다. 지금은 스캐너가 금속 표면도 잘 인식하지만 그 당시에는 금속면에 대한 스캔을 위해 파우더를 뿌려준 다음 스캔하였다. 전악 스캔 시 교합평면이 한쪽으로 기울어지는(tilting) 문제 때문에도 스캔을 두 단계로 나누어 진행할 필요가 있었다.

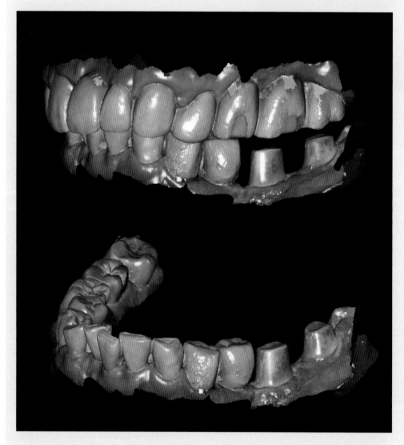

📷 1-23
스캔과 교합채득이 완성되면 술자는 반드시 대합치와의 거리와 교합점이 실제 구강내와 비슷한지를 거듭 확인해야 한다. 이런 원칙은 지금도 동일하다. 이 부분을 대충 넘어가면 보철물을 교합조정할 때 호된 대가를 치러야 한다.

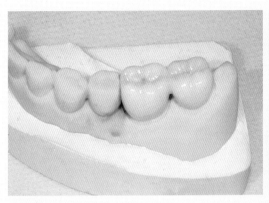
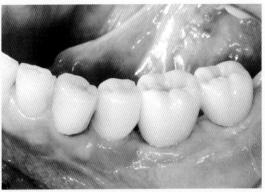

📷 **1-24**

최종보철을 완성하였고, 3D 프린팅 모델에 보철을 적합시켜보았다. 접촉점과 교합관계를 보다 정확하게 재현하고자 하는 기공소의 요구 때문에 3D 프린팅한 모델을 사용하였지만, 현재는 모델 없이 작업해도 전혀 문제가 없을 정도로 정밀한 보철 제작이 가능해졌다.

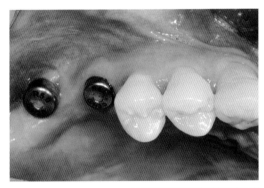

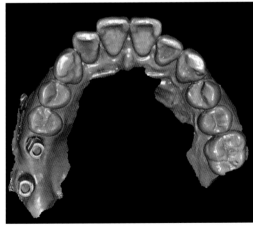
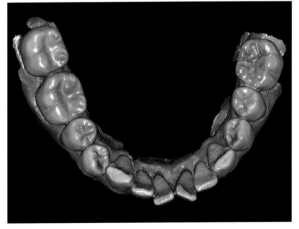

📷 **1-25**

상악 우측 제1, 2대구치 임플란트 보철을 위해 📷 **1-24** 증례와 동일한 스캔바디를 연결하고 전악 스캔을 채득하였다. 스캔을 두 번해서 보철을 진행하는 경우, 맞춤형 개별지대주 제작을 위한 스캔 시 교합채득의 정확성은 크게 중요하지 않다. 왜냐하면 대합치와거리를 충분히 띄어놓으면 되기 때문이다. 그러나 최종보철을 위한 교합채득 시에는 매우 정확하게 교합이 채득되어야 한다.

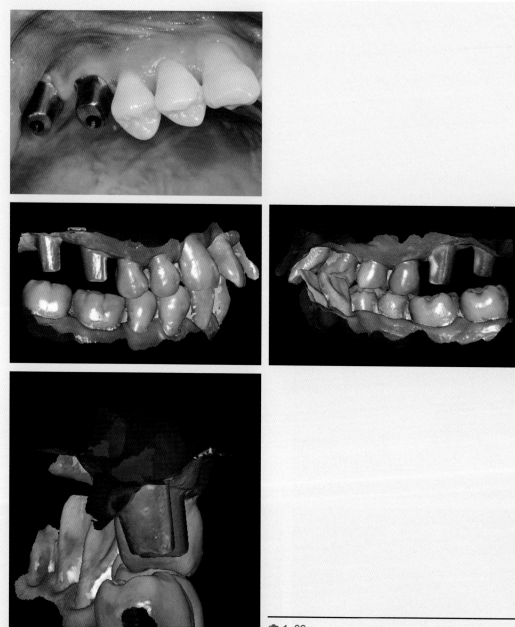

📷 1-26

맞춤형 지대주를 구강내에 연결한 다음 파우더를 뿌리고 최종 보철을 위한 스캔을 하였다. 지대주 파일과의 최종 정합 후 보철 디자인이 완성되었다. 전악 교합스캔을 하면 교합평면이 기울어지는 문제가 발생했기 때문에 부분 악으로 스캔하였다. 이 당시에는 교합 문제 때문에 스캔 데이터를 이용한 전악 증례는 시도하기 어려웠다. 현재는 물론 이런 문제가 거의 극복되었다.

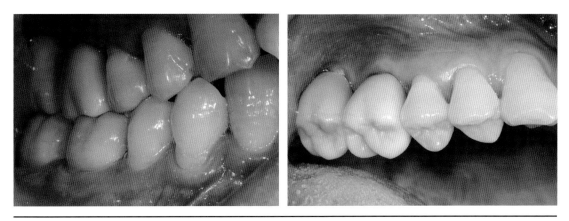

📷 1-27

파일을 이용해서 제작한 보철물의 마진 적합도가 매우 우수함을 볼 수 있다.

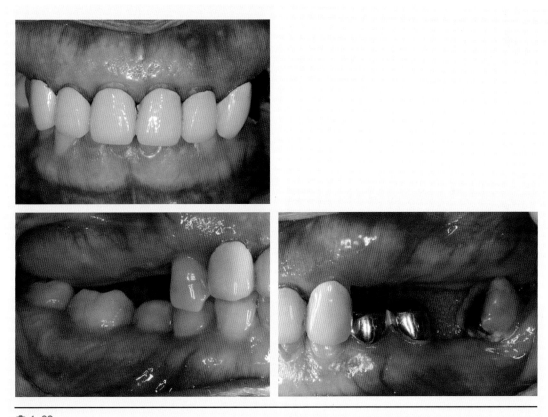

📷 1-28

상악 구치를 발치한 지 오래되어서 구치부 교합관계가 붕괴되어 있다. 환자의 경제적인 문제로 인해 좌측의 교합기능만 우선 재건하기로 하였다.

이런 증례에서 '붕괴된 교합을 회복시켜주기 위해 교합을 거상할 것인가 아니면 현재의 교합고경을 유지할 것인가'라는 문제에 봉착하게 된다. 전치를 포함하여 새로운 교합고경을 만들어주는 것이 가장 이상적인 치료계획일 것이다. 그러나 상악 우측 제1소구치를 기준으로 보면 교합거상을 하지 않아도 현재의 교합고경을 유지하는 것만으로도 치료가 가능해 보인다. 환자의 재정적 여력과 기타 여러 가지 문제들을 종합적으로 고려하여 현재의 교합고경을 유지하기로 하였다. 그렇다면 보철을 하기 위해 부족한 수직고경은 어떻게 확보할 것인가?

📷 1-29

부족한 교합고경은 상하악 치조제를 삭제하고 하악 좌측 제1, 2소구치에 치관길이 연장술을 시행함으로써 해결하고자 하였다.

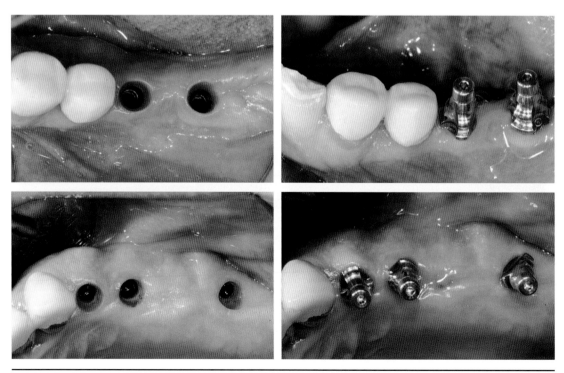

📷 1-30

임플란트(AnyOne, 메가젠 Co.)를 식립하고 3개월 정도가 경과했을 때 맞춤형 지대주를 제작하기 위해 아날로그 인상을 채득하였다. 구강스캐너가 있음에도 사용하지 않은 이유는 임플란트 숫자가 너무 많아 경험상 스캔이 어려울 것으로 예상했기 때문이다. 또한 구치부 양쪽 교합이 없는 상태라 교합채득의 정확성을 예견하기 어려웠다.

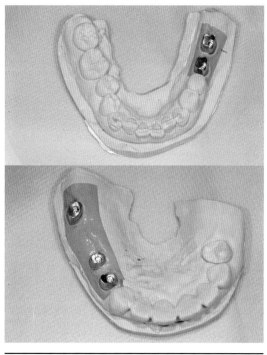

📷 1-31
아날로그 인상채득을 통해 맞춤형 개별지대주를 기공소에서 제작하였다.

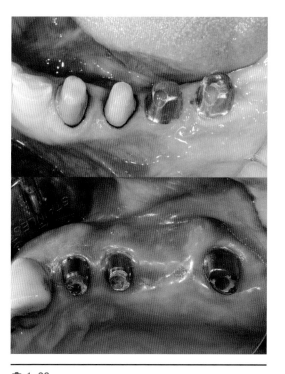

📷 1-32
지대주를 구강내에 연결한 다음 최종보철을 위해 구강스캔을 하였다.

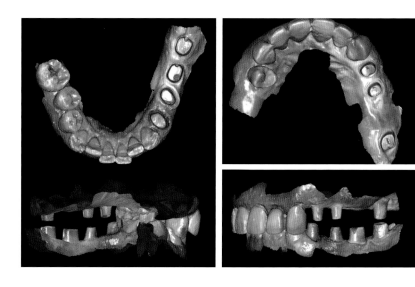

📷 1-33
최종 스캔 후 렌더링 모습이다. 교합 촬영된 모습을 보면 대합치 간의 거리가 충분하지 않다.

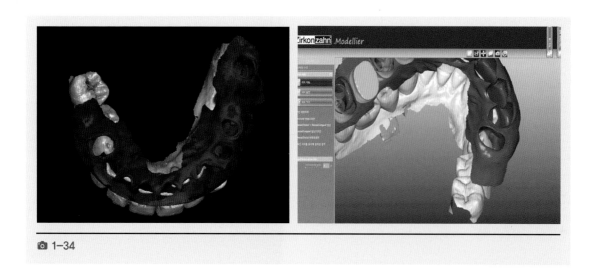

📷 1-34

스캔파일을 기공소에 보냈으나 보철물 제작이 어렵다는 피드백이 왔다. 스캔 자료상에 교합평면의 기울어짐 (tilting)이 심하여 정확하게 교합을 재건하는 것이 어렵다는 것이었다.

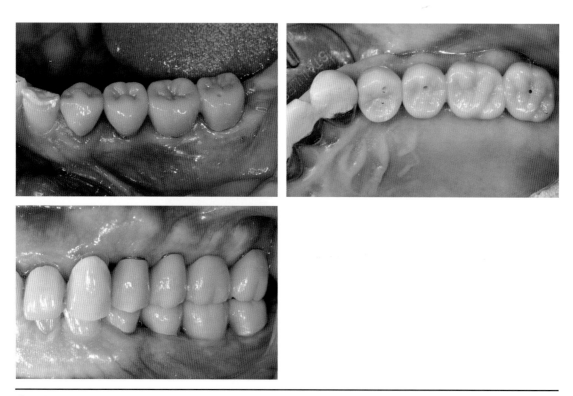

📷 1-35

따라서 디지털 작업을 포기하고 맞춤형 지대주상에서 실리콘 인상과 바이트를 채득하였고, 지대주와 치아를 별도로 정합하여 최종보철을 완성하였다.

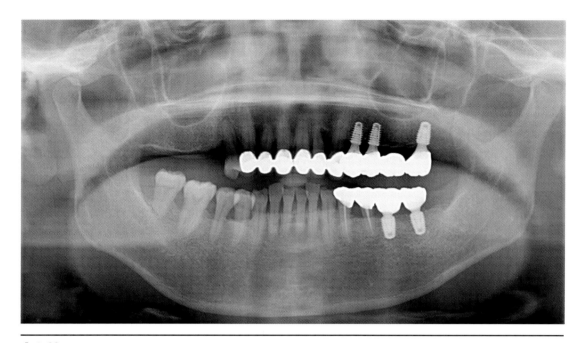

📷 1-36
최종보철 치료가 종결된 후 촬영한 파노라마 사진을 보면 지대주와 보철물의 변연적합도가 매우 뛰어남을 볼 수 있다.

기존의 아날로그 인상에서는 지대주의 변연을 정확하게 채득하는 것이 쉽지 않았다. 코드를 넣고 인상을 채득한다고 해도 변연의 치은연하 위치가 일정하지 않고 타액이나 출혈 등의 이유로 변연 채득을 방해하는 요소들이 많았기 때문이다. 그러나 디지털 정합기술을 이용하면 타액, 출혈, 치은연하 위치 등으로부터 완전히 자유로울 수 있기 때문에 술자와 환자 모두 편안하게 진료를 하거나 받을 수 있다. 그리고 기존의 아날로그 방법과 비교할 수 없을 정도로 정확한 결과를 얻을 수 있었다.

당시 치아상실 개수가 많으면 스캐너가 스캔바디를 인식하는 능력이 현저히 떨어졌고, 교합을 정확히 채득하기 어려웠다. 그러나 스캔이 디지털 보철의 미래가 될 것이라는 것은 매우 분명했다. 비록 회사들마다 앞서거니 뒤서거니 하면서 구강스캐너의 성능을 개선해 왔지만 임상적인 적용은 거의 비슷한 수준으로 발전해 왔다고 생각한다. 이제는 어떤 스캐너에서는 가능하고 어떤 스캐너에서는 불가능한 기능이라는 것이 점점 없어지고 있다. 스캐너의 범용화 단계에 접어들고 있다.

초기(대략 2015년까지) 구강스캐너의 임상적 적용을 요약하면 자연치 보철에서는 예측 가능한 결과를 일관성 있게 얻기 어렵지만 임플란트 보철에서는 정합기술을 통해 상당히 완벽한 보철물을 얻을 수 있었다. 그렇지만 기존의 아날로그 보철 과정과 비교하여 절대적인 우위에 있다고 하기도 어려웠다. 오히려 더 번잡스러울 수도 있다. 자연치의 경우에는 치은연하 변연을 정확하게 채득하기 어려운 게 가장 큰 문제였고, 임플란트의 경우에는 스캔바디를 스캐너가 잘 인식하지 못하고, 전악보철 시 교합의 기울어짐을 해결하지 못하고 있다는 부분이 가장 큰 문제였다. 그러나 미래를 위한 가능성은 확인할 수 있었다. 그 가능성이 언제 현실 가능한 임상으로 표현되느냐가 초미의 관심사였다.

구강스캐너와의 세 번째 만남…

CS3600 구강스캐너와 원내 밀링을 통해 디지털 진료의 새로운 차원을 경험하다

약 2년간(2014-2015년)의 CS3500 사용은 구강스캐너에 대한 막연한 환상을 깨는 시간이기도 했고, 내가 원하는 구강스캐너의 기능이 무엇인지를 매우 구체적으로 깨닫게 해주었다. 그리고 개원가에서 구강스캐너의 보급이 보편적으로 이루어지는 시기를 가늠해 볼 수 있게 하였다. 초기의 이런 탐색 기간이 끝난 후 원내에서 구강스캐너의 사용은 역설적으로 좀 뜸해졌다. 임상적으로 무엇이 되고 무엇이 안 되는지를 확인했기 때문에 굳이 잘 안되는 것을 해보려고 노력하지 않았다. 임플란트 증례 중에서 싱글이나 트윈 정도로 작은 증례에서만 구강스캐너(CS3500, 케어스트림 Co.)를 사용하게 되었다. 그러다 보니 구강스캐너를 사용하는 날보다 사용하지 않는 날이 더 많았다. 바로 이러한 시기에 기존에 사용하던 구강스캐너가 업그레이드 되었다는 소식을 접하였다.

기존에 가지고 있던 스캐너와 가장 차별되는 부분은 동영상 촬영방식으로 스캔방식이 바뀌었다는 점이었다. 앞서 여러 번 언급했다시피 사진을 이어붙이는 방식은 시간이 매우 오래 소요되고 촬영하는 사람의 촬영센스에 따라 결과가 너무 많이 좌우되었다. 그리고 출혈이나 타액이 많이 나오는 극한 환경에서는 촬영이 매우 힘들었다. 그러나 촬영방식이 동영상으로 바뀌면서 이런 문제가 완전히 극복된 것이다. 이런 이유로 현재 출시되고 있는 대부분의 스캐너는 동영상 촬영방식을 채택하고 있다. 어떤 스캐너는 "초등학생도 촬영할 수 있어요"라고 말할 정도로 쉬운 촬영 방법이라 선전한다.

그러나 고민할 수밖에 없었다. 고가의 스캐너인 CS3500을 구입한지 몇 년 안 되었는데, 또다시 큰 비용을 들여 스캐너를 교체하는 것이 과연 현명한 결정인지에 대해 확신이 들지 않았다. 기존의 방식과 비교했을 때 임상적 적용 범위가 확대되었다는 보장도 없었다. 치과의 미래가 디지털에 있음을 확신했지만 치과의 경영상황을 생각하지 않을 수 없었기 때문에 스캐너를 교체하는 것에 대해서 고민하였다. 그러나 미래를 위해 또 한 번의 모험을 해보기로 결정하였다. 이번에는 구강스캐너를 교체하면서 원내 수복물 제작을 위해 4축 밀링기계(CS3000, 케어스트림 Co.)를 함께 도입하였다. 당시 원데이 진료가 화두로 떠오르고 있었고 이러한 진료방식에 호기심이 있기도 했다.

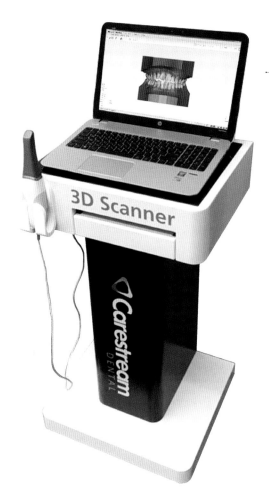

📷 **1-37A 케어스트림사의 CS3600 구강스캐너**

CS3500은 사진을 계속 찍어서 중복된 부분을 이어 완전한 피
사체를 만들어갔다. 따라서 술자의 촬영 능력에 크게 의존했
다. 그러나 CS3600은 동영상 촬영방식으로 스캔하기 때문에
술자 의존도가 크게 줄어들었다.

📷 **1-37B 케어스트림사의 CS3000 4축 밀링기**

주로 하이브리드 레진세라믹과 세라믹을 밀링하
는 기계이다. 매우 굵은 버(bur)를 가지고 블록형
태의 재료를 밀링해서 원하는 보철물을 제작하였
다. 세라믹을 밀링할 때 상당한 열이 발생하기 때
문에 물을 뿌리면서 밀링하였다. 4축 장비라고 하
더라도 밀링 버의 직경을 다양하게 이용하는 장비
도 있다. 밀링 버의 직경이 다양하면 밀링이 보다
정밀하게 이루어지기 때문에 밀링한 보철물의 적
합도가 좋아지지만 소요 비용이 그 만큼 많이 발
생한다. CS3000 밀링기는 상대적으로 굵은 밀링
버로 밀링하기 때문에 수복물과 프렙된 변연 사이
의 적합도는 만족스럽지 않았다.

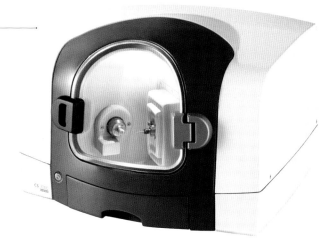

동영상 촬영방식인 CS3600 스캐너와 4축 밀링기를 사용하게 되면서 주춤했던 스캐너의 활용이 급격히 증가하였다. 새로운 장비를 도입하면서 장비를 활용하기 위해 의도적으로 사용을 확대한 면도 있지만 "당일 진료 프로토콜"을 적용하게 되면서 진료영역이 확대된 영향이 무엇보다 컸다. 또 한편으론 당일 진료에 대한 기존의 편견이 깨지게 되었다. 당시 당일 진료라는 프로토콜은 한 때 레이저에서 볼 수 있었듯이 임상적인 장점이 과도하게 포장된 마케팅적인 측면이 강한 술식이라고 생각했었다. 그리고 4축 밀링기로 치료했던 임상증례들을 보면 치아 삭제량이 기존 방식에 비해 매우 많았기 때문에 급성 치수염을 야기하지 않을까 하는 우려도 있었다.

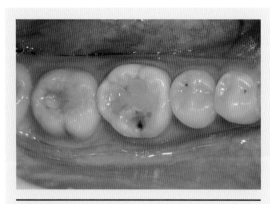

📷 **1-38A**
기존 레진수복물이 파절되어 있고 치아우식도 관찰된다.

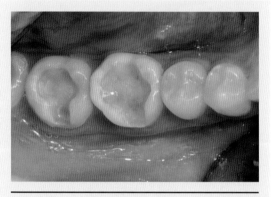

📷 **1-38B**
기존 수복물을 제거하고 재료의 두께를 충분히 부여하기 위해 기존에 했던 것보다 치아삭제를 많이 하였다. 금인레이와 비교했을 때 삭제량이 훨씬 많다. 그리고 4축 밀링의 경우에는 프렙와동을 매우 단순한 형태로 하는 것이 좋다. 금인레이하고는 여러 가지 면에서 치료 프로토콜이 다르기 때문에 낯설게 느껴질 수 있다.

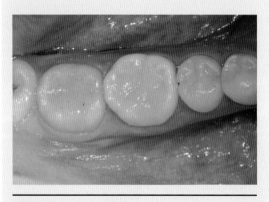

📷 **1-38C**
최종적으로 접착을 완료한 모습이다. 하이브리드 레진세라믹 인레이는 교합면이나 접촉면에 스푸루 혹은 커넥터를 연결하여 밀링할 경우 교합조정을 많이 해야 한다. 따라서 해부학적인 형태를 정교하게 부여하기 어렵다는 단점이 있다.

그런데 기존에 가지고 있던 생각과 정반대의 경험을 하게 되었다. 기존의 금인레이보다 삭제를 훨씬 많이 했음에도 불구하고 지각과민을 호소하거나 불편함을 호소하는 환자들이 오히려 감소했다. 그 이유를 곰곰이 생각해 보았다. 우선 마취가 아직 깨지 않은 상태에서 수복물의 접착이 이루어졌다는 사실이 매우 중요한 역할을 하였다. 통상적으로 인상을 채득하고 기공소에 가서 기공물이 되돌아오기까지 걸리는 시간은 빨라야 일주일이었다. 따라서 접착을 위해 와동을 청소하고 건조시키는 과정 속에서 환자는 매우 심한 지각과민을 호소하였다. 이 중 일부는 지각과민이 매우 오랫동안 지속되어서 근관치료까지 이어지는 경우도 있었다. 그러나 스캔을 통해 당일에 원내에서 수복물을 제작하면 마취가 깨지 않은 상태에서 지각과민을 경험하지 않고 접착을 하기 때문에 이런 부작용에서 자유로워진다. 또한 지각과민을 야기하는 또 다른 문제인 와동오염(cavity contamination)을 생각해 볼 수 있었다. 임시가봉(temporary filling) 상태로 지내는 동안 와동이 세균에 오염되었을 가능성이다. 그러나 당일 진료를 하게 되면 이런 와동오염의 기회를 줄일 수 있기 때문에 지각과민이 줄어들었던 것이 아닐까 추측하고 있다. 하여튼 매우 새로운 경험이었고, 디지털을 통한 당일 진료의 매력을 원내 밀링을 통해 본격적으로 깨닫게 되었다. 당일 진료를 통해 환자의 만족도가 증가하고 병원의 경영 상황에 큰 도움을 주었던 것은 두말할 나위 없다.

그러나 보철 영역까지 스캐너의 활용을 연장하기엔 남아있는 숙제가 여전했다. 디지털 파일에 의한 기공에 대해 기공사들의 거부감이 여전했고 임플란트 스캔의 문제도 별반 상황이 나아지지 않았다. 따라서 CS3600을 도입하고 약 1년 반 정도는 CS 3000 4축 밀링기를 중심으로 한 디지털 당일 진료(주로 인레이수복)와 아날로그 인상을 중심으로 하는 일반보철(주로 지르코니아 보철수복)로 병원의 진료 프로토콜을 구분하였다. 구강스캔을 통한 디지털 진료는 수복치료에 한정되었고 임플란트와 일반보철은 기공소와의 협업을 통해 진행하였다. 병원의 경영상황을 고려한 가장 현실적인 선택이었다.

또 한 번의 새로운 도전, 건식 5축 밀링기를 도입하다

지르코니아 보철을 주로 하면서 항상 궁금했던 것이 있었다. 기공의뢰서에 환자의 치아색을 써서 보내보지만 받아보는 크라운의 색상은 원래 자연치아의 색상과 별반 상관없이 천편일률적으로 비슷했다. 원래 지르코니아 크라운은 그 정도밖에 색상을 표현하지 못하는 줄 알았다. 투명감 같은 것은 기대할 수도 없었다. 기공에 대한 전문지식이 없었고, 주변을 봐도 지르코니아 기공이 심미적인 경우를 별로 본 적이 없어서 지르코니아 기공은 원래 그 수준인 줄 알았다. 어떤 과정을 통해 색상이 부여되고 기공이 이루어지는지 알지 못했기 때문에 해결책을 찾기 어려웠다.

수술을 아무리 잘해도 보철 단계에서 끝맺음이 좋지 못하면 좋은 증례로서의 가치가 확연히 떨어진다. 보철 기공에서의 아쉬움으로 깊은 고민을 하던 중 지르코니아 밀링을 병원에서 직접 해보지 않겠냐는 제안을 받게 되었다. 고민의 깊이가 매우 깊어져서 뭔가 보철적 돌파구를 필요로 하던 시점이었다.

또 한 번의 모험을 감행했다. 그러나 5축 밀링기계를 도입하고 지르코니아 디스크를 밀링하여 직접 보철물을 만들기에는 기공에 대해 아는 것이 너무 없었다. 인레이 같은 수복치료와 임플란트 중에서도 극히 제한된 증례에서만 사용하던 구강스캐너를 자연치 보철에 사용할 수 있는지에 대해 확신이 없었다. 조언을 구할 곳도, 이것에 대해 확실한 정보를 얻을 수 있는 곳도 없었다.

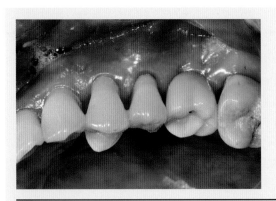
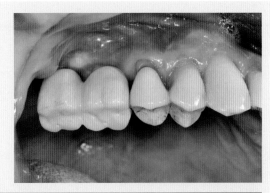

📷 **1-39A**

임플란트 보철 사진을 보면 색상이 인접치아와 완전히 다른 것을 볼 수 있다. 불투명감이 매우 심하고, 전체적으로 하얗고 회색빛이 돈다. 특히 상악 우측 제1,2대구치 증례를 보면 교합면의 해부학적인 형태가 뭉개져 있다.

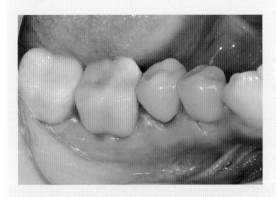

📷 **1-39B**

하악 우측 대구치 자연치 지르코니아 증례에서는 해부학적인 교합면 형태, 협측 외형, 색상 등, 모든 것이 매우 부적절하다. 재료의 문제였을까 아니면 기공하는 사람의 문제였을까?

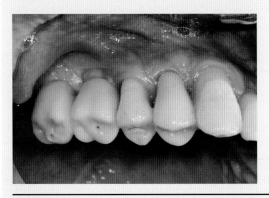
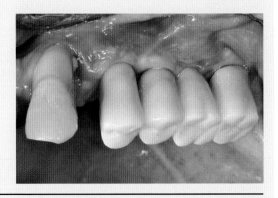

📷 **1-39C**

동일한 환자의 좌우측 임플란트 크라운을 비교해보면 어떤 기공사가 작업했는지에 따라서 보철 결과가 매우 달라짐을 확인할 수 있다. 우측 임플란트에는 해부학적인 형태가 비교적 잘 표현되어 있는 반면, 좌측 임플란트 보철은 기본적인 해부학적인 외형이 매우 부적절하고 교합면의 모양도 평면 그 자체임을 볼 수 있다. 교합면의 형태가 이런 모양을 하고 있으면 저작 효율이 떨어지고 향후 임플란트에 부적절한 교합력을 전달하여 임플란트의 수명을 단축시키는 원인이 된다.

자연치 구강스캔에 대한 확신이 없었기 때문에 처음에는 아날로그 인상을 채득하여 작업모델을 만든 다음, 모델을 다시 스캔하여 보철을 제작해야겠다고 생각했다. 그리고 몇 번의 테스트 후 아날로그 석고모델을 통해 만든 크라운과 구강스캔을 통해 모델 없이 만든 크라운, 그리고 아날로그 석고모델과 구강스캔을 정합해서 만든 3가지 보철이 어떤 임상적인 차이를 나타내는지 비교해보았다.

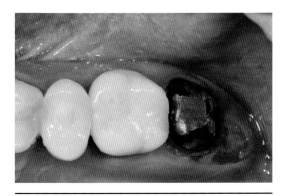

📷 1-40A

오래 사용했던 크라운을 제거하고 새로운 크라운을 계획하였다. 그러나 지대치의 상태가 좋지 못하여 잔존수명이 길지 못함을 설명드리고 새로운 크라운 제작에 들어갔다. 총 3가지 방법으로 크라운을 제작하여 비교하였다.

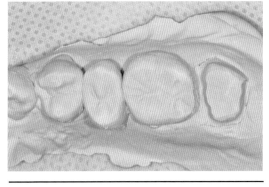

📷 1-40B

아날로그 인상 방법인 실리콘 인상을 통해 크라운을 제작하였다.

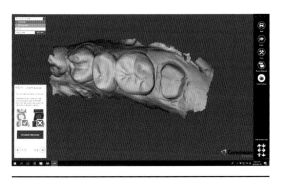

📷 1-40C

두 번째로 스캔데이터 정합을 통해 크라운을 제작하였다. 구강 내에서 지대치와 대합치를 스캔하고 교합까지 스캔한 다음 지대치 부분을 잘라내고 해당 부위를 모델에서 스캔한 이미지로 교체하였다.

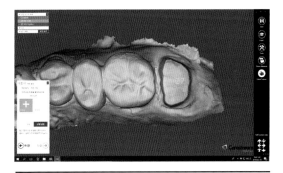

📷 1-40D

마지막으로 구강스캔 파일만으로 크라운을 제작하였다.

📷 1-40E

최종적으로 디자인된 각각의 크라운을 지르코니아로 밀링한 후 소성된 크라운을 구강 내에서 비교 시적하였다. 예상과 달리 3가지 방법 사이에 확연한 차이가 없었다.

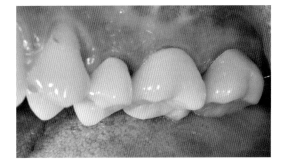

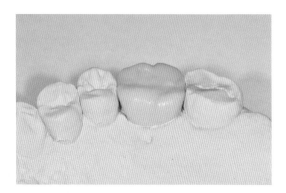

📷 **1-41A**

또 다른 증례에서도 3가지 치료방법을 동일하게 비교하였다. 아날로그 실리콘 인상으로 만든 석고 모형을 가지고 지르코니아 크라운을 만들었다.

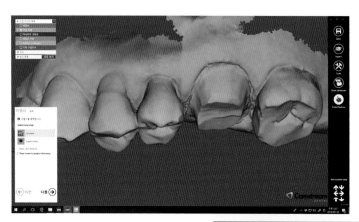

📷 **1-41B**

구강스캔 파일과 모델 정보를 혼합한 파일에서 크라운을 제작하였다.

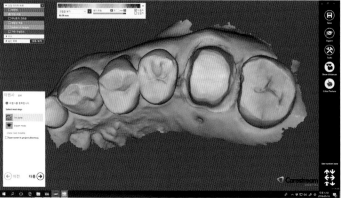

📷 **1-41C**

마지막으로 구강스캔 파일상에서 모델 없이 크라운을 디자인하고 지르코니아 크라운을 원내에서 밀링하여 제작하였다.

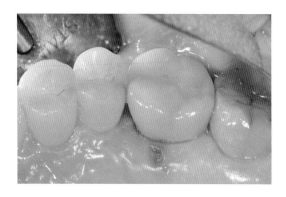

📷 **1-41D**

환자에게 3가지 종류의 크라운을 각각 시적해보았으나 결과에 큰 차이가 없었다. 환자에게 크라운에 대한 평가를 부탁드려보았더니 예상했던 것과 달리 구강스캔을 통해 제작한 크라운이 제일 편했다는 말씀을 하셨다. 지금은 이런 결과를 매우 당연하게 생각하지만, 그 당시에는 매우 의외의 결과라고 생각하였다.

자연치를 구강스캔하여 자체 제작한 보철물의 결과가 매우 예측 가능하며, 아날로그적인 방법으로 제작한 결과에 비해 뒤질 것이 없다는 피드백을 확인하기까지 많은 시간이 소요되지 않았다. 자체 제작한 보철의 횟수가 거듭될수록 구강스캔을 통한 보철에 대한 신뢰와 믿음이 더욱 커졌다. 📷 1-42 증례는 동일한 환자의 상악좌·우측 치료결과를 보여주고 있다. 상악좌측(📷 1-42)은 기공소에서 제작한 지르코니아 보철이고, 상악우측(📷 1-43)은 원내에서 필자가 직접 캐드 디자인하고 밀링 및 기타 기공작업을 시행한 지르코니아 보철이다.

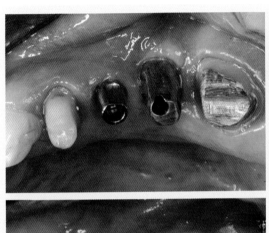
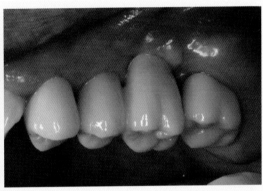
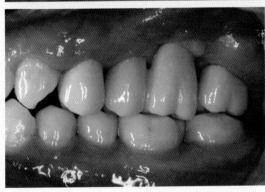

📷 1-42

그간 지르코니아 보철의 문제라고 생각해 왔던 보철물 색상에 관한 문제점들이 고스란히 표현되어 있다. 보철물이 매우 불투명하고 색상이 하얗게 보이면서 회색빛을 나타내고 있다. 내부의 금속지대주 색상이 밖으로 표현된 결과일 수도 있고 컬러링 작업에 별로 신경을 쓰지 않은 결과일 수도 있다.

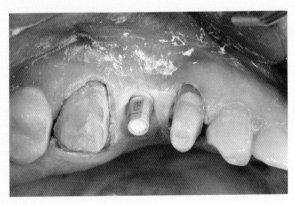

📷 1-43A

동일한 환자의 우측은 좌측과 시차를 두고 진행되었고 필자가 직접 스캔하고 기공하였다. 금속지대주에 대한 스캔을 원활히 하기 위해 파우더를 뿌린 후 스캔하였다. 지대주의 변연이 치은연하로 위치해 있었기 때문에 잇몸이 지대주 마진을 덮고 있다. 아날로그 인상에서는 덮고 있는 잇몸을 제거해 준 후 인상을 채득하지만, 디지털 기공에서는 이 부분을 데이터 정합을 통해 쉽게 극복할 수 있다.

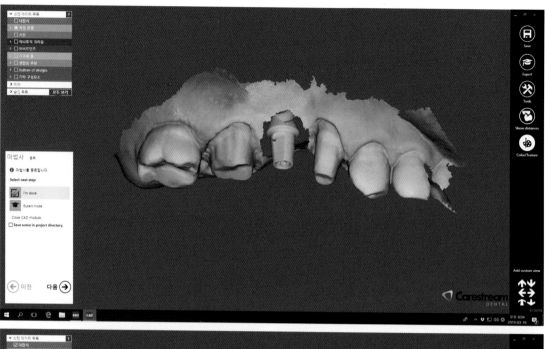

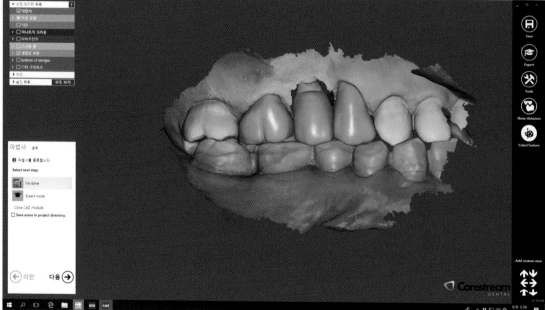

📷 1-43B

구강스캔된 지대주는 변연이 잇몸에 덮여있었다. 데이터 정합을 통해 지대주 변연이 정확하게 노출된 지대주로 교체되었고, 이 상태에서 보철 디자인이 완성되었다.

🎥 데이터 정합
과정 보러가기

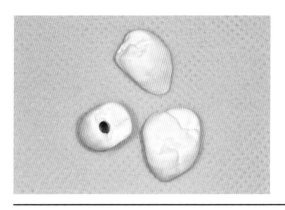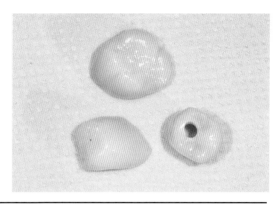

📷 1-43C

필자가 직접 컬러링을 진행하였다. 매우 초창기 작업이라 전체 기공 과정에 대한 지식과 경험이 매우 부족했던 시기였음에도 불구하고 결과가 만족스럽게 나왔다.

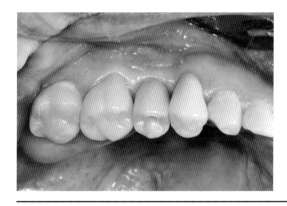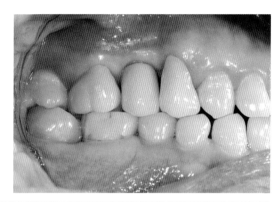

📷 1-43D

최종보철물을 구강내에 적합한 모습이다. 그동안 매우 당연한 듯 익숙해져 있었던 하얗고 불투명한 지르코니아 크라운의 모습이 더 이상 존재하지 않는다. 그동안 왜 지르코니아 크라운의 색상과 형태가 그랬는지를 직접 기공을 해보고 나서 어렴풋이 알게 되었다. 지르코니아 크라운의 색상은 원래 그랬던 것이 아니라 그렇게 만들어서 보내졌기 때문이었다.

엑소캐드 프로그램을 통해 임플란트와 자연치를 디자인하였다. 과거와 달리 자연치아 보철이 가능해진 가장 큰 이유는 캐드 프로그램이 컬러화되었기 때문이라고 할 수 있다. 컬러화를 통해 치아를 보다 정확하게 구분할 수 있게 되었기 때문에 보철변연을 보다 정확하게 파악하는 것이 가능해졌다.

이후 1년여간 CS3600 구강스캐너와 5축 밀링기, 엑소캐드 프로그램을 가지고 내원한 환자들의 자연치와 임플란트 보철을 직접 제작해보았다. 많은 가능성을 시험해 보고 그 결과들을 확인해 보는 시간이었다. 그리고 또 한 번의 변화가 찾아왔다.

트리오스3(3Shape Co.) 구강스캐너와 전용 캐드 프로그램의 도입…
또 한 번 도약의 계기를 마련하다

한 1년간 CS3600 구강스캐너와 엑소캐드 프로그램, 5축 밀링기계를 가지고 필자의 병원에 내원한 환자들 증례를 직접 제작하느라 매우 바쁜 시간을 보냈다. 어느 정도 지르코니아 보철 디자인과 기공에 눈을 뜨기 시작했다. 그런데 이때 트리오스3 구강스캐너 도입에 관한 제안이 들어왔다. 처음에는 매우 부정적이었다. 오픈 시스템으로서 구입 후 별도의 연회비가 존재하지 않는 엑소캐드 프로그램에 비해 트리오스3 구강스캐너는 매년 일정액의 연회비가 존재하였다. 기존에 엑소캐드 프로그램을 잘 사용하고 있었는데 새로운 프로그램을 구입해서 다시 새로 배워야 한다는 것도 의아했고, 매년 돈까지 지불해야 한다는 점 때문에 제안을 선뜻 받아들일 수가 없었다. 그러나 여러 가지 우여곡절 끝에 트리오스3 스캐너와 관련 캐드 소프트웨어를 구입하게 되었다. 그런데 3Shape사의 캐드 프로그램을 접하고 오래지 않아 이 캐드 프로그램이 가지고 있는 놀라운 장점들이 눈에 들어오기 시작했다. 엑소캐드에는 없거나 있더라도 매우 어렵게 해야만 했던 기능들이 이 캐드 프로그램에 있음을 알게 되었다.

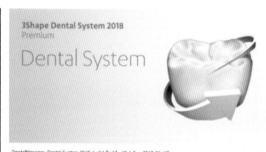

각각의 프로그램이 가지고 있는 장단점이 존재한다. 기공을 전문적으로 하는 기공소 소장님들은 보다 다양한 상황을 극복할 수 있게 해주는 엑소캐드를 많이 선호한다는 느낌을 받았다. 필자는 엑소캐드와 3Shape사의 캐드 프로그램을 둘 다 보유하고 있으나 현재 3Shape사의 덴탈시스템을 주로 사용하고 있다. 그 이유에 대해서는 차차 밝히도록 하겠다.

마무리하는 글

디지털에 입문한 이야기를 이렇게 상세하게 서술한 이유가 있다. 누군가에게는 현재의 이야기가, 누군가에게는 과거의 이야기가 될 수 있고, 누군가에게는 미래의 이야기일 수 있다. 이 글을 읽고 있는 독자라면 글을 읽으면서 필자와 비교하여 본인의 보철이 디지털 환경하에서 어느 위치에 있는지를 대략 파악할 수 있을 것이다. 그리고 현재의 위치에서 어떤 선택을 해야 하는지도 어렴풋이 알게 될 것이다. 모든 사람이 필자와 동일한 임상 프로토콜을 적용할 수도 없고 그것이 바람직하다고 할 수도 없다. 각자가 처한 상황과 위치가 매우 다르기 때문이다. 그러나 현재 디지털 환경하에서 나는 무엇을 할 수 있고, 무엇을 할 수 없는지를 알게 되는 것만으로 매우 큰 소득이라 할 수 있겠다. 필자가 많은 비용을 들여서 겪었던 시행착오들을 이 책을 통해 독자들이 조금이나마 피할 수 있다면 그것으로 이 책은 부분적으로나마 그 목적을 이루었다고 할 수 있겠다.

우리 병원
디지털 셋업,

무엇을 어떻게
할 것인가?

Atlas of
Digital
Dentistry

2장.

우리 병원 디지털 셋업,
무엇을 어떻게 할 것인가?

시대가 시대인지라 "디지털"이란 말은 사회 곳곳에서 시대를 상징하는 말처럼 흔하게 사용되고 있다. 의료 분야에서도 디지털이란 용어가 매우 보편적으로 사용된 지 오래이다. 그러나 정작 병원에서 디지털을 어떻게 활용해야 하는지를 아는 사람은 매우 드물다. 몇 년 전 서울시치과의사회 종합학술대회(SIDEX)에서 디지털 분야 연자로 초청을 받아 강의를 한 적이 있다. 시대의 화두인 디지털을 주제로 강연이 구성되었고, 이 분야에서 내로라하는 분들이 연자로 참여하였다. 드넓은 강연장이 만석을 이루리라고 생각했었는데 예상과 달리 매우 한산했고, 객석에는 앉아있는 사람보다 비어있는 좌석의 숫자가 훨씬 많았다. 관심은 있지만 아직 내 일은 아니라는 생각이 디지털 진료를 바라보는 일반 치과의사들의 시선이었다. 그렇다면 이 글을 쓰고 있는 지금은 어떨까? 물론 그 사이에 많은 변화가 있기는 했지만 아날로그 방식은 여전히 대다수 치과의사들에게 디지털보다 익숙한 진료방식이다. 그러나 조금씩 디지털에 대한 인식이 변화하고 있음을 느끼고 있다.

디지털 진료방식으로의 전환에 어려움을 느끼는 가장 큰 이유는 무엇일까? 초기 투자비용이 매우 크다는 것이 첫 번째 이유이다. 구강스캐너부터 시작해서 밀링기계와 3D 프린터 같은 장비를 구비하기 위해서는 억대의 자본이 필요하다 보니, 주머니가 가벼운 동네 치과의원 입장에서는 도입을 주저할 수밖에 없다. 그리고 장비를 구비했다고 하더라도 과연 내가 이 장비를 잘 사용할 수 있을 것인가에 대해 자신감이 없는 것도 큰 이유이다. 세 번째는 디지털 기기의 특성상 제품의 기술적 수명이 매우 짧다는 것도 구입을 꺼리게 만드는 이유이다. 조금 더 기다리면 더 좋은 장비가 나올 텐데 지금 이 장비를 이 가격에 구입하는 것이 과연 올바른 선택일까에 대한 확신이 서질 않는 것이다.

📷 2-1

비싼 비용으로 구입한 장비를 제대로 사용하지 못하고 방치하고 있다고 기사는 말하고 있다. 자칫 준비 없이 충동적으로 비싼 장비를 구입했다가 잘 활용하지 못하고 애물단지처럼 방치한 경험이 누구나 있을 것이다. 이런 이유 때문에 선뜻 디지털 투자에 나서기 어렵다.

필자도 디지털 진료를 도입하고 지금까지 7년여의 시간이 흐르는 동안 변화하는 흐름을 따라가기 위해 상당히 많은 기회비용을 치렀다. 만약 누군가 내 수준에 맞추어서 순차적으로 장비 구입을 도와주었더라면 그 많은 기회비용을 아낄 수 있었을 텐데 하는 아쉬움이 있다. 그런 이유로 인해 디지털 진료를 처음 시작하는 사람에게 어떻게 장비를 세팅하는 것이 좋을지를 소개하는 것이 이 장의 목적이다. 디지털 진료를 막막한 가운데 시작하려는 사람, 진료 영역을 넓히기를 원하는 사람에게 좋은 길 안내가 되길 바란다.

디지털 진료는 어떻게 구성이 되는가? 디지털 진료는 크게 정보의 입력과 정보의 해석, 정보의 출력으로 이루어진다. 따라서 관련 기자재를 준비하는 순서 역시 같은 순서로 진행하면 된다. 정보의 입력과 관련되는 장비를 우선 구입하고, 이에 대한 확신과 필요성이 입증되면 정보의 해석을 위한 소프트웨어를 구입한 후 최종적으로 출력장비에 투자하는 것이다. 이에 대해 순차적으로 알아보자.

우리 병원의 디지털 수준 파악하기

치과병원은 디지털화에 따라 몇 가지 유형으로 나뉠 수 있다. 첫 번째 유형은 아날로그 치과이다. 아날로그 치과에 해당하는 병원은 실리콘 인상재를 이용해서 인상을 채득하고 주로 금속이 포함된 보철을 하는 병원이다. 병원의 주된 진료항목이 메탈크라운, 골드크라운, 골드인레이, PFM (Porcelain Fused to Metal)인 병원이 이 카테고리에 속한다. 만약 환자들에게 골드크라운과 골드인레이의 탁월함과 우수함을 아직도 설파하는 병원이 있다면 디지털을 아직 시작조차 못한 병원이라고 할 수 있다. 왜냐하면 진료의 어느 영역에서도 디지털 기법을 사용하지 않기 때문이다. 따라서 이 유형에 속하는 병원은 기존 진료에 대한 의료진의 인식을 근본적으로 바꿀 필요가 있다. 현재 의료보험이나 각종 보험에서 적용하고 있는 진료항목별 분류와 적용 내용을 보면 철저하게 아날로그적 진료 유형에 기반하고 있음을 볼 수 있다. 매우 아쉬운 부분이다.

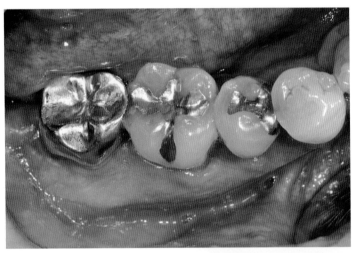

📷 2-2A
전형적인 아날로그 진료인
골드인레이와 골드크라운

📷 2-2B
실리콘 인상재를 이용하여 인상을 뜨고 석고로 모형을 만들고 왁스업을 한 다음 주조로 크라운을 만드는 전 과정에 사람의 손길이 필요하다.

두 번째 유형은 아날로그 진료와 디지털 진료가 어느 정도 혼합된 진료를 하고 있는 하이브리드 병원이다. 골드인레이와 골드크라운과 같이 금속을 기반으로 하는 기존 아날로그 방식의 보철방법으로도 진료를 하지만 디지털 기법을 바탕으로 하는 지르코니아 크라운도 하는 대부분의 병원이 여기에 해당한다. 실리콘 인상을 여전히 사용하지만 기공소의 디지털 장비를 통해 지르코니아 크라운을 제작하므로 어느 정도 디지털화에 발을 반쯤 담그고 있다고 볼 수 있다. 이런 병원은 자체적으로는 디지털화되어 있지 않지만 협력하는 기공소가 디지털 기법을 이용해서 작업을 하고 있는 것이다.

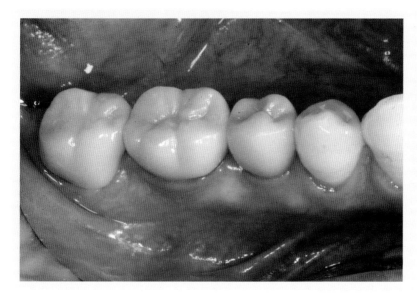

📷 2-3 기공소에서 제작했던 지르코니아 크라운

지르코니아를 시술하는 병원이라면 일정 부분 디지털 진료에 관여하고 있다고 할 수 있다. 병원에서는 실리콘 인상재를 이용한 아날로그적인 방법으로 인상을 채득하지만 기공소에서 모델스캐너를 통해 아날로그 정보를 디지털로 변환하고 캐드 프로그램을 이용하여 보철물을 디자인하기 때문이다.

세 번째 유형은 원내 디지털 진료에 본격적으로 진입하는 단계에 있는 병원으로서 구강스캐너를 사용하고 있는 병원이라고 할 수 있다. 구강스캐너를 이용해서 스캔인상을 채득하고 기공소로 자료를 전송하면 기공소에서 보철물을 디자인하고 제작한다. 정보의 입력에 해당하는 부분은 병원에서 담당하고 정보의 해석과 출력은 기공소에서 담당하는 협업시스템이라고 할 수 있다. 이 단계의 병원이라면 디지털 입력정보를 잘 해석하고 정확하게 가공하는 능력을 갖춘 기공소를 만나는 것이 무엇보다 중요하다. 진료를 디지털화함에 있어서 가장 큰 어려움이 이 단계에서 발생하기 때문이다. 만약 디지털 기법으로 제작한 보철물의 적합도와 변연부 정밀성. 교합 등이 실리콘 인상을 통해 제작했던 보철물보다 질적으로 우수하지 못하다면 이는 스캐너를 비롯한 입력장비의 성능 부족 때문이라기보다 이를 운용하는 병원의 진료방식 혹은 기공소 측의 해석에 문제가 있다고 생각하는 것이 바람직하다. 원하는 결과가 나오지 못하는 원인에 대한 분석은 매우 중요하다. 진료실과 기공소가 상당한 물리적 거리를 두고 존재한다면 원인을 파악하는 데 어려움을 겪게 될 가능성이 높다. 이런 경우에는 진료와 기공 두 과정을 모두 잘 알고 있는 디지털 전문가에게 문제의 원인에 대해 전반적인 자문을 구하는 것이 좋다. 실제로 구강스캐너를 구입한 초기에 기공소와의 소통에 문제가 발생하여 디지털 방식을 포기하는 병원들을 많이 봐왔다.

📷 **2-4**
디지털 치과의 일상적인 진료 모습이다. 구강스캐너를 이용
해서 인상을 스캔하고, 스캔한 정보를 현장에서 바로 피드백
할 수 있기 때문에 예측 가능한 진료를 할 수 있다.

네 번째 유형은 정보를 입력하는 스캐너뿐만 아니라 정보를 해석하는 소프트웨어를 갖추고 있는 병원이다.
정보를 해석하는 캐드 소프트웨어를 보유하고 있는 병원들은 대부분 출력장비도 동시에 갖추고 있는 경우가
많다. 정보의 입력과 해석, 출력을 한 곳에서 동시에 진행하기 때문에 정보해석에 대한 오류를 최소화할 수
있고 가장 효율적으로 디지털 진료의 장점을 누릴 수 있다. 정보의 입력과 해석, 출력 전 과정에 걸쳐서 즉각
적인 피드백을 통해 정보를 처리할 수 있기 때문에 가장 최상의 결과를 얻을 수 있다. 디지털 진료를 꿈꾸는
병원이라면 이 유형이야말로 궁극적으로 지향해야 하는 진료시스템이라고 할 수 있다. 정보의 해석을 원거리
에 근무하는 기공사에게 전적으로 떠맡기는 것이 얼마나 큰 문제를 야기하는지는 **정보의 해석** 편에서 자세하
게 논의하고자 한다.

📷 **2-5**
스캔한 자료를 바탕으로 캐드 프로그램을 이용해 보철물을 디자인하고 가공하기 위해 준비하는 모습이다. 종래의 아날로그 진료
방식보다 진료 시간과 최종 마무리까지 소요되는 시간을 획기적으로 단축할 수 있다.

입력장비뿐만 아니라 정보를 해석하는 수단인 캐드 프로그램과 출력장비를 직접 운용할 수 있다면 가장 좋은 임상 결과를 도출해낼 수 있다. 아날로그적인 작업 환경 속에서는 입력된 정보를 해석하는 과정을 전적으로 기공사에게 의존할 수밖에 없었다. 그러나 기공의뢰서에 표시된 내용들은 환자와 관련된 정보를 모두 표현하기에는 턱없이 부실하고 부족한 경우가 많다. 그렇지만 원내에서 입력과 출력에 관련된 정보를 모두 관장하게 되면 정보가 전달되는 과정에서 오는 오류를 없앨 수 있고 술자가 표현하고자 원하는 사항들을 보철물에 매우 구체적으로 표현할 수 있다.

정보의 입력

디지털 진료를 가능하게 하는 입력장치는 크게 세 가지로 분류할 수 있다. 구강스캐너, 모델스캐너, CBCT (cone beam computed tomography)가 치과에서 사용하는 대표적인 디지털 입력장치이다. 구강스캐너는 구강내에서 직접 치아와 잇몸에 관한 정보를 채득하는 장비이다. 채득된 정보는 PLY, STL 등 매우 다양한 파일 포맷으로 저장되어 가공된다. 구강스캐너를 통해 입력된 자료는 보통 미세한 다각형(polygon) 집합체 형태로 분할하여 저장된다. 스캐너의 성능이 좋을수록 다각형의 크기는 작아지고 이미지를 정밀하게 재현하지만 저장을 위해 필요한 공간은 훨씬 증가하게 된다. 우리가 영화관에서 보는 애니메이션은 이런 다각형의 미세한 조합에 색상을 입힌 형태로 제공된다. 색상은 어떻게 보면 다각형 조합에 씌운 겉옷에 해당하기 때문에 색상 표현이 화려하고 그럴듯해 보인다고 스캔 이미지가 정밀한 것은 아니라는 점에 유의해야 한다. 구강스캐너를 구입할 때 렌더링 후 이미지의 화려함에 현혹되지 말아야 할 이유가 여기에 있다. 스캔 이미지의 정밀함은 다각형 구조의 조밀함에 있지 겉에 덧씌워진 색상과는 무관하기 때문이다.

📷 2-6 **구강스캐너**

📷 2-8 **CBCT**

📷 2-7 **모델스캐너**

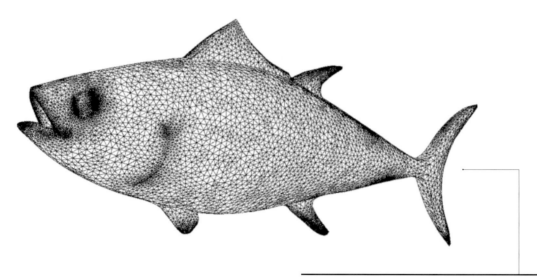

📷 2-9

STL은 1987년 3D 시스템즈의 앨버트 컨설팅 그룹이 개발한 스테레오 리소그래피 CAD 소프트웨어 파일 형식이다. 표면을 삼각형화시켜서 저장한다. 이 포맷은 3D 시스템즈 최초의 상업용 3D 프린터용으로 개발되었다. 초기 출시 이후 이 포맷은 22년간 거의 변화 없이 사용되었다. 2009년, 이 포맷의 업데이트판인 STL2.0이 제안되었다.

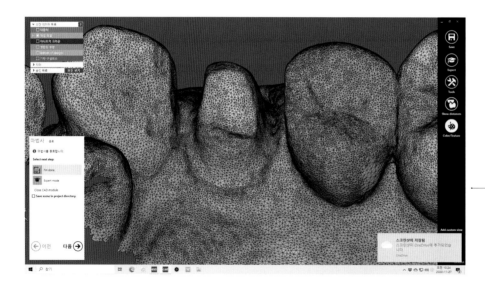

📷 2-10

PLY는 다각형 파일 형식(polygon format) 또는 스탠포드 삼각형 형식으로 알려진 컴퓨터 파일 형식이다. 주로 3D 스캐너의 3차원 데이터를 저장하도록 설계되었다. 색상 및 투명도, 표면 법선, 텍스처 좌표 및 데이터 신뢰도 값을 포함하여 다양한 속성을 저장할 수 있다. 이 형식은 다각형의 앞면과 뒷면에 대해 서로 다른 특성을 가질 수 있는 특징을 가지고 있어서 다양한 형태의 입체적 외형을 스캔하여 저장할 수 있게 해준다. 케어스트림사의 구강스캐너는 PLY 이미지 저장방식을 사용하고 있다. 화면은 PLY 파일을 엑소캐드에서 불러와서 크라운 작업을 하고 있는 모습이다.

모델스캐너는 아날로그 실리콘 인상을 통해 만든 석고모형이나 환자가 기존에 사용하던 의치, 혹은 지대주를 별도로 스캔할 때 사용하는 장비이다. 지르코니아 크라운을 제작하거나 하이브리드 레진 인레이를 제작하려면 치과에서 인상을 채득해서 기공소로 보내는데, 이때 모델스캐너를 이용해서 인상된 정보를 디지털화하는 것이다. 모델스캐너는 구강스캐너하고는 달리 치아와 잇몸에 대한 형태 정보만을 입력할 수 있기 때문에 색상에 대한 정보를 얻을 수는 없다. 구강스캐너는 색상 정보를 통해 치아와 잇몸을 구분할 수 있어서 삭제된 지대치 변연을 정확히 구분하는 것이 가능하지만, 모델스캐너는 단일 톤의 칼라로 표시되기 때문에 치아와 잇몸 사이의 정확한 구분을 시각적으로 하기 어렵다. 따라서 이런 색상 정보의 존재 때문에 자연치아 보철을 위한 정보를 입력할 때는 모델스캐너보다 구강스캐너가 더 유리한 위치에 있는 것이다. 그러나 무치악부의 보철을 하거나 전악 재건과 같이 범위가 넓은 보철을 할 때에는 모델스캐너가 유리한 경우도 있다. 구강스캐너보다 모델스캐너가 교합 정보를 보다 정확하고 수월하게 얻을 수 있기 때문이다.

마지막으로 CBCT는 뼈와 치아 같은 경조직 정보를 입력하는 장비이다. CBCT에서 입력된 정보는 DICOM 파일 형식으로 만들어지는데, 이 형식은 의료에 관한 영상정보를 입력하고 전송하기 위해 개발되었다. 이 정보는 임플란트 가이드 수술을 위한 장치를 디자인할 때 매우 중요한 역할을 한다. CBCT에서 채득한 치아정보와 스캐너에서 채득한 치아정보를 동일한 위치에서 중첩하여 임플란트를 식립할 위치를 결정하기 때문이다. 최근에는 CBCT에 안면스캔 기능을 넣은 장비들이 속속 출시되고 있다. 그러면 전치부 심미보철이나 전악보철, 의치 등을 디자인할 때 큰 도움을 받을 수 있다.

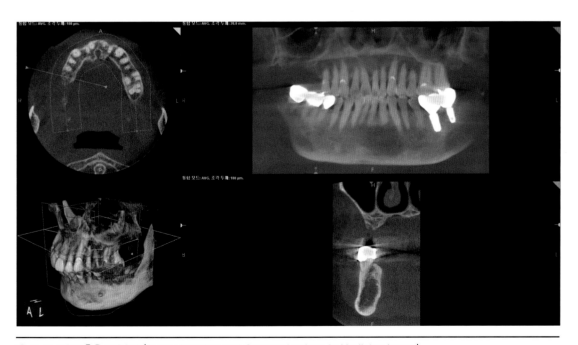

📷 2-11 DCM 혹은 DICOM (Digital Imaging and Communications in Medicine Image)
의료영상 촬영장치로 촬영된 신체의 이미지를 저장하기 위한 목적으로 개발된 국제 형식이다. 여기에는 자기공명, 컴퓨터 단층촬영 영상, 초음파 영상과 투시뿐만 아니라, 의료영상 촬영장치로 촬영된 영상이 포함된다.

정보의 해석

입력된 정보를 가지고 술자가 원하는 보철을 제작하기 위해서는 아날로그 왁스업에 해당하는 디지털 왁스업을 해야 한다. 이를 위해 사용하는 프로그램이 캐드(CAD) 프로그램이다. 아날로그 보철에서는 사람이 하나하나 왁스업을 통해 개개 치아의 형태와 크기, 교합면 모양과 접촉점을 만들어주어야 하지만, 디지털 보철에서는 모니터상에서 캐드 프로그램을 실행시킨 다음 마우스 작업으로 이런 해부학적 형태를 만들어간다. 디지털 보철에 있어서 정보의 해석은 절대적으로 중요하며, 관련 작업 시간의 대부분을 차지한다. 자연치아에서는 삭제변연(tooth preparation margin)을 어디에 설정할 것인가부터 시작해서 치아의 외형, 치아의 축, 인접치아와의 조화, 수직피개, 수평피개, 교합면의 해부학적 형태, 접촉면의 형태와 접촉 정도, 잇몸공극(gingival embrasure), 교합평면의 흐름 등 매우 다양한 요소들을 해석해서 디자인에 포함시켜야 한다. 임플란트 보철에서는 지대주를 어떤 유형을 선택하는가에 따라 많은 해석이 달라질 수 있다. 기성지대주를 사용하는 경우에는 보철물변연의 위치가 이미 정해져 있기 때문에 그것에 맞추어서 상부 보철의 디자인을 자연치와 유사하게 만들면 된다. 그러나 개별지대주를 사용하는 경우에는 환자의 잇몸 형태에 따라 지대주를 디자인해야 한다. 지대주에 대한 해석을 대충하게 되면 상부 보철물 형태가 왜곡될 수 있기 때문에 이 과정은 매우 중요하다.

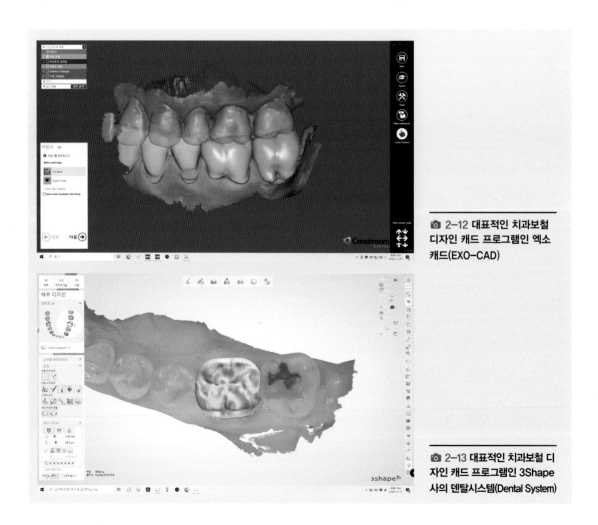

📷 2-12 대표적인 치과보철 디자인 캐드 프로그램인 엑소 캐드(EXO-CAD)

📷 2-13 대표적인 치과보철 디자인 캐드 프로그램인 3Shape 사의 덴탈시스템(Dental System)

해석의 내용이 같다고 하더라도 그것을 표현해 내는 과정과 방식은 각각의 캐드 프로그램마다 다르다. 그리고 술자가 느끼는 난이도에도 상당한 차이가 있을 수 있고, 그 차이는 매우 주관적일 수밖에 없다. 아날로그적인 보철기법에서는 술자의 손기술과 경험이 결과에 절대적인 영향을 주지만, 디지털 기법에서는 해부학적인 형태에 대한 정확한 지식만 있다면, 그리고 내가 무엇을 표현해야 하는지를 정확하게 알고 있다면 마우스 작업을 통해 이를 보다 수월하게 표현할 수 있다. 지식이 있어도 손이 안 따라줘서 표현을 못 했던 아쉬움과 변명은 이제 옛 이야기가 되었다. 해석을 함에 있어서 가장 중요한 것은 해부적인 지식과 환자가 가지고 있는 고유한 해부학적 특성에 대한 정보이다. 환자에 대한 고유한 정보는 사진 촬영을 통해 확보하는 것이 가장 좋다.

정보의 출력

정보의 해석이 끝나면 실제적으로 물리적 형태로 보철물을 가공하는 과정이 필요하다. 정보를 출력하는 방식에는 크게 두 가지가 존재한다. 재료를 첨가하는 방식인 3D 프린팅과 재료를 깎아나가는 방식인 밀링(CAM)이 있다. 3D 프린터가 도자기를 빚는 방식이라면 밀링은 대리석을 조각하는 것에 비유할 수 있다.

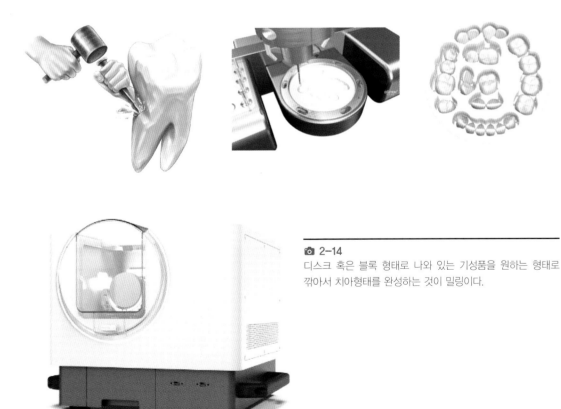

📷 2-14
디스크 혹은 블록 형태로 나와 있는 기성품을 원하는 형태로 깎아서 치아형태를 완성하는 것이 밀링이다.

정보의 출력-밀링기계

현재까지의 기술적 완성도와 임상적인 적용 상황을 고려해보면 밀링기계는 최종보철물을 제작하는 데 있어 이미 충분한 완성도를 보이고 있다. 밀링기계는 회전축에 따라 3축과 4축, 5축 기계로 구분된다. 보통 3축과 4축 밀링장비는 세라믹과 하이브리드 레진세라믹 블록을 밀링할 때 사용하며, 습식으로 작동하는 경우가 많다. 재료가 매우 견고하기 때문에 물을 뿌려가며 깎는다. 축이 적다는 것은 그만큼 재료를 가공할 수 있는 회전반경에 제약이 있다는 말이고, 이는 정밀한 가공이 어렵다는 의미이기도 하다. 세라믹 블록을 굵은 버 하나로 가공하는 유형의 4축 밀링기계도 있지만(📷 2-16), 다양한 굵기의 3가지 버를 사용하는 4축 밀링기계도 있다(📷 2-17). 같은 4축 기계라고 하더라도 다양한 직경의 버를 이용할 수 있으면 보다 세밀한 가공이 가능해진다. 또한 축이 적다고 하더라도 밀링 버가 좌우 양쪽에 위치해 있으면 축이 적은 단점을 보완해서 보다 정밀한 가공이 가능해진다(📷 2-19).

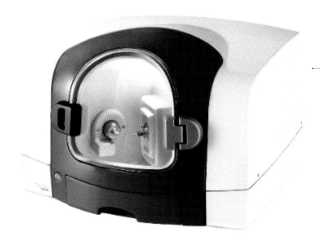

📷 **2-16 케어스트림사의 습식 4축 밀링기계인 CS 3000®**

1 mm 직경의 굵은 버 하나를 이용해서 세라믹과 하이브리드 레진 블록을 밀링한다. 굵은 버를 사용하기 때문에 모서리 부분들이 과밀링되는 경향이 있으며 교합면의 디테일한 부분을 표현하지 못한다.

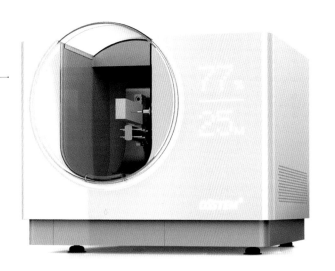

📷 **2-17 오스템사의 습식 4축 밀링기계인 One Mill 4X®**

세라믹과 하이브리드 레진세라믹뿐 아니라 지르코니아 블록도 밀링할 수 있다. 세라믹을 밀링할 때는 직경 2.4 mm, 1.0 mm, 0.6 mm 다이어몬드 버를 순차적으로 사용하고, 지르코니아를 밀링할 때는 직경 2.0 mm, 1.0 mm, 0.5 mm 세 가지 직경의 볼엔드밀 버를 세라믹용과는 별도로 사용한다.

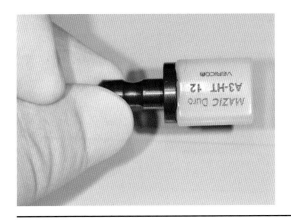 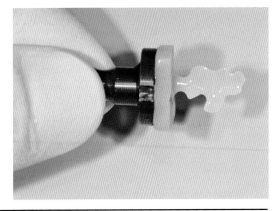

📷 **2-18**

보통의 습식 기계에 사용하는 하이브리드 레진세라믹 블록이다. 밀링을 위해 달리는 스푸루는 밀링이 끝난 후 제거하지만 이 과정이 매우 번잡스럽다. 자칫 조정하다가 접촉을 상실하는 경우도 발생한다.

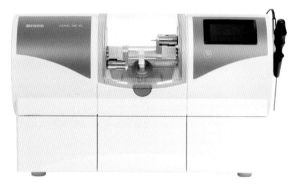

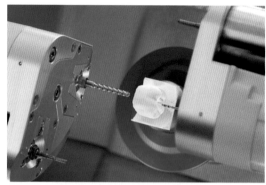

📷 2-19
시로나의 세렉 4축 시스템은 고정된 블록 좌우에 2개의 밀링 축이 존재하여 양 방향에서 밀링을 진행하므로 4축 가공 시스템이 가지는 단점을 보완하였다.

5축 건식 밀링기계는 물을 뿌리지 않고 원판 형태의 디스크를 가공하는 장비이다. 지르코니아, PMMA, 하이브리드 레진세라믹을 가공할 수 있으므로 블록을 가공하는 4축보다 훨씬 사용 범위가 넓다고 할 수 있다. 세라믹을 제외한다면 4축에서 사용하는 거의 모든 재료를 동일하게 밀링할 수 있다. 재료의 가성비가 4축에 비교하여 훨씬 뛰어나고, 가공할 수 있는 보철물의 범위도 넓다. 최근에는 지르코니아 보철의 심미성이 크게 개선되었기 때문에 세라믹과 라미네이트를 많이 하지 않는다면, 5축 기계가 가지는 장점이 훨씬 많다고 할 수 있다. 재료마다 다른 밀링 특성을 가지고 있기 때문에 세라믹과 PMMA, 지르코니아용 버는 섞어서 사용하지 않고 별도로 사용한다.

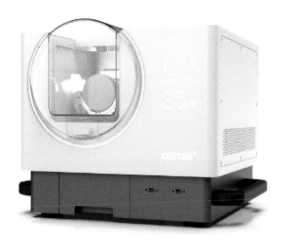

📷 2-20 오스템사의 5축 밀링기계인 OneMill 5X®
기본적으로 버의 구성은 OneMill 4X®와 동일하지만 PMMA용으로 다이어몬드 버 세트가 하나 더 구성되어 있다. 세라믹과 하이브리드 레진세라믹, PMMA를 밀링할 때에는 각각 직경 2.4 mm, 1.0 mm, 0.6 mm 다이어몬드 버를 순차적으로 사용하고, 지르코니아를 밀링할 때에는 직경 2.0 mm, 1.0 mm, 0.5 mm 세 가지 직경의 볼엔드밀 버를 사용한다. 총 9개의 버가 꽂혀 있으며 0.3 mm 버를 위한 자리가 하나 더 옵션으로 존재하여 10개의 버를 이용할 수 있다.

📷 2-21 케어덴트사의 건식 5축 밀링기계인 CSMill 5X®
세 가지 종류의 밀링 버 세트를 구비하고 있다. 하이브리드 세라믹용으로 직경 2 mm, 1.0 mm, 0.5 mm 버를 사용하고, PMMA용으로 직경(2.5 mm), 2.0 mm, 1.5 mm, 1.0 mm, 지르코니아용으로 직경 2.0 mm, (1.0 mm flat), 1.0 mm, 0.5 mm, (0.2 mm) 버를 사용한다. 굵은 버를 이용해서 대략적으로 형태를 잡고 점점 버의 사이즈를 줄여가면서 디테일한 해부학적인 형태를 만들어 간다(괄호는 옵션).

📷 2-22 시로나사의 5축 밀링기계인 inLab MC X5®
기존의 4축 장비가 갖는 가공적 한계를 인식하고 만든 시로나의 역작이다. 하나의 기계로 지르코니아, 세라믹, 티타늄 지대주 등 거의 모든 소재를 가공할 수 있다. 소재의 다양성뿐 아니라 디스크와 블록을 함께 사용할 수 있고, 습식과 건식을 모두 소화할 수 있다. '올인원(All in one)' 장비라고 할 수 있다. 그러나 모든 것을 하나의 장비로 밀링하는 것이 과연 임상적으로 큰 장점을 갖는지에 대해서는 한 번 생각해 볼 필요가 있다. 선택과 집중을 할 것인가 아니면 모두 다 할 수 있는 장비를 구매할 것인지를 고민해야 한다.

정보의 출력-재료

치과보철 수복용으로 밀링에 사용하는 재료는 세라믹, 하이브리드 레진세라믹, 지르코니아, PMMA, 티타늄, 이렇게 5가지로 분류된다. 티타늄을 제외한 각각의 재료는 4축과 5축 모두 사용할 수 있게 만드렐 형식과 디스크 형식 두 가지 형태로 시판되고 있다. 디스크 형태는 하나의 원판에 여러 개의 크라운을 제작하기 때문에 가성비가 탁월하다고 할 수 있다. 필자의 경험을 바탕으로 판단하자면 인레이는 세라믹보다는 하이브리드 레진세라믹으로, 크라운은 세라믹에서 지르코니아로 심미보철의 무게중심축이 옮겨지고 있다. 지르코니아 크라운의 심미적 표현이 세라믹과 견주어 나쁘지 않고 보철물의 적용 범위도 훨씬 넓기 때문이다. 보철에 사용되는 비용 면에서도 세라믹보다 월등한 우위를 보여주고 있다. 이는 장비 구입 시 매우 중요한 판단 기준으로 작용한다.

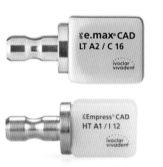 

📷 2-23 **4축과 5축 밀링기계에 사용하는 세라믹 블록과 디스크**

e.max® CAD는 리튬 디실리케이트 강화 세라믹 (lithium-disilicate reinforced ceramic)으로 밀링 후 15-20분의 소성 과정이 필요하며, 소성 후 530 MPa 의 자연치와 유사한 강도를 나타낸다고 한다. 투명 감은 좋지만 지르코니아보다 절반 가까이 강도가 낮기 때문에 브릿지 같이 긴 보철물에는 사용하기 어렵다. Empress CAD는 루사이트 글라스 세라믹(leucite glass ceramic)으로 가공 후 연마가 상대적으로 쉽고 소성을 하지 않아 사용 편의성은 높지만, 강도가 185 MPa 정도밖에 되지 않기 때문에 인레이, 온레이, 비니어(veneer) 크라운, 전치부 크라운 정도에 한정해서 사용해야 한다.

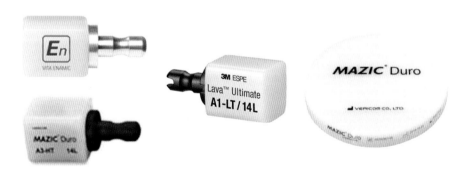

📷 2-24 **하이브리드 레진세라믹 블록과 디스크**

레진의 가공성과 세라믹의 심미적 장점을 섞어놓은 재료이다. 주로 인레이, 온레이, 비니어(veneer), 싱글 크라운 범위에 한해 사용한다. 소성 과정이 없기 때문에 가공 편의성은 좋지만 강도가 120-200 MPa 정도이기 때문에 교합력이 너무 강한 사람에게는 사용하면 안 된다. 세라믹보다 치핑(chippig) 가능성이 낮다고 평가받지만, 사용 위치에 따라 여전히 파절은 발생한다. 투명감 부여 여부에 따라 구성이 HT (high translucency), LT (low translucency)로 나뉘고 있는데 실제 임상에서 주로 인레이와 온레이에 사용하기 때문에 투명감 효과는 크게 상관없다.

📷 2-25 **5축에 사용하는 지르코니아 디스크와 4축에 사용하는 지르코니아 블록**

색상(shade)이 층별로 다르게 부여된 제품(다층 디스크; multilayered shade zirconia disk)도 존재하고 단일한 색상으로 제조된 제품도 존재한다. 단일 색상의 지르코니아를 사용하는 경우 밀링 후 컬러링 과정이 반드시 필요하다. 지르코니아는 디지털 치의학 분야의 총아라고 할 수 있다. 가성비가 뛰어나고, 가공 버의 마모도 매우 적다. 또한 매우 다양한 제품이 출시되어 있고 심미적 표현도 세라믹 못지않게 가능하며, 보철물 제작시간도 탄력적으로 조절이 가능하여 당일 보철이 가능하다.

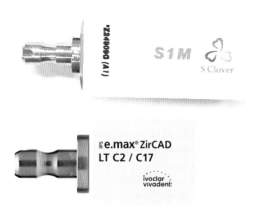

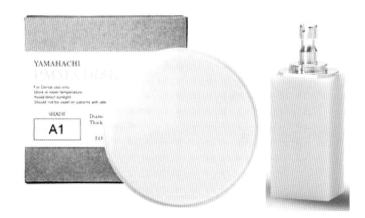

📷 2-26 **5축과 4축 밀링기계에 사용하는 PMMA (polymethyl methacrylate)**

MMA 중합체인 PMMA 수지는 투명성이 좋고 기계적 강도와 경도가 좋아 치과용 재료로 사용하기에 적합한 특성을 가지고 있다. 특히 PMMA는 임시치아 제작에 매우 유용하게 사용할 수 있다. 치아의 외형과 교합면 형상을 상대적으로 정확하게 재현할 수 있다. 그러나 밀링을 통해 성형을 하기 때문에 제작 시간이 3D 프린터에 비해 오래 걸린다는 것이 단점이다. 임시치아를 제작하는 비용 역시 3D 프린터보다 많이 소요된다.

정보의 출력-3D 프린터

3D 프린터는 3D 모델링 작업을 통해 만들어진 정보를 출력하는 장비이다. 이러한 3D 모델링은 프로그램에 의해 생성될 수도 있고, 한 물체를 3D 스캔해서 만들어질 수도 있다. 그리고 이렇게 만들어진 3D 이미지들을 프로그램상에서 미적분 원리를 가지고 잘게 쪼갠 다음, 다양한 방식으로 한 층 한 층 쌓아 최종 출력물로 만들어낸다. 기존에 있던 재료를 깎아내서 무언가를 만드는 것이 밀링방식이라면, 3D 프린터는 아무것도 없는 무(無)에서 무언가를 계속 쌓아 올려서 원하는 형상을 만들어내는 장치이다.

3D 프린터는 수십만 원짜리 저가형에서부터 시작해서 수억 원에 이르는 고가형까지 매우 다양한 제품군이 존재한다. 치과용으로 사용되는 보급형 제품은 주로 SLA, DLP 유형이 많고, 고급형으로는 Polyjet이 있으며, FDM 중에서도 고가형은 치과기공용으로 사용되고 있다.

📷 **2-27 FDM (fused deposition modeling) 방식의 3D 프린터**
가는 실 같은 필라멘트 형태의 소재를 노즐 안에서 열로 가열하여 녹인 다음, 한 층 한 층 쌓아서 원하는 형태를 만들어주는 3D 프린터이다. 노즐을 통과해서 나온 필라멘트는 상온에서 경화가 이루어진다. 쌓인 층 사이에 결이 보일 만큼 정밀하지 못하고 출력시간이 매우 길기 때문에 치과용으로는 잘 사용하지 않는다. 제품 디자인을 위한 프로토타입 모델링에 주로 사용되거나 사이즈를 키워 건축용 산업용으로 사용한다. 저가형 3D 프린터의 대명사이다.

📷 2-28 SLA (stereo lithography apparatus) 방식의 3D 프린터

광경화성 액체 레진이 담겨있는 수조에 레이저를 조사하여 원하는 형태를 만들어 가는 방식이다. 밑판을 만들고 그 위에 지지대를 형성하고 최종적으로 지지대 위에 원하는 조형물을 쌓아 나가는 방식이다. 표면조도가 우수하고 정밀도가 좋지만 출력 후 표면에 남아 있는 잔존레진을 세척해야 하고, 광경화 과정을 거친 다음 지지대를 제거해야 최종적으로 원하는 형태를 완성하게 된다. 상대적으로 출력시간이 긴 편이다(사진은 Formlabs사의 Form2®).

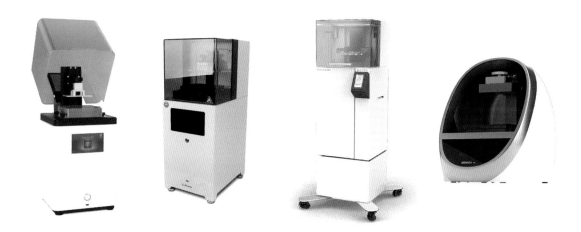

📷 2-29 DLP (digital light processing) 방식의 3D 프린터

DLP 3D 프린터는 빔프로젝터의 렌즈를 통해 나오는 빛이 미세거울에 반사되어 레진을 경화시키는 원리로 작동된다. 그러나 렌즈를 통해 나오는 빛은 가장자리에서 픽셀 일그러짐 현상을 야기할 수 있어서 출력물의 정확성에 문제를 야기할 수 있다. 따라서 작은 출력에서는 높은 정밀도를 보여주지만, 큰 출력물을 출력할 때는 정밀함이 떨어지는 단점이 있다. 그러나 치과 출력물은 비교적 크기가 작기 때문에 출력물의 정밀도에는 문제가 되지 않는다. DLP 방식은 출력 속도 역시 비슷한 등급의 3D 프린터인 SLA보다 빨라 치과에서 사용하는 보급형 3D 프린터 시장의 대세를 이루고 있다(사진은 왼쪽부터 오스템의 Onejet 프린터와 O2 프린터, NextDent 5100 프린터, 덴티스 Zenith L 프린터).

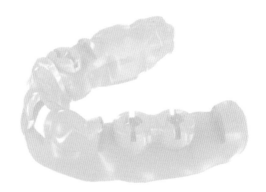

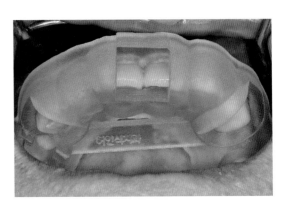

📷 **2-30 Polyjet 방식의 3D 프린터**

잉크젯 프린터와 비슷한 원리로 프린터 노즐에서 직접 액상의 광경화성 수지를 분사하고 이를 자외선으로 경화시켜서 원하는 형태를 만들어간다. 지지대가 없기 때문에 프린팅된 결과물이 매우 정밀하고 깨끗한 외관을 나타낸다. 매우 고가로, 일반 병원보다는 서지컬 가이드를 전문적으로 제작 서비스하는 대형 업체에서 주로 사용하는 3D 프린터이다(사진은 Polyjet으로 출력한 오스템의 원가이드).

3D 프린팅으로 출력한 제품은 최종보철에 사용하기보다는 최종보철을 제작하기 위한 중간 과정에 보통 사용한다. 최종보철을 제작하기 전에 치아의 형태와 모양, 교합 등을 평가하기 위해 임시치아는 매우 중요한 역할을 한다. 임시치아를 손으로 제작할 때에는 수정사항을 정확하게 반영하기가 어렵지만 캐드 디자인을 통해 3D 프린팅을 하면 수정할 요소들을 매우 정확하게 반영할 수 있고 같은 것을 반복적으로 출력할 수도 있다. 3D 프린팅은 치아를 출력하는 데 걸리는 시간이 치아의 개수와 상관없이 동일하기 때문에 다수 치아를 출력할 때 매우 효율적이다. 전치부 심미보철과 같이 환자의 요구사항을 정확하게 평가해서 반영해야 하는 경우에는 3D 프린팅을 통한 임시치아 출력이 매우 큰 역할을 한다(📷 2-31). 브릿지 형태의 보철이나 다수치아 보철을 할 때 사전 스캔과 3D 프린터로 술전에 임시치아 쉘(temporary shell)을 만들어 놓으면, 치아를 삭제하는 당일 임시치아를 만드는 데 소요되는 시간을 크게 단축할 수 있다(📷 2-32).

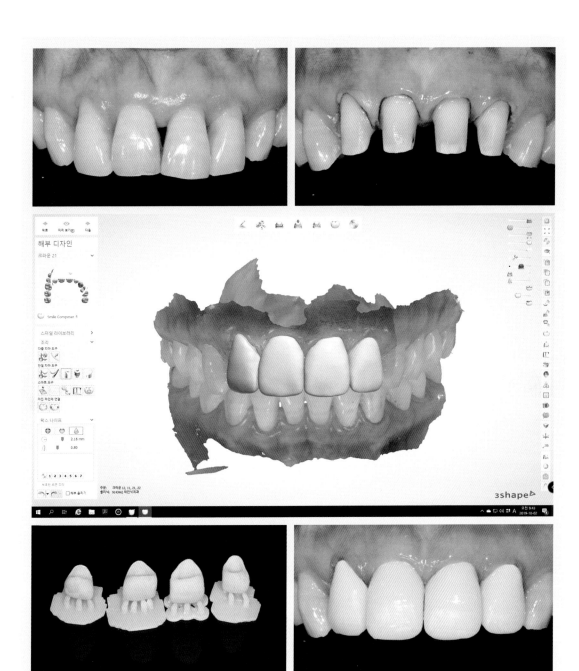

📷 2-31

치아를 삭제한 당일 캐드로 디자인하고 3D 프린터로 임시치아를 출력하였다. 이 임시치아에 대해 환자가 만족하는지를 물어보고 추가로 원하는 것이 무엇인지, 원하지 않는 것은 무엇인지 평가한다. 임시치아에 대한 주변 사람들의 평가는 어떤지 들어보고 최종 치아 디자인을 확정한다. 3D 프린터는 절단면을 약간 둥글게 출력하는 경향이 있으므로 최종 치아를 위한 디자인을 평가할 때 주의해야 한다. 디자인 파일과 출력해서 세팅한 치아 사진이 살짝 다른 것을 볼 수 있다. 따라서 정확한 형태를 재현해야 하는 경우에는 3D 프린터보다는 PMMA를 이용하는 것이 바람직하다.

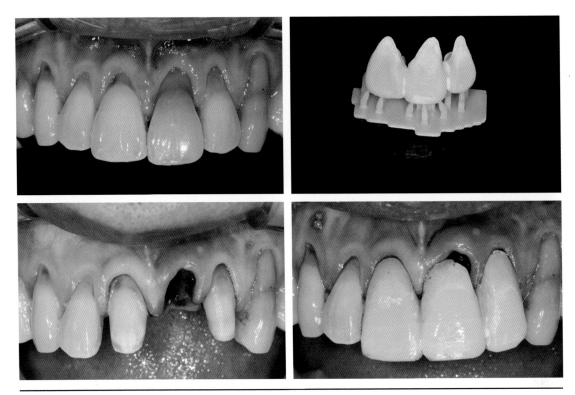

📷 2-32
이 증례에서는 보철치료를 시작하기 전에 미리 스캔을 하고 임시치아 쉘(temporary shell)을 만들어 놓았다. 치아삭제와 발치 후 약간 수정만 하고 임시치아를 연결할 수 있다. 임시치아를 만들기 위해 환자가 장시간 대기해야 하는 불편감을 줄일 수 있고 술전 치아를 복제해서 만들었기 때문에 갑작스러운 변화에 대한 어색함도 줄일 수 있다. 이런 임시치아 과정을 통해 무엇을 바꿀 것이고, 무엇을 보존할 것인지를 결정한다.

3D 프린터는 전악보철을 하거나 의치를 제작하는 환자에게도 매우 유용하게 사용된다. 교합채득을 위한 레코딩 베이스(📷 2-33), 인상채득을 위한 개별트레이 및 임시의치 제작에 3D 프린터를 사용할 수 있는데(📷 2-34), 최종 보철을 제작하는 데 소요되는 시간을 크게 단축시킬 수 있다.

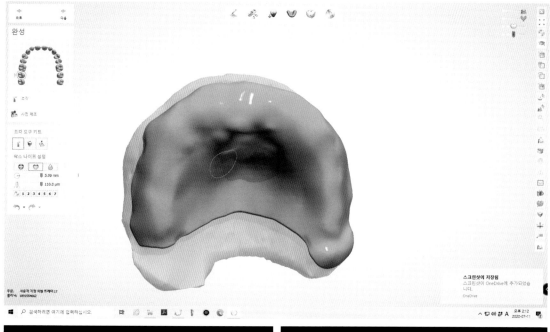

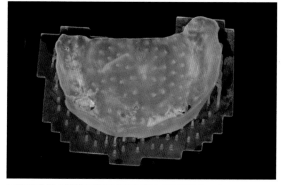

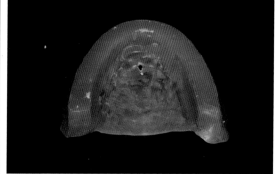

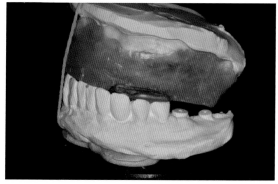

📷 2-33

모델스캐너로 모델을 스캔한 후 캐드 프로그램상에서 레코딩베이스의 하방 레진상을 디자인한다. 최종 인상을 위해 사용하는 개인트레이에서 손잡이만 뺀 형태이다. 이를 3D 프린팅으로 출력한 다음, 지지대(supporter)를 모두 제거하고 기성품으로 판매하는 왁스림을 올리면 레코딩베이스가 쉽게 완성된다. 이를 이용해서 구강 내에서 교합을 채득한 후 모델스캐너 상에서 이 위치를 다시 스캔하면 의치 제작을 위한 스캔이 완성된다.

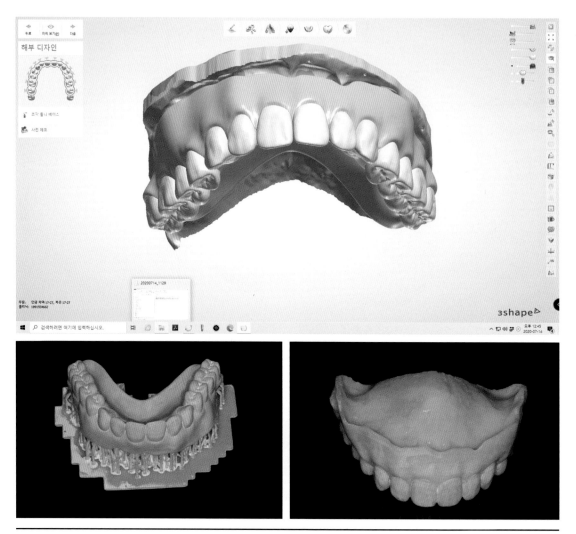

📷 **2-34**

최종 스캔과 교합채득이 완성되면 의치 제작을 위한 도치배열을 완성하고, 이를 3D 프린팅을 통해 임시의치로 완성한다. 이후 과정은 **3D 프린터의 임상적용** 편에서 자세하게 소개한다.

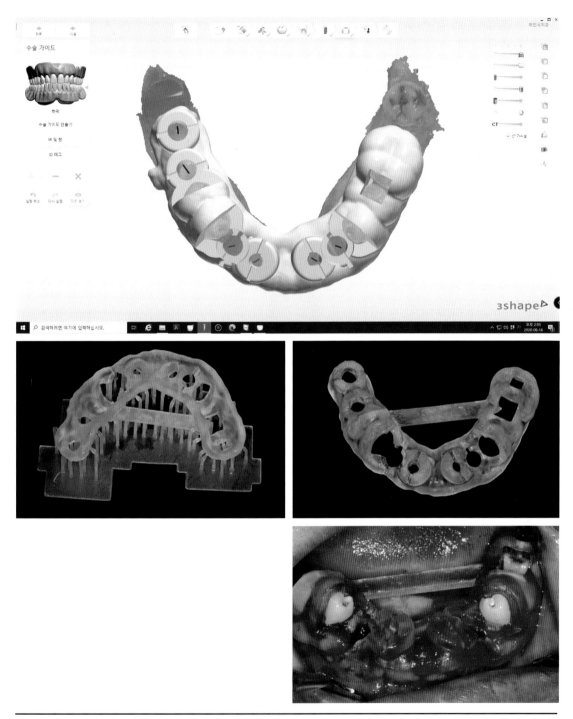

📷 2-35

3D 프린터는 임플란트 식립을 위한 서지컬 가이드 제작에 가장 많이 활용된다. 임플란트를 많이 시행하는 병원이라면 서지컬 가이드 제작에 3D 프린터를 가장 많이 사용할 수 있다. 서지컬 가이드 제작에만 열심히 사용해도 3D 프린터의 존재가치는 충분히 느낄 수 있을 것이다. 서지컬 가이드는 디자인도 그다지 어렵지 않고 출력 과정도 매우 단순하기 때문에 직접 제작해 보기를 추천한다. 임플란트 가이드 디자인에는 여러 가지 프로그램이 있지만, 필자는 임플란트 스튜디오라는 프로그램(3Shape Co.)을 사용하고 있다. 기존 보철용 캐드 프로그램(Dental System, 3Shape Co.)과도 완벽하게 호환되기 때문에 여러 가지 면에서 편리하다.

정보의 출력-3D 프린팅 재료

치과보철 수복용으로 3D 프린팅에 사용하는 액상레진은 임시치아용, 의치베이스용, 모델용, 금속주조용, 서지컬 가이드용, 교정용 등 용도에 따라 다양한 제품이 존재한다. 인체 내에 직접 사용하는 레진의 경우, 식품의약안전청의 엄격한 허가 아래 출시가 결정된다. 용도에 따라 색상과 점도가 다르기 때문에 별도의 수조에 담아 사용해야 한다. 세척할 때에도 세척제 안에서 재료가 서로 섞이지 않도록 주의해야 한다.

📷 **2-36 임시치아용 액상레진 (C&B, NextDent Co.)**
임시치아나 의치의 도치 부분에 사용하는 레진이다. 통상적인 임시치아용 레진 색상을 가지고 있으며 점도가 높은 편이라 사용 전에 잘 섞어야 한다.

📷 **2-37 모델용 액상레진 (Model, NextDent Co.)**
진단용이나 보철, 혹은 교정용 모델이 필요할 때 사용한다.

📷 **2-38 교정용 액상레진 (Ortho, NextDent Co.)**
교정용 장치, 코골이 장치, 악관절용 스플린트, 이갈이 장치를 만들 때 사용하는 레진으로 색상이 일부 첨가된 투명한 소재이다.

📷 **2-39 기공주조용 액상레진 (Cast, NextDent Co.)**
의치 프레임을 만들거나 금속캡을 만들 때 사용하는 주조용 레진으로 통상적인 기공용 레진과 유사한 붉은 색을 가지고 있다.

📷 **2-40 서지컬 가이드용 액상레진 (SG, NextDent Co.)**
임플란트 식립용 서지컬 가이드에 사용하는 레진으로 갈색 투명한 레진이다. 점도가 낮아 흐름성이 좋다.

📷 **2-41 의치 베이스용 액상레진 (SG, NextDent Co.)**
의치의 베이스에 해당하는 부분을 출력하는 레진으로 핑크 색상을 하고 있다. 출력 후 도치 부분과 접착하여 사용한다.

장비 세팅을 위한 조언, 무엇을 우선할 것인가?

사고 싶은 것과 살 수 있는 것 그리고 사야 하는 것, 하고 싶은 것과 할 수 있는 것 그리고 해야 하는 것 구별하기

그렇다면 디지털 치과진료에 입문하려는 병원은 무엇부터 시작하는 것이 바람직할까? 관련 제품의 구입 순서는 당연히 입력장치인 스캐너에서 시작해야 한다. 그런 다음 정보를 해석하는 장비인 디자인 소프트웨어를 구입하고 최종적으로 정보를 출력하는 장비를 구입하는 것이 바람직하다. 궁극적으로 이 모든 것을 보유하고 사용한다면 가장 좋은 결과를 얻을 수 있지만, 이를 운용하기 위해서는 이를 운용할 수 있는 인력과 재정적 여력 그리고 시간 투자가 필수적이기 때문에 제품을 구입하기 전에 우리 병원의 임상적 요구 수준과 여력, 가장 중요한 디지털에 대한 열정이 어느 정도인지를 감안하여 결정해야 한다.

정보입력장치의 구입

정보입력장치인 구강스캐너와 모델스캐너, CBCT 중 현재 가장 많이 보급되어 있는 장비가 CBCT일 것이다. CBCT는 질병의 진단과 치료계획에 거의 필수적인 장비로 자리 잡고 있으며, 가격도 과거와 비교하여 상당 수준 하락한 상태이다. 임상적으로는 질병의 진단뿐 아니라 임플란트 식립을 위한 서지컬 가이드를 제작할 때 반드시 필요한 장비이다. 필자는 임플란트 식립을 위한 서지컬 가이드가 머지않아 임플란트 식립을 위한 필수적 과정으로 자리 잡을 것을 확신한다. 서지컬 가이드는 단순히 수술 초보자를 위한 길 안내 그 이상의 의미를 가지고 있기 때문이다. 보다 자세한 것은 서지컬 가이드를 설명하는 **9장**에서 상세히 밝힐 것이므로 여기서는 이 정도로만 언급한다. CBCT 구입 시 중요한 사항은 ① 영상의 외적 화질, ② 영상의 정확성, ③ 방사선 피폭량, ④ 가격이다. 외적으로 화질이 좋아 보인다고 하더라도 확대율이 지나치게 크거나 영상의 사후 손질이 많다면 서지컬 가이드 제작 시 정합에 문제를 야기할 수 있다. 그리고 가급적 방사선 피폭량이 최소인 것을 추천하지만 이런 기준을 모두 만족시키는 제품은 보통 고가이기 마련이다.

그 다음 구입해야 할 디지털 필수장비가 구강스캐너이다. 구강스캐너는 디지털 기법을 통해 모델 없이 자연치 보철과 임플란트 보철을 하기 위해서 반드시 있어야 하는 장비이다. 필자의 판단으로는 현재 시판되고 있는 구강스캐너 중 트리오스3, 트리오스4(3Shape)와 세렉 구강스캐너(덴츠플라이 시로나), CS3600, CS3700(케어스트림) 등은 임상적으로 이미 검증이 완료된 구강스캐너에 해당한다고 할 수 있다. 그리고 많은 제품들이 이미 범용화 단계에 접어들고 있다고 생각한다. 디지털카메라의 기본적인 성능이 이미 범용화되어 일반적인 사진촬영 결과를 비교하는 것 자체가 큰 의미가 없는 것처럼 구강스캐너도 이미 그런 단계에 접어들고 있다고 생각한다.

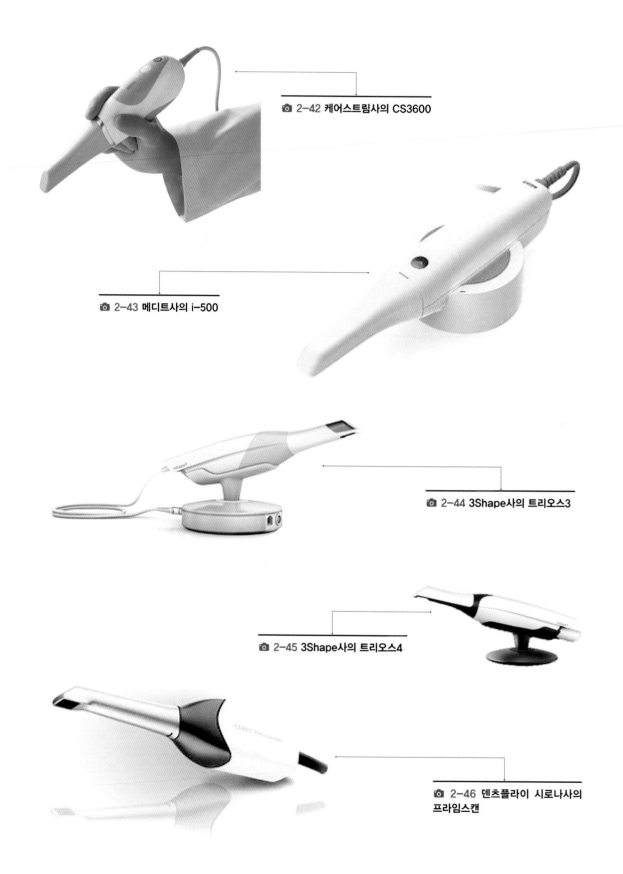

📷 2-42 케어스트림사의 CS3600

📷 2-43 메디트사의 i-500

📷 2-44 3Shape사의 트리오스3

📷 2-45 3Shape사의 트리오스4

📷 2-46 덴츠플라이 시로나사의
프라임스캔

구강스캐너를 구입할 때 디지털 왁스업에 해당하는 캐드 디자인을 어디에서 누가 할 것인지 구체적으로 정해야 한다. 만약 스스로 캐드 디자인을 할 생각이 전혀 없고 앞으로도 기공은 기공소를 통해서 할 생각이라면 거래하는 기공소에서 보유하고 있는 캐드 프로그램에 맞추어서 구강스캐너를 구입하는 것이 바람직하다. 거래하는 기공소에서 사용하는 디자인 프로그램이 엑소캐드(EXO–CAD)라면 오픈 시스템인 엑소캐드를 기반으로 하는 스캐너를 구입하면 된다. 캐어스트림이나 메디트사의 i-500 스캐너가 여기에 포함된다. 그러나 거래하는 기공소에서 사용하는 프로그램이 3Shape사의 덴탈시스템(Dental System)이라면 스캐너 역시 여기에 맞추어서 트리오스3나 트리오스4를 구입하는 것이 바람직하다. 프로그램 사이에 변환을 가능하게 하는 방법이 있기는 하지만 컬러가 지원되지 않는 경우도 있기 때문에 주의해야 한다. 세렉 시스템과 트리오스는 전용 프로그램을 사용하고 케어스트림을 비롯한 여타 스캐너들을 엑소캐드를 이용한다고 생각하면 된다.

그런데 원내에서 직접 보철물을 디자인할 생각이 있다면 스캐너를 구입할 때 신중하게 생각해야 한다. 필자는 케어스트림 CS3500과 CS3600 스캐너를 구입하고 엑소캐드로 약 1년간 디자인 작업을 하였다. 그리고 이후 현재까지는 트리오스3와 트리오스4 스캐너, 덴탈시스템으로 디자인 작업을 하고 있다. 두 가지 운용 시스템을 비교하자면 3Shape사의 트리오스와 덴탈시스템의 작업 과정이 디자인을 처음 시작하거나 이것을 전업으로 하지 않는 치과의사에게 적합하다고 말할 수 있다. 디자인 작업을 하다 보면 뒤로 돌아가서 수시로 디자인을 수정해야 할 부분들이 생기는데 엑소캐드는 이 작업이 무척 번거로운 반면, 덴탈시스템은 이 부분이 매우 수월하다. 수 시간 작업했던 데이터가 통째로 날아간 허망한 경험을 엑소캐드를 사용하던 초반에 여러 번 경험하였는데, 트리오스와 덴탈시스템은 이 점에서도 매우 안정적이다. 그리고 치아형태의 변형이나 임플란트 지대주 디자인의 변화를 줄 때에도 덴탈시스템의 작업체계가 훨씬 쉽고 효율적으로 작동한다. 한마디로 말해 디자인을 스스로 할 사람은 '트리오스–덴탈시스템' 체계를 이용하는 것을 추천하고 싶다.

정보를 해석하는 소프트웨어인 CAD 프로그램은 보통 밀링기계를 구입할 때 함께 구입하는데, 구입 전에 어떤 특성을 가지고 있는지 교육을 받아보고 비교 평가한 다음 자신에게 맞는 프로그램을 구입하는 것이 바람직하다. 엑소캐드는 프로그램을 구입한 다음 별도의 업데이트를 하지 않는 한 비용이 더 이상 나가지 않지만, 트리오스–덴탈시스템은 매년 상당액의 연 사용료를 지불해야 한다. 이 부분이 트리오스–덴탈시스템 체계를 구입할 때 가장 망설이게 하는 요소이다. 그러나 비용을 지불한 만큼의 가치를 충분히 한다는 것이 필자의 생각이다. 디자인할 때 마우스를 클릭하는 횟수를 줄일 수 있다는 것이 얼마나 큰 장점인지는 디자인을 해보는 순간 이해하게 될 것이다. 작업하는 방식을 비교해보면 엑소캐드는 단축키를 이용해서 상당히 많은 작업을 하는 반면, 덴탈시스템은 화면의 표시점과 마우스 클릭, 드래그를 통해 작업을 하게 된다는 면도 큰 차이이다. 단축키에 익숙한 사람이라면 엑소캐드가 쉬울 수 있지만 보다 직관적인 워크플로우를 선호하는 사람이라면 덴탈시스템이 더 익숙하게 다가올 것이다.

정보를 해석하는 프로그램은 크게 CAD 프로그램과 CAM 프로그램 두 가지가 있다. CAD 프로그램은 보철물을 어떻게 디자인할 것인가를 결정하는 도구이고, CAM 프로그램은 보철물을 어떻게 밀링 혹은 프린팅할 것인지를 결정하는 도구이다. CAM 프로그램은 CAD 프로그램보다 쉽고 단순하기 때문에 어렵지 않게 익힐 수 있고, 거의 비슷한 내용을 반복한다고 보면 된다. CAD 프로그램은 개개 환자의 상황에 맞게 새로운 보철물을 제작하는 것이기 때문에 매우 창의적으로 형태를 디자인해야 하지만, CAM 소프트웨어는 항상 동일한 내용으로 밀링형식을 지정하기 때문에 어렵지 않다.

출력장비의 구입은 크게 3D 프린터 계열과 밀링 계열로 나누어서 생각해 볼 수 있다. 3D 프린터를 이용하기 위해서는 3D 프린터 본체와 경화기를 기본적으로 가지고 있어야 한다. 재료를 잘 혼합해 주는 롤러기계는 필수 장비라기보다는 선택사양이다. 초음파세척기는 필자의 경험상 치과용으로는 고가의 제품이 필요가 없고, 시중에서 구할 수 있는 저가의 소형 초음파세척기를 추천한다. 3D 프린팅은 최종보철물을 출력하는 용도가 아니기 때문에 과도하게 고가의 제품을 구입할 필요는 없다. 주로 치과용으로는 DLP 계열의 제품이 많이 사용되고 있고, 비용도 서로 유사하다. DLP 제품 중에서 상대적으로 고가의 제품은 출력 속도가 빠른 제품인 경우가 많다. 출력시간은 보통 크라운은 30분 이내, 가이드는 1시간 이내에 출력이 마무리된다. NextDent 5100처럼 상대적으로 비싼 DLP 3D 프린터는 이보다 훨씬 빠른 출력속도를 자랑한다.

📷 2-47 오스템사의 O2 프린터

DLP 계열의 3D 프린터로 속도와 성능은 비슷한 가격대의 국내산 타사 프린터와 유사하다. 현재 3D 사용에 있어서 가장 큰 관심은 속도와 소재 개발, 비용에 있다고 할 수 있다. 속도가 지금보다 개선될 필요가 있고, 의료용으로 허가된 소재가 보다 다양해질 필요가 있다.

📷 2-48 NextDent사의 레진 경화기

출력이 끝난 결과물은 세척 후 소재를 안정화시키기 위해 약 10분 정도 경화기에 넣어 경화시킨다.

📷 2-49 NextDent사의 액상 레진 혼합기계

롤러가 설정된 시간 동안 계속 돌아가면서 액상레진을 균일하게 혼화시켜준다. 특히 점도가 높은 레진계열에는 이 과정이 매우 중요하다.

📷 2-50 샤오미에서 제작한 초음파세척기

출력물을 경화기에 넣기 전에 출력물에 남아있는 액상 레진을 제거할 때 사용한다. 치과용으로 사용할 제품은 초음파세척기의 크기가 클 필요가 없기 때문에 이 정도 제품이 적당하다. 가격도 매우 저렴하여 소모품으로 생각해도 좋을 정도이다.

밀링기계를 구입할 때에는 우리 병원의 진료 유형이 어디에 초점을 두고 있는지를 알아야 한다. 4축 밀링기계는 세라믹과 비니어, 인레이, 온레이 등에 초점을 두고 있는 장비이고, 크라운의 경우 치아 3개 정도가 최대로 밀링할 수 있는 범위이다. 그러나 인레이와 온레이에 주로 사용하는 하이브리드 레진세라믹은 5축기계에서 더 저렴하게 밀링할 수 있기 때문에 4축 장비에 특화된 진료는 세라믹과 비니어(laminate veneer)라고 할 수 있다. 그런데 지르코니아의 심미성이 세라믹과 견주어 봤을 때 현재 차이가 별로 없고, 비니어의 경우 밀링가공하는 형식보다 현재 무삭제 라미네이트가 각광받고 있는 상황 속에서 4축 장비를 구입하는 것이 과연 의미가 있는지 의문이 든다. 따라서 밀링기계의 구입은 5축 장비를 중심으로 고려하는 것이 바람직하다. 5축 장비는 가성비가 뛰어나고 사용할 수 있는 재료의 범위도 넓으며, 사후 유지관리 측면에서도 훨씬 큰 장점을 가진다. 밀링기계에 따라서는 블록과 디스크를 동시에 깎을 수 있고 습식과 건식을 동시에 할 수 있는 장비가 출시되고 있는데, 필자의 소견으로는 유지관리를 하는 측면에서 많은 문제가 존재할 가능성이 있다. 디스크 유형이 블록 형태의 소재보다 월등히 경제적인데, 이걸 함께 밀링할 수 있도록 만드는 것이 어떤 장점이 있을지 의문이다.

임플란트 지대주 밀링을 위한 밀링기계의 도입을 한 때 생각해 본 적이 있었는데, 지금은 이 부분은 전문 밀링센터에 의뢰하는 것으로 완전히 방향을 선회했다. 그 이유는 환봉을 밀링할 때 남는 지지대(sprue)로 인해 크라운의 동시가공 시 크라운과의 적합에 문제를 야기할 가능성이 있고, CNC 밀링기계로 가공된 지대주가 훨씬 우수한 가공결과를 보여주기 때문이다. 현재 CNC 밀링을 하는 가공업체의 경우 파일전송 후 빠르면 다음날 배송받을 수도 있고 비용도 기성지대주에 매우 근접해 있다. 따라서 원내에서 굳이 가공할 이유가 없다. 지대주 가공은 원내가공보다 전문 CNC 밀링업체에 의뢰하는 것을 추천한다.

원내에서 세라믹 혹은 지르코니아를 밀링할 경우 소성과 글레이징을 위해 부가적인 장비가 있어야 한다. 세라믹을 위한 소성장비(crystallization), 지르코니아를 소성(sintering)하기 위한 별도의 장비가 필요하다. 지르코니아를 소성하는 장비에는 7시간에서 12시간 정도의 스케줄로 소성하는 유형과 45분 안에 소성하는 빠른 모드 유형이 각각 존재한다.

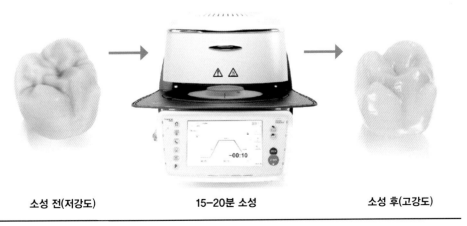

소성 전(저강도)　　　　**15-20분 소성**　　　　**소성 후(고강도)**

📷 2-51
리튬 디실리케이트 강화 세라믹을 소성하기 위해선 전용 퍼니스에 넣어서 15-20분간 소성 과정을 거쳐야 한다.

📷 **2-52 6시간에서 12시간에 걸쳐서 지르코니아를 소성 (sintering)하는 장비**

사용하는 지르코니아 디스크마다 추천하는 소성 스케줄이 있으므로 그것에 맞추어서 시간을 설정하여 사용하면 된다. 밀링한 지르코니아는 소성 과정을 거치면서 실제 구강내에 적합할 수 있는 사이즈로 정확하게 수축한다.

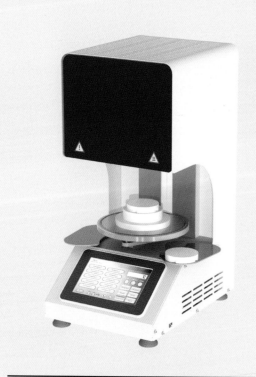

📷 **2-53 45분에 소성을 완료하는 장비**

빠른 시간 안에 소성을 완료할 수 있기 때문에 당일 보철수복에 유용하다. 그러나 한 번에 할 수 있는 크라운의 개수에 제한이 있고, 정상 모드의 소성보다 불투명감이 증가하는 경향이 있어서 투명감이 요구되는 부위에서는 주의가 필요하다.

📷 **2-54 소성되어 나온 지르코니아에 글레이징이나 스테인을 입힐 때 사용하는 장비**

전치부에 글레이징을 하거나 투명감 등의 효과를 부여하기 위해 사용하며, 회사별로 다른 스케줄을 보유하고 있다. 보다 세밀한 색상재현을 위한 스테인 작업에도 사용된다.

마무리하는 글

현재 디지털 진료는 임상적인 면에서 봤을 때 거의 모든 면에서 아날로그적인 치료방법을 압도한다. 구강스캐너의 성능은 이미 원하는 성능을 만족시키고 있다. 보철물을 디자인하는 캐드 프로그램과 임플란트 가이드를 디자인하는 프로그램은 진료의 효율을 놀라울 정도로 끌어올려 주고 있다. 디지털 보철은 보철물을 디자인하는 해석 능력에 의해 결과가 좌우된다. 이러한 해석은 술자의 해부학적 지식과 임상경험에 의해 절대적으로 좌우되기 때문에 이 부분의 역량이 부족한 경우에는 생각했던 것보다 좋은 결과를 얻지 못할 수도 있다. 불만족스러운 결과의 원인은 스캐너와 밀링기계의 성능 부족에 있다기보다는 다른 원인이 개입했을 가능성이 높다. 만약 본인이 직접 해석하고 디자인할 수 있는 여건이 되지 않는다면 기공소와의 좋은 팀워크를 통해 원하는 보철물을 얻을 수 있도록 해야 한다. 그러나 직접 디자인을 해보고 출력을 해보는 과정을 통해 디지털 보철의 전 과정을 이해할 수 있다면 직접 기공과정을 하지 않아도 원하는 보철물에 대한 의견을 기공소에 정확히 전달할 수 있을 것이다.

3장

디지털 진료의
시작,

구강스캐너
이해하기

Atlas of
Digital
Dentistry

3장.

디지털 진료의 시작,
구강스캐너 이해하기

디지털 치과진료는 구강스캔으로부터 시작한다. 구강스캔이 아닌 다른 경로로 자료를 입력받았을 경우, 그것은 이미 아날로그적 술식에 의해 왜곡된 정보를 입력받는 것이다. 이후 과정을 디지털 술식으로 했다고 해도 온전한 디지털 술식이라고 할 수 없다. 구강스캔 자료의 신뢰에 대한 논란은 이제 더 이상 의미가 없다고 생각한다. 편의성, 정확성, 효율성, 경제성 등 모든 면에서 기존 아날로그 술식을 압도하기 때문이다. 현재 출시되고 있는 구강스캐너는 동영상 촬영 방식을 채택하고 있다. 과거에 사용하던 방법인 정지 화상을 이어붙이는 방식은 더 이상 사용하지 않는다. 이 방법은 촬영이 어렵고 숙련이 필요하며, 시간이 너무 오래 소요된다. 구강내에서 인상을 채득하는 지대치 주변 환경은 타액과 치은열구액, 혈액 등에 의해 항상 영향을 받는다. 구강스캔은 이런 요소들이 제어된 매우 짧은 순간을 이용해서 이루어져야 하기 때문에 구강스캐너의 촬영 속도는 매우 중요하다. 최근에 출시되고 있는 트리오스4 정도의 구강스캐너들은 이런 환경에 맞게 매우 탁월한 촬영 심도와 해상도, 촬영 속도를 가지고 있다. 이 장에서는 효과적인 스캔을 위한 실전 임상을 다루고자 한다.

효과적인 구강스캔을 위한 활용방법

구강스캔은 기본적으로 처음 촬영된 기준점을 중심으로 중첩촬영을 통해 촬영을 이어간다. 따라서 중첩이 되지 않은 채 촬영을 진행하면 더 이상 촬영을 진행하지 않는 비활성화 상태에 빠지거나 임상에 사용할 수 없는 왜곡된 정보를 만들게 된다.

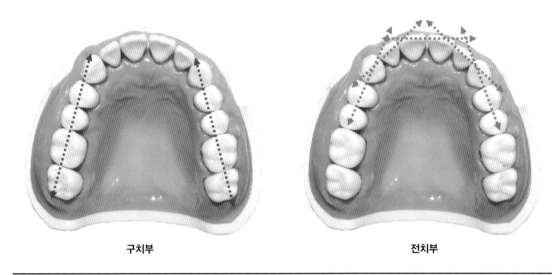

구치부   전치부

📷 3-1

소구치와 대구치는 보통 교합면 중심선이 직선으로 존재하고 교합면의 면적이 넓기 때문에 스캔이 용이하다. 하지만 소구치와 견치를 넘어서 전치로 이동하면서 교합면 중심선은 곡선을 그리고 절단면의 폭도 줄어든다. 따라서 전치부 쪽으로 스캐너를 이동할수록 스캐너의 각도를 다양하게 변화시켜서 촬영을 해야 한다. 특히 전치부를 스캔할 때는 절단면을 중심으로 스캐너를 협설로 기울여주면서 촬영해야 이미지의 중첩이 가능한 촬영을 이어갈 수 있다.

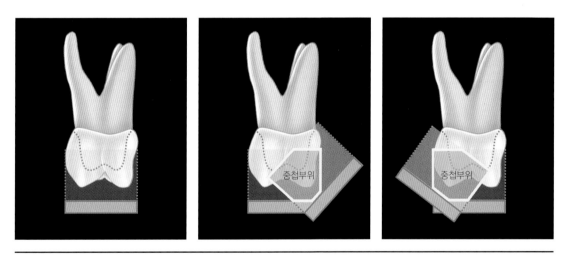

📷 3-2

최초 구강스캔의 시작은 항상 교합면 촬영이어야 한다. 교합면 촬영 후 이를 기준으로 협측과 설측 촬영을 이어가고, 마지막으로 심도가 깊은 위치에 존재하는 근심과 원심면으로 촬영을 옮겨간다.

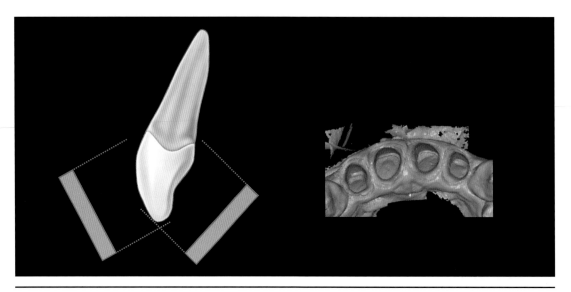

📷 3-3

교합면 촬영을 먼저 하지 않고 협측과 설측을 먼저 촬영하면 협측과 설측을 이어줄 수 없기 때문에 오른쪽과 같이 잘못된 촬영 이미지가 만들어진다. 중첩되는 부위가 없기 때문에 프로그램이 임의로 이미지를 붙인 결과, 결이 진 형태로 결과물이 만들어진 것이다. 이런 상태로 출력된 정보로는 보철을 디자인할 수 없다.

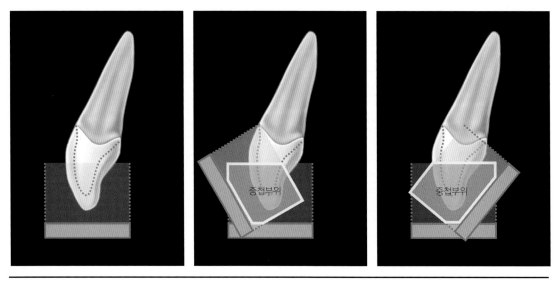

📷 3-4

전치부는 절단면이 매우 좁기 때문에 구치부에 비해 중첩이 수월하지 않다. 따라서 전치를 스캔힐 때는 절난변을 우선적으로 촬영하고, 협설측으로 스캐너를 기울여서 협설측 스캔 때 중첩될 수 있는 부분을 만들어주어야 한다.

트리오스 스캐너를 이용한 자연치아 스캔하기

자연치아를 스캔하는 과정은 임플란트 스캔에 비해 다소 복잡하고 시간도 오래 걸린다. 임플란트는 스캔바디라고 하는 기계적 구조물을 스캔하기 때문에 스캔 자체가 어렵지 않고 타액이나 혈액, 잇몸 등에 의해 스캔이 방해받지 않는다. 반면 자연치아는 잇몸과 밀접하게 연결되어 있고 타액과 혈액, 치은열구액 등에 의해 방해받을 수 있다. 무엇보다 보철을 위한 치아변연은 개개인마다 그리고 치아마다 유일한 모양을 가지고 있기 때문에 스캔이 어렵다. 대합치아와 충분한 거리가 떨어져 있어야 하고, 삭제한 치아에 언더컷이 존재하지 않아야 한다. 그렇다면 어떤 과정을 통해 스캔을 해야 하고, 무엇을 주의해야 하는지에 대해 아래 증례를 통해 보도록 하자.

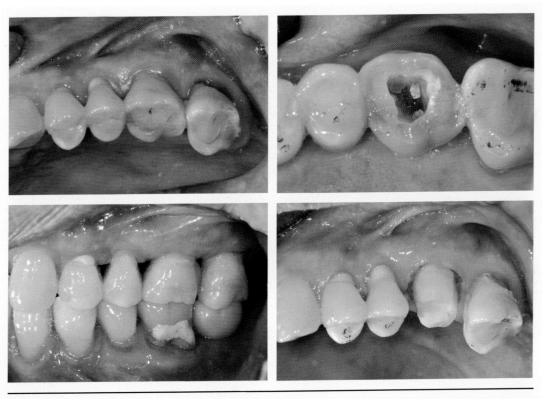

📷 3-5

상악 좌측 제1대구치에 크랙을 원인으로 하는 치근단 병변이 존재하였다. 근관치료를 시행한 다음 보철을 위한 치아삭제를 시행하였다. 과거 아날로그 인상을 채득할 때는 3-0 코드를 치아변연부 잇몸에 삽입하고, 추가로 2차 코드를 넣은 다음 실리콘 인상을 하였지만, 디지털 스캔에서는 2차 코드는 넣지 않는다. 치아삭제변연(preparation margin)을 육안으로 확인할 수 있으면 스캔이 가능하기 때문에 2차 코드 삽입은 하지 않는다.

스캐너를 켜고 프로그램을 실행한 다음에 어떤 치아를 치료할 것인지를 표기하고, 해당 치아에 어떤 보철물을 할 것인지와 이와 연관된 정보를 입력한다. 외부 기공소로 보낼 때는 배송일자와 치아색상 등을 표시한다. 이 화면에서 가장 중요한 것은 [사전 프렙] 기능을 선택하는 것이다.

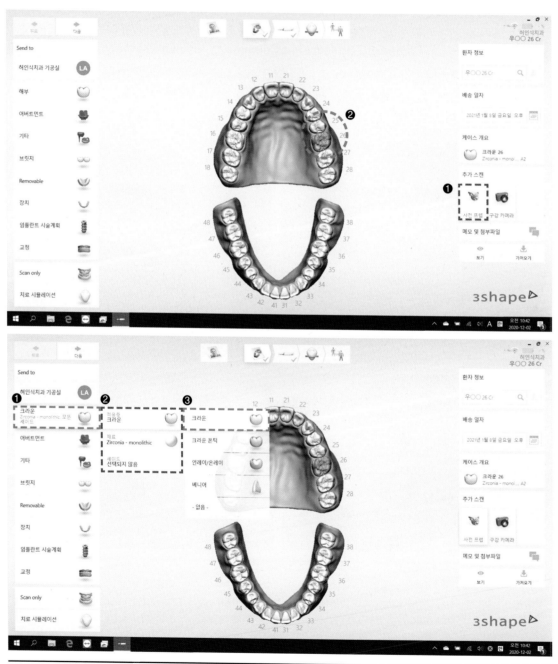

📷 3-6, 7

기본적인 정보를 입력한 다음 원하는 [크라운]의 종류를 선택한다. 크라운, 크라운폰틱, 인레이/온레이, 라미네이트 중에 선택한다. 그런 다음 하단 항목인 [보철 재료]를 선택한다. 지르코니아 크라운이 최종 목표라면 [지르코니아-모노리틱]을 선택한다. 지르코니아-모노리틱은 단일한 색상으로 구성된 디스크를 지칭한다. 왼쪽의 리스트는 어떤 진료를 할 것인지와 그에 따라 어떤 선택을 해야 하는가에 대한 항목이다. 선택이 끝난 다음. 왼쪽 상단의 [다음] 항목을 선택하면 상단 중앙의 선택항목이 [스캐너] 항목으로 바뀐다.

3Shape사의 트리오스 스캐너와 캐드 프로그램의 메뉴 구성은 매우 직관적인 워크플로우를 가지고 있다. 크게 3가지의 메뉴 구성을 보여주고 있는데, 가장 큰 메뉴가 상단 중앙에 배치되어 있다. 이 메뉴의 개별 항목이 좌측에 배치되어 있고, 이 메뉴에서 사용하는 세부항목의 메뉴가 우측에 배치되어 있다. 그러므로 '**좌측 메뉴 – 우측 메뉴 – [다음] 클릭 – 큰 메뉴 변경**'을 반복하면서 프로그램이 진행된다. 이 프로그램의 장점은 수정이 필요할 때면 언제든지 원하는 곳으로 돌아가서 다시 작업을 이어갈 수 있다는 것이다. 그리고 변경한 항목 이외의 내용들은 고스란히 저장되어 있기 때문에 재작업에 의한 불필요한 시간 낭비를 줄일 수 있다. 특히 구강스캔과 캐드 작업에 입문하는 초심자라면 이런 되돌아가기 기능의 단순함이 절대적으로 필요하다. 수정이 어려우면 수정을 하지 않고 대충 보철을 마무리할 가능성이 그만큼 증가한다.

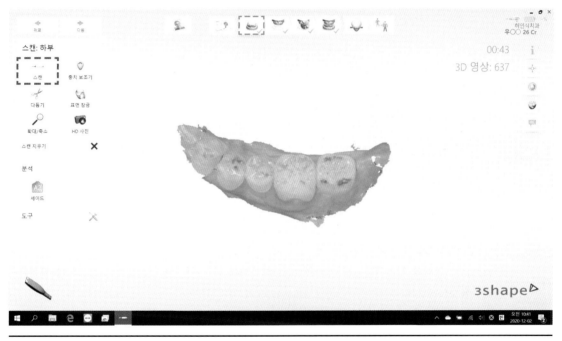

📷 3-8

메뉴가 스캔모드로 변경되면 하악을 먼저 촬영한다. 촬영 후 불필요하게 과다 촬영된 점막 등을 다듬어 준다. 과도하게 높게 올라온 상태로 촬영된 점막은 향후 캐드 디자인 시 형태를 관찰하는 것을 방해할 수 있기 때문에 다듬어주는 것이 좋다.

상단의 **큰 메뉴**가 **스캔 단계**로 넘어가면 이제 본격적으로 스캔을 시작한다. 보통 하악, 상악, 교합, 지대치 스캔 순으로 스캔을 진행한다. 자연치 보철에서 사전 스캔 기능이 중요한 이유는 교합 때문이다. 치아가 삭제된 상태에서 교합을 촬영하면 교합채득의 정확성이 떨어진다. 치아삭제 전에 환자의 교합을 촬영하면 치아삭제 후 이 교합으로 스캔이 완성되기 때문에 보철 디자인 시 오류를 줄일 수 있다. 그러나 치아삭제 후 교합점의 상실을 크게 보이지 않는 인레이나 라미네이트의 경우에는 사전 프렙 기능이 필수는 아니다.

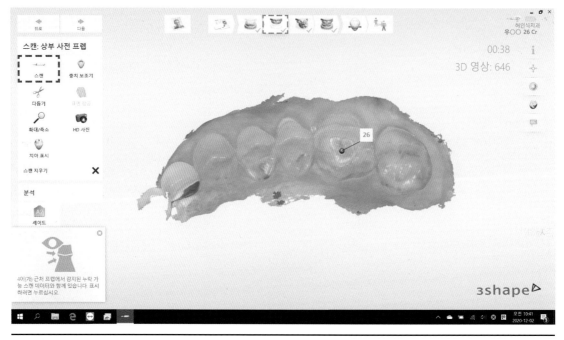

📷 3-9

하악 촬영이 끝난 다음 상악을 스캔한다. 치아를 삭제하기 전 모습을 촬영한다. 상악과 하악의 순서를 바꾸어 촬영하는 것은 가능하지만 상악을 선택하고 하악을 촬영하거나 하악을 선택하고 상악을 촬영해서는 안 된다. 상악과 하악 스캔을 뒤집는 기능이 있는 스캔 프로그램을 사용하는 스캐너도 있지만 3Shape사의 스캔 프로그램에서는 아쉽게도 상하악을 뒤집는 기능이 없다.

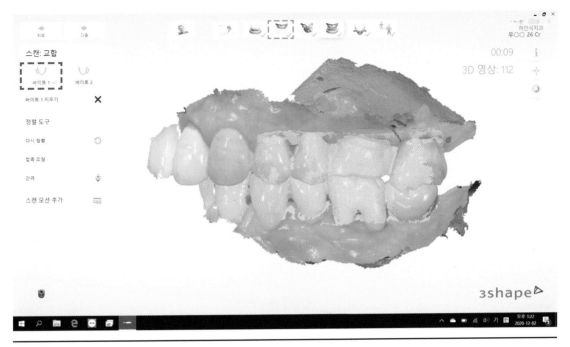

📷 3-10

상악과 하악의 촬영이 끝난 후 교합을 촬영한다. 기존 보철물이 존재하지 않는 경우에는 교합촬영이 쉽게 끝나지만 보철물이 다수 존재하는 경우에는 교합촬영이 지연될 수도 있다. 이럴 때는 보철물 주변으로 스프레이를 뿌려주어서 빛의 반사를 억제하고 촬영하거나 수동 정렬 기능을 이용해서 교합을 마무리한다. 편악 단일치아 보철의 경우에는 편측 교합으로 교합촬영을 마무리하지만, 촬영 범위가 반대 치열로 넘어가는 경우(cross arch scanning)에는 좌우 두 번 교합채득을 시행한다. 트리오스 스캐너는 교합채득 성능은 매우 우수하며, 전악 스캔 시 안정적인 교합채득이 가능하다.

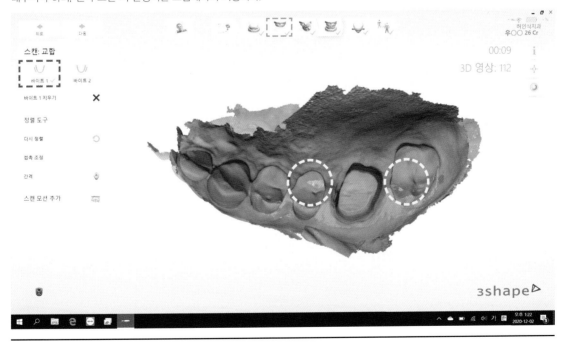

📷 3-11

교합채득 후에는 반드시 촬영체를 뒤집어서 원하는 위치에 교합점이 찍혀있는지 확인해야 한다. 스캔 전에 교합지를 이용하여 교합이 이루어지는 포인트를 치아에 표시해 두는 것이 좋다. 구강내 표시된 교합점과 스캐너에 표시된 교합점이 일치한다면 정확한 교합채득이 이루어진 것이다. 이 단계를 소홀히 해서는 안 된다. 특히 지르코니아 보철은 교합조정에 많은 시간이 소요되기 때문에 체어타임을 줄이기 위해선 교합채득을 정확하게 했는지 술자가 확인해야 한다.

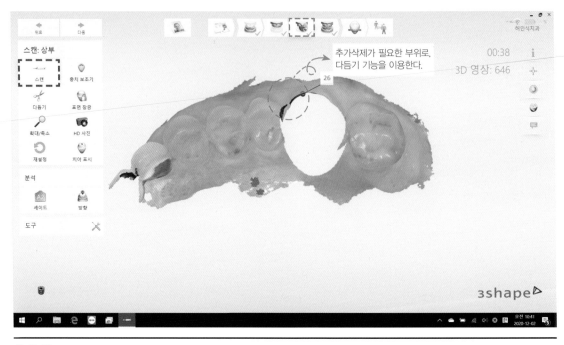

◉ 3-12

교합채득이 끝나면 지대치를 스캔하는 단계로 넘어간다. 자동적으로 지대치 부위가 삭제되어 나타난다. 삭제 범위는 수치적으로 적용되어 있기 때문에 인접 부위를 다듬기 기능을 이용해서 추가적으로 잘라내준다.

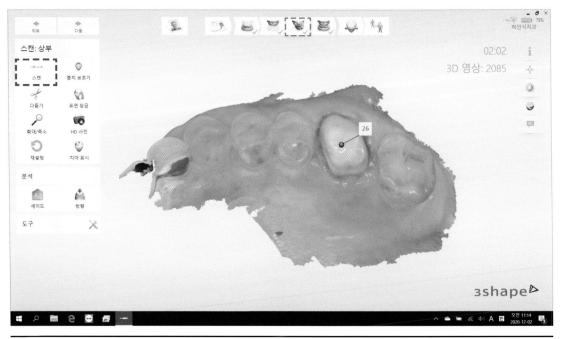

◉ 3-13

다음 순서는 지대치 스캔이다. 대합치와 삭제 전 지대치, 교합에 대한 스캔을 완료한 다음 지대치 삭제에 들어간다. 그런 다음 지대치를 스캔한다. 지대치를 스캔한 다음에는 원하는 대로 스캔이 이루어졌는지를 평가한 다음 재스캔을 이어가는 경우가 많으므로 1차 스캔이라고 말할 수 있다.

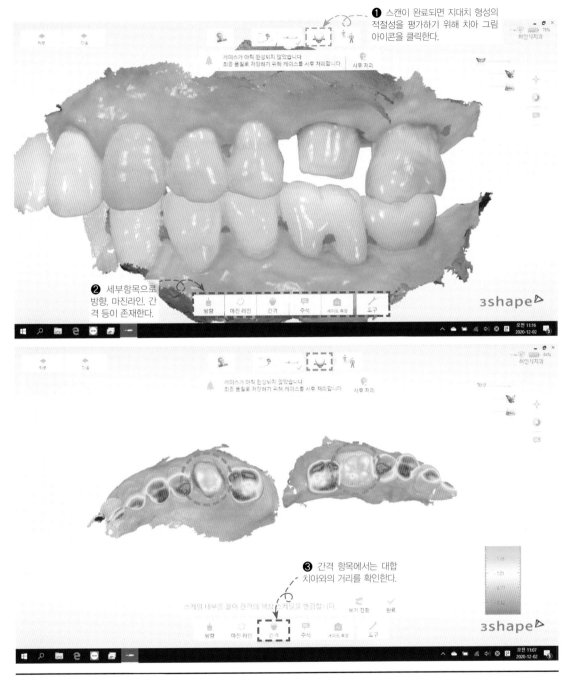

❶ 스캔이 완료되면 지대치 형성의
적절성을 평가하기 위해 치아 그림
아이콘을 클릭한다.

❷ 세부항목으로
방향, 마진라인, 간
격 등이 존재한다.

❸ 간격 항목에서는 대합
치아와의 거리를 확인한다.

📷 3-14, 15

스캔 작업이 끝나면 스캔한 자료가 실제 보철 작업에 사용할 수 있는지를 평가해야 한다. 전체적인 치아성형 상태에 대한 평가가 이루어진다. 치아변연부의 연속성과 균일함, 대합치아와의 거리, 언더컷의 존재 여부 등을 판단해야 한다. 이를 위해 상단 메뉴 중 [스캔] 메뉴 우측의 **[무지개 색상 치아 모양]** 메뉴를 선택한다. 그러면 하단에 방향, 마진 라인, 간격, 주석, 쉐이드 측정 등의 메뉴가 나타난다. 가장 많이 사용하는 메뉴는 언더컷을 평가하는 **[방향]** 메뉴와 대합치 간격을 평가하는 **[간격]** 메뉴이다.

1차 스캔 작업이 완료된 후 지대치 스캔이 정확하게 이루어졌는지를 평가한다. 상단의 **[무지개 색상 치아 모양]** 메뉴를 선택한다. 대합치아와의 간격을 확인하기 위해서는 하단 중앙의 **[간격]** 메뉴를 선택한다.

대합치아와의 거리가 충분히 확보되었는지, 언더컷이 존재하지 않는지를 평가하고, 치아변연이 매끄럽게 형성이 되었는지를 평가한다. 삭제된 변연부에 충분한 두께가 확보되었지도 이 단게에서 평가한다. 📷 3-15에서 보면 지대치의 설측교두 부분과 근심협측 교두의 삭제량이 소폭 부족하다. 지대치 교합면 색상이 녹색과 노란색 범위에 오도록 추가 삭제해야 한다. 지대치 교합면이 붉게 보인다는 것은 치아의 삭제량이 부족하다는 것을 말한다. 보철물의 기능에 필요한 최소 두께를 침범해서 향후 보철물 파절을 유도할 수 있음을 의미한다.

대합치아와의 삭제량에 대한 확인이 끝나면 삭제된 치아에 언더컷이 있는지를 확인해야 한다. 하단 중앙의 **[방향]** 메뉴를 선택한 다음 **[자동감지]** 메뉴를 선택하면 삭제된 치아 주변의 언더컷이 붉은색으로 자동 표시된다. 📷 3-16을 보면 지대치 주변에 붉은 영역이 표시되어 있지 않으므로 언더컷이 없는 경우이다.

특히 치주가 안 좋거나 치경부 마모가 심하게 진행되어 임상치관이 매우 길어진 치아는 언더컷 존재 여부를 주의 깊게 살펴야 한다. 술자는 충분히 삭제했다고 생각하지만 치경부 쪽에 육안으로 확인하기 쉽지 않은 언더컷이 있는 경우가 많다. 미약한 언더컷은 디자인 캐드 프로그램상에서 어느 정도 블록아웃(block-out) 처리를 해주므로 보철을 디자인하는 데 크게 문제가 없지만, 정도가 심한 언더컷이 존재할 때는 디자인을 더 이상 진행할 수 없다는 메시지가 뜬다. 이때는 다시 프렙하고 재스캔해야 하는 번거로움이 발생할 수 있으므로 처음 스캔 시 언더컷 존재 여부를 꼼꼼히 살피는 것이 좋다.

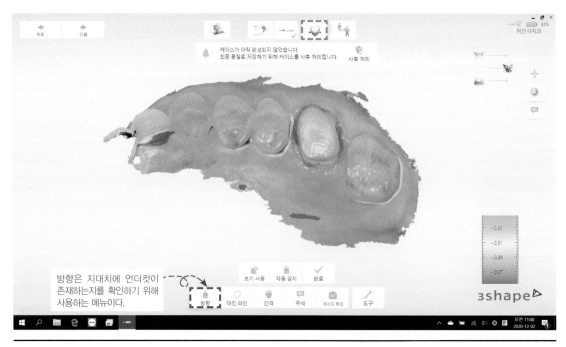

📷 3-16

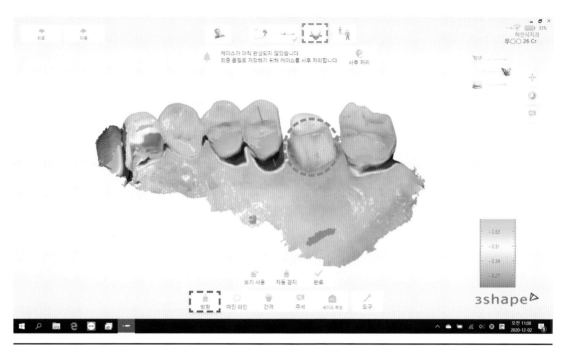

📷 **3-17 다른 각도에서 본 스캔 이미지**

인접 자연치 주변 치경부 쪽은 언더컷이 존재하므로 붉게 표현되어 있지만, 지대치 주변으로는 붉은색이 없다. 이는 지대치 형성이 원만히 진행되어 변연부 주변에 언더컷이 없다는 것을 표현한다.

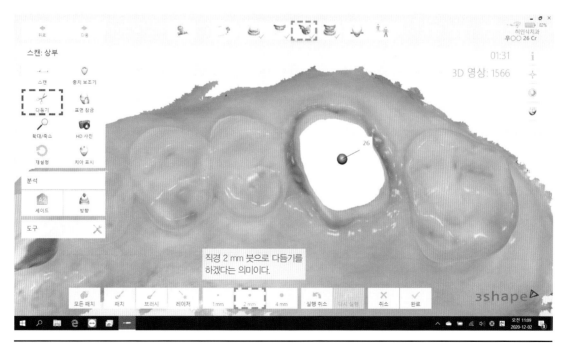

📷 **3-18**

1차 스캔에서 대합치아와의 거리가 부족했으므로 해당 부위에 대한 교합면 다듬기를 실시하였다. 그리고 재스캔하였다.

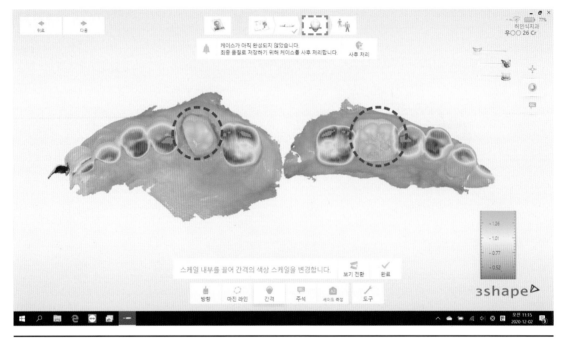

📷 3-19

2차 스캔 후 다시 한 번 대합치아와의 간격을 점검하였다. 1차 스캔에서 붉은색으로 표시되었던 부위가 녹색과 노란색으로 바뀌었다. 지대치 사이 공간이 충분히 확보되었음을 의미한다. 이 작업이 끝나면 지대치 부위를 보다 정밀하게 스캔하는 과정이 남아 있다. 상단 중앙 메뉴에서 다시 [스캔] 메뉴를 선택한다.

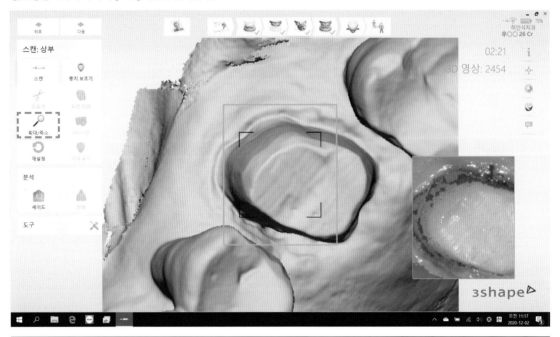

📷 3-20

스캔 단계에서 좌측 메뉴 중 [확대/축소] 메뉴를 선택한 후 지대치 주위만을 추가로 스캔한다. 치아변연부 등의 스캔 정밀도를 높이기 위해 하는 작업이기 때문에 초기 스캔 단계에서는 사용해선 안 된다. 확대/축소 스캔을 할 때는 스캔 영역을 크게 확대해서 촬영하기 때문에 초기부터 사용하면 스캔이 원활히 진행되지 않을 수 있다. 그리고 파일 사이즈를 불필요하게 키우기 때문에 자료를 관리하는 측면에서도 좋지 않다. 따라서 [확대/축소] 메뉴를 이용한 촬영은 가장 마지막에 한다. 심도가 깊은 부위에 사용하면 좋은 기능이다.

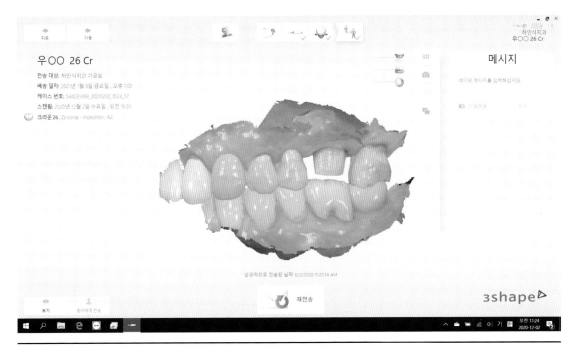

📷 3-21

모든 스캔 작업이 마무리되면 **[전송]** 메뉴를 선택한다. 보철물을 디자인하는 곳으로 자동 전송된다. 만약 외부 기공소를 이용한다면 설정에서 지정해두었던 기공소로 자료가 자동 전송되고, 원내에서 바로 보철물 디자인 작업을 한다면 해당 컴퓨터로 전송된다.

임플란트 보철을 위한 스캔 과정 이해하기

임플란트 보철을 위해서는 임플란트의 식립 위치를 정확하게 재현하는 과정이 필요하다. 아날로그 인상법에서는 인상용 코핑을 연결하여 인상을 채득하지만 디지털 스캔에서는 스캔바디가 그 역할을 수행한다.

아날로그 인상채득 과정을 트랜스퍼 유형의 코핑(transfer type)을 가지고 간략하게 설명하면 다음과 같다(📷 3-22).

1. 치유지대주를 빼고 인상용 코핑을 임플란트에 연결한다.
2. 실리콘 인상재로 인상을 채득한다.
3. 코핑에 기공용 아날로그를 연결하고 인상체에 연결한다.
4. 임플란트 주위로 실리콘을 부어 잇몸 부분을 만들고 석고를 부어 작업용 모델을 만든다.
5. 모델상에서 지대주와 보철을 제작한다.

디지털 스캔은 아날로그와 비교해서 어떻게 다를까? 다음과 같은 순서로 인상용 스캔을 진행한다(📷 3-23).

1. 치유지대주를 빼고 인상용 스캔바디를 임플란트에 연결한다.
2. 구강스캐너로 스캔한다.
3. 캐드 프로그램상에서 스캔바디에 디지털화한 기공용 아날로그를 연결한다.
4. 캐드 프로그램상에서 지대주와 보철을 완성한다.

아날로그 인상체에 인상용 코핑을 정확하게 고정하기 위해 코핑은 특별한 디자인을 갖는다. 인상체 내에서 코핑이 움직이면 임플란트 위치가 변하는 결과를 야기하기 때문에 보철이 맞지 않게 된다. 코핑의 모양이 일부는 각져 있거나 파여 있고, 일부분은 둥근 이유는 그 때문이다.

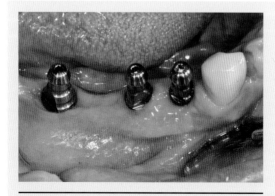

📷 3-22 아날로그 인상용 인상코핑(impression coping)

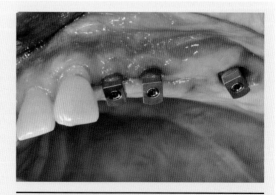

📷 3-23 디지털 인상용 스캔바디(scan-body)

코핑 역할을 대신하는 스캔바디 역시 독특한 디자인을 필요로 한다. 스캐너는 차이(difference)를 인식하여 이미지를 이어가기 때문에 스캔바디에는 그러한 차이가 담겨 있어야 한다. 또한 스캔바디는 스캐너가 효율적으로 인식할 수 있는 표면을 가지고 있어야 한다. 표면이 빛을 심하게 반사하거나 표면처리한 부분이 쉽게 벗겨져 나가면 정합 성능이 저하될 수 있다.

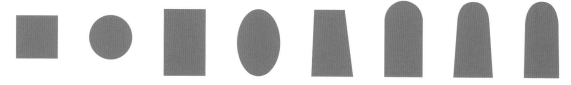

📷 3-24
스캔바디의 단면으로 생각해 볼 수 있는 다면체이다. 스캐너는 어떤 단면을 좋아할까? 어떤 차이를 제공할 수 있는지를 파악해보면 된다. 정사각형과 원형은 어떤 차이도 제공하지 않기 때문에 스캔바디로 사용할 수 없다. 따라서 스캔바디의 스캔 성능을 높이기 위해 상당히 많은 회사들이 단면의 형태를 그에 맞게 바꾸고 있다. 정사각형에서 직사각형으로, 원형에서 타원으로 단면을 바꾸고 원형과 직사각형을 혼용하거나 원형과 사다리꼴을 혼용하여 스캔바디를 제조하고 있다.

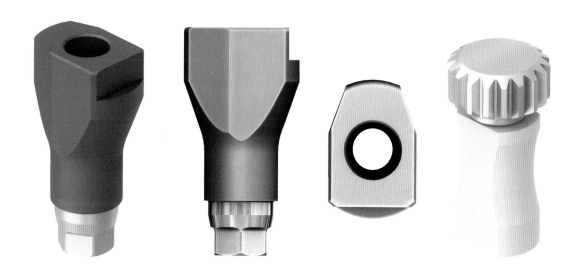

📷 3-25 **똘똘한 스캔바디의 한 예이다. 오스템사의 스캔바디**
스캔바디의 정합률을 높이기 위해 여러 가지 차이를 부여하고 있다. 단면을 보면 사다리꼴과 직사각형이 혼합되어 있고, 한쪽 면에 곡선을 부여했다. 측면에서 보면 각진 면이 파여 있는데, 정합 시 보통 이 면을 이용한다. 가장 우측 그림은 스캔바디를 임플란트에 체결할 때 사용하는 전용 어댑터이다. 스캔바디를 안전하고 안정적으로 임플란트에 연결할 수 있도록 해준다.

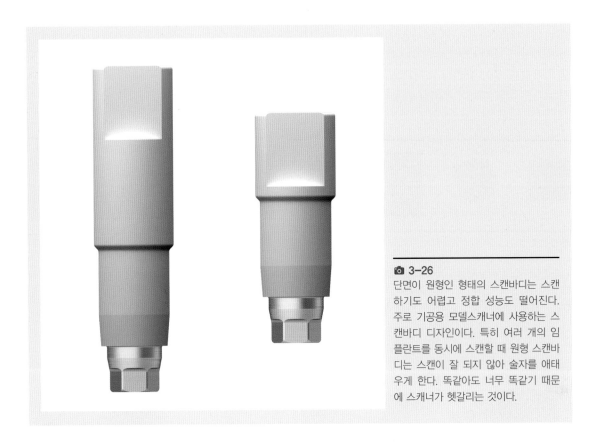

📷 3-26
단면이 원형인 형태의 스캔바디는 스캔
하기도 어렵고 정합 성능도 떨어진다.
주로 기공용 모델스캐너에 사용하는 스
캔바디 디자인이다. 특히 여러 개의 임
플란트를 동시에 스캔할 때 원형 스캔바
디는 스캔이 잘 되지 않아 술자를 애태
우게 한다. 똑같아도 너무 똑같기 때문
에 스캐너가 헷갈리는 것이다.

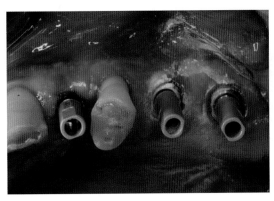
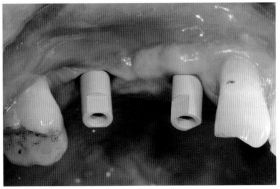

📷 3-27 초기에 사용했던 스캔바디
원형 단면 양쪽에 각을 부여한 형태이다. 스캐너가 읽을 수 있는 형태적 차이가 적어서 스캔이 잘 되지 않고 정합 성능도 많이 떨어
졌다. 원래 모델스캐너용으로 개발된 것이다. 모델스캐너에서는 스캔을 방해하는 요소가 없어서 스캔하는 데 문제가 없지만, 구강
내에서는 타액과 기타 구강구조물의 존재 등으로 인해 스캔이 잘 되지 않는다.

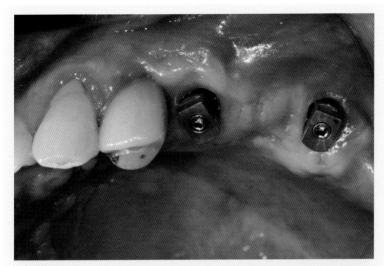

📷 3-28 지오메디사(GeoMedi Co.)의 스캔바디
기본 직사각형 구조에 한쪽 면을 둥글게 만든 형태로 매우 뛰어난 스캔 성능과 정합 능력을 보여준다.

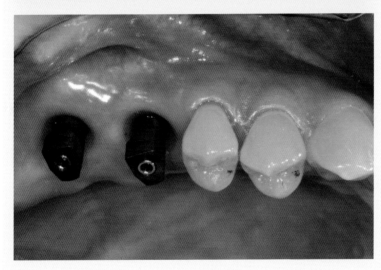

📷 3-29 오스템사(Osstem Co.) 의 스캔바디
직사각형과 사다리꼴을 혼합한 단면에 한쪽 면을 곡선으로 처리하여 스캔이 잘 되도록 하였다.

트리오스 스캐너를 이용한 단일 임플란트 스캔하기

대부분의 스캐너들은 매우 유사한 임플란트 보철 스캔 과정을 갖는다. 간략하게 이 과정을 요약하면 다음과 같다.

1. 치유지대주를 뺀 상태에서 임플란트 주위 점막조직과 인접치아를 스캔한다.
2. 대합치열을 스캔한다.
3. 교합을 채득한다.
4. 스캔바디를 임플란트에 연결하고 추가로 촬영한다.

보통 스캔바디를 연결하기 전에 교합을 먼저 촬영한다. 스캔바디를 연결한 상태에서 교합을 채득하지 않는 이유는 스캔바디가 교합 시 대합치와 닿을 수 있기 때문이다. 이렇게 되면 교합스캔이 불가능하고 스캔바디 자체에 형태 변화를 야기할 수 있다.

다음은 트리오스 스캐너를 이용해서 임플란트 보철을 스캔하는 과정이다.

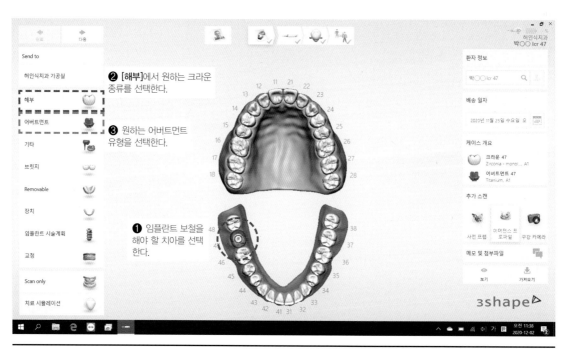

📷 3-30
환자 정보를 입력하여 새로운 파일 리스트를 만든다.

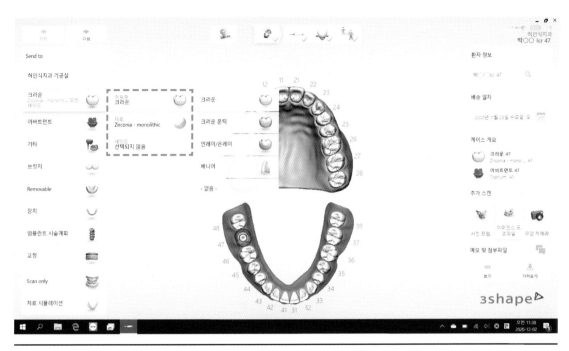

📷 3-31

원하는 보철 형태를 선택한다. 임플란트 보철이므로 **[크라운]** – **[지르코니아]** – **[색상(shade)]** 순으로 항목을 차례대로 선택한다. 어버트먼트도 설정해준다.

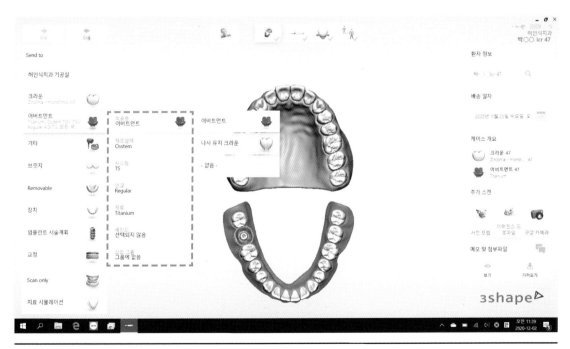

📷 3-32

[크라운] 항목에 대한 입력이 끝나면 사용하고자 하는 **[어버트먼트]** 항목을 결정한다. 사용하는 임플란트 회사와 시스템, 연결부 크기(regular or mini), 연결부 형태(hex or non-hex), 재질 등을 선택한다.

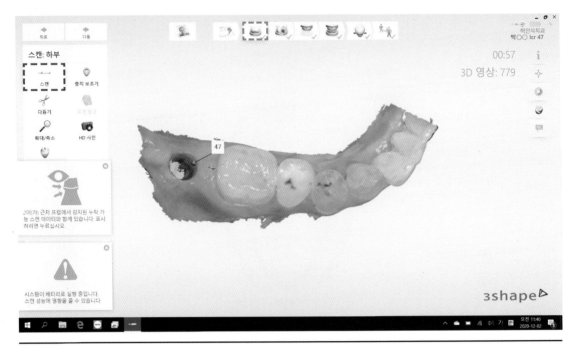

📷 3-33

치유지대주를 뺀 상태에서 임플란트 주위 점막을 포함한 스캔을 한다. 임플란트 지대주와 크라운의 출현형태(emergence profile)를 결정하기 때문에 임플란트 주위점막은 잘 스캔해야 한다. 촬영이 끝나면 [다음]을 클릭하여 대합치 스캔 단계로 넘어간다.

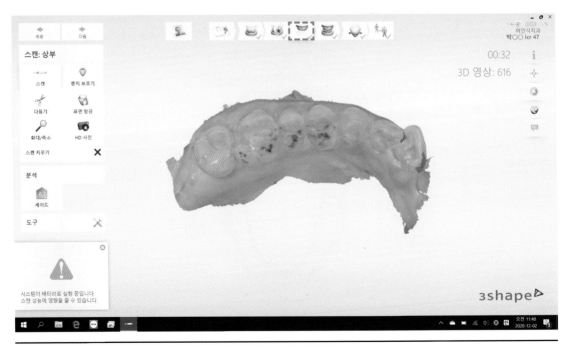

📷 3-34

대합치를 스캔한다. 이 단계는 특별히 주의할 부분도 어려운 부분도 없다. 단지 협설측 점막이 과도하게 촬영되지 않도록 한다. 특히 협점막을 과도하게 촬영하면 캐드로 디자인할 때 협측 형태를 보는 것을 방해할 수 있다. 촬영이 끝나면 [다음]을 눌러 교합스캔 단계로 넘어간다.

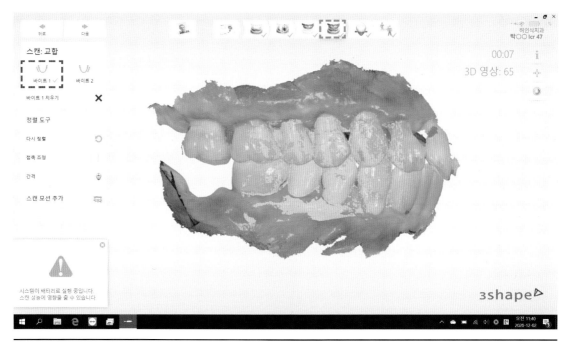

📷 3-35

교합 상태에서 스캐너를 평행하게 대고 있으면 교합은 쉽게 촬영된다. 그러나 보철이 다수 존재하는 경우에는 교합인식에 다소 시간이 걸릴 수 있다. 보철 치아에 파우더를 뿌리고 타액을 제거하면서 촬영 부위 주변을 건조하면 교합채득에 걸리는 시간을 단축시킬 수 있다. 교합이 촬영되었으면 [스캔바디 촬영 단계] 메뉴를 클릭한다.

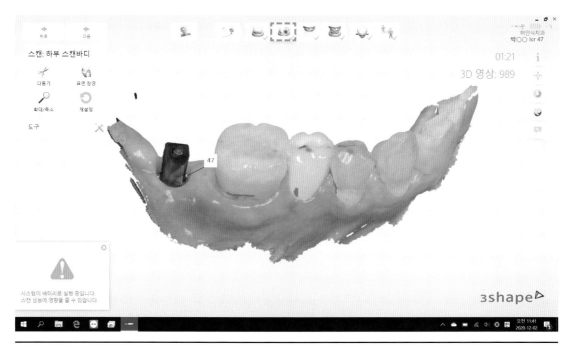

📷 3-36

연결된 스캔바디 주위를 촬영한다. 기존에 촬영된 인접 부위가 포함되도록 스캔해야 이미지를 중첩시켜 나갈 수 있다. 정합에 필요한 스캔바디 상단부가 정확하게 촬영되었으면 디자인에 필요한 모든 요소들을 스캔했으므로 [전송] 메뉴를 클릭하여 촬영을 종료한다.

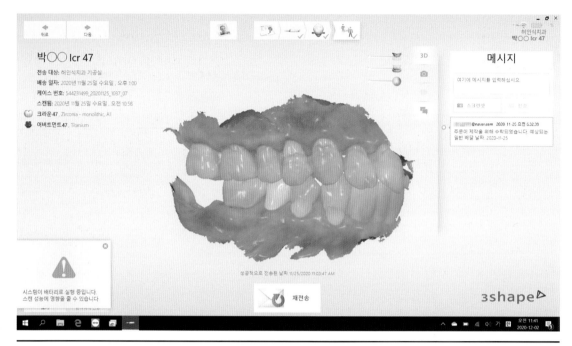

📷 3-37

마지막으로 **[전송]** 메뉴를 클릭하면 디자인 컴퓨터로 해당 파일이 자동으로 전송된다. 스캐너와 디자인 컴퓨터가 자동으로 이어져 있기 때문에 캐드 디자인 시 파일을 불러오는 과정이 매우 쉽고 단순하다.

스캔된 파일은 어떤 모습을 하고 있을까?

스캔한 파일은 삼각형의 메쉬구조를 가지고 있으며 이 위에 색상을 입힌 형태로 추출된다. 보철 디자인을 손쉽게 하기 위해 메쉬구조 위에 색상을 인공적으로 입힌 것으로 이해할 수 있다.

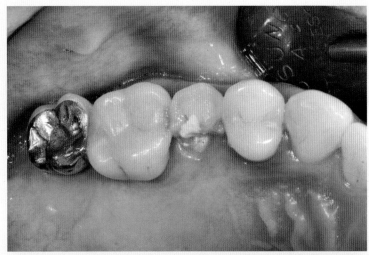

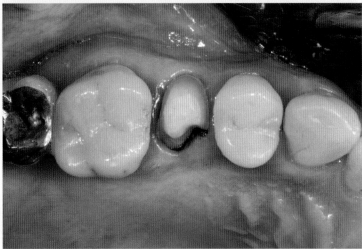

📷 3-38
치아파절로 내원한 환자로서 구개측 파절선이 매우 깊다. 근관치료를 시행한 다음 보철을 위해 코드를 삽입하여 변연부를 노출시켰다. 변연이 깊어도 시각적으로 볼 수만 있다면 스캔할 수 있고 보철할 수 있다. 과거처럼 치은연상으로 변연을 만들어야 스캔과 디자인할 수 있던 시기는 이제 지나갔다. 눈으로 확인되면 스캐너는 완벽하게 스캔할 수 있다는 것을 명심하도록 하자. 이 환자에게 두 종류의 구강스캐너를 이용하여 스캔을 진행하였고 그 특성을 비교하였다. 케어스트림사의 구강스캐너인 CS3600 모델과 3Shape사의 트리오스3를 사용하여 스캔하였다. 이후 케어스트림에서 사용하는 캐드 프로그램인 엑소캐드와 3Shape사의 덴탈시스템을 이용하여 각각 보철물을 디자인하여 비교하였다.

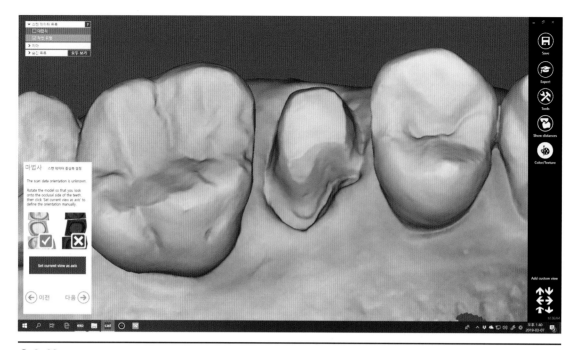

📷 3-39

엑소캐드로 불러온 스캔이미지이다. 보철을 위해 성형된 치아의 변연부가 확연히 구분된다.

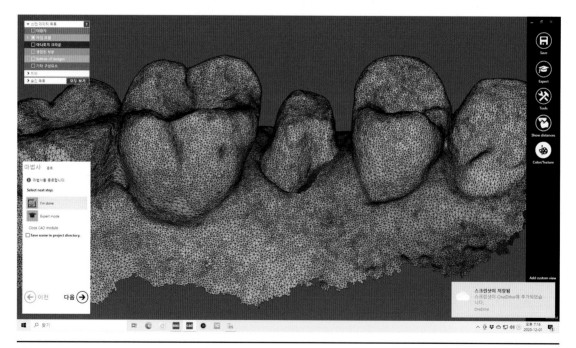

📷 3-40

CS3600으로 스캔된 파일의 메쉬구조이다. 이 스캐너는 지대치와 주변조직을 동일한 메쉬구조로 스캔한다. 골고루 촘촘하게 스캔하는 것이 이 스캐너의 전략이다. 반면 트리오스 스캐너는 매우 다른 전략을 구사한다.

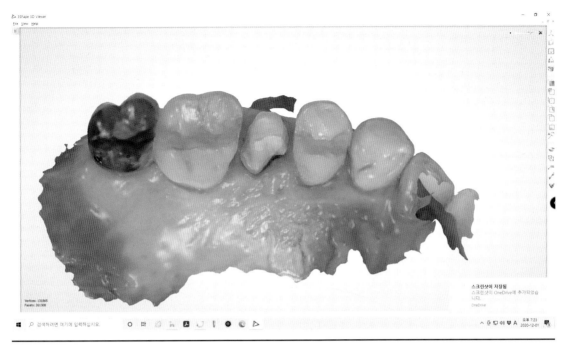

📷 3-41

트리오스로 스캔한 지대치 모습이다. 엑소캐드에서와 마찬가지로 치아성형부 변연이 확실히 구분된다. 그런데 메쉬구조를 보면 CS3600에서 촬영된 이미지와 상당히 다르다.

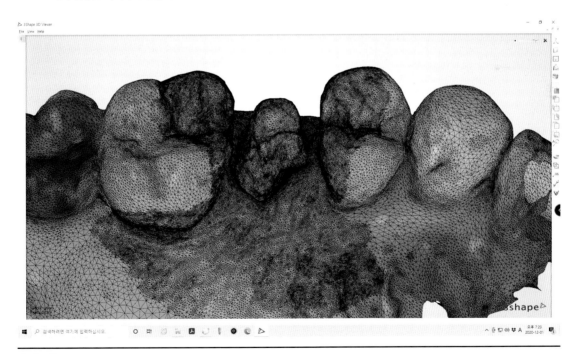

📷 3-42

트리오스의 스캔 전략은 지대치 부위를 보다 더 세밀하게 스캔하는 것이다. 사진에서 보면 지대치 주위의 메쉬구조가 매우 세밀하게 밀집되어 있다. 트리오스는 이런 기본적인 촬영 결과에 더해 더 세밀하게 촬영할 수 있는 기능을 부가적으로 제공한다. 📷 3-20에서 볼 수 있는 **[확대/축소]** 메뉴를 이용하면 보다 심도가 깊은 인접면 등에 대한 스캔을 더 정밀하게 할 수 있다. 그러나 파일 용량이 커지는 것은 감수해야 한다.

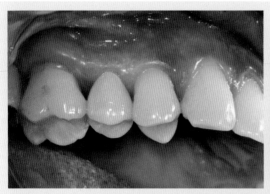
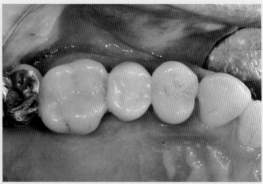

📷 3-43
CS3600으로 스캔한 후 엑소캐드 프로그램으로 디자인하였고, 모델 없이 상악 우측 제2소구치 지르코니아 보철을 제작하였다.
📷 3-40의 메쉬구조를 바탕으로 만들었다.

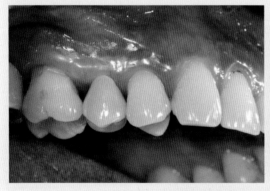
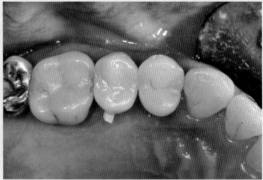

📷 3-44
트리오스3로 스캔한 후 덴탈시스템 캐드 프로그램으로 디자인하였고, 모델 없이 상악 우측 제2소구치 지르코니아 크라운을 제작하였다. 📷 3-42 메쉬파일을 바탕으로 하였다.

모델스캐너와 구강스캐너는 어떤 차이가 있을까?

모델스캐너는 주로 기공소에서 사용하고 있는 스캐너이다. 병원에서 채득한 인상체나 모델을 스캔하여 자료를 입력하고 이를 바탕으로 보철물을 제작하는 방식이다. 인상이 정확하지 않으면 부정확한 자료 입력으로 이어지기 때문에 전통적인 인상채득과 모델 제작을 완벽하게 해야 한다. 모델스캐너는 구강스캐너가 아직 하기 어려운 작업들을 맡아서 해주는 틈새 기능이 존재한다. 구강스캐너가 병원 내에 존재한다면 대부분의 자연치아와 임플란트 보철을 모델 없이 만드는 것이 가능하지만, 전악 보철의 경우에는 바이트 채득의 어려움 때문에 모델스캐너를 일부 활용하는 것이 유리할 때가 있다. 발치 후 임시틀니를 만들거나 개인용 인상트레이를 만들 때도 모델스캐너가 있으면 환자의 내원 기간을 대폭 단축시킬 수가 있어서 진료의 효율성을 크게 높여줄 수 있다.

📷 3-45 3Shape사의 모델스캐너인 E1
보급형 모델로 한악(full arch)을 스캔하는 데 40초 정도의 시간
이 소요되며, 10 ㎛ 정도의 정확도를 가진다.

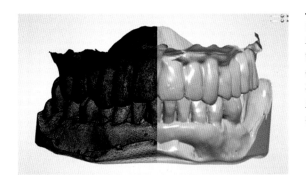

📷 3-46 **구강스캐너로 입력한 스캔자료의 메쉬구조와 색상**
모델을 스캔한 것이기 때문에 치아와 잇몸 사이에 색상 차이가
없다. 따라서 지대치와 잇몸을 정확하게 구분할 수 있도록 인
상을 채득하지 않았다면 보철물의 적합도가 좋을 수 없다. 구
강스캐너와 가장 크게 대비되는 점이다. 캐드 프로그램상에서
도 색상이 단일 색상으로 표현되기 때문에 디자인할 때 형태
정보 외에는 부여하기 어렵다.

Table 3-1 3Shape사에서 판매하는 모델스캐너

제품명	E1 scanner	E3 scanner	D2000 scanner
주요 특징	풀아치 스캔: 40초 10 ㎛ 정확도 2×5 MP 화소 카메라	풀아치 스캔: 22초 7 ㎛ 정확도 컬러 텍스처 카메라	풀아치 스캔: 25초 5 ㎛ 정확도 4×5 MP 화소 카메라

3Shape사에서 판매하는 모델스캐너이다. 사양이 높아질수록 재현성과 스캔 속도가 빠르다. 최근에는 속도가
향상된 레드(red) 시리즈가 새롭게 출시되었다.

📷 3-47 레드(red) 시리즈

모델스캐너를 활용한 임상증례를 소개한다. 치주 상태가 매우 좋지 않아 상악 치아를 모두 발치하고 임시의 치를 해야 하는 상황이다. 기존에 했던 방법으로 한다면 발치하고 인상을 채득하여 기공소에 보낸다. 보통 1주일 정도 후에 레코딩베이스를 보내오면 교합 관계를 기록하고 다시 기공소로 의뢰한다. 빠르면 1주일 후에 치아가 배열된 왁스덴쳐가 오고 그러면 또 1주일 후에 임시 의치가 완성된다. 환자는 거의 3주 이상 치아 없이 지내야 하는 것이다. 그러나 원내에 모델스캐너가 있다면 이 시간을 수일 내로 단축할 수 있다.

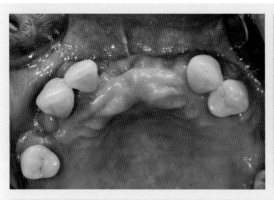 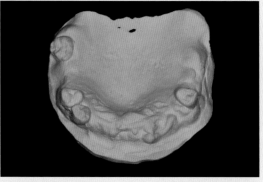

📷 3-48, 49
발치 전에 인상을 채득하고 모델을 만들고 모델스캐너를 이용해서 스캔한다. 치아의 제거는 모델상에서 할 수도 있고, 스캔 후 캐드 프로그램상에서 할 수도 있다. 이 증례에서는 치아를 제거하고 모델을 스캔하였다.

📷 3-50
모델스캐너로 스캔한 데이터의 메쉬 이미지이다. 매우 촘촘한 메쉬구조를 보여주고 있다.

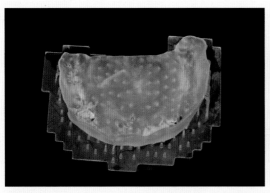
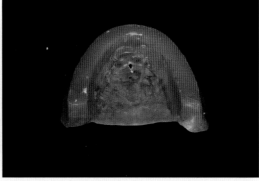

📷 **3-51**
스캔된 자료를 바탕으로 캐드 프로그램상에서 레코딩베이스를 위한 레진을 디자인한 다음 3D 프린터로 출력하였고, 치열 형태를 갖는 기성왁스를 올려주었다. 스캔하고 레코딩베이스를 만드는 데 한나절이면 족하고 큰 기술이 요구되지 않는다.

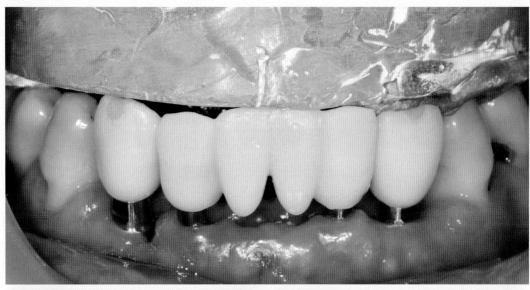

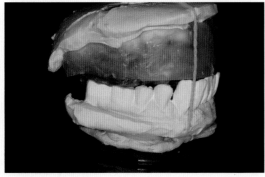
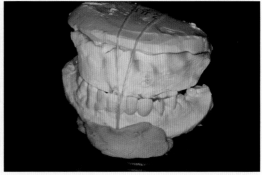

📷 **3-52**
환자가 다음날 내원하면 발치하면서 레코딩베이스로 악간 관계를 기록한다. 이것을 모델스캐너로 스캔하면 디지털교합기에 마운팅된 상태의 모델 정렬이 완성된다. 모델스캐너에서 레코딩베이스를 스캔하기 위해선 파우더를 표면에 뿌려주는 것이 좋다. 피우디 없이 스캔하면 표면의 빛 반사 때문인지 스캔이 잘 되지 않는다.

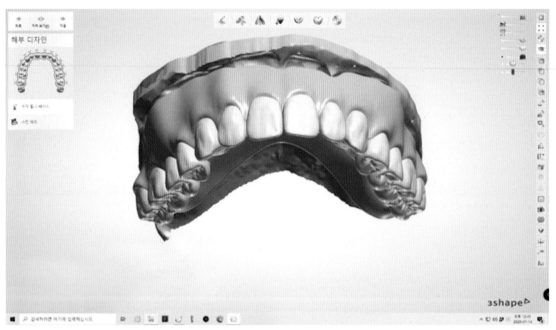

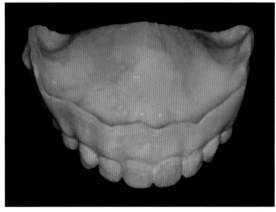

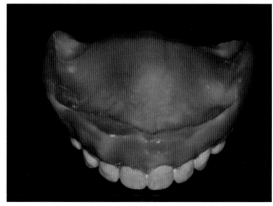

📷 3-53

디지털 교합기에 마운팅된 모델에서 의치를 디자인하고 다시 3D 프린터로 출력하면, 발치하고 하루 만에 임시의치를 만들 수 있다. 이런 작업을 수월하게 하기 위해서는 모델스캐너가 필요하다.

구강스캔을 방해하는 요소와 극복하는 방법

구강스캔을 방해하는 가장 큰 요소는 타액과 출혈 그리고 반짝거리는 표면이다. 따라서 임플란트나 지대치 주변에 출혈이 존재하거나 타액이 있다면 제거해 주어야 한다. 그리고 빛을 반사하는 가장 큰 요소는 보철물 이다. 골드크라운이나 메탈크라운, 연마가 잘 된 보철물은 빛을 반사시키기 때문에 자연치보다 스캔이 잘 안 된다. 특히 치간부 스캔이 어렵다. 그러나 최근 출시되는 구강스캐너는 금속을 스캔하는 성능이 대폭 향상되 어 큰 어려움 없이 스캔할 수 있다. 보통 지대치와 대합치 스캔은 어렵지 않게 되는데, 교합촬영이 지체되거 나 안 되는 경우가 많다. 금속크라운이 있을 때 교합촬영이 잘 안 되는 이유는 빛을 반사하는 성질과 더불어 크라운의 해부학적 형태가 너무 밋밋하기 때문일 수도 있다. 차이 인식을 통해서 이미지를 이어가는 스캐너 의 기본 성격에 부합하지 않기 때문이다.

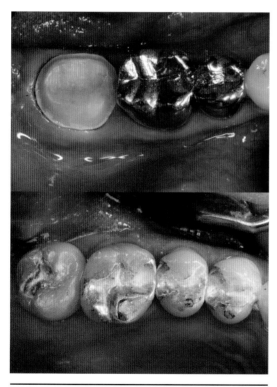

📷 3-54

금속 보철물에 스프레이를 뿌려서 표면의 반짝거림을 제거한 모습. 최근 출시하는 스캐너는 금속 스캔의 성능이 대폭 개선 되어 어렵지 않게 스캔할 수 있다. 따라서 스프레이는 스캔 시 진행속도가 너무 느리거나 유독 스캔이 잘 안 되는 증례에 한 해서 사용하는 것이 좋다.

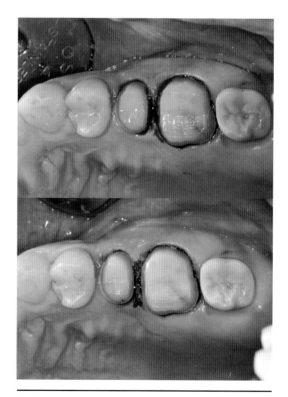

📷 3-55

치아를 삭제할 때 다이아몬드 버는 필연적으로 잇몸을 건드리 게 된다. 그러면 출혈이 발생한다. 치아삭제 변연을 출혈이 덮 고 있으면 원하는 스캔 결과를 얻기 어렵다. 따라서 스캔을 하 기 전에 지혈을 확실히 하는 것이 필요하다. 예전에는 과산화 수소를 적신 면봉이나 보스민 등을 이용해서 지혈을 시켰다. 그러나 지혈을 얻기까지 시간이 오래 소요되곤 했다. 이때 사 용할 수 있는 가장 확실한 방법은 레이저를 이용하는 것이다. 이 정도의 변연부 지혈조절과 잇몸제거에는 레이저가 가장 효 과적이다. 대부분 마취도 필요하지 않다.

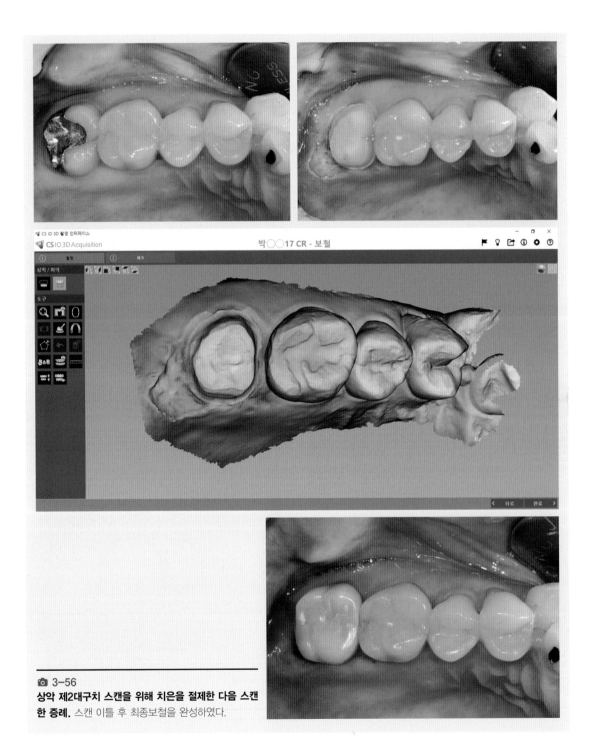

📷 3-56

상악 제2대구치 스캔을 위해 치은을 절제한 다음 스캔한 증례. 스캔 이틀 후 최종보철을 완성하였다.

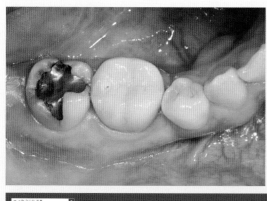
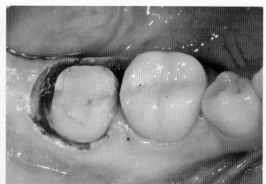

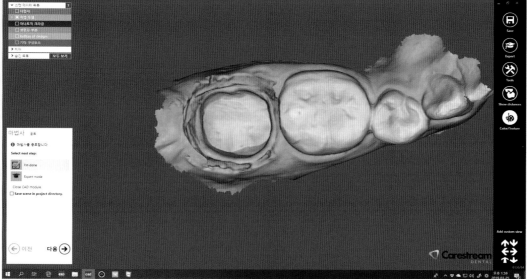

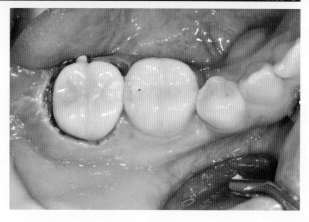

📷 3-57

**하악 제2대구치 스캔을 위해 치은을 절제한 다음
스캔한 증례.** 스캔 다음날 최종보철을 완성하였다.

상악 제2대구치나 하악 제2대구치는 임상치관의 길이가 매우 짧기 때문에 보철 제작 시 불리하다. 많은 임상가들이 치아삭제를 적게 할 수 있는 골드크라운을 제2대구치에 선호했던 이유가 바로 이런 유지력 문제 때문이다. 만약 지르코니아 크라운을 상하악 제2대구치에 하려고 한다면 적절한 임상치관의 형태를 만들어주기 위해 임상치관 길이연장술을 해야 한다. 해부학적 치관 자체가 짧다면 치조골삭제를 동반한 수술을 해야 하지만, 해부학적 치관의 길이는 충분한데 임상치관의 길이가 짧다면 잇몸이나 점막의 절제만으로도 충분한 임상치관을 확보할 수 있다. 임상치관 길이연장을 위해 점막을 제거할 때에는 레이저보다는 전기수술기를 이용하는 것이 효율적이다. 그러나 치수가 살아있는 치아에 전기수술기를 실수로 접촉시키면 치수괴사를 야기할 수 있기 때문에 주의해야 한다. 📷 3-56, 57 증례에서는 스캔을 위해 잇몸에 코드를 넣지 않았다. 치아변연을 시각적으로 확인할 수 있다면 스캔이 가능하기 때문에 코드 없이도 스캔을 채득하는 것이 가능하다. 치은을 절제한 부위에 코드를 삽입하는 것이 오히려 출혈을 유발하기 때문에 코드를 삽입하지 않고 스캔을 채득하는 것이 좋다.

효과적인 구강스캔을 도와주는 보조도구들

효과적인 구강스캔을 도와주는 소소한 장비들이 있다.

술자가 스캔 작업을 할 때 거의 매회 사용하는 휴레이저사의 다이오드 레이저이다. 포터블이고 사이즈가 매우 작아서 사용하기 매우 편리하다. 다량의 잇몸을 잘라낼 때는 비효율적이기 때문에 치아변연 주위의 잇몸을 소량 절제하거나 출혈을 조절할 때 사용한다.

📷 3-58 K2 MOBILE 레이저
(HULASER Co.)

전기수술기는 근관치료를 시행한 치아 주변의 잇몸이나 점막을 절제할 때 유용하다. 그리고 레이저보다 좀 더 많은 양의 조직을 신속히 제거할 수 있는 장점이 있다. 그러나 치수가 살아있는 치아 주변에 사용할 때는 치아에 접촉하지 않도록 주의해야 한다. 만약 치수가 살아있는 자연치 주위의 잇몸을 많이 잘라내야 할 상황이라면 치아로부터 떨어져 있는 점막과 잇몸을 전기수술기로 먼저 잘라낸 다음 치아와 인접해 있는 부분을 레이저로 정리하는 것을 추천한다.

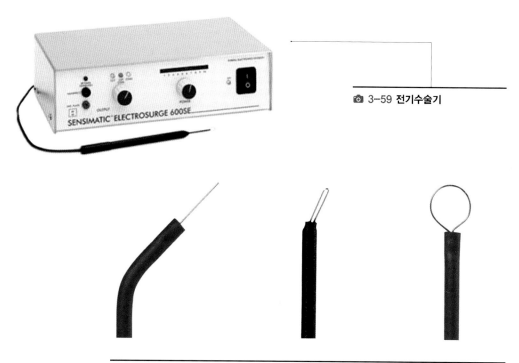

📷 3-59 **전기수술기**

📷 3-60

많이 사용하는 전기수술기 팁이다. 일자형 팁은 변연 주변의 아주 적은 잇몸을 절제할 때 사용한다. 오른쪽으로 갈수록 보다 다량의 잇몸과 점막을 절제할 수 있다.

마무리하는 글

구강스캐너의 임상적인 성능은 이미 충분히 검증되었다. 각각의 회사마다 약간 다른 스캔 전략과 메쉬구조를 보이지만 임상적으로 확연하게 다른 결과를 보여준다고 보긴 어렵다. 스캐너 시장을 선도하고 있는 제품은 여러 가지 임상적인 검증을 이미 거친 제품이기 때문에 대부분의 임상가들이 원하는 결과를 도출해 내는 데 문제가 없다고 생각한다. 술자의 치료 전략과 진료 성향에 맞는 스캐너를 구입하여 임상에 이용하면 된다. 구강스캐너를 도입하지 않고서는 디지털 진료에 입문조차 할 수 없다. 아날로그 인상을 채득하면 이미 인상을 채득하는 단계에서 발생한 오차들이 모이고 모여 모델스캐너에 전달되므로 진정한 디지털 진료의 묘미를 즐기기 어렵다.

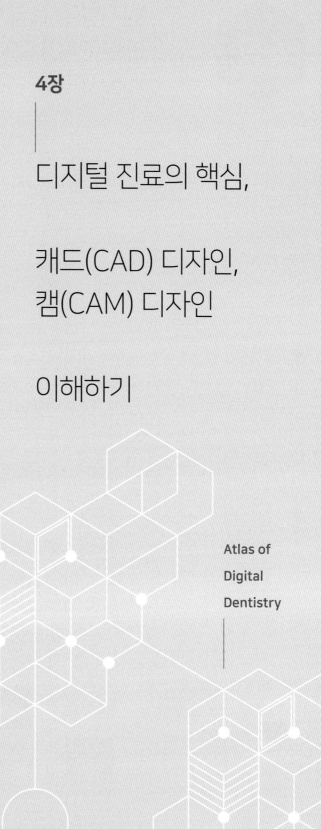

4장

디지털 진료의 핵심,

캐드(CAD) 디자인,
캠(CAM) 디자인

이해하기

Atlas of
Digital
Dentistry

4장 · 디지털 진료의 핵심,
캐드(CAD) 디자인, 캠(CAM) 디자인
이해하기

디지털 작업으로 크라운을 만들기 위해서는 입력된 스캔 자료를 가지고 크라운의 모양을 재현해야 한다. 과거 아날로그 작업에서는 교합기에 마운팅된 모델상에 왁스업을 하여 치아의 형태를 재현했지만, 디지털 작업에서는 그 작업을 캐드 프로그램을 이용해서 한다. 보철물을 어떻게 만들어야 하는지에 대한 모든 해석을 과거에는 기공사의 손을 통해 표현했다면 지금은 캐드 프로그램을 사용하는 마우스가 대신하는 셈이다. 어떤 방식으로 보철을 제작하든 간에 치아형태학적 지식은 필수적이다. 해부학적인 지식이 결여된 상태에서 크라운을 디자인하게 되면 아무리 프로그램이 좋다고 하더라도 아주 황당한 보철물이 만들어지는 결과를 야기한다.

캐드 디자인은 전체 디지털 기공작업에서 두 번째 자리에 위치한다. 입력된 정보를 가지고 어떤 보철을 만들 것인지를 해석하고, 어떻게 크라운을 출력할 것인지를 결정한다.

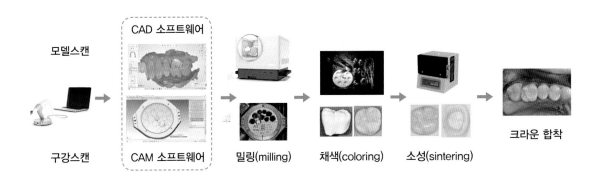

📷 **4-1 CAD & CAM 소프트웨어를 이용한 디자인**

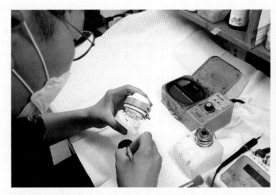

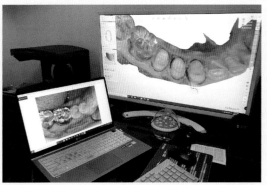

📷 4-2A
기공사의 손으로 표현되는 아날로그 기공

📷 4-2B
캐드 프로그램으로 표현되는 디지털 기공

현 시점에서 봤을 때 보철 기공은 아날로그와 디지털이 매우 혼재된 상태로 사용되고 있다. 진료실과 기공소 모두 이 두 방법 사이에서 우왕좌왕하고 있다. 그러나 앞으로 수년 내에 진료실과 기공실 작업의 디지털화는 매우 빠른 속도로 진행될 것이다.

캐드 디자인을 잘 하기 위해 무엇을 준비해야 하는가?

보철치료를 담당한 치과의사가 가장 듣기 싫은 말은 "치료 전에는 아무런 문제가 없었는데 치료한 후에 문제가 생겼어요!"일 것이다. 나는 최선을 다해서 치료를 했는데 환자는 그 결과에 대해 만족하지 못하는 경우의 난감함을 임상가라면 모두 경험했을 것이다. 이런 문제가 왜 발생할까? 이런 문제는 그 동안 익숙하던 환자의 치아 형태를 급격히 변화시킴으로 인해 오는 결과일 수 있다. "보철한 다음에 음식물이 너무 껴요. 예전엔 안 그랬는데", "보철한 다음에 자주 뺨을 씹어요!" 등이 가장 대표적인 술후 불편사항이다. 이런 문제가 왜 발생하고, 어떻게 하면 피할 수 있는지를 살펴보도록 하자. 모델 없이 디지털 기법으로 크라운을 제작하기 위해서는 많은 정보들을 가지고 있어야 한다. 치료 전 환자의 상태를 나타내는 정보들에 대한 기록과 관리는 술자와 환자를 위해 꼭 필요하다. 술자에게는 어떻게 크라운을 해석하고 디자인할 것인지에 대한 결정적인 정보를 제공해 주고, 환자에게는 본인의 치아가 어떤 상태에서 크라운을 하게 되었고 어떻게 변화되었는지 설명해 줄 수 있는 매우 좋은 자료이다. 그 시작은 환자의 치아 상태에 대한 사진 촬영이다.

좋은 보철 디자인은 술전 사진촬영에서 시작한다

치료 전 환자가 가지고 있던 치아의 해부학적 형태를 유사하게 재현하는 크라운을 만들었을 때 환자는 가장 편안해 한다. 심미적인 이유나 치아의 형태를 의도적으로 바꾸어야 하는 특별한 이유가 있지 않는 한 환자가 오랜 시간 익숙해왔던 환경을 바꾸는 것은 좋지 않다. 몸에 맞지 않는 옷을 입는 것처럼 환자에게 어색함을 야기한다. 물론 대부분의 경우에는 환자가 새로운 환경에 적응을 하지만 그렇지 못한 경우도 많다. 보철물을 제

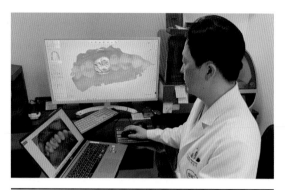

📷 4-3A
크라운을 디자인을 할 때 두 대의 컴퓨터를 사용한다. 노트북 화면에는 술전 사진을 열어서 디자인 시 참고할 수 있도록 하고, 디자인 컴퓨터에서 캐드 작업을 진행한다. 좌우 화면을 번갈아 비교 하면서 디자인한다.

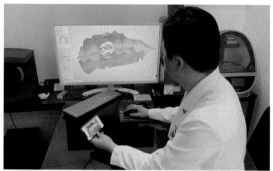

📷 4-3B
크라운을 디자인할 때 모바일 기계를 이용할 수도 있다. 필자의 경우 드롭박스(Dropbox)에 저장된 술전 사진을 모바일 기계에 띄워놓고 디자인할 때 참고하는 경우도 많다.

작할 때 대부분의 치과에서는 인상체와 모델, 바이트만을 기공소로 보낸다. 기공사 입장에서는 이미 보철을 위해 삭제된 치아모델만을 받기 때문에 원래의 치아 형태가 어떤지, 접촉면의 형태는 어떤지, 치아의 원래 색상은 어떤지, 투명감은 어느 정도인지를 알 수가 없다. 그렇기 때문에 기공소는 평균적인 색상과 형태를 갖는 크라운을 만들 수밖에 없다. 그런데 평균치에 맞춘 형태와 색상에 환자가 적응을 못 하거나 만족하지 못하는 경우가 있다. 만족하지 않더라도 표현하지 않는 경우가 더 많을 수도 있다.

디지털 작업으로 원내에서 기공을 처음 시작하려고 하는 병원이 기공에 대한 시행착오를 줄이려면 사진 촬영을 반드시 해야 한다. 기공소에 의뢰만 하던 기공을 스스로 할 경우 예전에 배웠던 치아형태학적인 지식을 떠올려 가며 디자인하기란 매우 어려운 일이다. 술전 사진이라고 하는 참고자료(reference point)가 있다면 디자인 작업을 하는 데 크게 도움을 받을 것이다. 사진에 있는 형태 그대로 치아 형태와 색상을 모방하면 되기 때문이다. 마찬가지로 의뢰하는 기공물의 수준을 높이기 위해서는 스캔파일을 전송할 때 사진 자료를 함께 기공소에 보내는 것이 좋다. 기공 작업을 할 때 초진 사진을 볼 수 있다면 기공사가 훨씬 수월하게 기공을 할 수 있을 것이다. 술전 사진은 많을수록 좋지만 기본적인 형식으로는 다음과 같은 촬영을 추천한다.

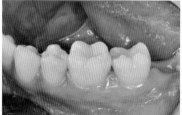

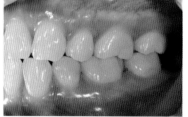

교합면 사진　　　　　　**측면 45도 각도 사진**　　　　　　**측면 교합 사진**

📷 4-4 치료 전 필수적인 3장의 사진촬영

교합면 사진과 측면 45도 각도 사진, 측면 교합사진을 술전에 촬영해 놓으면 캐드 디자인을 할 때 크게 도움이 된다. 치아를 이미 삭제한 모델이나 스캔 자료 상태에서는 디자인할 때 참고할 수 있는 정보들이 모두 사라지고 없다 따라서 디자인할 때 그것을 다시 복원하기 위해 상상의 나래를 펴야 한다. 그러나 술전 사진이 있으면 사진 속 형태와 위치를 그대로 재현하면 되기 때문에 작업시간을 크게 줄일 수 있고 환자와 술자의 만족도 또한 높여줄 수 있다.

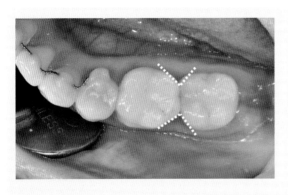

📷 4-5 치료 전 교합면 사진
1. 크라운의 모양, 크기, 해부학적 특징, 투명감에 대한 정보
2. 치아 접촉면(협설측) 형태에 대한 정보
3. 절단면공극(incisal embrasure)에 대한 정보

교합면 사진상에서는 치아의 모양(shape)과 크기(size), 해부학적인 특징, 색상과 투명감에 대한 정보와 더불어 치아접촉면의 협설측 범위와 형태, 절단면 공극(incisal embarasure)과 같은 중요한 정보들을 얻을 수 있다.

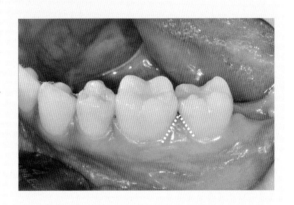

📷 4-6 치료 전 측면 45도 각도 사진
1. 크라운 색상, 색조, 투명감에 관한 정보
2. 치아 접촉면에 관한 정보(치근-치관 범위)
3. 치은공극(gingival embrasure)에 관한 정보
4. 변연융선(marginal ridge character) 특징에 관한 정보
5. 치관교두 특징에 관한 정보

45도 측면 사진에서 가장 많이 참고하는 사항은 치아의 색상과 투명감에 대한 정보이다. 음식물 함입이나 치주건강과 긴밀히 연관되어 있는 치은공극과 치아의 수직적 접촉면의 형태에 대한 정보도 얻을 수 있다. 변연융선에 관한 특징과 치관교두 형태에 대한 정보들도 이 사진에서 얻을 수 있다.

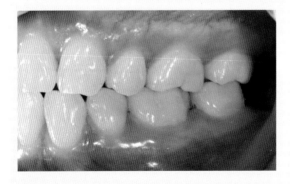

📷 4-7 치료 전 측면 교합 사진
1. 치아의 색상, 색조, 투명감에 관한 정보
2. 치아의 수평, 수직 피개에 관한 정보
3. 치아교두와 변연융선의 높이 연속성에 관한 정보

측면 교합 사진에서는 인접치아와 대합치아의 색상이 어떤지에 대한 정보를 참고할 수 있다. 치아의 수평수직 피개(overjet, overbite)에 대한 정보는 무엇보다 유용하며, 치아교두 형태와 변연융선의 형태 변화에 대한 것도 알 수 있다.

자연치아 캐드 디자인, 무엇을 해석해야 하는가?

그렇다면 환자에 대한 스캔자료와 사진자료를 바탕으로 크라운을 디자인할 때 우선순위를 어디에 둘 것인지가 중요하다. 치아의 수직적·수평적 위치를 가장 먼저 확정하고 치아의 전반적인 형태를 수정한다. 그리고 최종교합과 접촉면 그리고 교합면의 해부학적 특징은 가장 마지막에 작업한다. 급한 마음에 이 순서를 이유 없이 바꾸면 절대 좋은 디자인이 나올 수 없다.

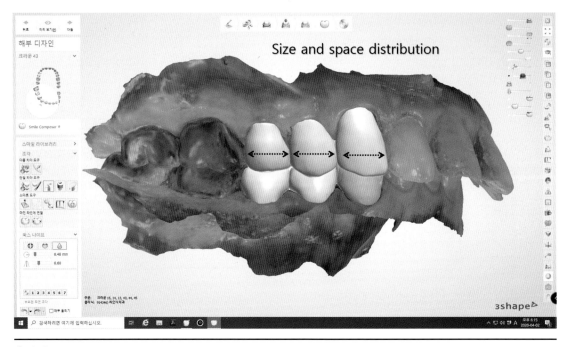

📷 4-8

싱글 크라운은 최후방 구치를 제외하고 근원심 공간이 결정되어 있기 때문에 크라운의 협설측 크기만 고려하면 된다. 치아삭제량이 충분하다면 인접치아의 협설측 외형에 맞추어서 디자인하면 된다. 그러나 치아삭제가 부족하면 과풍융한(overcontour) 디자인을 피할 수 없기 때문에 주의해야 한다. 만약 다수의 치아를 동시에 디자인한다면 개개 치아 사이의 비율을 잘 배분해야 한다. 반대쪽 동일 치아의 형태와 크기를 참고해야 한다. 만약 크기를 배분했는데 해당 치아 중 최소 두께를 위반하는 치아가 있다면, 치아삭제가 부족했거나 이상적인 크기 배분을 조금 희생해야 할 수도 있다.

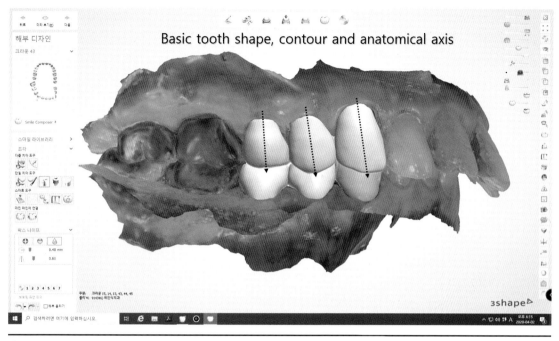

📷 4-9

구치부에서 전치부로 갈수록 치아의 축(axis)이 변하기 때문에 이 부분을 디자인에 반영해야 한다. 환자가 원래 가지고 있던 치아축을 바꿀 것인가 아니면 그대로 보존할 것인지도 결정해야 한다. 부정교합이 있거나 원래 치아의 축이 자연스럽지 못한 경우에는 보철할 때 바람직한 형태로 바꾸어줄 수 있지만 환자가 원래 가지고 있는 자연스러운 축을 보존해야 하는 경우가 더 많다.

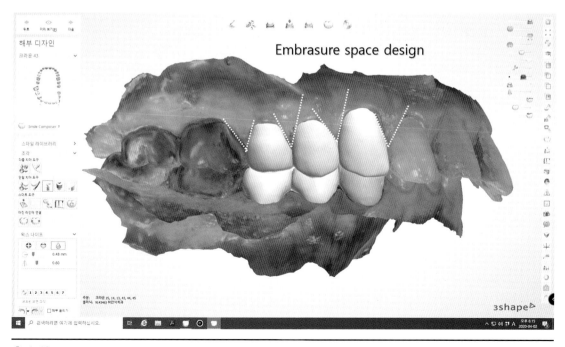

📷 4-10

잇몸 쪽 치간공극(gingival embrasure space)은 환자의 잇몸건강을 해치지 않으면서 식편압입과 같은 부작용을 최소화할 수 있게 디자인하는 것이 좋다. 너무 꽉 막힌 경우에는 잇몸염증을 유발할 수 있고, 공간이 너무 큰 경우에는 음식물이 낀다는 불편감을 호소할 수 있다. 따라서 술전 사진을 참고하여 치간공극을 어느 정도 부여할 것인지를 결정하는 것이 좋다.

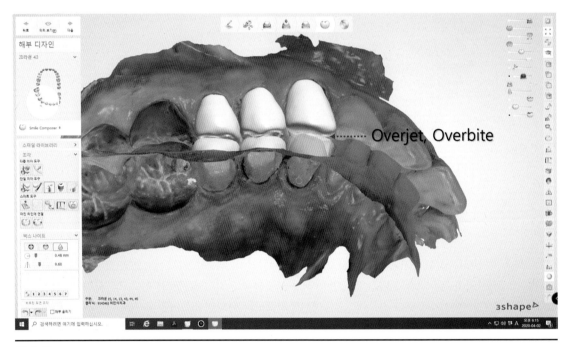

📷 4-11

수직-수평피개는 매우 중요한 디자인 요소이다. 보철물을 시적한 후 환자가 "예전엔 안 그랬는데 이를 씌운 다음에 자꾸만 뺨이나 혀를 씹어요"라고 말한다면 디자인할 때 수평-수직피개에 부적절한 변화를 주었을 가능성이 크다. 따라서 술전 사진을 통해 환자의 수평-수직 피개 유형을 정확히 파악하는 것이 매우 중요하다. 일단 치아를 삭제하면 이 부분을 정확하게 평가할 수 없기 때문에 반드시 술전에 이에 대한 기록을 남겨두어야 한다. 술자는 환자를 위해 크라운의 외형을 개선했다고 생각하지만 환자는 그 변화를 매우 불편하고 민감하게 받아들일 수 있기 때문에 환자가 오랫동안 편안하게 익숙해져 있던 형태를 변화시키는 것은 주의해야 한다.

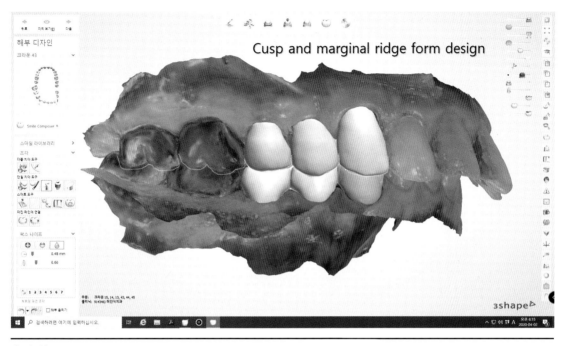

📷 4-12

교두와 변연융선의 디자인은 심미적인 면에서 매우 중요한 요소이다. 싱글 크라운이라면 인접치아의 교두 및 변연융선을 참고하면 되지만 여러 개의 치아가 상실된 경우에는 참고할 레퍼런스가 부족하기 때문에 여러 가지 관점에서 디자인을 봐야 한다. 반대쪽 치열을 참고할 수 있다면 다행이지만, 반대쪽 치열도 참고할 수 없을 때에는 임시치아를 통해 환자의 심미적 기능적 만족도를 확인한 다음 최종 치아를 만드는 것이 바람직하다. 변연융선은 치아의 마모도, 자연스러운 흐름 등을 참고해서 디자인한다. 술전 사진을 참고하는 것이 가장 바람직하다.

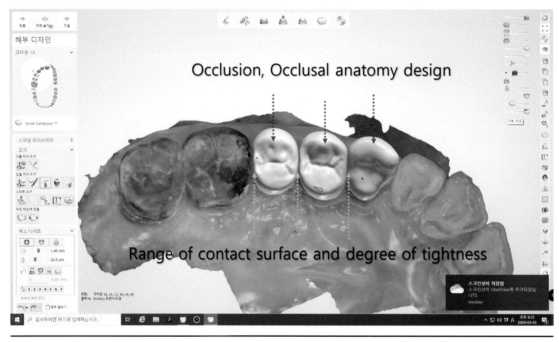

📷 4-13

교합과 교합면 디자인은 디자인 과정 중 가장 마지막에 한다. 치아의 기본적인 형태를 마무리한 다음에 해야 한다. 교합면 형태를 만든 다음 형태를 조정하면 교합면에 대한 조정을 또 다시 반복해야 하기 때문이다. 이 단계는 접촉면의 협설측 형태에 대한 최종적인 결정이 이루어지는 시기이기도 하다. 교합과 접촉 강도는 사전에 수치적으로 결정된 값을 이용해서 일률적으로 적용하는 것이 바람직하나 환자의 상황에 맞게 변화시켜야 하는 경우도 있다.

접촉면 디자인 시 유의할 점

접촉면의 형태와 치간공극의 형태는 서로 긴밀하게 연관되어 있고 식편압입(food impaction)의 원인을 제공하기도 한다. 특히 식편압입이 보철을 한 다음 유난히 심해졌다면 접촉면 형태가 그 원인이었을 가능성이 높다. 그렇다면 보철 후 식편압입은 왜 발생했을까? 필자가 추정하기로는 치경부 보철 변연이 내측으로 이동한 것과 연관이 있다.

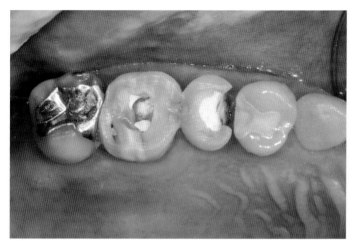

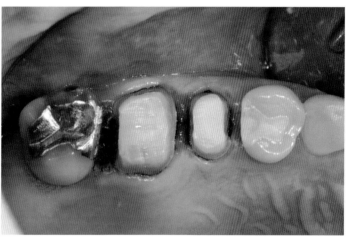

📷 4-14

치아우식이 심하게 진행되어 근관치료를 하였다. 특히 치간부에 우식이 심하게 진행된 경우에는 근관치료와 잔존 치아우식을 제거한 다음 나타나는 건전 치질의 위치가 기존의 치경부 위치보다 상당히 내측으로 이동한다. 즉 자연치아일 때보다 보철물의 근원심 치경부 변연 위치가 치아 내측으로 이동한다는 것을 의미한다. 그렇기 때문에 내측으로 이동한 이런 변화를 원래 모양과 유사하게 변경하지 않으면 치료 전에 비해 치간공극의 크기가 지나치게 증가하는 결과를 얻게 된다. 그런데 대부분의 캐드 프로그램에서 최초로 제안하는 크라운 디자인은 이런 요소들을 포함하지 않기 때문에 술자가 개별적으로 정정해 주어야 할 필요가 있다.

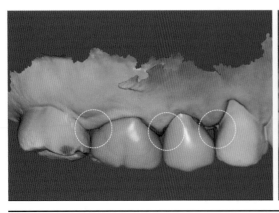
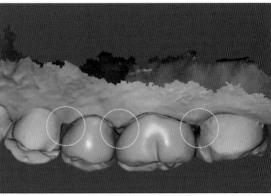

📷 **4-15**

근관치료 후 새롭게 설정한 보철의 치경부 변연은 치료 전보다 필연적으로 내측으로 이동한다. 캐드 프로그램은 새롭게 설정한 변연에서 접촉면까지 자연스럽게 이어지는 출현형태(emergence profile)를 제안하는데, 대부분의 경우 치간공극이 치료 전보다 증가한다. 따라서 보철 후 음식물이 낀다는 불평을 하는 원인이 된다.

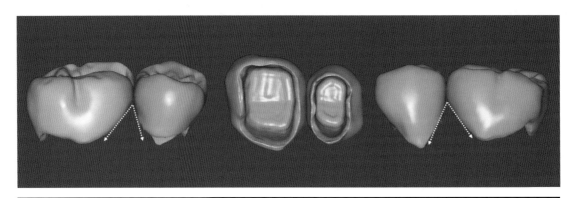

📷 **4-16**

새로운 크라운의 근원심측 변연이 상대적으로 안쪽에서 시작하기 때문에 치간공극이 증가하는 형태로 최초 크라운(디폴트 디자인)이 생성된다. 따라서 이러한 최초 제안에 변화를 주어야 한다.

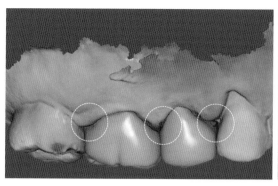
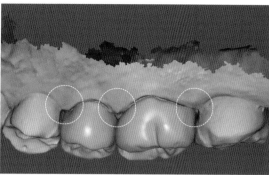

📷 4-17

최초 디폴트 디자인에서 원래 치아가 가졌을 것으로 예상되는 형태로 크라운의 형태를 수정하였다. 치간공극이 상당히 많이 줄어들었고 치간 접촉 면적이 증가하였음을 볼 수 있다.

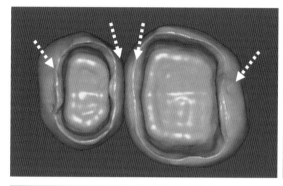
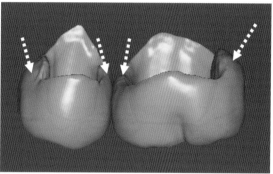

📷 4-18

변연부 형태를 보다 두껍게 해서 치간공극의 범위를 축소하였다.

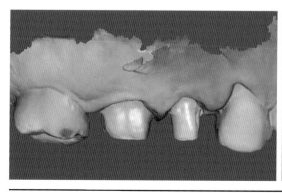
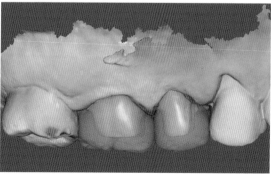

📷 4-19

보철물 치관변연이 내측으로 들어간 만큼 크라운의 외형을 외측으로 키웠다. 이러한 외형 변화를 통해 식편압입 현상을 줄일 수 있다.

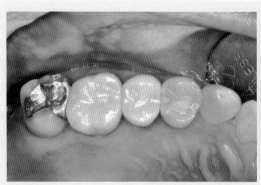
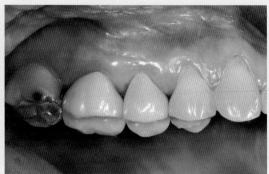

📷 4-20

최종보철 사진으로 치간공극을 술전 상황과 유사하게 재현하였다.

덴탈시스템을 이용한 싱글 자연치 크라운의 캐드 디자인 작업

📷 4-1에 있는 디지털 작업과정 중 배우는 데 가장 많은 시간이 소요되는 것이 캐드 디자인이다. 캐드 디자인을 통해 임상가는 보철을 어떻게 만들 것인지를 해석한다. 보철 해석의 난이도를 생각하자면 인레이를 비롯한 수복치료가 가장 단순하고, 그 다음이 싱글 크라운이다. 임플란트의 경우는 지대주 디자인이란 요소가 하나 더 추가되기 때문에 자연치아보다 어렵다고 할 수 있다. 싱글 크라운 디자인으로부터 시작해서 덴탈시스템 캐드 프로그램을 어떻게 사용할 것인지 알아보도록 하자.

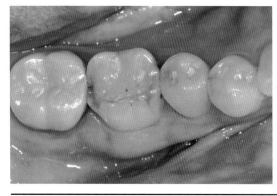
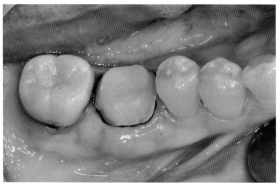

📷 4-21

하악 우측 제1대구치에 다수의 치아파절과 크랙이 존재한다. 치아삭제 후 1차 코드만 삽입한 상태에서 트리오스4 스캐너를 이용하여 스캔하였다.

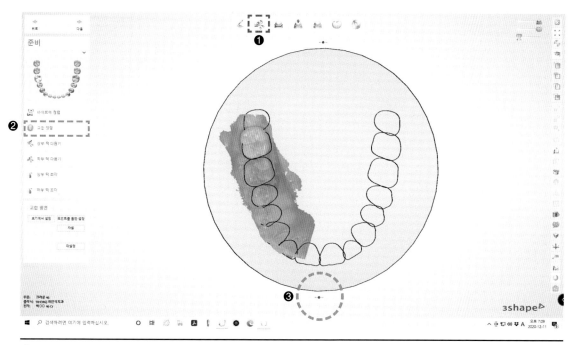

📷 4-22

스캔한 STL 파일을 덴탈시스템 캐드 프로그램에서 불러오면 가장 먼저 하는 작업이 [교합 정렬]이다. 원형의 템플레이트를 치열에 맞추는 단계이다. 마우스 좌우측 클릭과 스크롤 키를 이용해서 템플레이트의 위치를 변경한다. 붉은색 점을 좌클릭해서 움직이면 원이 회전한다.

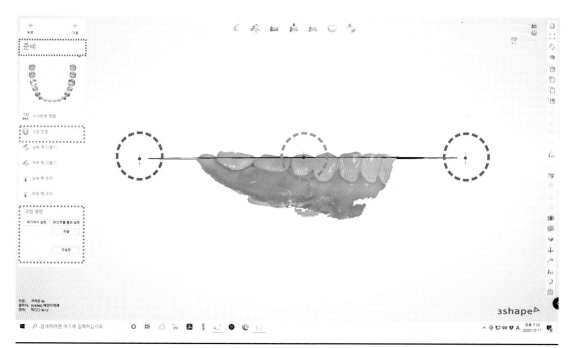

📷 4-23

교합 정렬은 교합면에서뿐 아니라 측면에서도 이루어져야 한다. 푸른색 점은 템플레이트의 상하 이동. 붉은색 점은 회전을 하는 데 이용된다. [준비] 단계의 [교합 정렬]이 완성되면 [다음]을 클릭한다.

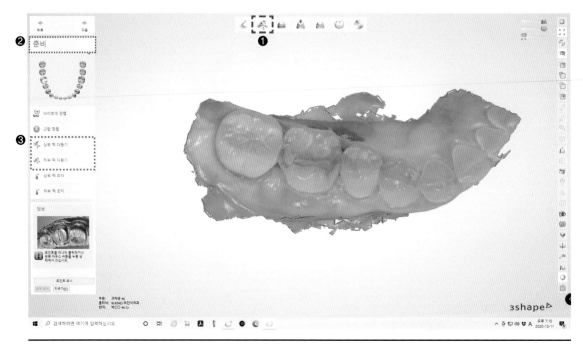

📷 **4-24**

[상부 턱 다듬기]와 **[하부 턱 다듬기]**는 불필요하게 촬영된 잇몸과 점막, 치아를 잘라내는 과정이다. 스캔을 할 때 이 부분을 미리 정리했으면 이 단계에선 특별히 할 것이 없다. 불필요한 부분이 있다고 하더라도 디자인 시 시야를 가릴 정도로 방해하지 않는다면 무시해도 상관없는 단계이다.

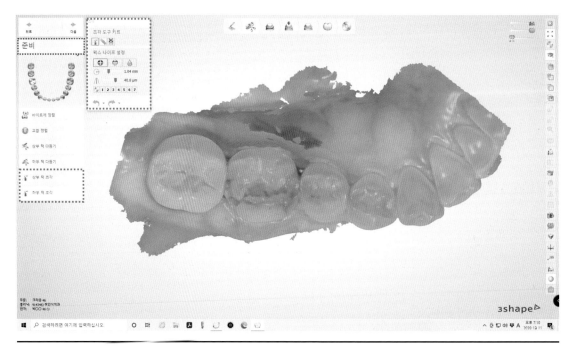

📷 **4-25**

[상부 턱 조각]과 **[하부 턱 조각]**은 스캔 이미지상에 존재하는 작은 돌출부나 함요(concavity) 등을 수정할 때 이용하는 메뉴이다. 석고 모형을 모델스캐너로 스캔하는 경우에 인상재가 늘어져 있거나 함요가 있는 부위 등을 소폭 수정할 때 유용하게 사용할 수 있는 기능이다. 그러나 구강스캐너의 스캔 자료는 왜곡이 존재하지 않기 때문에 이 단계에서 크게 손볼 내용이 없다. 따라서 **다듬기**와 **조각** 단계는 그냥 지나가는 과정이라고 생각하면 된다.

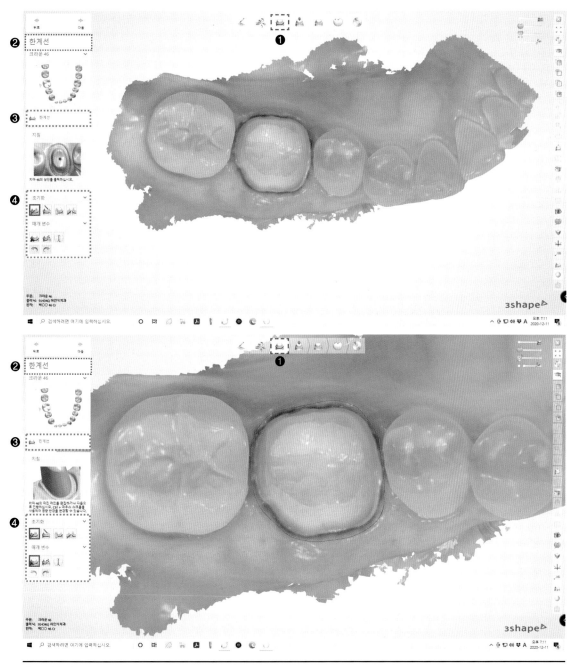

📷 4-26, 27

준비 단계를 지나면 **[한계선]** 단계가 나타난다. 크라운을 디자인할 경우, **[초기화]** 메뉴 중 **첫 번째 아이콘**을 선택하고 **[지대치 정중앙]**을 클릭하면 지대치 주변으로 붉은색 실선이 영역으로 잡힌다. 이 단계는 크라운 제작을 위한 삭제변연(preparation margin)을 정확하게 그리는 단계가 아니라, 가상의 작업 다이(die)에 해당하는 윤곽을 그리는 단계이기 때문에 실제 변연으로부터 조금 떨어진 위치에 영역을 설정한다. 만약 설정한 영역이 마음에 들지 않아 다시 작업을 해야 한다면 **[매개 변수]**에서 **첫 번째 아이콘**을 클릭하면 작업이 취소된다.

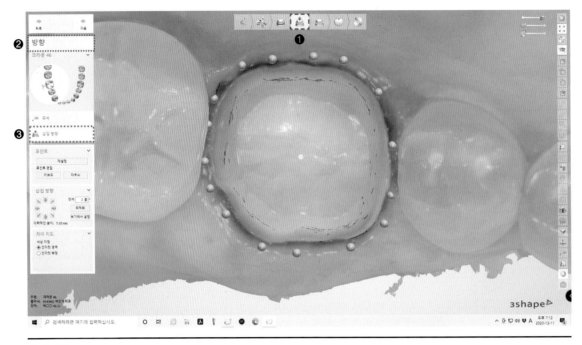

📷 4-28

한계선 설정 다음에는 **[삽입 방향]** 단계이다. 삽입 방향은 대부분 프로그램에서 제시하는 디폴트 설정을 그대로 받아들이지만 술자가 임의대로 변경이 가능하다. 일반적으로 별다른 수정 없이 다음 단계로 넘어간다.

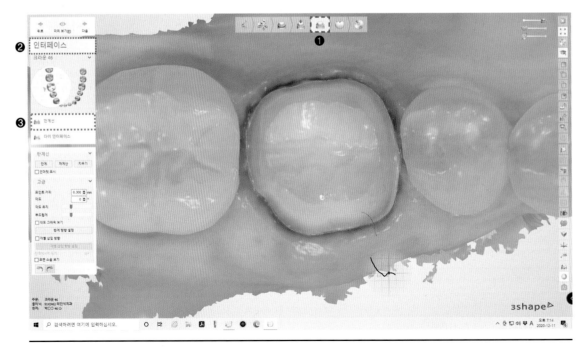

📷 4-29

삽입 방향 설정 후 **[인터페이스]** 단계로 넘어오는데 이 단계에서 실제 치아변연을 확정한다. 마우스 좌측 버튼을 클릭한 채로 변연을 따라 선을 짧게 그려주면 기존에 있던 한계선 설정이 변연 쪽으로 붙이시 보철 디자인을 위한 실세 변연을 만들게 된다.

변연을 확정 지을 때 자판의 **영문 F키**를 누르면 녹색 선에 파란색 점이 연이어 나타난다. 이때 개개 파란색 점을 움직여서 변연의 위치를 변화시킬 수 있다. 아주 미세한 조정에 이용한다. 만약 변연으로 그린 선에 언더컷이 존재한다면 녹색 선이 아니라 붉은색 선으로 표현되고, 언더컷에 해당하는 부분은 파란색 점이 아니라 붉은색 점으로 표현된다. 붉은색 점을 언더컷이 아닌 부위로 이동하면 다시 파란색 점으로 바뀐다. 변연에서 녹색 선에 파란색 점이 나오는 상태가 되도록 조정해야 한다.

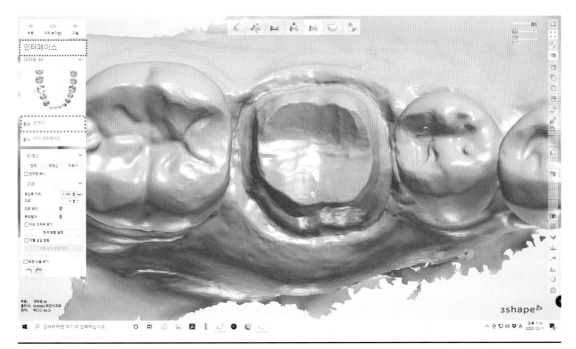

📷 4-30

최종적으로 보철 변연 설정이 끝난 모습이다. 언더컷이 존재하지 않으면 녹색 실선으로 보이지만 언더컷이 존재하면 붉은색으로 표시된다. 언더컷 부위는 붉은 점으로 표시된다. 언더컷이 있더라도 아주 심하지 않으면 블록아웃으로 처리되어 보철 제작이 가능하지만, 언더컷이 심한 경우에는 작업이 진행되지 않을 수도 있다. 이런 경우에는 치아삭제와 스캔을 다시 반복해야 한다.

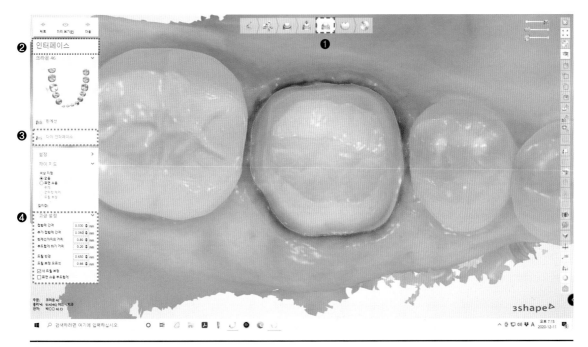

📷 4-31

변연설정이 끝나면 접합제 간격을 설정하는 단계이다. 보통은 디폴트 값에서 한두 단계 전·후로 조정한다. 유지력이 적다고 생각한다면 접합제 간격을 줄이고, 언더컷이 있거나 유지력이 과하다 싶으면 수치를 증가시킨다.

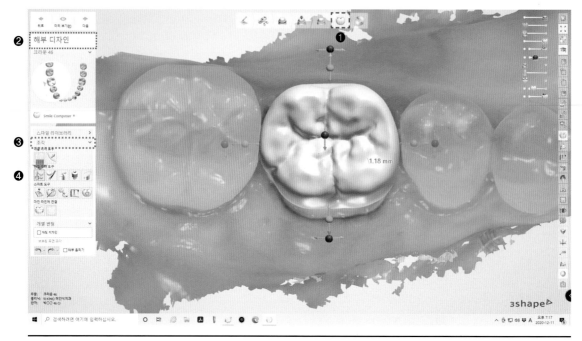

📷 4-32

변연 설정이 끝나고 다음을 누르면 **[해부 디자인]** 단계가 나온다. 이 단계에서 제일 먼저 해야 하는 것은 라이브러리에서 인접치아와 유사한 치아유형을 선택하는 작업이다. 그런 다음 치아의 크기를 결정하고 모든 방향에서 치아의 위치를 잡아준다.

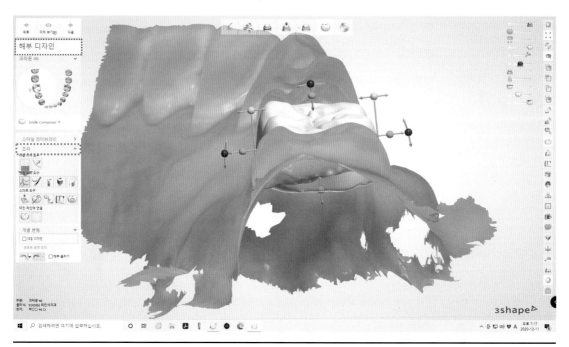

📷 4-33

후방에서 바라본 모습에서는 인접치아의 크기, 외형을 참고해서 치아의 형태와 축(axis)을 수정한다. 붉은색 점은 회전 시 사용하고, 노란색 점은 하방이 고정된 상태에서 상방 외형을 수정할 때 사용한다. 녹색 점은 외형을 키우거나 줄일 때 사용한다. 3Shape 캐드 프로그램은 점을 움직여서 형태를 수정하기 때문에 작업이 매우 효율적이다.

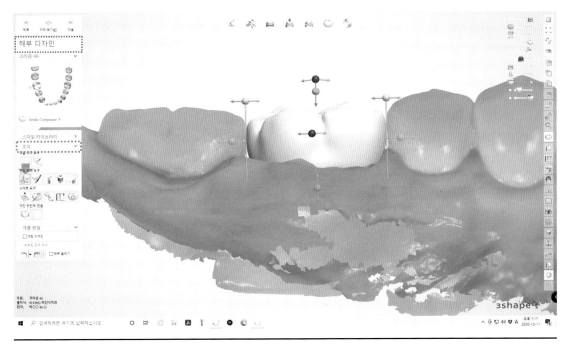

📷 **4-34**

측면으로는 지대치의 축을 인접치아의 축과 어울리게 맞추어야 하고 변연융선의 높이를 인접치아와 비슷하게 맞추어 준다. 그 외의 세부적인 사항은 이후에 시행한다. 가장 먼저 해야 하는 것은 치아의 위치를 잡는 것이라는 사실을 반드시 명심하자.

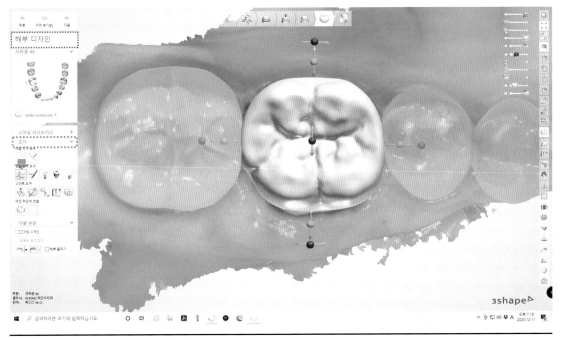

📷 **4-35**

교합면 쪽으로는 인접치아와 술전 사진을 참고해서 치아의 크기를 결정한다. 근원심 폭경과 협설측 폭경, 그리고 교합면 위치를 확정한다. 교합면 회전에는 붉은 점을 이용하고, 치관 크기를 조절할 때는 녹색 점을 이용한다.

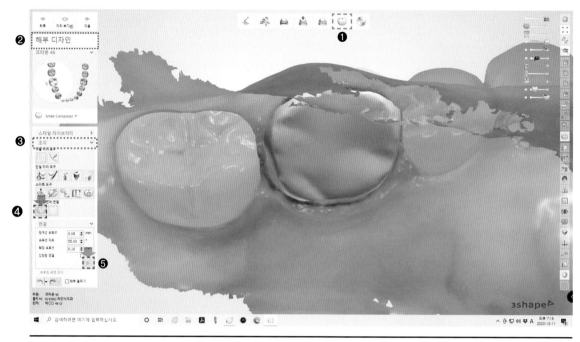

📷 4-36

치아의 위치를 대략적으로 결정했으면 두 번째 단계로 보철물의 변연을 확정해야 한다. 이것이 두 번째 순서이다. 이 순서를 뒤죽박죽 섞으면 디자인의 완성도가 매우 떨어지고 오히려 시간이 더 소요된다. 반드시 외형 확정 후 변연 결정 순서를 따르길 권한다. **[마진 라인에 연결]** 메뉴를 누르고 **[실행]** 버튼을 누르면 이전 단계에서 설정한 변연에 보철물 변연이 고정된다.

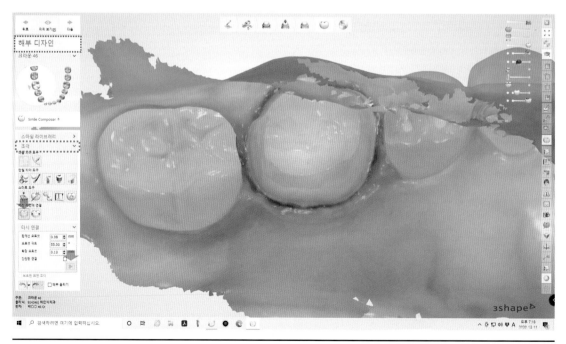

📷 4-37

[마진 라인에 연결] – **[실행]** 버튼을 누른 후 연결된 변연을 밑에서 본 모습이다.

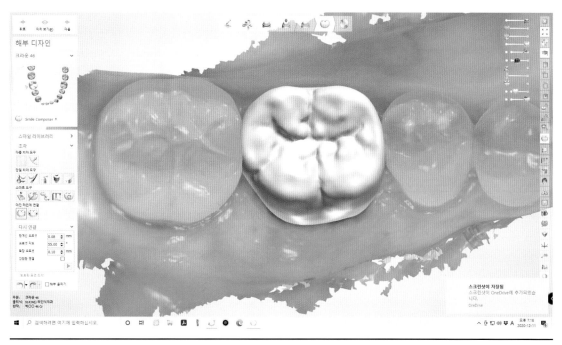

📷 4-38

크라운 외형이 변연과 연결되면 변연 위쪽 풍융부(height of contour) 아래쪽 형태가 살짝 일그러진다. 그러나 풍융부 상방 쪽으로는 큰 외형 변화가 없다.

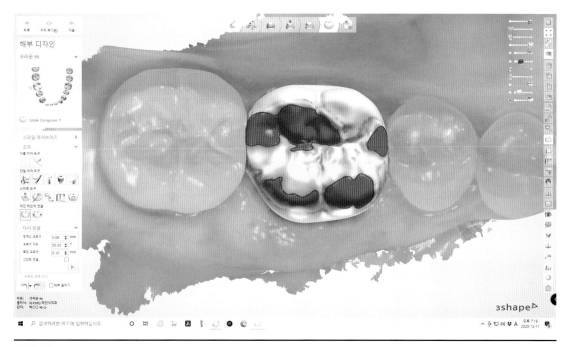

📷 4-39

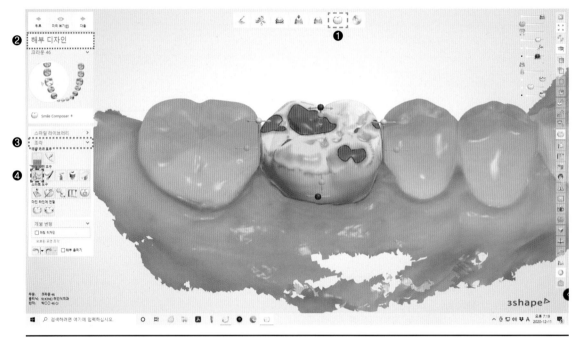

📷 4-40

변연이 확정되면 이제 본격적으로 치아의 해부학적인 형태에 대한 세밀한 수정을 시작한다. 보통은 교합면에 적절한 재료의 두께를 부여하는 작업을 먼저 한다. 이를 위해서 오른쪽에 위치한 **[디자인]** 아이콘을 사용한다. 치아의 **투명감**과 **최소 두께**를 80% 정도 위치에 놓는다. 그러면 재료의 두께가 얇아 최소 두께를 위반하는 부분이 나타난다. 그리고 **[충돌선]** 아이콘과 **[거리지도]** 아이콘을 활성화시켜서 대합치아와 과도하게 접촉하고 있는 부위를 표시한다. 최소 두께를 침범하는 부위는 **[왁스나이프]** − **[추가(+)]** 버튼을 이용해서 두께를 증가시켜주고, 두께가 과도해서 대합치와 충돌하는 부위는 **[제거(−)]** 버튼을 이용해서 두께를 감소시켜준다. 이음새가 거친 부위는 **[왁스나이프]** − **[물방울(부드럽게)]** 버튼을 이용해서 부드럽게 성형한다.

단일 치아도구 중 첫 번째 **[개별변형]** 아이콘의 녹색 점은 균일한 두께를 증가시킬 때 사용하고, 노란색 점은 하부는 고정한 채로 위쪽 외형을 키우거나 줄일 때 사용한다. 치아의 외형을 필요에 따라 매우 편하게 수정할 수 있다는 장점을 갖는다.

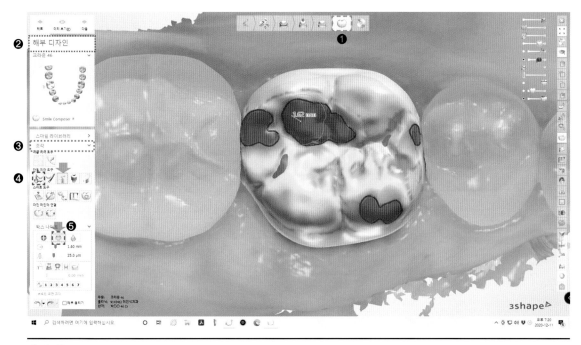

📷 4-41

설측교두 내사면과 근심협측교두가 대합치와 깊게 교합됨을 볼 수 있다. 이런 부위는 [왁스나이프] − [제거(−)] 아이콘을 이용해서 적절한 교합관계가 될 때까지 낮추어 준다.

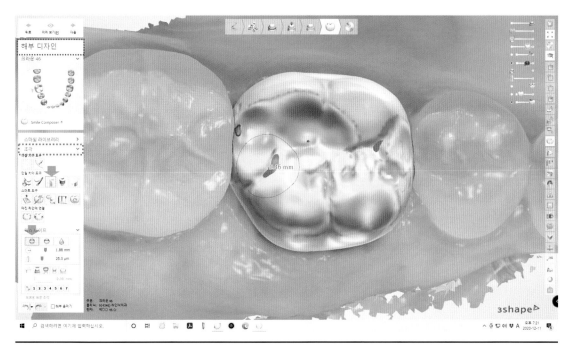

📷 4-42

근심과 원심 교합면의 최소 두께가 노출된 부위는 [왁스나이프] − [추가(+)] 아이콘을 이용해서 재료를 추가해 준다.

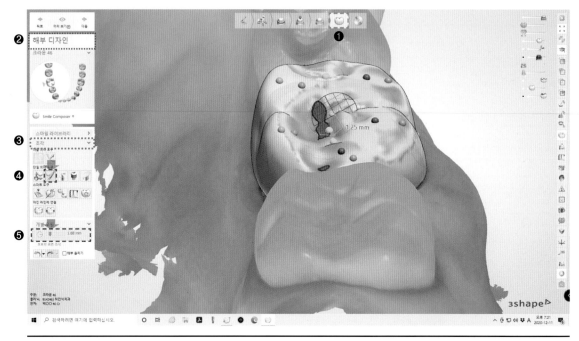

📷 4-43
특정 부위의 높이를 증가시키거나 중심구의 위치를 협설로 옮길 때는 **[단일 치아 도구]** 두 번째 버튼인 **[개별모핑]**을 사용하는 것이 효과적이다. 하늘색 점을 좌클릭한 상태로 움직이면 미리 설정한 모핑 범위만큼 움직일 수 있다. 그러나 개별모핑을 지나치게 남용하면 기본 형태가 손상될 수 있기 때문에 조심해야 한다.

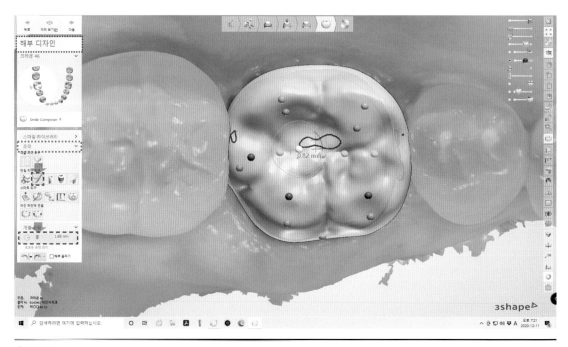

📷 4-44
[단일 치아 도구]의 **[개별모핑]**을 사용해서 중심구의 위치를 약간 협측으로 이동하고 있는 모습이다. 원하는 이동량에 따라 개별모핑의 직경을 달리한다.

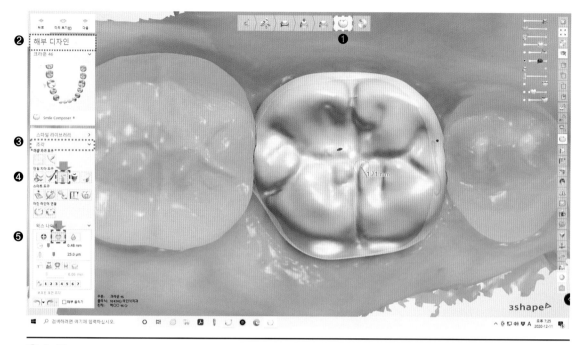

📷 4-45

교합면의 두께 조절과 중심구 위치 설정 등을 마무리한 다음에는 중심구의 해부학적 형태를 조금 더 만들어준다. 이때는 [**왁스나이프**] – [**제거(–)**] 버튼을 이용하는데, 붓의 직경을 0.48 mm, 강도를 25 μm로 정도로 설정한 후 작업한다.

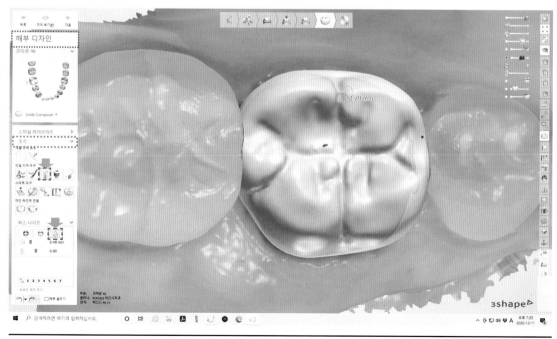

📷 4-46

교합면에 구(occlusal groove)를 파준 다음. [**왁스나이프**] – [**부드럽게**] 버튼을 이용해서 구 주변부를 자연스럽게 다듬어 준다.

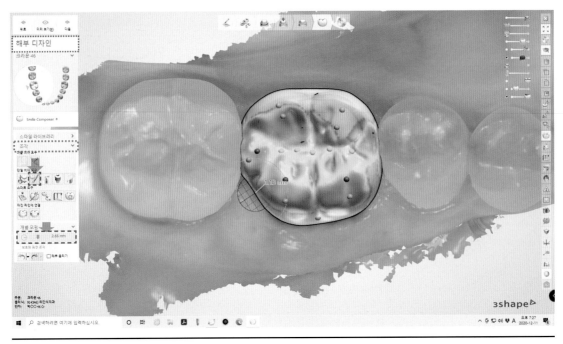

📷 **4-47**

교합면 디자인을 보니 원심측 디자인에 변화를 주는 것이 좋겠다고 판단하였다. **[개별모핑]**을 선택하고 움직이려는 범위에 맞게 개별모핑 도구의 크기를 조정하였다.

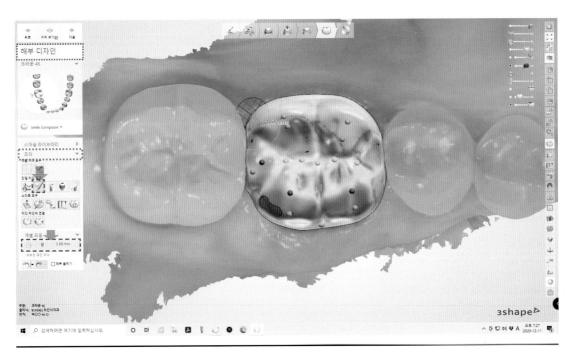

📷 **4-48**

원심측 치관의 형태가 수정되었다. **[개별모핑]**을 이용해서 형태를 수정하면 해당 부위 교합점 위치가 변경될 수 있으므로 이 부분을 추가로 수정해 준다.

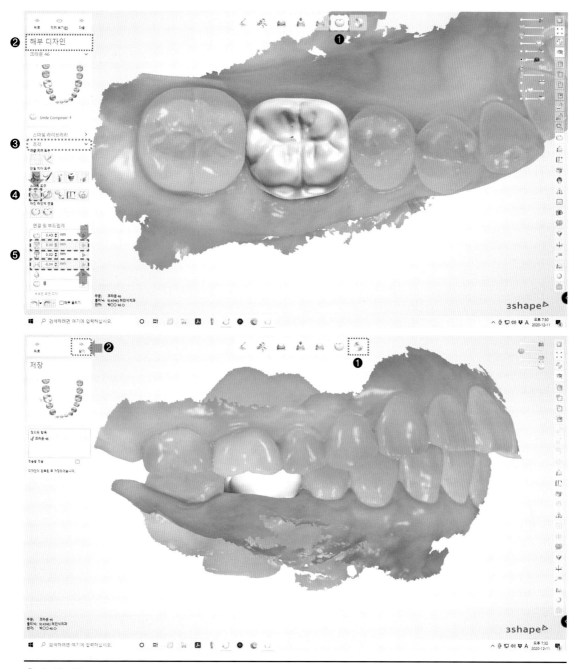

📷 4-49, 50

크라운의 디자인이 마무리되면 최종 교합과 접촉점을 만들어 주는 과정을 진행한다. **[스마트도구]**에서 첫 번째 도구인 **[연결 및 부드럽게]**를 선택하고 수치를 조정한다. **[연결 및 부드럽게]** 항목 중 첫 번째, 세 번째 항목은 보통 **디폴트 값**을 사용한다. 두 번째 숫자는 **대합치와의 거리**를 표현하는데 0.00 mm를 사용한다. 네 번째 항목은 **접촉강도**를 표현하는 숫자인데, 보통 −0.04 mm를 사용한다. 그러나 이런 수치는 절대적인 것이 아니기 때문에 환자에 따라 임상가가 변화해서 사용해야 한다.

디자인이 모두 마무리되었다. 최종적으로 치아의 형태와 크기, 축, 수평-수직피개, 치간공극, 치은공극, 교합, 인접치아와의 외형 비교 등 확인해야 할 모든 요소들을 최종 점검하고 **[닫기]**를 누르면 가공파일을 모아놓는 폴더(Manufacturing)에 STL 파일이 저장된다.

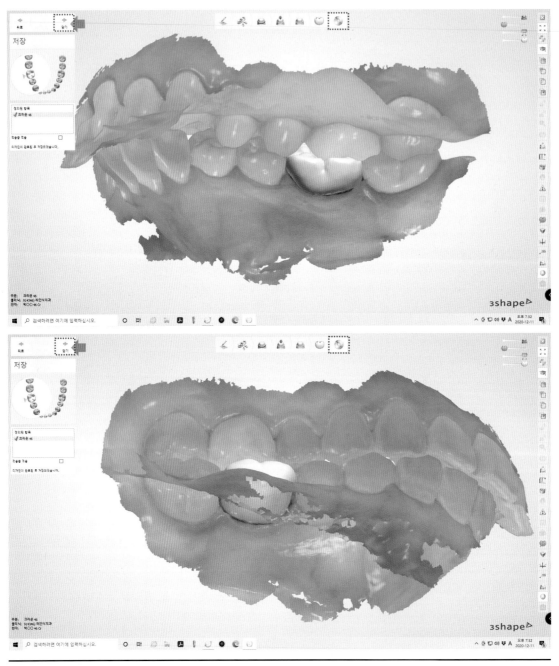

📷 4-51
수평과 수직피개를 확인하기 위한 모습이다. 수평 수직피개 형태는 기급적 환자의 술전 사진을 바탕으로 그대로 모방하는 것이 바람직하다. 수평피개, 수직피개에 급격한 변화를 주면 환자가 혀나 입술을 씹는다는 불편감을 호소하는 경우가 많다.

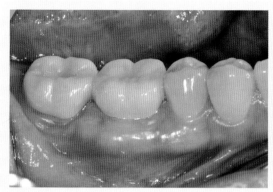
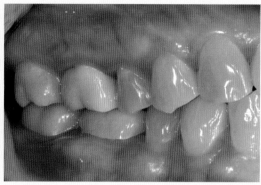

📷 4-52
위와 같은 캐드 디자인을 바탕으로 최종 크라운을 완성하였다.

자연치아와 달리 임플란트는 어떤 지대주를 사용하는가에 따라 디자인 과정에 많은 차이가 있다. 개별지대주를 사용할 경우에는 환자 개개인의 상황에 맞게 지대주를 디자인해야 하므로 보다 많은 요소들을 고려해야 한다. 하지만 기성지대주를 사용할 경우에는 기계적으로 이미 크라운 변연의 위치와 형태가 결정되어 있으므로 디자인이 보다 수월하다. 그러나 지대주에 대한 라이브러리를 확보하지 못한 경우에는 오히려 개별지대주보다 복잡할 수도 있다. 따라서 스캔바디와 디지털 라이브러리를 제공하는 임플란트 회사의 제품을 사용하는 것이 좋다.

다음은 개별지대주를 이용하는 임플란트 보철의 디자인 과정이다. 모든 사용 메뉴를 설명하기 보다는 제일 빈번하게 사용하는 메뉴를 기준으로 설명한다.

🎥 보철 디자인
과정 보러가기

덴탈시스템을 이용한 싱글 임플란트 디자인의 캐드 디자인 작업

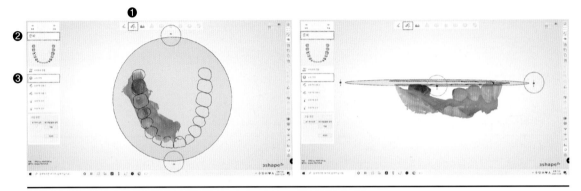

📷 4-53

교합정렬 과정은 자연치아와 동일하다. 수평적, 수직적으로 템플레이트를 치열에 맞추어 준다.

📷 4-54

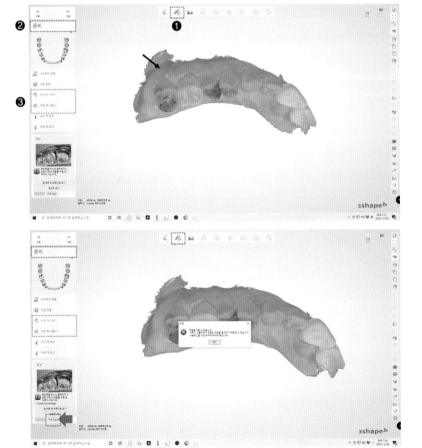

가급적 [모델자르기]는 이용하지 않는다. 스캔자료를 렌더링하기 전에 불필요한 부위를 깔끔하게 다듬어서 전송하면 이 단계는 그냥 지나칠 수 있다. 만약 [모델자르기]를 실행했는데 "모델을 자를 수 없습니다"라는 경고 창이 뜬다면 하단의 지우기 버튼을 누르고 다시 실행한다.

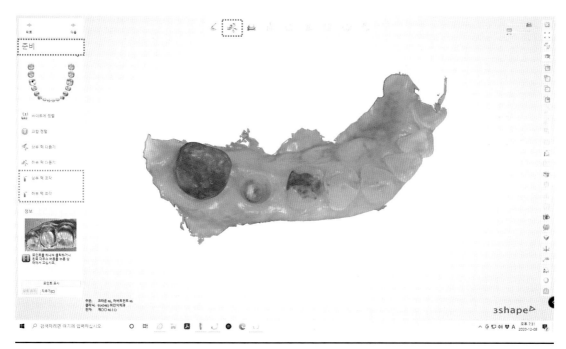

📷 4-55

[상부 턱 조각] 및 **[하부 턱 조각]** 단계는 모델스캐너를 사용할 때 변형된 모델을 일부 수정할 때 사용하는 기능으로, 구강스캔할 경우에는 그냥 지나쳐도 되는 과정이다.

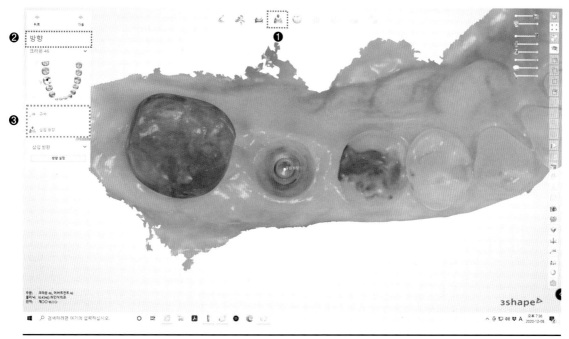

📷 4-56

[삽입 방향]은 대부분 디폴트 제안을 이용하는 경우가 많지만 술자가 바꿀 수도 있다.

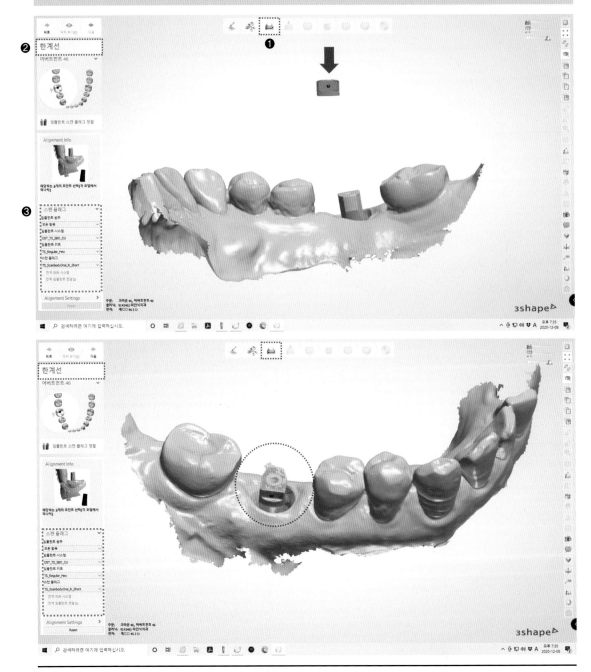

📷 4-57, 58

[한계선] 설정은 임플란트를 디자인할 때 매우 중요한 단계이다. 구강내에서 촬영한 스캔바디와 라이브러리를 정합할 때 오차가 있거나 옵션을 잘못 선택하면 완전히 사용할 수 없는 보철물을 디자인하게 된다. 그러므로 옵션 항목들을 잘 살펴서 원하는 항목을 올바르게 선택했는지 반드시 확인해야 한다. 옵션을 확인한 후 상방에 떠 있는 **스캔바디 라이브러리**의 한 부분을 클릭하고 **하부 스캔 자료**에 있는 **스캔바디의 동일한 부위**를 클릭하면 자동으로 정합이 완성된다. 정합 단계에서는 가급적 화면을 컬러보다는 청색 혹은 회색 같은 단일 색상으로 바꾸어서 작업하는 것이 좋다.

정합이 잘 되었으면 다음(📷 4-58)과 같은 이미지를 나타낸다. 만약 정합에 문제가 있다면 화면에 "정렬실패"라는 경고 창이 나타난다.

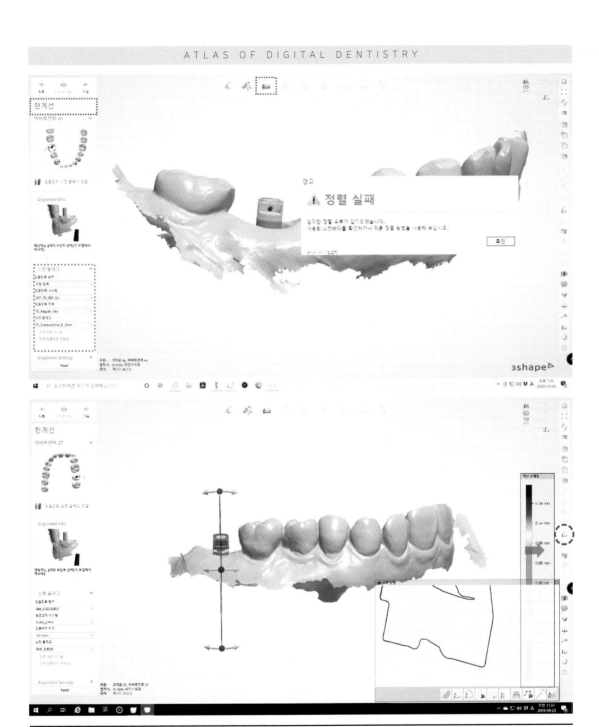

📷 4-59, 60

스캔바디 라이브러리와 실제 스캔된 스캔바디 이미지의 정합에 문제가 있으면 위와 같은 경고 창이 나타난다. 그러나 경고 창이 나타난다고 더 이상 작업을 진행할 수 없는 것은 아니다. 대부분의 경우는 그 오차가 크지 않기 때문에 [확인] 버튼을 누르고 작업을 이어간다. 그러나 오차의 정도를 확인하는 과정은 필요하다. "정렬실패" 창이 나타날 경우 가장 우측 메뉴 중 [2D 교차단면] 버튼을 누르고 정합된 스캔바디를 절단하면 정합의 오차를 확인할 수 있는 교차단면이 나타난다. 그 수치가 허용범위에 있다면 교차단면 창을 끄고 작업을 계속 진행한다.

스캔바디에 대한 정합이 완료되면 **[해부 사전 디자인]** 과정을 진행한다. 임플란트 크라운의 대략적인 위치를 잡아주는 단계로 세밀하게 크라운의 형태를 다듬을 필요가 없는 단계이다. 이 단계에서는 크라운의 크기와 방향을 대략적으로 정하면 된다. 이를 바탕으로 개별지대주를 디자인한다. 3Shape 프로그램의 가장 강력한 기능 중 하나가 작업의 수정이 매우 쉽다는 것이다. 어떤 단계로든 되돌아가서 쉽게 수정할 수 있고, 수정된 사항에 기존 디자인이 자동으로 맞춰진다.

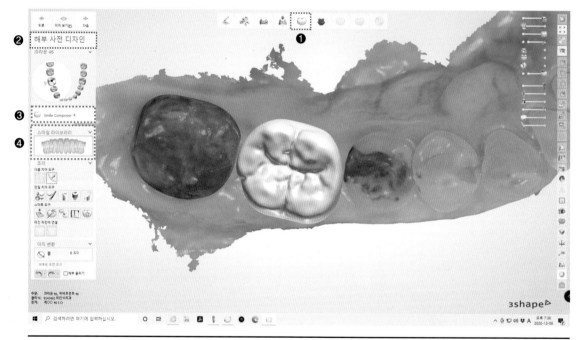

📷 4-61

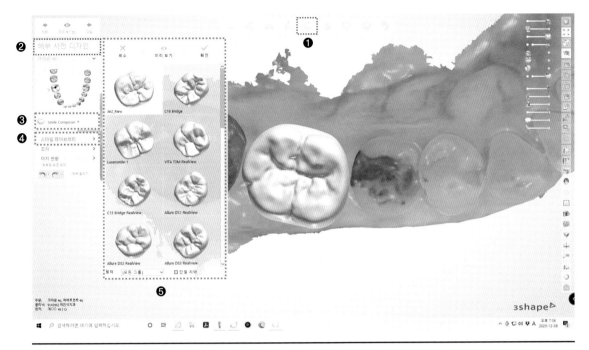

📷 4-62

[해부 사전 디자인] 과정에서 제일 먼저 하는 것은 [스마일 라이브러리]에서 치아를 선택하는 작업이다. 이전에 사용했던 해부학적 형태가 기본적으로 선택되지만 환자의 치아 형태와 연령 등에 따라 바꿀 수 있다. 라이브러리에 녹색으로 표시되어 있는 치아 항목은 옵션 기능이다.

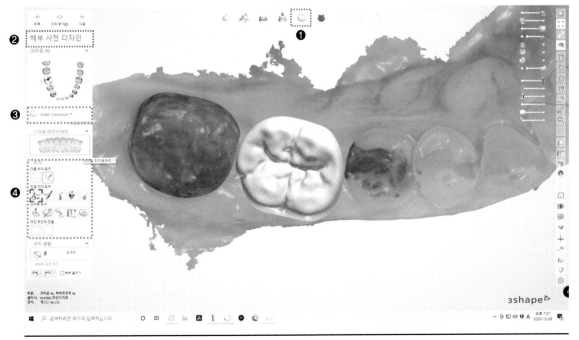

📷 4-63

사용할 치아를 선택했으면 [조각] – [단일 치아 도구]의 첫 번째 메뉴인 [개별 변형]으로 치아를 배치한다. [해부 사전 디자인] 단계는 세부적인 디자인을 하는 단계가 아니며, 치아의 위치를 대략적으로 확정하는 단계라고 생각해야 한다.

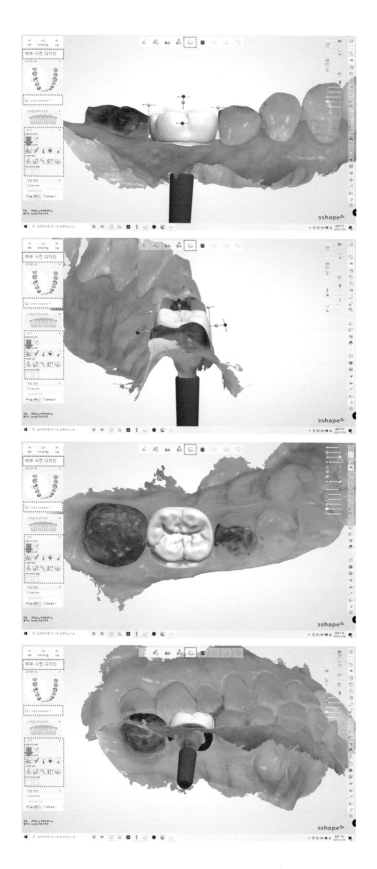

📷 4-64

치아의 축과 변연융선의 높이 등을 대략적으로 맞춘다. 협설측 외형도 인접치아와 비슷한 흐름을 갖도록 붉은색 점, 녹색 점, 노란색 점을 이용하여 조정한다. 여러 방향으로 돌려보면서 수평-수직 피개가 인접치아와 비슷한지, 그리고 술전 상황을 잘 묘사하고 있는지 파악하고 이를 디자인에 반영한다.

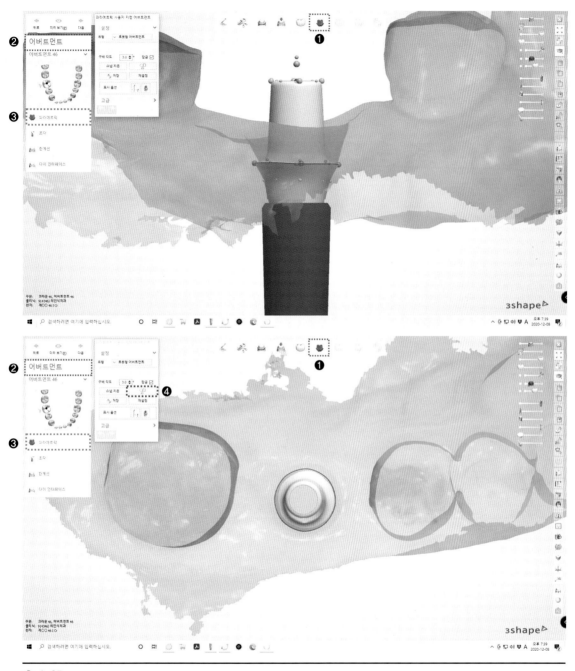

4-65

치아배열이 마무리되면 개별지대주 디자인으로 넘어간다. 지대주 디자인 기능은 3Shape 캐드 프로그램의 탁월함을 잘 보여주는 핵심이다. 최초 디폴트 디자인은 단면이 원형이고 높이도 임의로 제시되기 때문에 치아의 위치에 따라 지대주의 높이와 치은 출현형태(emergence profile) 등을 환자의 상황에 맞추어서 수정해 주어야 한다. 따라서 [어버트먼트] – [파라메트릭] 단계에서 [로봇형 어버트먼트]를 선택한다. 대구치에서는 사각형을 선택하고 전치와 견치에는 삼각형을 선택하면 원형 단면이 그에 따라 사각형과 삼각으로 바뀐다. 이 증례는 하악 대구치이므로 사각형을 선택한다. 디폴트 디자인을 쉽게 변경하는 방법이다.

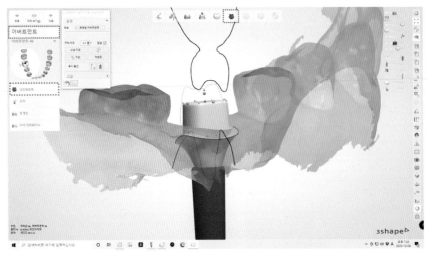

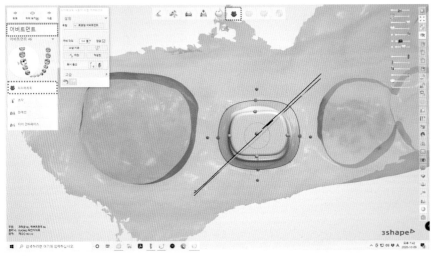

📷 4-66

대합치와의 거리를 고려하여 높이를 수정하고 단면도 위와 같은 형태로 수정한다. 가장 외곽에 있는 붉은색 점은 회전, 핑크색 점은 지대주 변연의 폭과 각도를 수정할 때 사용한다. 오렌지색 점은 지대주의 외형을 수정할 때 사용한다. 노란색 점은 지대주 높이를 수정하거나 지대주 각도를 바꿀 때 사용한다. 점을 좌클릭하고 움직이면 원하는 형태로 모양이 변한다. 측면에서 관찰되는 가운데 보라색 점을 아래로 움직이면 SCRP 홀 주변을 움푹 들어가도록 만들므로 이 부위 크라운의 두께를 증가시킬 수 있다. 캐드 프로그램상에서 지대주 변연의 수직적 위치는 협설측 근원심 전 영역에 걸쳐서 치은연하로 0.8-1.0 mm 정도에 위치시키는 것이 좋다. 개별지대주의 크기는 치유지대주보다 보통 크기 때문에 이 정도 수치를 적용하면 실제 구강 내에서는 지대주 변연의 높이가 치은 높이와 유사해진다. 만약 전치부처럼 심미적인 이유로 지대주 변연을 치은연하에 위치시키려면 협측 변연의 위치를 1.0 mm 이상 치은연하에 위치시켜야 한다.

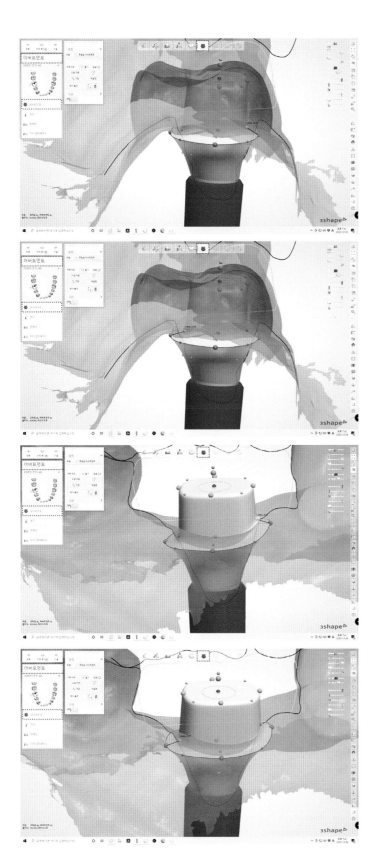

📷 4-67

지대주의 위치 설정과 형태 수정이 어느 정도 마무리되었으면 지대주 변연의 폭과 각도를 수정한다. 핑크색 점을 좌클릭한 상태로 움직여서 위치와 각도를 변화시킨다. 변연의 폭은 1.0 mm를 선호하고, 각도는 20도에서 25도 사이에서 보통 결정한다. 변연이 너무 뾰족하게 디자인되면 가공이 어려워서 가공 후 크라운과의 적합성이 떨어진다. 지대주 변연의 폭은 지르코니아 크라운의 두께와 연관된다. 변연의 폭이 좁으면 크라운이 과풍융 상태(overcontour)로 디자인되기 쉽고, 지대주의 금속 색상이 지르코니아 크라운 외부로 비쳐져서 크라운의 색상 표현을 어렵게 만든다. 또한 접착 시 잉여 접착제가 치은연하로 밀려들어갈 가능성과도 연관된다. 지대주변연 설정이 마무리되면 지대주 하단의 외형을 수정한다. 자연스러운 잇몸 출현형태(emergence profile)를 만들기 위해 지대주 하단의 녹색 점을 미세하게 움직인다.

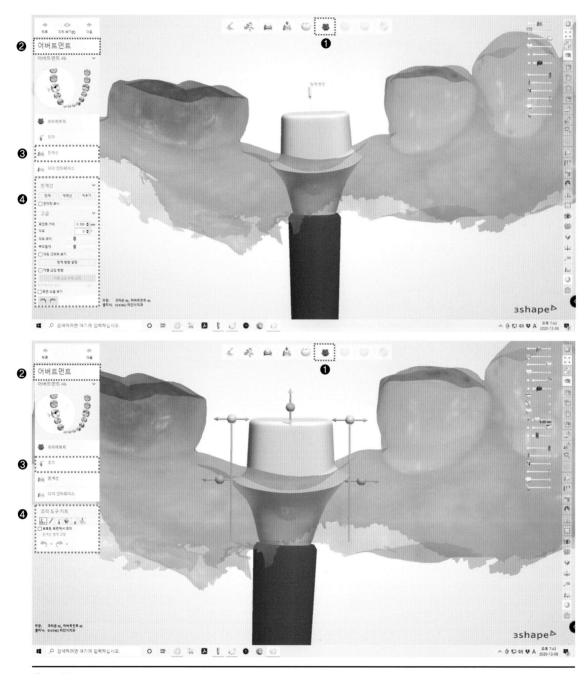

📷 4-68

지대주의 잇몸 접합 부분 디자인이 완성되면 파라메트릭 단계는 마무리된다. 그 다음 작업은 조각과 한계선 단계이다. 지대주의 크기와 기울기 등에 변화를 줄 수 있지만 파라메트릭 단계에서 대부분 마무리되므로 보통 지나친다.

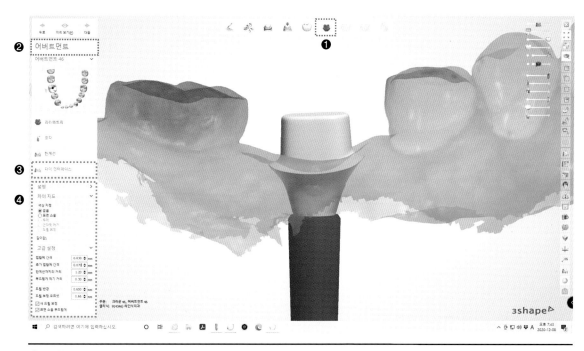

📷 4-69

[다이 인터페이스] 단계에선 접합제 공간을 설정한다. 사용하는 밀링기계의 가공 정밀도에 맞추어서 수치를
조정할 수 있다. 디폴트 수치를 이용해도 무난하다.

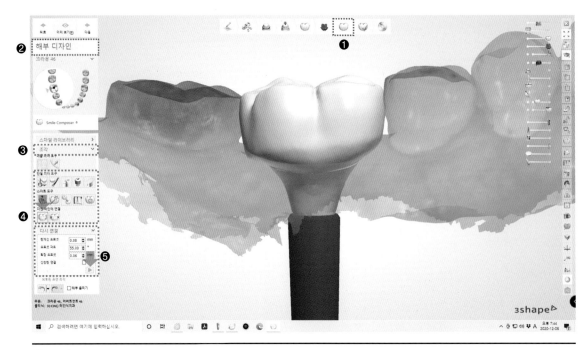

📷 4-70

어버트먼트 단계가 마무리되면 **[해부 디자인]**에 진입한다. 앞서 해부 사전 디자인이 크기와 외형을 설정하는 단계라면, 해부 디자인은 해부 사전 디자인의 외형을 최종 크라운으로 완성하는 단계이다. **[해부 디자인]**에서는 크라운 마진을 지대주에 연결하는 작업을 가장 먼저 한다. **[조각] – [마진 라인에 연결] – [좌측 파란색 치아 아이콘] – [플레이]** 버튼을 차례대로 누르면 크라운 외형이 지대주변연에 연결된다. 만약 변연 연결을 해제하고 싶으면, **[조각] – [마진 라인에 연결] – [우측 붉은색 치아 아이콘] – [플레이]** 버튼을 누른다.

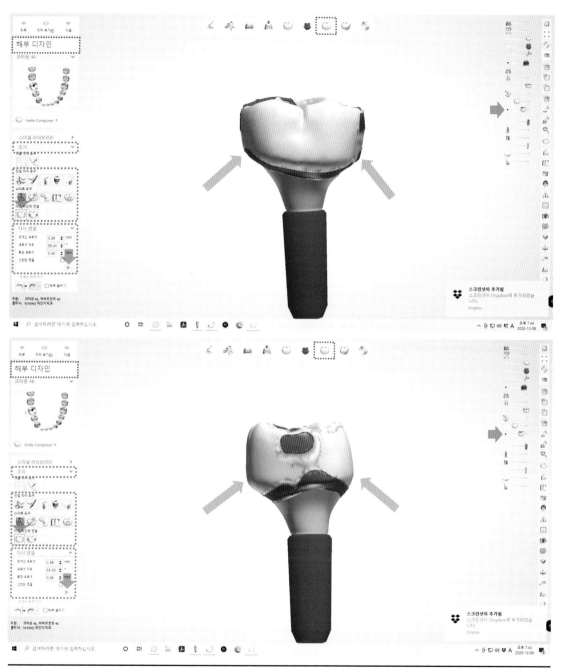

📷 4-71

크라운을 지대주에 연결하면 연결부에 인접한 외형(푸른색 화살표 부분)이 처음에는 자연스럽지 못하기 때문에 이 부분을 자연스럽게 수정해 주어야 한다. 과다풍융(overcontour), 과소풍융(undercontour) 모두 바람직하지 않다. 자연치아의 경우에는 치아 삭제만 적절하다면 원래의 치아형태와 유사하게 외형을 만들어줄 수 있지만 임플란트의 경우에는 지대주의 외형 때문에 크라운의 외형을 자연치처럼 만드는 데 한계가 있다. 따라서 어느 정도 외형상 서로 타협을 해야 한다. 지대주의 외형과 인접치아의 외형을 모두 고려하여 절충된 외형을 부여해야 한다. 우측 [수정] 메뉴 중 **충돌선**과 **거리지도**를 활성화시킨 상태에서 외형 수정 작업을 한다.

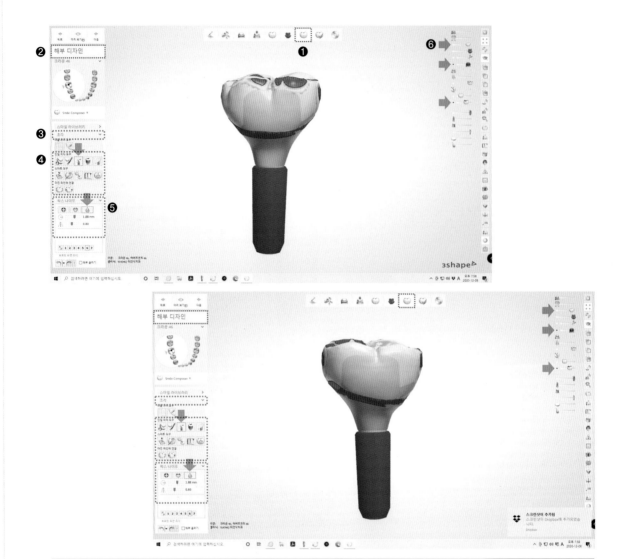

📷 4-72, 73

지대주와 크라운의 측면 외형디자인이 완성된 모습이다. 어느 면으로 보나 지대주나 크라운의 급격한 외형 변화는 좋지 않다. 임플란트 지대주와 크라운 외형의 급격한 변화는 좋지 않은 결과로 대부분 이어지기 때문에 자연스러운 외형을 갖도록 노력해야 한다. 크라운 내부 지대주의 위치가 가급적 크라운 외형의 중앙에 위치될 수 있도록 해야 한다. 임플란트 식립 각도가 좋아야 하지만, 어쩔 수 없이 각도가 협측 혹은 설측 경사되어 있는 경우에는 지대주 각도에 변화를 주어서 크라운 중앙에 지대주가 위치하도록 형태를 수정해야 한다. 만약 크라운 외형을 마무리한 다음 지대주 형태에 변화가 필요하다면 상부 메뉴 중 **[어버트먼트]** 메뉴로 돌아가서 지대주를 수정한다. 3Shape 캐드 프로그램이 여타 캐드와 차별화되는 가장 강력한 기능이 디자인 수정 기능이다. 수정이 필요한 시점으로 돌아갈 수 있고, 해당 부분을 수정하면 수정된 사항 맞추어서 이후에 한 작업이 자동적으로 수정된 사항에 맞춰진다. 만약 수정을 한 다음 이후 작업을 일일이 다시 해야 한다면 대부분의 작업자는 수정 작업을 하지 않으려 들 것이고, 그러면 최종 작업의 완성도는 저하될 것이다.

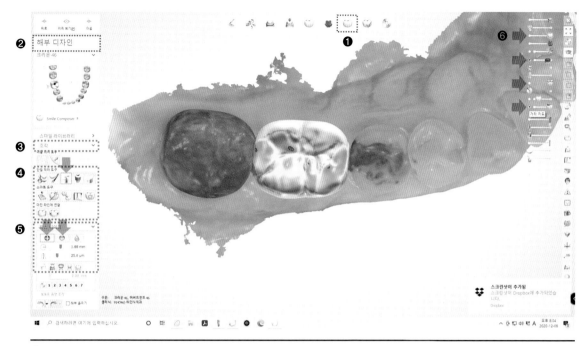

📷 4-74

외형 수정 작업이 끝나면 대합치아와의 접촉강도와 교합을 다듬고 교합면의 해부학적 형태를 마무리한다. 이 단계에선 **[조각] – [단일 치아 도구] – [왁스나이프]** 기능을 주로 사용한다. 해부학적 구(groove)를 표현할 때 는 붓의 직경을 0.48 mm, 붓의 강도를 25 µm로 설정하는 것이 좋다. **[물방울(부드럽게)]** 도구를 이용해서 자 연스럽게 다듬는다.

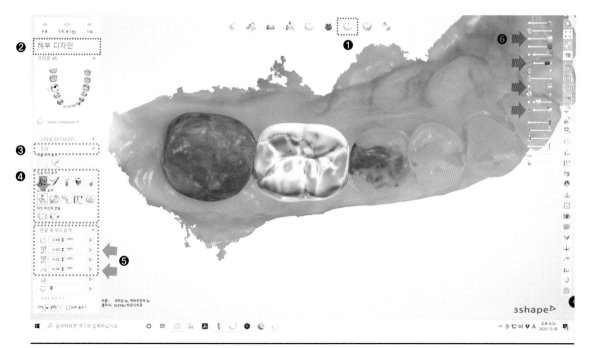

📷 4-75

교합면의 해부학적 형태와 교합에 대한 디자인이 끝나면 최종적으로 [교합면 잘라내기]와 [접촉면 잘라내기]를 실행한다. [조각] – [스마트 도구] – [연결 및 부드럽게] 도구를 이용하여 최적화된 교합과 접촉면 상태를 만든다. 교합과 접촉강도는 술자 개개인의 선호도에 따라 조정한다. 필자는 연결 및 부드럽게 항목 중 첫 번째, 세 번째 항목은 디폴트 수치를 이용하고 대합치까지 필요한 거리(교합)는 0.00 mm, 다른 치아까지 원하는 거리(접촉면)는 −0.04 mm를 일률적으로 사용하고 있다. 만약 이 수치를 적용해서 크라운을 제작하였는데 접촉이 느슨하거나 교합이 낮다면 해당 수치에 변화를 주어서 다시 밀링한다. 왁스나 도재를 추가해서 형태를 수정해야 하는 아날로그 작업에 비해 디지털 디자인은 수치 부여를 통해 수정하기 때문에 교합과 접촉점을 매우 정교하게 조절할 수 있다.

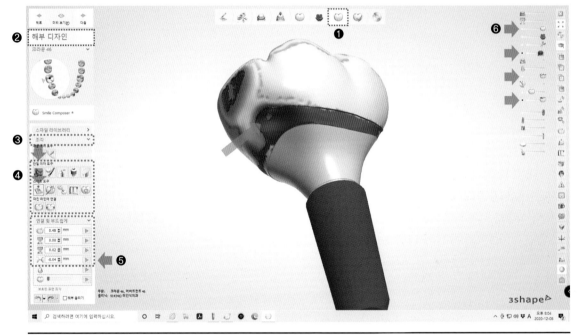

📷 4-76

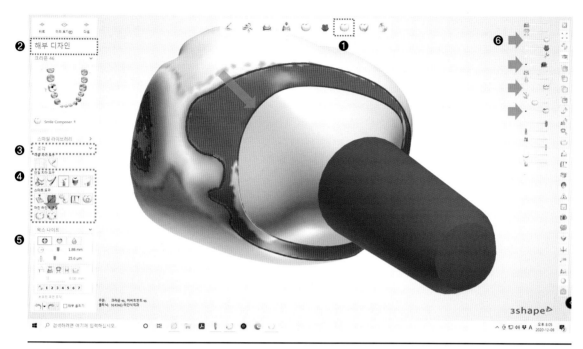

📷 4-77

[접촉면 잘라내기]를 하면 치아 접촉면뿐만 아니라 잇몸 접촉면도 잘라내기를 시행한다. 그러면 잇몸과 맞닿아 있는 부위의 외형이 일그러진다(📷 4-76). 따라서 접촉면 잘라내기를 한 다음에는 일그러진 잇몸부 크라운 외형을 원래대로 복원하는 수정 작업을 시행해야 한다. 3Shape의 덴탈시스템에서는 이 작업이 매우 단순하지만 엑소캐드에서는 일그러진 외형을 복원하는 것이 매우 번거롭다.

접촉면 잘라내기를 한 다음 나타날 수 있는 또 한 가지 현상 중 하나가 크라운 변연의 부분적 일그러짐(📷 4-77)이다. 화살표에서 보여지는 부분이다. 변연 전체에 걸쳐서 이런 일그러짐이 나타나는 것이 아니고 부분적으로 나타난다. 이 부분은 왁스나이프 수정 메뉴로는 수정이 되질 않는다. 일종의 버그라고 생각된다. 이럴 경우에는 [조각] – [마진 라인에 연결] – [연결해제]를 시행해서 크라운 변연을 지대주에서 분리시킨 후 다시 연결한다. 그러면 다시 연속성이 있는 변연이 만들어진다.

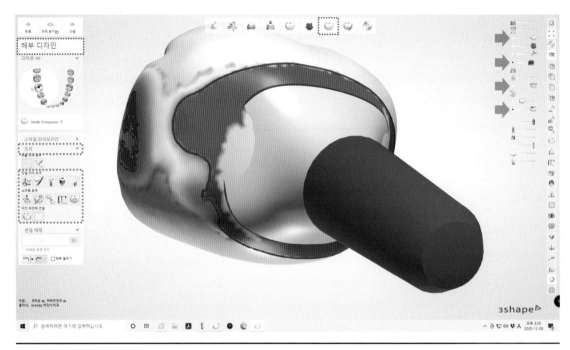

📷 4-78

지대주로부터 크라운 변연의 연결이 해제된 상태이다.

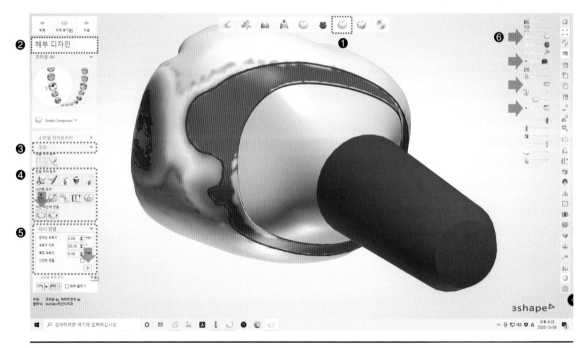

📷 4-79

[조각] – [마진 라인에 연결] – [연결]을 다시 실행해서 크라운 변연이 새롭게 연결된 모습이다.

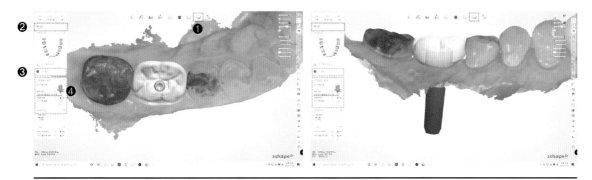

📷 4-80

교합면 자르기와 접촉점 자르기 후 변형된 외형을 회복한 다음에는 SCRP 구멍을 뚫어주는 과정을 시행한다. 만약 SCRP용 구멍을 뚫어주길 원한다면 **[완성] – [어셈블리] – [모든 레이어를 통한 나사구멍]**에 선택 표시를 한다. 선택 표시를 하는 순간 자동적으로 지대주에서부터 크라운까지 SCRP 구멍이 뚫린다. 이 기능 역시 3Shape의 독보적인 장점이다. 엑소캐드에서는 SCRP 구멍의 크기와 각도 등을 하나 하나 지정하고 수치를 입력해야 하기 때문에 이 과정이 매우 번거롭고 많은 시간이 소요된다.

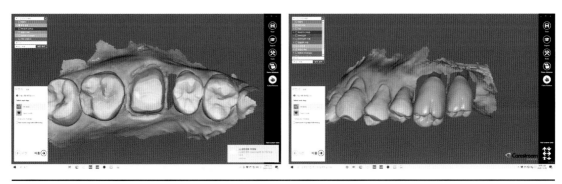

📷 4-81

엑소캐드에서도 교합면 잘라내기와 접촉면 잘라내기 과정이 동일하게 존재한다. 접촉면 잘라내기 후 잇몸과 접촉하는 크라운 부분의 일그러짐이 동일하게 발생하는데, 3Shape 덴탈시스템과는 달리 일그러진 부분을 복원하는 것이 매우 번거롭다. 엑소캐드에서는 이 문제를 해결하기 위해 좀 다른 접근방법을 사용한다. 접촉면 잘라내기를 하기 전에 크라운과 맞닿아 있는 잇몸 부위를 사전에 잘라낸다. 그렇게 하므로 접촉면 잘라내기에서 발생하는 크라운의 일그러짐을 예방할 수 있다. 그러나 덴탈시스템과 비교하면 이 방법은 훨씬 많은 시간을 필요로 하고 적절한 디자인 작업 자체를 방해한다.

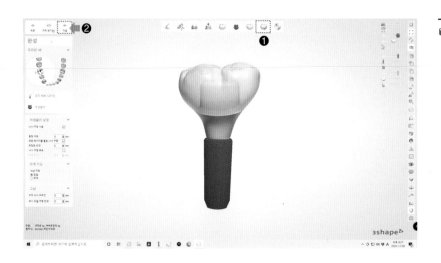

📷 4-82

임플란트 디자인
과정 보러가기

개별지대주와 크라운이 최종적으로 완성되고 다음을 누르면 정해진 폴더에 지대주 STL 파일과 크라운 STL 파일이 자동적으로 생성된다.

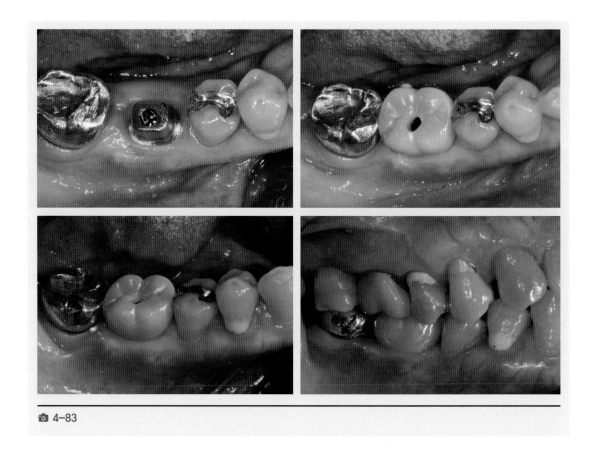

📷 4-83

위와 같은 캐드 디자인으로 개별지대주와 크라운을 제작한 후 구강내에 시적하였다.

CAM 프로그램 이해하기

CAD (computer aided design) 프로그램이 어떻게 보철물을 디자인할 것인가를 다룬다면, CAM (computer aided manufacturing) 프로그램은 어떻게 보철물을 밀링할 것인지를 계산한다. 상대적으로 CAD 프로그램보다 단순하고 배우기 쉽다. 현재 가장 많이 이용되고 있는 CAM 프로그램은 하이퍼덴트(Hyperdent)와 밀박스(MillBox)이다. 하이퍼덴트는 이용자가 선택해야 할 옵션이 매우 많고 사용자의 취향을 보다 깊게 반영할 수 있다. 반면 밀박스는 반복적이고 자주하는 선택들을 디폴트로 만들어 놓았기 때문에 과정이 매우 단순하고 직관적이다. 하이퍼덴트가 엑소캐드를 연상시킨다면 밀박스는 3Shape의 덴탈시스템을 연상케한다. 복잡하고 전문적인 프로그램과 단순하고 쉬운 프로그램이 둘 사이의 차이이다. 상호 간에 장단점이 존재하겠지만 치과에서 자체적으로 적은 물량을 기공하는 경우라면 밀박스가 훨씬 배우기 쉽고 효율적이라고 할 수 있다. 동일한 증례를 하이퍼덴트와 밀박스에서 불러와서 계산하였다. 둘 사이에 어떤 차이가 있는지 대표적인 기능을 바탕으로 알아본다.

첫째, 밀박스에는 최대풍융부(height of contour)에 해당하는 선이 크라운 외형에 표시된다. 따라서 밀박스에서는 밀링가공을 위한 커넥터를 위치시킬 때 최대풍융부 선 중앙을 따라 배치하면 된다. 그러나 하이퍼덴트에는 최대풍융부를 술자가 경험적으로 파악해서 커넥터 위치를 설정해 주어야 한다.

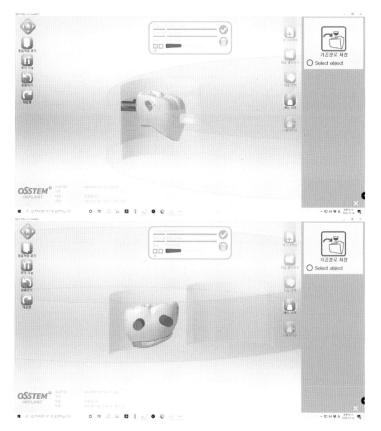

📷 **4-84**
사진에서 보면 커넥터가 크라운의 최대풍융부상에 존재한다. 최대풍융부가 아닌 부위에 커넥터를 위치시키면 커넥터 하방 가공이 미완성인 채 작업을 마무리하는 경우가 있다. 그러면 후가공을 통해 이 부위를 제거해 주어야 한다. 불필요하게 작업시간이 추가되고 자칫 밀링체의 파절을 불러올 수 있다.

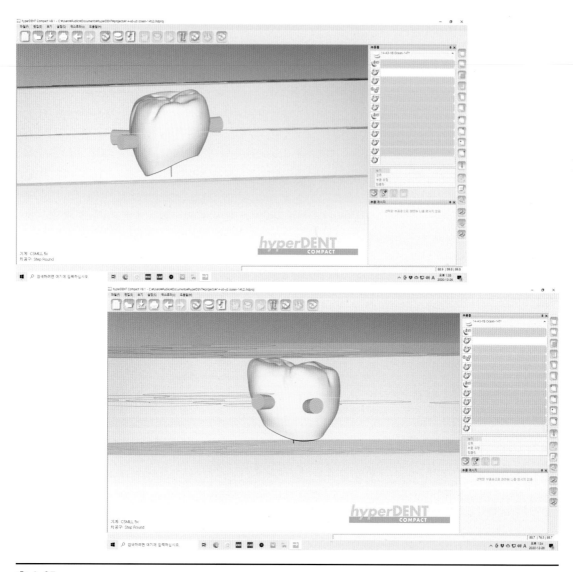

📷 **4-85**
하이퍼덴트에서는 최대풍융부를 별도로 표시하지 않기 때문에 술자가 임의대로 위치를 설정해야 한다. 그리고 디폴트 커넥터를 인접면에 위치시키는 경우가 많아 불편하다.

둘째, 밀박스와 하이퍼덴트 모두 커넥터 단면의 중간컷(half-cut) 기능이 존재한다. 밀링이 완료된 후 원판형 디스크에서 커넥터를 분리할 때 간혹 밀링체의 파절을 야기하는 경우가 있다. 특히 전치부처럼 두께가 얇은 크라운을 밀링한 후 커넥터를 제거할 때 밀링체가 파절되는 경우가 종종 있다. 작업을 빨리 끝내려는 급한 마음에 컷팅 버에 과도한 힘을 주었기 때문이다. 이런 중간 컷 기능은 커넥터 제거를 보다 쉽고 안전하게 할 수 있게 해준다. 커넥터 단면의 형태와 굵기에 대한 조절이 쉽도록 작업창을 띄워준다. 그러나 이 단계에서도 하이퍼덴트는 너무 많은 선택을 해야한다. 반면 밀박스는 "너 커넥터 이 부위에서 매번 자르지?"라고 물어보는 듯 항상 자르는 위치에 중간컷을 지정한다. 술자의 선택권에 제한을 가하지만 오히려 반복적인 작업을 하지 않게 하므로 술자의 작업피로도를 줄여준다.

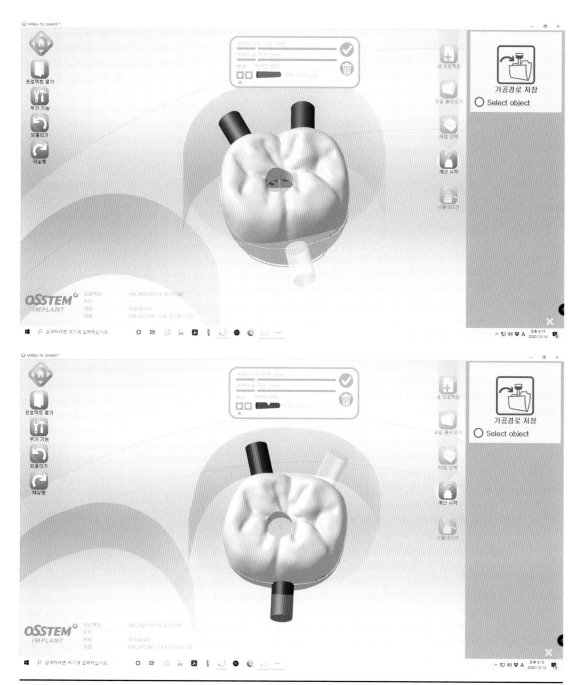

📷 4-86

디폴트로 나온 커텍터는 파란색으로 표시된다. 그러나 [**커넥터 절반 자르기**] 기능을 이용하면 커넥터 색상이 붉은색으로 표시된다. 커넥터 시작과 끝의 직경을 달리하는 기능도 존재한다.

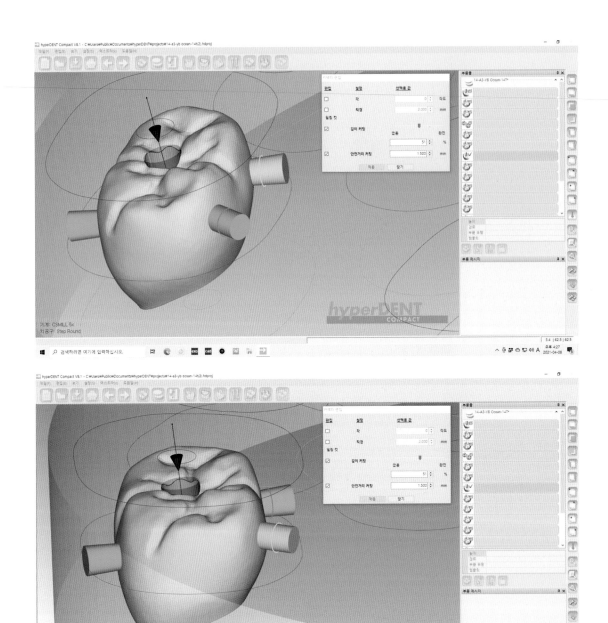

📷 4-87

하이퍼덴트에서도 밀박스와 유사한 중간 자르기 기능이 있다. 그런데 매번 자르는 위치와 깊이를 선택하도록 한다. 작업자의 선택을 지나치게 존중한다는 생각을 한다. 그냥 알아서 중간을 잘라주면 얼마나 좋을까?

셋째, 밀박스에서는 SCRP 홀을 파주기 위한 설정이 매우 단순하다. 밀박스에서는 사전에 설정한 디폴트 옵션을 이용해서 한번의 클릭으로 SCRP 홀에 대한 계산을 마무리한다. 하이퍼덴트에서는 매번 작업할 때마다 SCRP 홀과 크라운 변연, 삽입 방향에 대한 설정을 해주어야 하지만, 밀박스에서는 이런 반복적인 작업을 피할 수 있다. CAM 밀링 시 변화를 주지 않고 항상 이용하는 옵션만을 이용하는 사람에게는 밀박스의 이런 부분은 너무 매력적이다. 만약 다른 방법으로 가공을 하려면 [**부가 기능**]으로 들어가서 설정을 바꾼 후 밀링을 하면 된다.

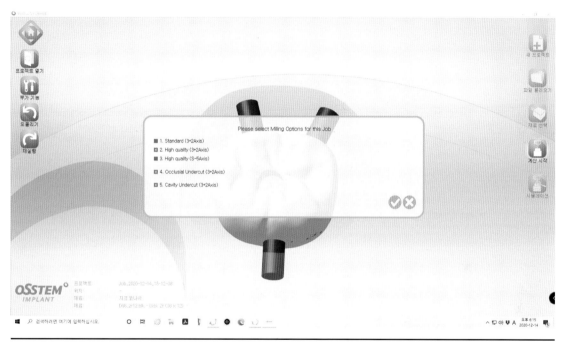

📷 4-88

밀박스에서는 긴 말이 필요없다. 알아서 다 해준다. 집밥만 먹던 총각이 데이트를 하러 고급 식당에 갔는데 이름도 생소한 메뉴들을 하나 하나 선택하라고 한다면 참으로 난감하다. 밀박스는 알아서 최고로 요리를 만들어주는 레스토랑과 같다.

하이퍼덴트를 이용하는 일반적인 과정이다. 너무 요구하는 것이 많다.

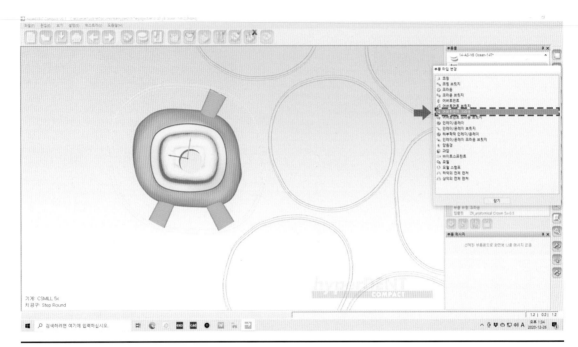

📷 4-89

크라운 유형을 결정한다.

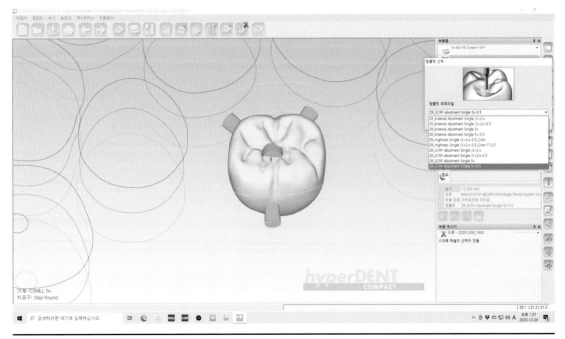

📷 4-90

밀링 버 사이즈를 결정한다.

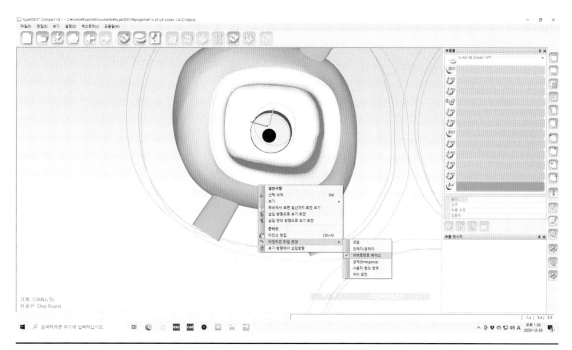

📷 4-91

마진 라인 타입을 결정한다.

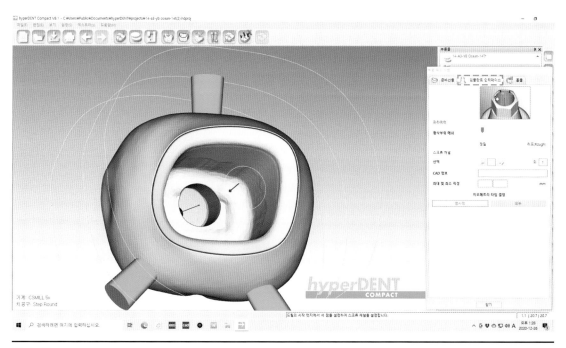

📷 4-92

SCRP 홀 인터페이스를 개별 설정한다.

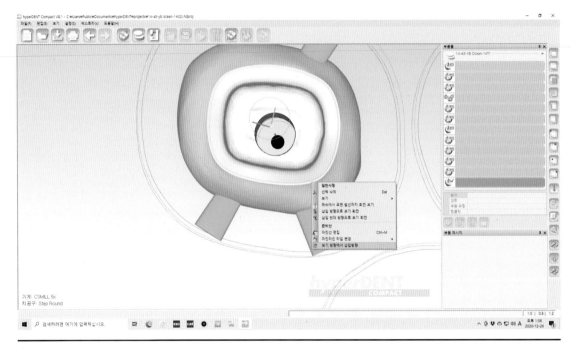

📷 4-93
밀링 버 삽입 방향도 선택한다.

대충만 나열해도 하이퍼덴트에서는 반복되는 많은 작업을 매번 똑같이 선택해야 한다. 밀박스와 비교했을 때 같은 작업을 하기 위해 하이퍼덴트는 훨씬 많은 클릭을 해야 한다. 밀박스처럼 반복되는 과정을 디폴트로 설정해서 클릭 횟수를 최소화하고 특별한 경우에만 부가기능을 사용하도록 했다면 더 좋지 않았을까 생각한다. 소수 전문가만을 위한 기능이 너무 많다. 캐드나 캠 프로그램을 사용하는 대부분의 사람들에게 과도한 옵션은 오히려 작업을 방해한다. 우리가 매일 이용하는 TV가전 리모콘을 생각하면 전원과 음량, 채널 버튼 외 나머지 버튼은 거의 사용하지 않는 것과 마찬가지다. 하이퍼덴트는 잘 알고 잘 선택해야 좋은 음식을 주문할 수 있는 고급 레스토랑과 같다.

마무리하는 글

디지털 작업과정(digital workflow)의 핵심은 단연코 캐드 디자인이라고 할 수 있다. 보철에 대한 해석을 담당하는 캐드 작업은 배우고 익히는 데 상당한 시간이 필요하다. 환자 개개인의 해부학적인 특징을 보철 디자인에 담아내는 과정은 상당한 집중과 숙련을 필요로 한다. 시행착오를 피할 수 없는 부분이기도 하다. 이런 과정을 가장 효과적으로 익힐 수 있는 방법은 환자의 술전 사진을 체계적으로 확보해서 이를 디자인에 적극적으로 활용하는 것이다. 환자들은 기존에 익숙하던 크라운을 가장 편하게 생각한다. 따라서 심미적인 목적이 아니라면 환자가 가지고 있던 기존 크라운의 형태에 가급적 큰 변화를 주지 않는 것이 좋다. 사진 없이 삭제된 모형만을 가지고 작업해야 한다면 환자의 술전 상태를 전혀 반영하지 않은 크라운이 만들어지기 쉽기 때문에 여러 가지 면에서 작업의 결과를 최적화하기 어렵다.

디자인 작업을 위한 캐드 프로그램의 선택은 매우 중요하다. 캐드 프로그램은 스캐너를 선택할 때 가장 우선적으로 고려해야 한다. 아무리 스캐너가 저렴하다고 해도 캐드 프로그램이 어렵고 비효율적이라면 비용을 아낀다고 볼 수 없다. 유형자산에서는 약간의 비용을 줄일 수 있어도 무형자산에서 엄청난 손실을 가져다줄 수 있기 때문이다. 캐드 프로그램을 구입할 때는 가급적 직관적이고 단순한 워크플로우를 갖는 프로그램을 추천한다. 무엇보다 중간 수정이 쉽게 가능한 프로그램을 추천한다. 수정이 어렵다면 디자인에 문제가 있어도 수정하려 들지 않으려는 귀차니즘을 발동시킬 가능성이 높다. 우리가 경험하는 불만족스러운 보철 중 상당 부분은 그런 이유 때문에 수정 과정을 거치지 않고 제작되지 않았을까 하는 합리적 의심을 해본다. 물론 진료실에서 어느 정도 만족스러운 입력 정보를 제공했다는 전제가 있어야 한다. 수정이 가능하고 직관적인 워크플로우를 갖는다는 점에서 3Shape 덴탈시스템과 밀박스(MillBox) 조합이 가장 추천할 만한 CAD/CAM 조합이라고 생각한다. 현재 시점에서 그렇다는 말이다. 물론 앞으로 다른 시스템들도 사용자 편의성을 중심에 둔 업그레이드를 하리라 기대한다.

하이브리드

레진세라믹을

이용한 임상

5장 · 하이브리드 레진세라믹을 이용한 임상

세라믹과 하이브리드 레진세라믹을 이용한 임상은 치과에서 가장 먼저 디지털이 본격적으로 적용된 분야일 것이다. '원데이클리닉'을 가능하게 한 진료이기도 하다. 기존에는 인레이(inlay)나 온레이(onlay), 라미네이트 (laminate veneer)를 하려면 여타 기공물과 마찬가지로 치아를 삭제하고 인상을 채득한 다음 인상체를 기공소에 보내야 했다. 빨라도 제작에 수일이 소요되었다. 제작된 수복물이 치과에 도착하면 와동을 건조하고 레진 접착제를 이용하여 접착하였다. 그런데 보통 마취를 안 한 상태에서 접착을 하기 때문에 환자는 매우 시린 반응을 호소할 때가 많았다. 때에 따라서는 시린 느낌이 이후에도 없어지질 않아 근관치료까지 이어지는 경우도 있었다. 그러나 디지털 기법을 이용해서 당일 1시간 이내에 이 모든 과정을 끝내면 환자의 시리다는 불편감이 매우 감소한다. 세라믹이나 하이브리드 레진세라믹의 파절 가능성 때문에 치아삭제를 금인레이보다 많이 하였음에도 불구하고 시리다는 불편감은 왜 줄어들까? 가장 큰 이유는 마취가 된 상태에서 치료가 마무리되기 때문이다. 접착 후 시린 통증이 지속되는 원인은 임시충전물 상태에서 와동이 오염되었거나 접착제 내의 화학적 성분이 치수를 자극했기 때문으로 생각할 수 있다. 일단 환자가 통증을 심하게 느낀 상태로 접착을 마무리하면 그 영향이 지속되는 경우가 많다. 그러나 마취 후 통증을 인지하지 못하는 상태에서 접착을 마무리하면 이러한 문제가 상당히 감소하는 것으로 판단된다. 하이브리드 레진세라믹 인레이가 기존 금인레이(gold inlay)보다 치아삭제량이 월등히 많음에도 불구하고 상대적으로 접착 후 문제가 적은 이유를 여기에서 찾는다. 따라서 마취된 상태에서 1시간 이내에 치료를 마무리하는 디지털 기법은 환자와 치과의사 모두에게 큰 만족감을 준다.

하이브리드 레진세라믹 인레이

구강스캐너와 4축 밀링기계를 처음 도입하고 하이브리드 레진세라믹 인레이를 예전보다 적극적으로 많이 했다. 금인레이 환자에게서 발생하는 치아크랙(crack)의 문제로 인해 인레이를 잘 하지 않았지만 디지털을 이용한 원데이진료에 눈을 뜨게 되면서 하이브리드 레진세라믹 인레이의 치료적 가치가 크다는 것을 경험했다. 하악 우측 제1대구치와 제2대구치 사이에 인접면 치아우식이 심하게 진행되었다. 하이브리드 레진세라믹 인

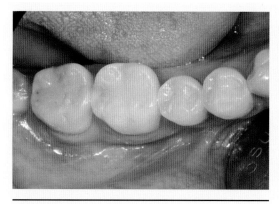

📷 5-1A
하악 우측 제1,2대구치에 인접면우식이 존재한다.

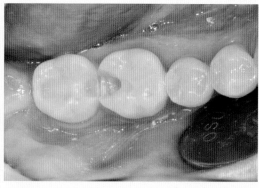

📷 5-1B
하이브리드 레진세라믹 인레이를 위한 와동을 형성하였다.

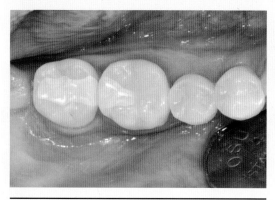

📷 5-2A
5축 밀링기계로 인레이를 밀링한 후 임시시적한 모습이다. 적
합이 매우 뛰어나다.

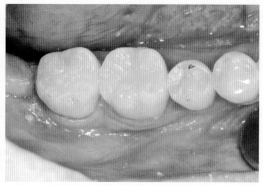

📷 5-2B
레진 접착제를 이용하여 최종접착을 마무리하고 코팅제(비스
커버, 비스코사)를 바른 모습이다.

레이로 치료하기 위해 박스 형태의 인접면 와동을 형성하였다. 과거에 이런 증례를 접하면 적지 않게 고민을
했을 것이다. 금인레이를 하기는 싫고 크라운을 하기에도 마땅치 않았기 때문이다. 이런 틈새 상황에서 하이
브리드 레진세라믹 인레이가 아주 좋은 대안이 되었다.

5축 밀링머신과 원판형 하이브리드 레진세라믹 디스크를 사용해서 인레이를 제작하였다. 인레이와 와동의
적합도가 매우 좋다. 인접면을 수복하는 인레이를 할 때 커넥터를 인접면에 다는 것은 피해야 한다. 커넥터가
달려있던 인접면을 잘 맞추는 것이 어렵기 때문이다. 5축 머신이 4축보다 버의 가동범위가 넓기 때문에 더
정확한 밀링이 가능하다. 레진 접착제를 이용하여 접착하였다. 인접면을 공유하는 두 개의 인레이를 접착할
때는 접착 시 인접면이 붙어버릴 수 있기 때문에 주의해야 한다. 광중합 전 치실을 이용해서 인접면 사이의
접착제를 제거하여 인접면이 붙지 않도록 해야 한다.

하이브리드 레진세라믹 인레이를 위한 치아 삭제

1. 가능한 한 단순하게 와동을 형성하자(📷 5-3)

인레이를 위한 와동을 형성할 때 가급적 단순한 디자인을 선택하는 것이 좋다. 금인레이와 다르게 변연부에 베벨을 부여해서는 절대 안 된다. 재료의 파절을 야기할 수 있기 때문에 충분한 두께를 부여할 수 있도록 해야 하며, 언더컷이 없어야 한다. 와동 바닥을 편평하게 만들고 와동측벽을 아래와 같이 만들어 준다. 만약 언더컷이 심하게 존재한다면 캐드 디자인할 때 경고 메시지가 뜬다. 약한 언더컷은 캐드 프로그램의 블록아웃 기능으로 작업하는 데 지장이 없지만 심한 언더컷이 있다면 작업이 진행되지 않을 수도 있다. 물론 화면상에 존재하는 언더컷이나 거친 부분들은 캐드의 다듬기 기능으로 없앨 수 있지만 인레이 시적 시 적합성을 떨어뜨릴 수 있다.

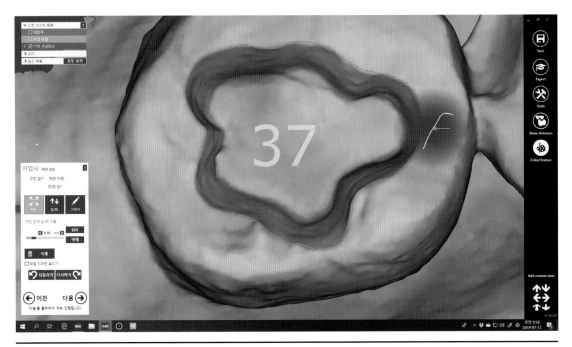

📷 5-3

2. 인접면 와동형성 시 라인앵글까지 충분히 확장해야 한다(📷 5-4)

원활한 스캔을 위해 접촉점을 분리하고 접촉면 부위만 협설로 좁게 와동을 형성하면 인레이 인접면의 모양이 매우 우스꽝스러운 형태로 만들어진다. 따라서 하이브리드 레진세라믹 인레이를 만들 때 인접면의 형태를 자연스럽게 만들어주기 위해서는 협설측으로 충분히 와동을 확장해야 한다. 치아우식의 범위에 비해 와동형성을 위한 치아삭제가 좀 많아지는 경향이 있다.

3. 접촉면의 분리는 정확한 스캔을 위해 필요하지만 과해선 안 된다(📷 5-5)

인접면이 서로 붙어있으면 변연에 대해 정확한 스캔이미지를 얻기 어렵다. 따라서 스캔 전 와동형성 시 인접

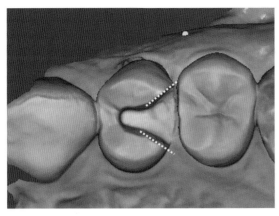

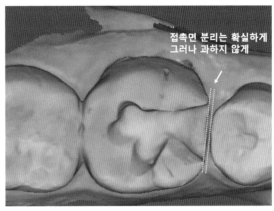

접촉면 분리는 확실하게
그러나 과하지 않게

📷 5-4

인접면 와동은 협설측으로 와동을 충분히 확장해야 한다. 그래야
자연스러운 수복물 디자인이 가능하다.

📷 5-5

인접면 분리는 정확한 스캔을 위해 필요하지만 과하면 하부 치질
에 의해 수복물이 지지받지 못하게 되므로 주의해야 한다.

면을 분리시킬 필요가 있는데, 이때 다이어몬드 버를 이용하면 인접면 사이의 간격이 과도하게 벌어질 수 있
다. 인접면 분리가 과도하면 인레이가 하부 치질에 의해 지지받지 못하면서 향후 인레이 파절 가능성을 증가
시킬 수 있다. 인접면 삭제에 사용하는 교정용 스트립퍼가 이런 용도로 유용하다. 초음파 삭제기구인 소닉라
인을 이용할 수 있다면 가장 좋다.

4. 인접면 와동형성은 시작할 때는 인레이 버를 사용하지만 마무리는 초음파 삭제기구인 소닉라인을 이용한다(📷 5-6)

인레이 버를 이용하는 인접면 와동형성의 문제점을 보여주는 그림이다. 원형 단면의 버는 인접면을 과도하게
삭제하거나 와동 날개부에 삭제되지 못한 부분을 남길 가능성이 높다. 이런 문제는 기존의 하이스피드 버를
이용해서는 해결할 수 없다.

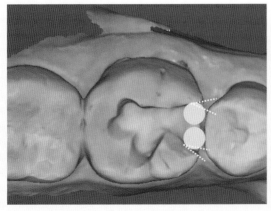

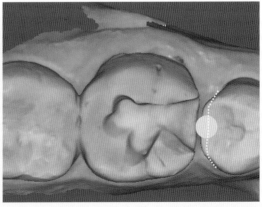

📷 5-6

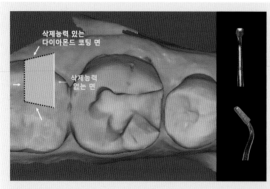
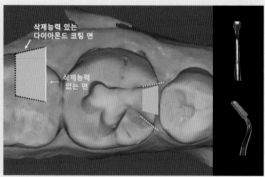

📷 5-7

인접면 와동 형성 시 초음파 삭제기구인 소닉라인을 사용하면 인접면의 박스 형태를 매우 정교하게 원하는 형태대로 만들어줄 수 있다(📷 5-7). 인레이 버를 이용하여 어느 정도 와동을 형성하고 소닉라인을 사용해서 인접면 박스 부분을 마무리한다. 이때 박스 형태와 디스크 형태의 초음파 팁을 사용한다. 좌우 한 쌍으로 구성된다. 소닉라인 팁의 다이어몬드 코팅 부분은 와동의 바닥과 측벽을 다듬을 수 있고, 인접면과 접촉하고 있는 면은 삭제 능력이 없기 때문에 인접면을 보호할 수 있다.

📷 5-8
인접면 와동 형성을 마무리하거나 치아변연을 세밀하게 다듬을 때 사용하는 초음파 삭제기구 소닉라인

매우 정교한 치아삭제가 가능하고 인접치아와 잇몸을 보호할 수 있어서 디지털을 기반으로 하는 진료에 매우 유용하게 사용된다. 사진에서 보여지는 팁은 크라운 변연을 다듬을 때 사용하는 팁(chamfer margin tip)이다.

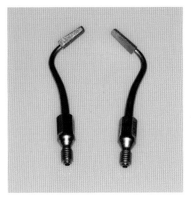
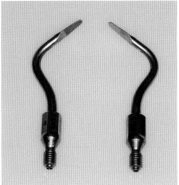
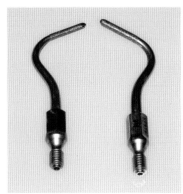

📷 **5-9 소닉라인 전용팁**
좌측부터 인레이 입접면 박스 형성용 팁. 접촉면 분리에 사용하는 스트립퍼 팁. 크라운 샴퍼마진용 팁이다.

하이브리드 레진세라믹 인레이의 캐드(CAD) 디자인

캐드 디자인에 입문할 때 가장 먼저 배우는 것이 하이브리드 레진세라믹 인레이 디자인이다. 작업 과정이 매우 쉽고 단순하기 때문에 디자인 초보 시절 캐드 기본 기능을 익히는 데 도움이 된다.

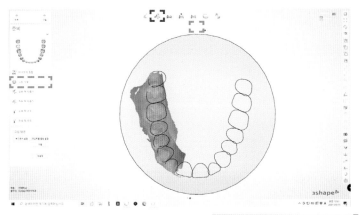

📷 **5-10**
기본적인 디자인 과정은 앞선 크라운 디자인과 동일하기 때문에 간략하게 설명한다. 먼저 교합정렬을 교합면과 측면에서 시행한다. 제시된 템플레이트와 스캔 이미지를 어느 정도 중첩시킨다.

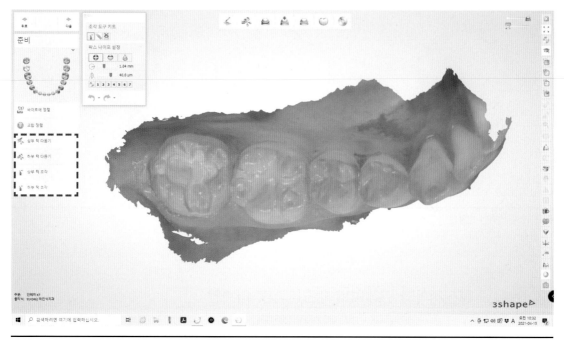

📷 5-11

상하부 턱 다듬기와 조각 4단계는 그냥 다음을 누르고 넘어간다. 구강스캔에서는 기포나 인상재의 늘어짐 등이 없기 때문에 이 단계가 딱히 필요 없다. 모델스캐너를 위한 단계라고 할 수 있다.

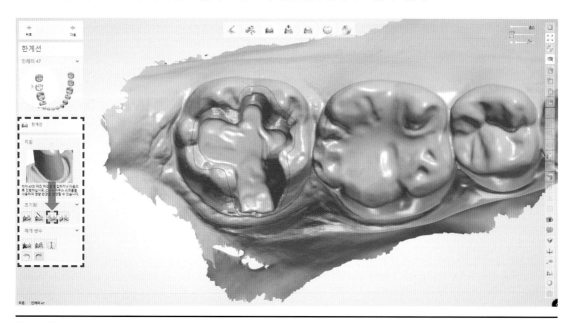

📷 5-12

첫 번째 한계선 단계에서는 정확한 인레이 변연을 확정 짓는 단계가 아니라 캐드 디자인을 위한 디지털 다이(die)를 만드는 단계이다. 따라서 실제 변연보다 외곽에 한계선을 설정해야 한다. 지나치게 변연과 가깝게 한계선을 설정하면 오류메세지가 나오면서 작업이 진행되지 않는다.

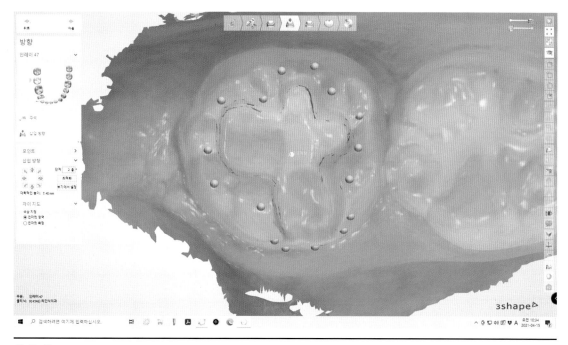

📷 5-13

주석과 삽입 방향은 보통 디폴트 값을 이용하기 때문에 특별히 수정하지 않고 넘어간다.

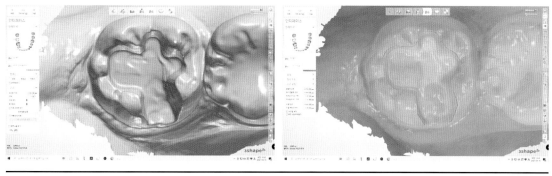

📷 5-14

두 번째 한계선 단계에서 실제 인레이 변연을 확정한다. 화면을 흑백과 컬러로 바꾸면서 디자인하는 것이 변연을 정확하게 그리는 데 도움이 된다. 다이 인터페이스에서는 접합공간에 변화를 줄 수 있는데, 크라운에서와는 달리 크게 조정하지 않는다. 레진접착제가 화학적 접착을 통해 와동 사이의 공간을 채우기 때문에 수치적 조절이 임상적으로 큰 의미가 없다. 그러나 와동에 언더컷이 존재할 경우 접착제 간격에 여유가 없으면 적합에 문제가 있을 수 있다.

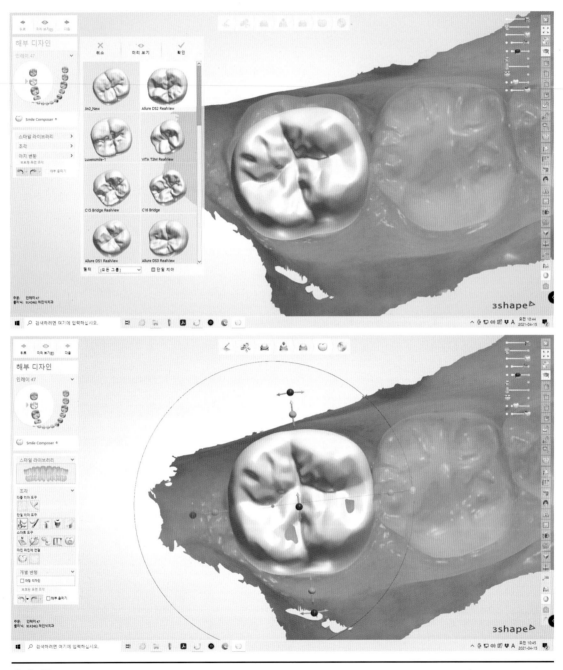

📷 5-15

해부 디자인 단계에서 처음하는 작업은 작업할 치아 라이브러리를 불러오는 것이다. [스마일 라이브러리]에
서 원하는 치아 디자인을 불러온다. 와동이 형성된 지대치 외형에 맞게 불러온 치아의 크기와 위치를 조절하
고 [마진 라인 연결]을 실행한다. 그러면 크라운 모양이 인레이 모양으로 바뀐다.

마진 라인 연결을 통해 라이브러리를 와동에 연결한 다음 최종적인 교합면 디자인과 교합을 완성한다. 주로

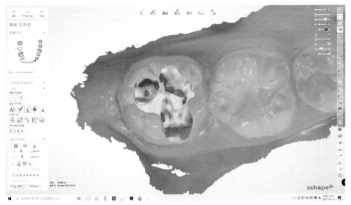

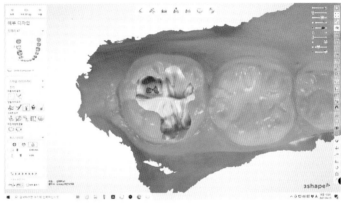

📷 5-16

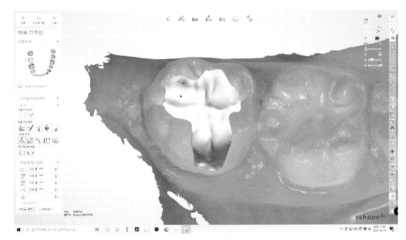

📷 5-17

[조각] – [왁스 나이프]의 세 가지 메뉴를 사용해서 디자인을 완성한다. 교합면에 커넥터를 연결하는 디자인을 선택하는 경우 구강내 접착 후 교합 조정을 하는 단계에서 많은 수정을 교합면에 가하기 때문에 캐드 디자인에서 교합면 디자인을 자세하게 하는 것이 큰 의미가 없다. 그러나 커넥터를 사용하지 않는 매몰법을 이용하는 밀링하는 경우에는 교합면 디자인을 완성도 높게 만들어야 한다. 인접면 와동의 경우 [스마트 도구] – [연결 및 부드럽게] 메뉴를 이용해서 접촉점을 완성한다.

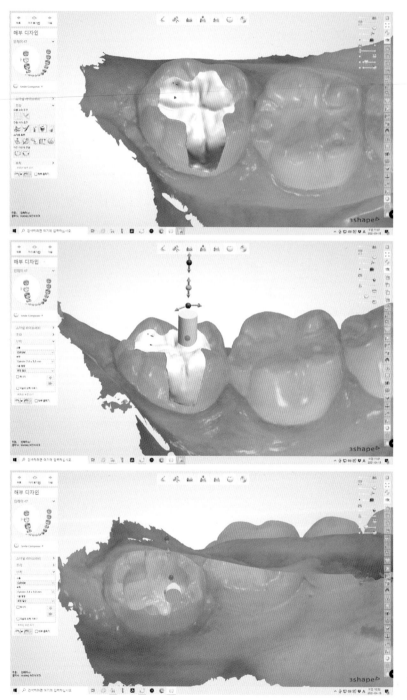

📷 5-18

인레이 가공을 위한 커넥터를 연결하기 위해 [부착] 메뉴를 선택한다. Cylinder-Cylinder 2.0 mm×3.0 mm 를 선택하고 [플러스(+)] 버튼을 누른 다음, 원하는 위치에 커서를 클릭하면 커넥터가 형성된다. 하부에서 봤을 때 커넥터는 와동 영역 안에 위치되어 있어야 한다. 커넥터가 와동영역을 벗어나 있으면 적합이 불가능한 상황이 연출된다(📷 5-18).

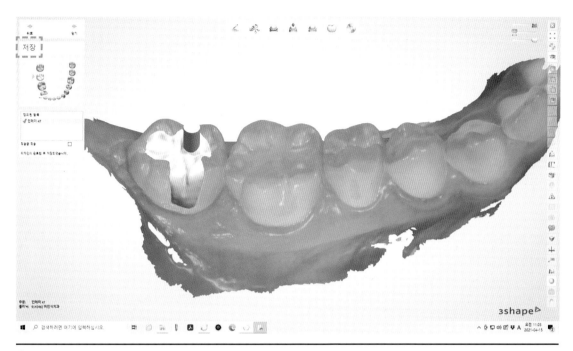

📷 5-19

가공을 위한 커넥터가 생성된 모습이다. 실제 밀링을 할 때에는 캠(CAM) 프로그램상에서 교합면의 수직 커넥터에 수평커넥터를 하나 더 연결해 준다. 그래야 밀링 도중 디스크에서 밀링체가 분리되는 일 없이 안정적으로 밀링할 수 있다. 만약 5축에 사용하는 디스크형 하이브리드 레진세라믹이 아니라 4축의 블록형 하이브리드 레진세라믹을 이용한다면 접촉면에 커넥터를 달아야 한다. 밀링은 쉽지만 접착 시 인접면에 붙은 커넥터를 제거해야 한다. 이 과정에서 접촉을 상실할 수도 있고 접촉면 형태가 손상될 수도 있기 때문에 주의해야 한다.

🎥 인레이 캐드 디자인 과정 보러가기

하이브리드 레진세라믹 인레이의 캠(CAM) 디자인

하이브리드 레진세라믹 인레이를 밀링할 때 어떤 장비로 밀링하는지에 따라 캐드 디자인과 캠 디자인이 달라진다. 커넥터를 연결할 것인지, 아니면 커넥터 없는 밀링 방법을 선택할 것인지를 결정해야 한다. 인접면에 위치시키는 방법은 반복적으로 언급하지만 접착 시 인접 치아와의 접촉 형태에 안 좋은 영향을 줄 수 있고 접착 시간을 증가시키는 요소가 될 수 있기 때문에 추천하지 않는다. 가공을 위한 캠 설정에 두 가지 방법이 있다.

1 가장 전통적인 방법으로 캐드 디자인에서 교합면에 만든 원통형 부착물에 수평 커넥터를 연결하는 방법이다. 이 방법은 두 개의 원통형 부착물을 통해 인레이가 가공 중 디스크에서 분리되지 않도록 해주는 비교적 단순한 방법으로, 이제까지 가장 많이 사용해온 방법이다. 그러나 수평 커넥터 하방을 기계가 대부분 밀링하지 못한다는 문제가 있다. 따라서 접착 후에 교합면에 존재하는 커넥터 부속들을 대거 하이스피드로 갈아내야 한다. 교합조정이라는 표현이 무색할 정도로 교합면 형태 조정이 많기 때문에 해부학적 형태 부여가 어렵다.

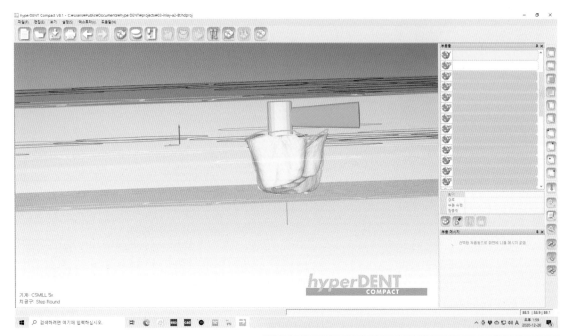

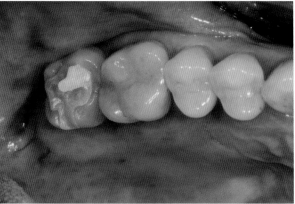

📷 5-20

수직부착물은 캐드 프로그램에서 만들고 캠 프로그램에서 수평 커넥터를 부착하여 밀링한다. 수평 커넥터가 하방 인레이 교합면에 붙어있다. 이런 수평커넥터는 인레이의 시적을 방해하는 경우도 있다.

2 두 번째 방법은 인레이에 수직적 수평적 부착물을 달지 않고 가공하는 방법이다. 먼저 상부 절반을 가공한 다음 이 부분을 석고로 매몰하고 다시 하부 절반을 가공하기 때문에 교합면의 해부학적 형태를 온전히 유지할 수 있다. 석고가 경화된 후 2차 밀링을 진행하기 때문에 밀링 작업이 지체되는 문제가 발생한다. 그러나 커넥터를 연결하는 방식에 비해 세팅과 교합조정에 걸리는 시간이 크게 단축할 수 있기 때문에 가장 추천하고 싶은 밀링 방식이다.

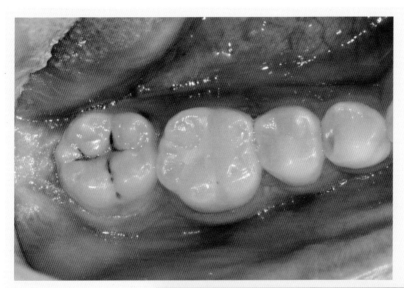

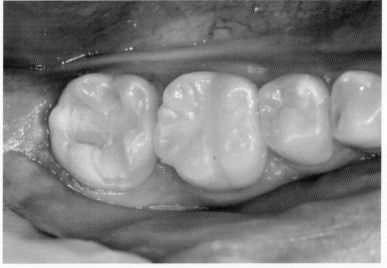

📷 **5-21**
하악 우측 제2대구치에 치아우식이 심하게 존재한다. 치아우식을 제거한 후 와동형성을 하였고 구강스캔을 하였다.

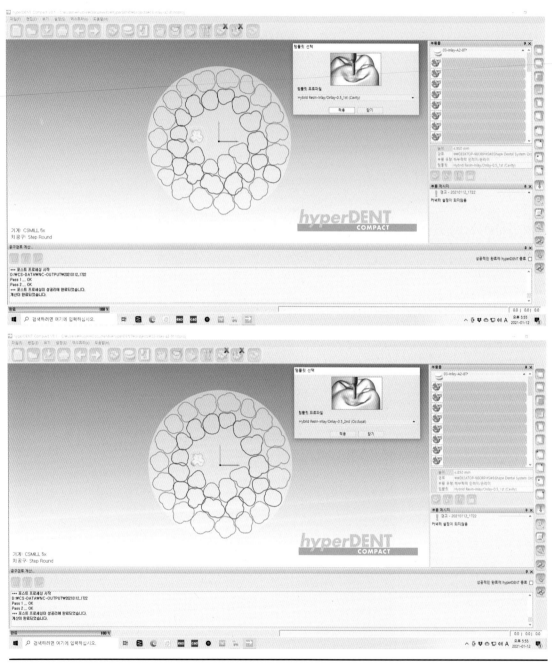

📷 5-22

가공 템플레이트에서 Hybrid Rein-inlay/Onlay_0.5-1st (Cavity)를 선택한다. 하부 쪽 절반의 가공이 끝나고 기계가 멈추면 다시 템플레이트에서 Hybrid Rein-inlay/Onlay_0.5-2nd (Occlusal)을 불러들여 교합면 쪽 절반을 한 번 더 가공한다.

📷 5-23

하부 절반(cavity)의 밀링이 끝나고 기계가 멈추면 밀링된 부위에 석고를 넣어 매몰한다. 교합면 쪽(occlusal)을 밀링할 때 밀링체가 탈락하는 것을 방지하기 위함이다. 매몰 후 석고가 경화되면 교합면 쪽 절반의 가공을 다시 시작한다. 밀링이 모두 끝나면 밀링체를 디스크에서 분리한다.

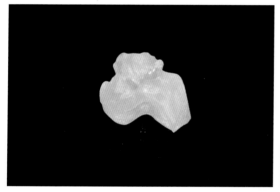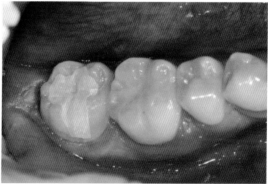

📷 5-24

매몰법을 이용하면 커넥터를 제거하는 과정이 없기 때문에 접착하는 과정을 바로 진행할 수 있다. 접착 전 임시로 시적한 사진을 보면 적합도가 매우 좋은 것을 확인할 수 있다. 기존 커넥터 연결 방법에 비해 해부학적 형태를 잘 보존할 수 있다.

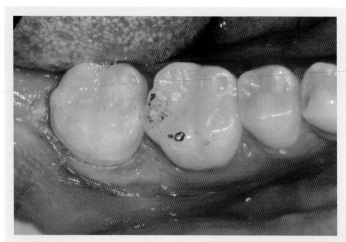

📷 5-25
치아와 인레이 내면에 별도의 프라이머를 바르고 레진 접착제로 접착하였다.

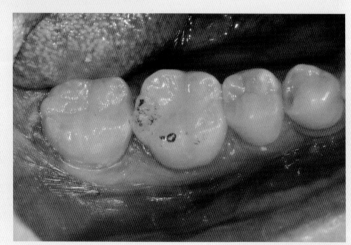

📷 5-26
인레이와 치아 경계부를 에칭한 후 코팅제 (Biscover, BISCO Co.)로 도포하고 광중합 하였다.

매몰법을 이용해 치료한 또 다른 증례이다.

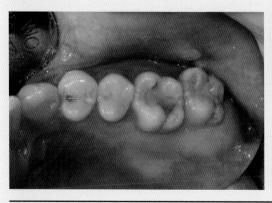
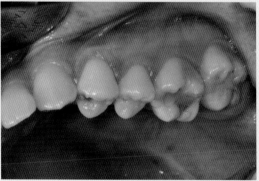

📷 5-27
상악 좌측 제1,2대구치에 이차 치아우식이 존재한다.

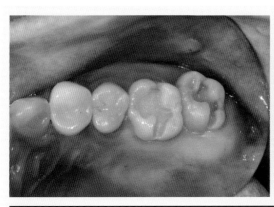
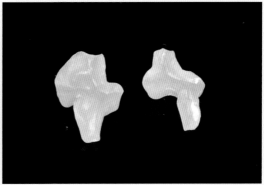

📷 5-28

와동을 형성한 다음 구강스캔과 매몰법으로 하이브리드 레진세라믹 디스크를 밀링하였다.

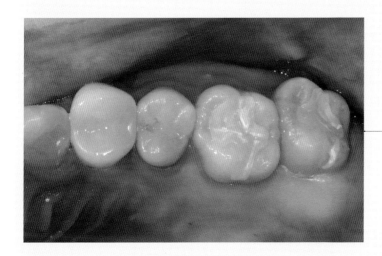

📷 5-29

매몰법으로 밀링한 인레이를 와동에 적합시켰고 적합도가 매우 좋음을 확인할 수 있다.

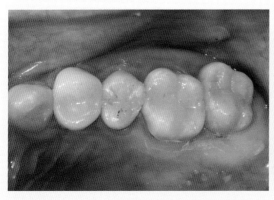
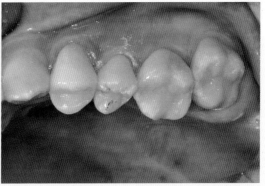

📷 5-30

레진 접착제로 접착을 시행하고 표면 코팅을 시행하였다. 커넥터를 부착하는 방식에 비해 접착시간을 단축할 수 있고 교합면의 해부학적 형태를 보존할 수 있다.

하이브리드 레진세라믹 인레이의 밀링

하이브리드 레진세라믹 인레이를 밀링할 때 두 가지 밀링재료를 사용할 수 있다. 만드렐에 고정된 블록형태의 재료는 인레이 사이즈에 따라 블록 크기를 다르게 해서 사용할 수 있고, 4축 밀링기를 이용한다. 4축 중에서도 굵은 버 한 가지만을 이용하는 기계는 세밀한 가공이 어렵기 때문에 와동과 밀링체 사이에 공극(gap)이 있는 경우가 많다. 그러나 다양한 사이즈의 버를 혼용할 수 있는 4축 밀링기계는 5축과 거의 유사한 인레이 가공이 가능하다. 하이브리드 레진세라믹은 세라믹이 포함되어 있기 때문에 재료의 강도가 강해 4축의 경우는 습식가공을 하기도 하지만 건식으로 5축 가공도 가능하다.

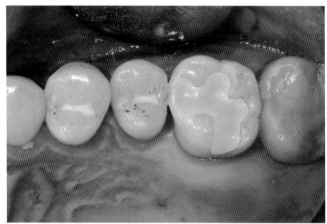

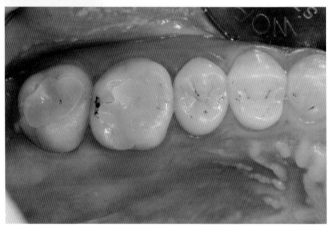

📷 5-31

굵은 직경의 버 하나를 이용하는 4축 밀링기계를 사용해서 만든 인레이이다. 밀링체를 와동에 적합시켰을 때 와동과 밀링체 사이에 공극이 존재한다. 굵은 버 하나만을 이용해서 4축으로 가공하면 가공되지 않는 영역이 생기는 것을 방지하기 위해 특정 부분을 과도하게 밀링하는 경향이 있다. 이 공간은 레진 접착제로 메꾸기 때문에 임상적으로 큰 문제는 없지만 가급적 여러 개의 버를 이용해서 가공하는 시스템을 이용하는 것이 바람직하다. 현재 굵은 직경의 단일 버를 이용하는 밀링기계는 더 이상 출시되지 않는다.

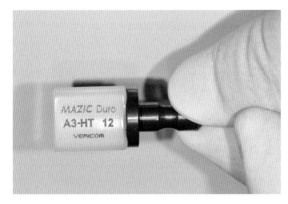

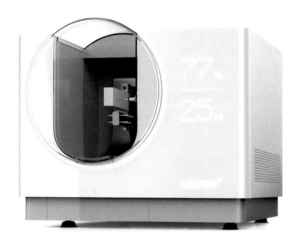

📷 5-32 **오스템사의 4축 밀링기계인 OneMill 4X**®
습식과 건식을 동시에 사용할 수 있는 밀링기계이며, 만
드렐 형식의 블록 재료를 이용한다. 하이브리드 레진세
라믹을 가공할 때 3개의 버를 이용해서 밀링하기 때문
에 매우 정밀한 가공이 가능하다. 블록 형태의 지르코니
아 밀링도 가능하다.

📷 5-33 **오스템사의 5축 밀링기계인 OneMill 5X**®
건식으로 디스크 형태의 재료를 가공한다. PMMA, 지
르코니아, 하이브리드 레진세라믹까지 가공할 수 있다.
이 방식으로 인레이를 밀링하는 것의 가장 큰 장점은
탁월한 가성비에 있다. 가공 정밀성을 그대로 유지하
면서 블록형 재료를 가공할 때보다 비용을 크게 줄일
수 있다. 가공 시 기본적으로 3개의 버를 이용한다.

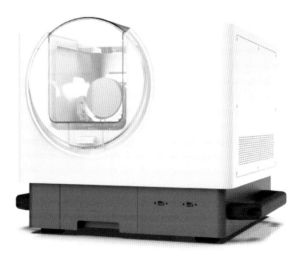

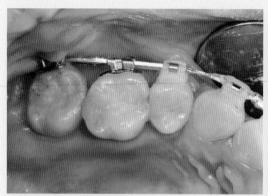

인접면 치아우식이 존재한다.

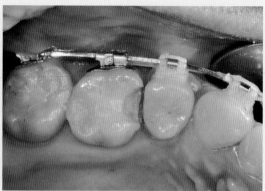

인레이를 위한 와동을 형성하였다.

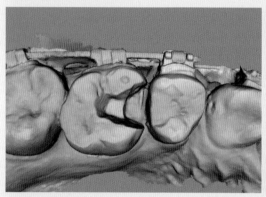

스캔 후 이미지이다.

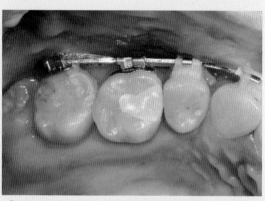

5축으로 밀링한 하이브리드 레진세라믹 인레이를 와동에 시적
한 모습으로 매우 정밀한 적합을 보여준다.

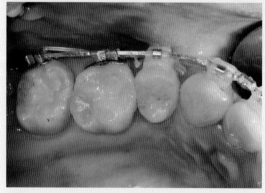

접착과 외부코팅이 종결된 모습이다.

📷 5-34

5축으로 가공된 인레이는 와동과 밀링체 사이에 공극이 거의 존재하지 않는다. 구강스캔을 통한 수복치료를
하면 교정 장치를 제거하지 않고서도 수복치료가 가능하기 때문에 환자의 불편감을 크게 줄일 수 있다.

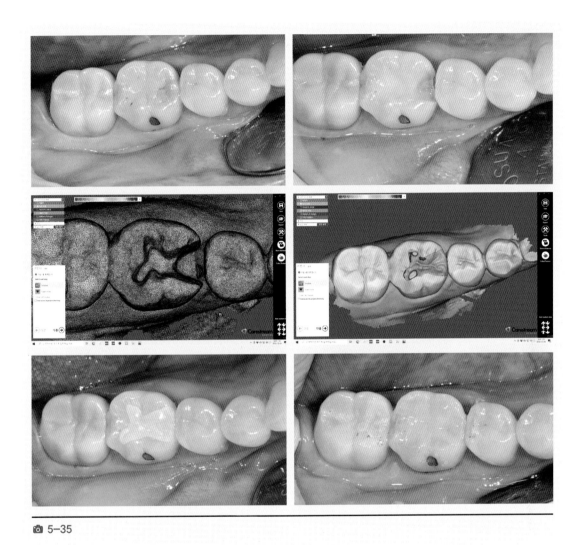

📷 5-35

구강스캔(CS3600)한 데이터를 엑소캐드로 디자인한 다음 5축으로 가공하였다. 5축 가공으로 제작된 인레이는 가공정밀성도 뛰어날 뿐 아니라 가성비 측면에서도 탁월하다.

하이브리드 레진세라믹 인레이의 접착

하이브리드 레진세라믹 인레이/온레이의 접착에는 레진 접착제를 사용한다. 치아와 인레이 내면에 별도의 에칭 작업은 하지 않는다. 접착 전 와동에 프라이머를 도포하고, 레진 인레이 내면에도 전용 프라이머를 도포한다. 프라이머 도포 후 광중합은 하지 않는다. 이후 레진 접착제를 혼합하여 와동에 넣고 인레이를 시적한다. 와동 바깥으로 흘러나온 잉여 접착제를 깔끔히 제거한다. 특히 인접면 와동의 경우, 광중합하기 전에 접촉점에 묻어있는 잉여 접착제를 치실을 사용하여 제거해 주어야 한다. 하이브리드 레진세라믹 인레이의 접착에는 다양한 종류의 접착제와 접착 기법이 사용될 수 있다. 술자의 기호와 임상적 경험에 따라 사용하면 된다. 다음은 필자가 주로 사용하는 접착제와 프라이머이다.

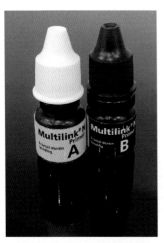

📷 5-36
두 종류의 프라이머를 1대1로 혼합하여 사용하는 멀티링크(이보클라 비바덴트 Co.)
와동에 도포하고 1분간 자연건조한다. 끈적거림이 없어서 좋다.

📷 5-37
하이브리드 레진세라믹 인레이 내면에 도포하는 프라이머인 모노본드-S

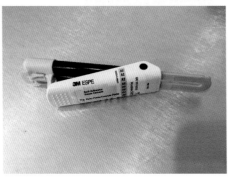
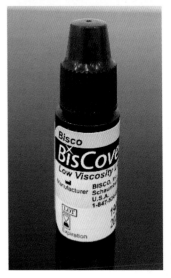

📷 5-38
인레이 접착에 사용하는 RelyX™ U200 레진 접착제

📷 5-39
접착과 최종 교합조정이 마무리된 후 사용하는 코팅제인 비스커버(비스코 Co.)
인레이 주위를 에칭한 다음 변연 주위에 도포해 준다.

원데이 하이브리드 레진세라믹 인레이의 적응증과 금기증

원데이 하이브리드 레진세라믹 인레이의 가장 좋은 적응증은 교합면에 국한된 1급 와동이다. 건전한 치질에 의해 둘러싸여 있는 와동의 경우 인레이의 두께만 충분하다면 오랜 수명을 보장할 수 있다. 그 다음이 소구치 인접면이 포함된 2급 와동이다. 그러나 교합력이 강하거나 이갈이와 같은 악습관이 있는 환자와 단단하고 거친 음식을 좋아하는 식습관을 가지고 있는 환자에게는 가급적 피하는 것이 좋다. 파절이 와서 결국 크라운으로 재치료하는 경우가 있다. 따라서 근원심을 모두 포함하는 와동의 경우에는 하이브리드 레진세라믹 인레이를 고집하기 보다는 풀지르코니아 크라운을 하는 것이 바람직하다.

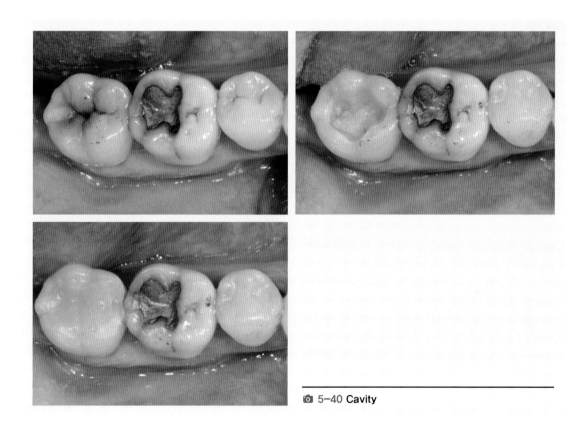

📷 5-40 **Cavity**

교합면에 국한된 와동이 가장 좋은 예후를 보인다. 디자인도 가공도 예후도 가장 좋다.

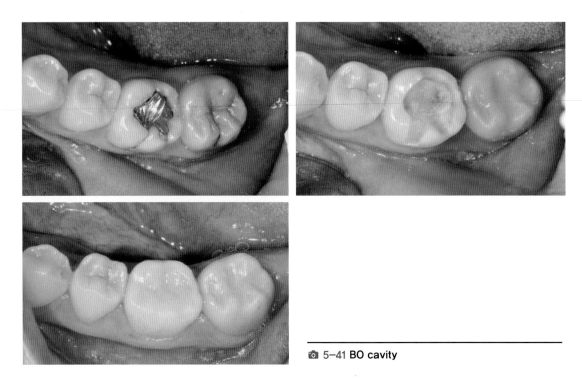

📷 5-41 **BO cavity**

협측으로 연장되었지만 인접면이 양호한 와동의 경우에도 좋은 예후를 보인다.

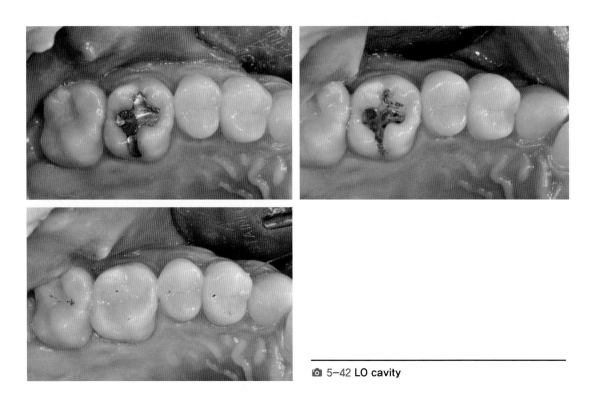

📷 5-42 **LO cavity**

인접면을 포함하지 않고 교합력의 집중을 피할 수 있는 와동 형태라면 인레이의 예후는 좋다.

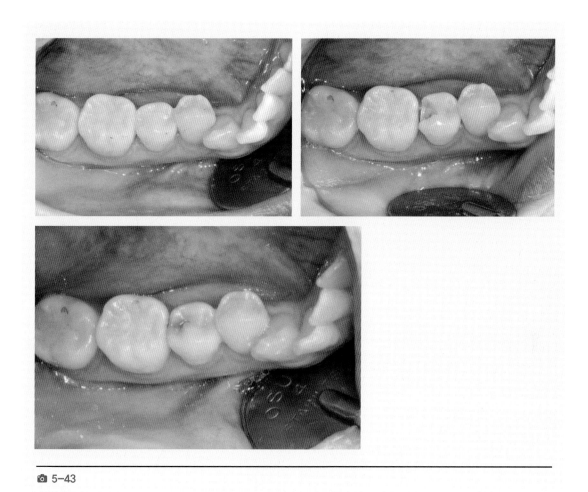

📷 5-43

인접면 와동이라고 하더라도 교합력이 강하지 않고 치관의 크기가 작은 경우, 치열이 고르지 못한 경우에는 하이브리드 레진세라믹 인레이가 좋은 해결방법이 될 수 있다.

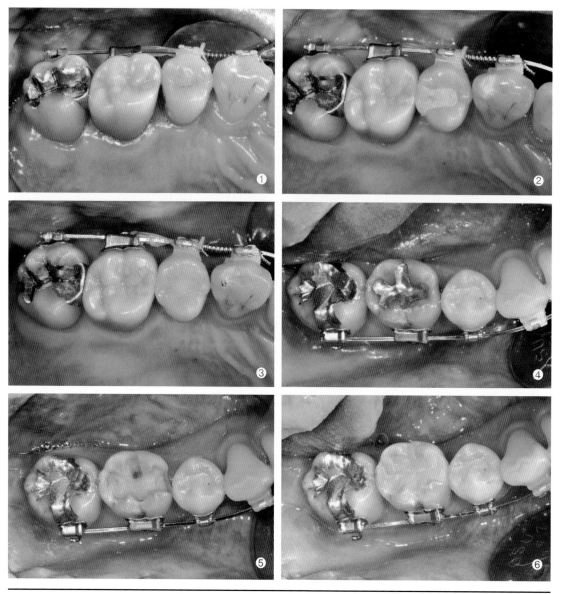

📷 5-44

교정치료 중 치아우식을 치료해야 하는 경우 부착된 장치를 제거하지 않아도 된다. 그러나 교정치료 후 크라운으로 변경할 가능성이 있음을 환자에게 사전 고지하는 것이 바람직하다.

다음은 하이브리드 레진세라믹 인레이를 추천하지 않는 경우이다. 치아우식이 여러 면에 걸쳐서 존재하거나 교합력이 강하게 작용하는 인접면 우식의 경우 인레이보다는 크라운을 추천한다.

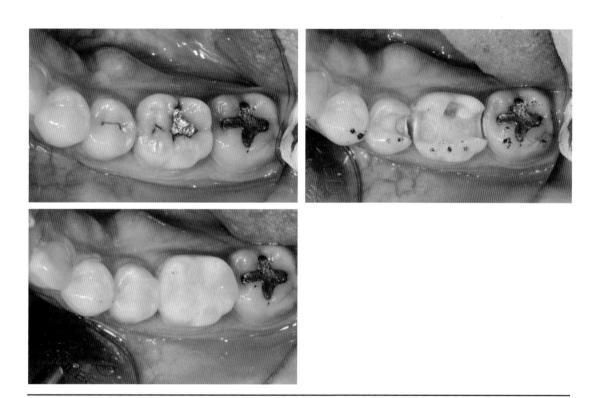

📷 5-45 **MOD cavity**

인접면에 심한 치아우식이 광범위하게 있는 증례이다. 하이브리드 레진세라믹 인레이로 치료를 하였지만 장기적으로 보면 크라운이 더 좋은 선택이라고 생각한다.

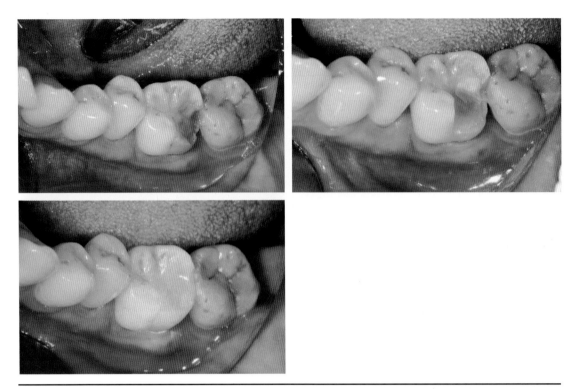

📷 **5-46 Onlay**

매우 심한 원심측 치아파절을 하이브리드 레진세라믹로 수복한 증례이다. 이런 경우도 상당한 교합력을 견뎌야 하는 기능교두를 수복해야 한다는 점에서 크라운을 추천한다.

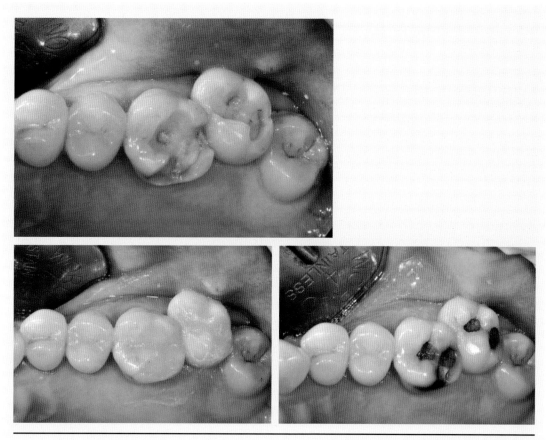

📷 5-47 Multiple surface decay

치아우식이 여러 면에 걸쳐서 복잡하게 존재하는 경우도 인레이의 적응증은 아니다. 몇 년 후 재치료 가능성이 높기 때문에 초기 검진과 진단, 환자와의 상담 시 주의해야 한다.

마무리하는 글

구강스캐너와 밀링기계를 도입하고 하이브리드 레진세라믹 인레이를 예전보다 많이 했다. 크라운을 해야 할 정도로 여러 면에 걸쳐 치아우식이 있는 증례, 교합력이 강해 보이는 치아, 인접면, 기능교두 피개와 같이 매우 다양한 상황에서 이 치료방법을 시도해 보았다. 그런데 재료의 특성상 치질의 지지를 받지 못하는 상황에서는 가급적 이러한 치료 방법보다는 크라운이 비교적 안정적인 예후를 보인다는 것을 깨닫게 되었다. 디지털 기법으로 크라운과 하이브리드 레진세라믹 인레이를 모두 소화할 수 있는 환경이라면 보다 예후가 보장되는 방법으로 치료계획을 설정하는 것이 바람직하다. 밀링 방법을 선택할 때 5축 가공을 이용하는 것이 모든 면에서 유리하며, 밀링 시 하프컷밀링(half-cut milling) 모드를 이용하는 매몰법이 가장 좋은 결과를 가져다 주었다. 커넥터를 연결하는 가공법은 밀링 후 해야 할 부가적인 작업이 많기 때문에 추천하지 않는다. 매몰법 이전에는 어쩔 수 없이 사용했지만 지금은 매몰법을 주로 사용하고 있다.

세심하게 치료계획을 세운다면 디지털 기법을 통한 원데이 인레이 치료는 정말 큰 장점을 갖는다. 치료 후 시리다는 불편감을 크게 줄일 수 있고 마취하에 모든 치료를 마무리 할 수 있기 때문에 술후 불편감을 크게 줄일 수 있으며, 환자와 진료인력 모두의 시간을 크게 절약할 수 있다. 그러나 파절 가능성이 존재하는 것 또한 사실이다. 따라서 적응증을 잘 파악해서 적절한 증례에 시행하도록 해야 한다.

6장

지르코니아
보철의

밀링과 후가공

Atlas of
Digital
Dentistry

6장 · 지르코니아 보철의 밀링과 후가공

보철을 위한 캐드캠 디자인이 완성되면 정보를 밀링기계에 전송하고 밀링작업을 시작한다. 디자인이나 다른 작업에 비해 밀링 과정은 비교적 단순하다. 보철물의 크기에 맞는 지르코니아 디스크를 밀링기계에 장착하고 고정한 다음 밀링 과정을 시작한다.

어떤 지르코니아 디스크를 선택할까?

지르코니아 디스크는 기본 색상(shade)과 크라운의 높이를 고려하여 선택한다. 색상 표현을 위해서는 다중 색상 디스크를 사용할 것인지 아니면 단일 색상 디스크를 사용할 것인지를 판단해야 한다. 보철보다 높이가 높은 디스크를 사용하면 밀링하는 데 문제가 없지만, 낮은 디스크를 사용하면 불완전한 밀링이 될 수 있다. 물론 이런 경우에는 캠 프로그램상에서 경고 메시지가 뜬다.

밀링용 디스크의 두께를 표현할 때 영문 두께(Thickness)의 첫 글자를 이용해서 T(티)라고 표현한다. 디스크의 가격을 표현할 때 "T당 얼마" 이런 식으로 표현한다. 최근 국산화가 많이 진행되면서 T당 가격은 크게 하락하고 있다. 상대적으로 제작하기 어려운 다중 색상 디스크의 가격이 단일 색상보다 비싸다. 최근 지르코니아 시장이 폭발적으로 증가하면서 매우 다양한 지르코니아 디스크가 출시되고 있는데, 색상과 투명감 등 여러 가지 면에서 만족스러운 결과를 보여주고 있다. 초기에 외국산이 평정하던 임플란트 시장이 국산 임플란트에 의해 완전히 대체된 것과 같은 여정을 지르코니아 시장도 동일하게 따르고 있다.

📷 6-1

시중에 판매되는 다양한 종류의 지르코니아 디스크이다. 윗줄에 있는 디스크는 단일 색상으로 구성된 디스크이고, 아랫줄의 디스크는 치경부에서부터 절단면까지 색상이 다르게 부여된 다중 색상 디스크이다.

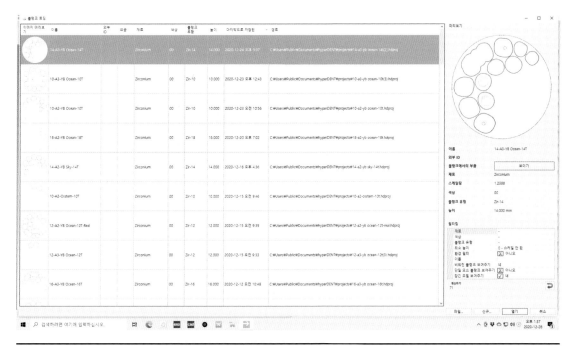

📷 6-2

대표적인 캠 프로그램 중 하나인 하이퍼덴트의 블랭크 로딩 화면이다. 블랭크 로딩이란 밀링을 위해 기존에 사용했던 디스크를 불러오거나 새로운 디스크를 등록하는 과정이다. 기존에 사용했던 디스크의 과거 밀링 상황이 이미지로 표현되고 파일 이름과 디스크 유형이 확인된다. 지르코니아, PMMA, 하이브리드 레진세라믹, 왁스 같은 재료 유형도 확인할 수 있다. [블랭크 유형]에선 사용 중인 디스크의 높이(T)가 표시된다. 기존에 등록된 디스크를 이용하려면 목록에 있는 것을 더블 클릭하거나 [목록]을 클릭하고 [열기]를 눌러순다. 만약 새로운 디스크를 사용하고자 한다면 [신규] 버튼을 누르고 등록을 진행한다.

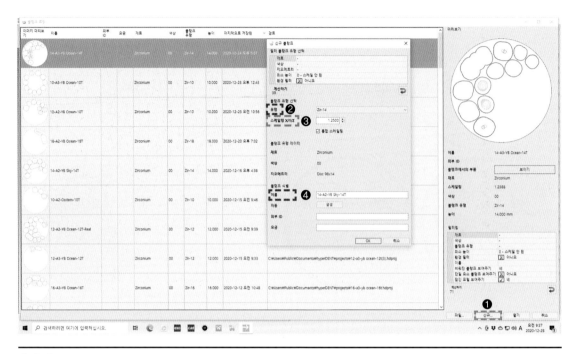

📷 6-3

하이퍼덴트에서 새로운 디스크를 등록할 때는 제일 먼저 재료 유형과 높이(T)를 선택하고 파일 이름을 정해야 한다. 새로운 디스크 이름을 등록할 때 필자는 **번호-색상-회사-높이**(예를 들어, 14-A2-YB Sky-14T)순으로 입력한다. 보통 혼동하지 않기 위해 번호와 높이를 일치시킨다. 사용하는 디스크의 숫자가 많아지고 회사도 다양해지면 구분하기가 쉽지 않기 때문에 이름을 초기부터 잘 정하는 것이 중요하다. PMMA나 하이브리드 레진세라믹의 경우 밀링 후 열처리를 하지 않기 때문에 체적의 변화가 없다. 따라서 수축률(스케일링 X/Y/Z)을 입력하지 않아도 된다. 그러나 지르코니아 디스크는 열처리 후 수축이 일어나기 때문에 디스크를 등록할 때 반드시 수축률을 함께 등록해야 한다. 지르코니아 디스크를 제조하는 회사마다 디스크의 종류마다 수축률이 모두 다르므로 반드시 개별 디스크마다 회사에서 권고하는 수축률을 등록하도록 한다.

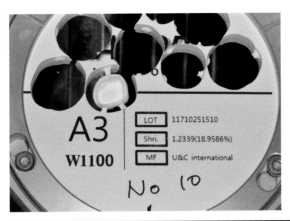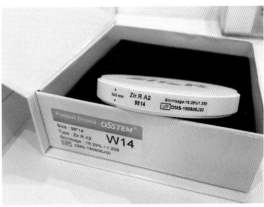

📷 6-4

수축률은 보통 세 곳에 표시되어 있다. 지르코니아 디스크를 담고 있는 상자 표면에 혹은 내지 형태로 수축률에 대한 정보가 표시되어 있고, 디스크 자체에도 표시되어 있다. 사진에서 보여지는 디스크는 전면에 수축률이 1.2339(18.9586%)라고 표시되어 있는 것을 볼 수 있다. 수축률은 회사마다. 디스크 두께(T)마다 다르다는 것을 명심해야 한다. 보통의 경우 디스크 측면에 수축률을 표시하는 경우가 많다.

📷 6-5

디스크 상단 혹은 하단에는 화살표가 표시되어 있다. 이미 사용한 디스크에 새로운 크라운을 추가할 때 이전에 사용했던 위치와 동일한 위치에 디스크를 위치시켜야 하기 때문에 이런 표시가 필요하다. 캠 프로그램상에는 위치 표시가 없고, 기존에 밀링했던 크라운이 기준점이 되므로 그 크라운이 위치했던 부분을 디스크상에 표시할 필요가 있다. 밀링을 하다보면 화살표 부분이 밀링에 의해 없어질 수도 있기 때문에 측면 부분까지 화살표를 연장해서 표시해줄 필요가 있다.

📷 6-6

밀링기에 디스크를 집어넣을 때 주의해야 할 것은 삽입 방향이다. 사진 좌측은 다중 색상 지르코니아 디스크이고, 우측은 단일 색상 디스크이다. 단일 색상의 디스크는 최초 삽입 시 어느 방향으로 넣으나 상관이 없다. 그러나 다중 색상 디스크는 방향을 뒤집어서 넣으면 크라운의 치경부와 절단부 색상이 거꾸로 표현되어 나오기 때문에 주의해야 한다. 그런데 이 삽입 방향이 밀링기계에 따라 다를 수 있다. 어떤 회사는 라벨 부위를 앞쪽에 오도록 권고하는 회사가 있는 반면, 어떤 회사는 라벨 부위가 뒤쪽으로 가도록 권고하는 경우도 있다. 따라서 기계 도입 시 반드시 이를 확인해야 한다. 밀링기 구동방식에 의한 차이 때문이다.

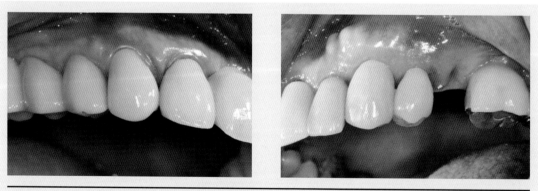

📷 6-7, 8
좌측의 견치 증례는 정확한 방향으로 다중 색상 디스크를 사용했을 때의 결과이다. 그러나 우측의 견치와 제1소구치 증례는 권고 방향과 달리 뒤집어서 다중 색상 디스크를 배치했기 때문에 치경부와 절단면의 색상이 뒤바뀐 결과를 얻었다.

한 디스크에서 몇 개의 크라운을 밀링할 수 있나?

가장 낮은 높이인 10T 디스크를 기준으로 했을 때 보통 15개에서 16개 정도의 크라운을 만들 수 있다. 크라운과 크라운 사이에 약간의 여백을 두고 밀링하지 않으면 디스크 내에서 지지받지 못한 부분이 파절될 수 있다. 따라서 지나치게 재료를 절약하는 것이 오히려 재료의 낭비로 이어질 수 있다. 크라운의 길이가 길수록 가공을 위해 인접 영역을 많이 삭제하므로 배치할 수 있는 크라운의 숫자는 줄어든다. 디스크 내에서 크라운을 배치하는 방법으로는 먼저 외곽을 채우고 안을 배치하는 방법을 사용하거나 한쪽 방향부터 채워나가는 방법을 사용할 수도 있다. 그것은 사용자가 선택하기 나름이다. 지르코니아 디스크 외곽에 너무 가깝게 위치시켜 밀링하면 디스크를 고정할 때 디스크 외곽이 파절될 수 있기 때문에 약간의 여유 공간을 남겨 두는 것이 좋다.

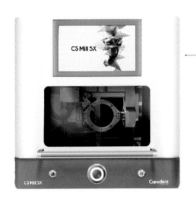

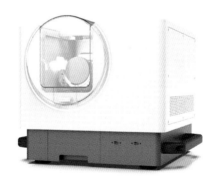

📷 6-9
지르코니아 디스크를 전체적으로 붙잡고 밀링하는 유형의 5축 밀링장비 (케어덴트사의 CS MILL 5X®)

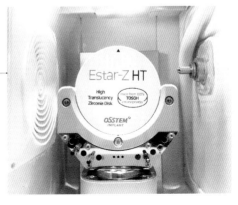

📷 6-10
디스크 하부만을 고정한 채 밀링하는 방식(오스템사의 OneMill 5X®)

5축 밀링기계에 따라 지르코니아 디스크를 고정하는 방식이 다르다. 삼각형 꼭지점 형태로 디스크 외곽을 전체적으로 붙잡는 형식의 밀링기계(케어덴트사의 CS MILL 5X®)는 크라운을 배치할 때 어느 방향에서 밀링을 시작하는지 큰 상관이 없다. 디스크 하부 절반을 붙잡고 밀링하는 밀링기계(오스템사의 OneMill 5X®)도 많이 있다. 이런 배치에서는 반복적 사용에 의한 디스크 파절을 방지하고 안정적인 고정을 위해 디스크 상단부터 밀링하는 것이 바람직하다.

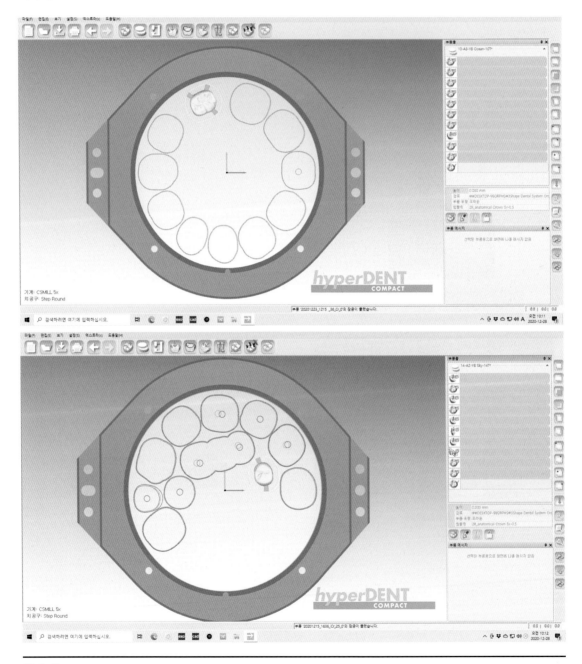

📷 6-11

가장 외곽부터 크라운을 배치해서 밀링하는 방식과 한쪽 방향으로부터 밀링하는 방식이다. 전체적으로 봤을 때 재료 소모량에는 큰 차이는 없다.

다중 색상 디스크와 단일 색상 디스크의 밀링

다중 색상 디스크를 이용하여 싱글 크라운을 제작할 때는 수직적으로 크라운 방향이 위치하기 때문에 점진적인 색상 표현을 자연스럽게 얻을 수 있다. 그러나 브릿지 형태의 보철을 밀링할 때는 치아들 간의 높이 차이와 공구 삽입 방향 문제로 인해 개개 치아의 색상이 다르게 표현될 수 있다. 따라서 브릿지 형태의 보철에서는 단일 색상 지르코니아 디스크를 사용하는 것이 바람직하다. 물론 단일 색상 디스크를 이용하는 경우에는 소성 전후에 컬러링 작업을 별도로 시행해야 한다.

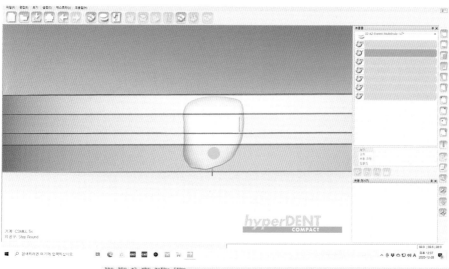

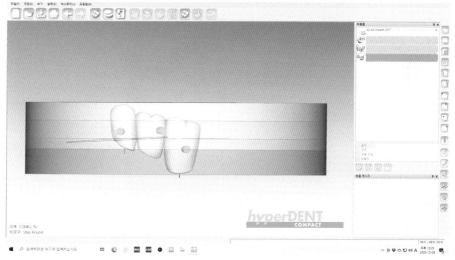

📷 6-12

단일 치아에서는 치경부와 절단면 사이에 점진적으로 변하는 색상 차이를 다중 색상 디스크로 표현할 수 있다. 하지만 브릿지의 경우는 사진에서 보는 것처럼 보철물이 기울어져 있는 상태로 배치되므로 개개 치아의 치경부와 절단면 색상을 유사하게 일치시키기가 어렵다. 색상을 일치시키기 위해 브릿지를 기울이면 최적화된 밀링버 삽입로를 확보할 수 없기 때문에 밀링이 불완전하게 될 수 있다.

밀링을 위한 커넥터의 위치는 어디가 좋을까?

커넥터는 가급적 크라운의 최대풍융부에 달아야 한다. 최대풍융부가 아닌 곳에 커넥터를 달면 가공되지 못한 부위가 발생할 수 있다. 커넥터의 개수는 가공이 가능한 범위 내에서 최소로 하는 것이 좋다. 커넥터 수가 불필요하게 많으면 밀링이 끝난 다음 이를 제거할 때 크라운 형태에 손상을 줄 수 있기 때문이다. 그러나 너무 적게 달면 가공 중에 크라운이 탈락할 가능성이 존재한다. 대구치의 경우에는 설측에 2개 협측에 1개의 커넥터를 달고, 소구치와 전치의 경우에는 협설 측에 1개씩 위치시킨다. 커넥터 중 설측의 커넥터는 크라운을 임시적합 후 쉽게 뺄 수 있게 하는 훅(hook)으로 사용할 수 있다.

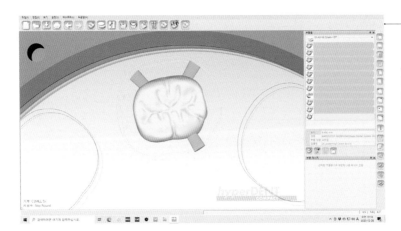

📷 6-13
대구치는 보통 설측에 2개, 협측에 1개의 커넥터를 갖는다.

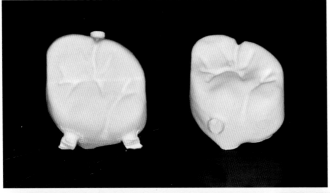

📷 6-14
대구치에 단 3개의 커넥터 중 설측 1개의 커넥터를 남기고 크라운 시적 시 필요한 훅으로 사용하였다. 교합을 비롯한 점검이 끝난 뒤 설측의 훅을 제거하고 접착한다.

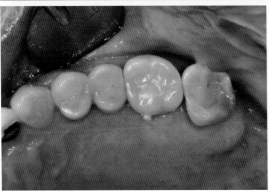
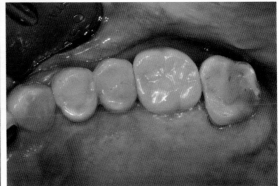

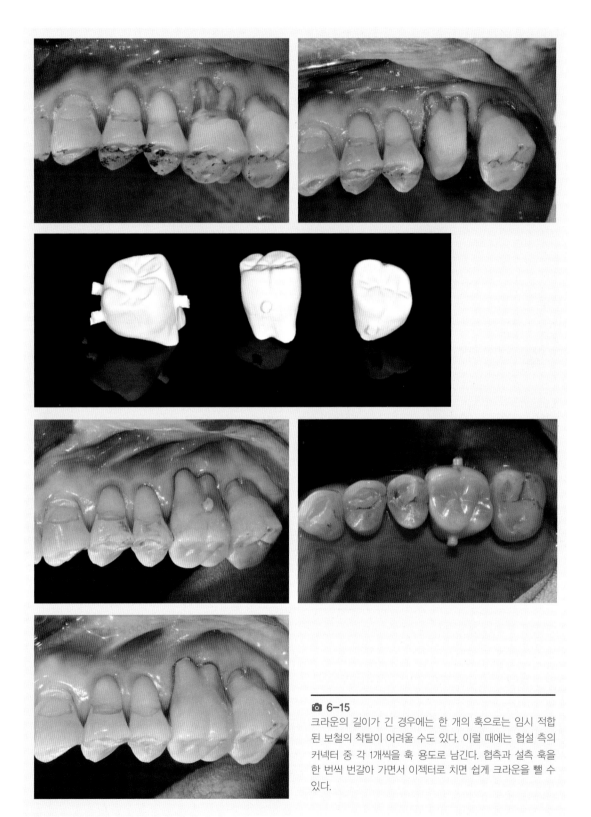

📷 6-15

크라운의 길이가 긴 경우에는 한 개의 훅으로는 임시 적합된 보철의 착탈이 어려울 수도 있다. 이럴 때에는 협설 측의 커넥터 중 각 1개씩을 훅 용도로 남긴다. 협측과 설측 훅을 한 번씩 번갈아 가면서 이젝터로 치면 쉽게 크라운을 뺄 수 있다.

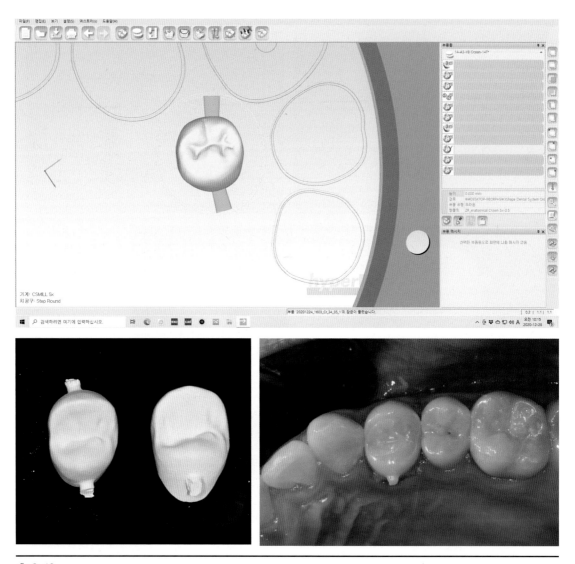

📷 6-16

소구치의 경우에는 협설측에 각각 1개씩의 커넥터를 달아준다. 이 중 설측에 위치한 것을 훅으로 사용한다. 협측의 커넥터를 주로 제거하는 이유는 소성(sintering) 전후에 하는 채색 작업에 훅이 방해가 될 수 있기 때문이다. 특히 글레이징과 스테이닝이 필요한 상황에서는 커넥터가 존재하면 안 된다.

밀링 후 커넥터의 제거와 마무리

크라운을 디스크에서 분리할 때에는 굵기가 얇은 피셔 버(fissure bur)를 사용하는 것이 좋다. 절삭 효율이 좋기 때문에 커넥터를 제거하기에 좋다. 커넥터를 제거할 때는 한 번에 하나씩 완전히 제거하는 것보다 커넥터 직경의 절반 정도를 제거하고 다음 커넥터로 넘어가는 것이 좋다. 만약 하나씩 완전히 제거하는 방식을 택하면 마지막 커넥터를 제거할 때 버가 갑자기 튀면서 커넥터 인근에 흠집을 내는 경우가 종종 있다. 따라서 커넥터를 제거할 때는 절단 효율이 좋은 버를 이용해서 힘을 주지 않고 조금씩 제거해야 한다. 퇴근이나 중요한 약속을 앞두고 급하게 작업하다 다 만든 크라운이 쪼개지는 황당한 경험을 하지 않으려면 이 작업을 서두르지 말아야 한다.

📷 6-17

좌측 같은 직경이 가는 피셔 버가 커넥터 커팅에 적합하다. 우측 같은 덴쳐 버는 힘을 과도하게 줄 수 있어서 크라운 파절의 원인을 제공할 수 있다.

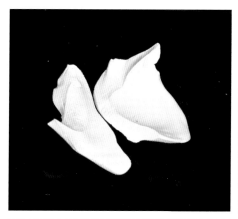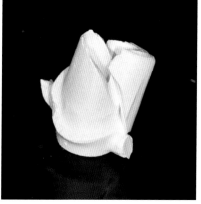

📷 6-18

종종 디스크로부터 밀링한 크라운을 분리할 때 크라운이 다음과 같이 쪼개지는 경우가 있다. 가장 큰 이유는 기공용 핸드피스 버에 너무 힘을 주었거나 커넥터를 커팅하는 데 적절하지 않은 버를 사용했기 때문이다. 파절은 주로 전치부처럼 크라운의 두께가 얇은 경우나 링크 어버트먼트 코핑 같이 얇은 구조물을 밀링할 때 발생한다.

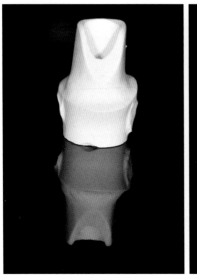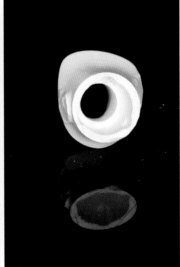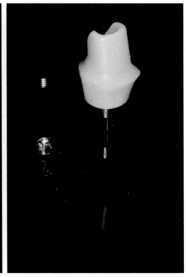

📷 6-19

티타늄 링크에 접착하는 지르코니아 코핑은 매우 얇은 구조물이기 때문에 커넥터를 제거할 때 파절되는 경우가 많다. 특히 버가 너무 굵거나 닳아 있는 상태에서 사용하면 커팅 효율이 떨어지기 때문에 이런 문제가 발생할 가능성이 높다. 핸드피스 상태가 좋지 않아 버에 진동이 있는 경우에도 이런 문제가 있을 수 있기 때문에 조심해야 한다

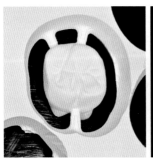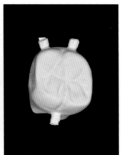

📷 6-20

디스크에서 크라운을 분리한 후에 훅으로 사용할 커넥터를 제외한 나머지 커넥터들은 거칠기가 심하지 않은 덴쳐 버로 부드럽게 다듬어준다. 훅을 제외한 나머지 커넥터에 대한 다듬기가 마무리되면 채색 단계(coloring)에 들어간다.

소성(sintering)은 무엇이고 어떻게 해야 하는가?

지르코니아 크라운은 원재료의 밀링 후 일정 시간 동안 소성(sintering)해야 한다. 소성 전 지르코니아는 단단하지 않기 때문에 가공은 매우 쉽지만, 이 상태로는 저작기능을 수행할 수 없다. 그런데 소성 과정을 거치면서 1,000 MPa 이상의 강도를 갖게 되고 실제 크라운 크기로 완성된다. 지르코니아 크라운을 소성하는 방법에는 45분 안에 소성을 끝내는 빠른 소성(quick sintering)과 7시간 이상 소성하는 보통 소성(normal sintering) 두 가지가 있다.

보통 소성에서는 1,500℃에서 1,600℃까지 온도가 상승하는 데 6시간 이상이 소요되고, 냉각도 천천히 이루어진다. 반면 빠른 소성에서는 1,500℃에서 1,600℃까지 온도가 상승하는 데 45분 정도가 소요되고, 냉각도 빠른 시간 안에 마무리된다. 그렇다면 항상 빠른 소성을 이용하는 것이 좋지 않을까 하는 의문이 들게 된다. 빠른 소성은 소성 시간은 빠르지만 소성을 할 수 있는 크라운 개수에 제한이 있고, 크라운의 색상과 투명감이

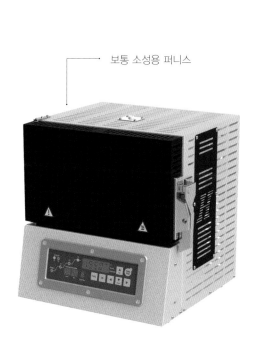

보통 소성용 퍼니스

빠른 소성용 퍼니스

📷 6-21

보통 소성만큼 좋지 않다. 따라서 빠른 시간 안에 보철을 완성해야만 하는 제한된 경우를 제외하고는 보통 소성을 이용하는 것이 좋다. 한 번에 많은 양의 크라운을 소성할 수 있고 색상과 투명감이 우수하다는 면을 고려한다면 보통 소성을 표준적인 소성 작업으로 간주할 수 있다. 회사마다 추천하는 소성 스케줄이 다르기 때문에 각각의 지르코니아 디스크에 대한 소성 스케줄을 파악하고 있어야 한다.

📷 6-22
보통 소성에 사용하는 용기이다. 많은 수의 크라운과 브릿지를 소성할 수 있다.

📷 6-23
빠른 소성의 경우 1개의 치아 정도밖에는 작업할 수 없다.

보통 소성 증례(normal sintering, 1,500－1,600℃, 6－7시간)

시간은 오래 소요되지만 심미적으로 우수한 결과를 얻을 수 있다.

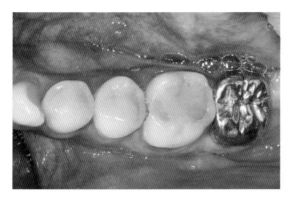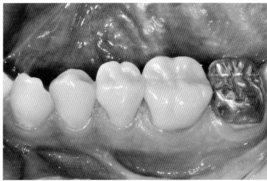

📷 6-24

보통 소성을 이용하면 보다 예측 가능한 크라운 색상을 얻을 수 있다.

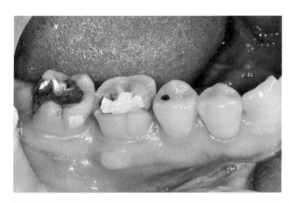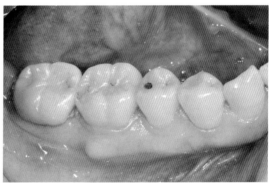

📷 6-25

보통 소성에서는 인접치아와 유사한 색상과 투명감을 얻는 것이 가능하다.

빠른 소성 증례(quick sintering, 1,500-1,600℃, 45분)

매우 신속하게 소성 결과를 얻을 수 있지만 색상의 불투명감이 전반적으로 높다. 보통 소성 방법보다 한 단계 정도 희고 밝은 색상을 나타낸다. 따라서 하악보다는 상악 대구치에 석용하는 것이 좋다. 심미적인 영역에서는 만족할 만한 결과를 얻기 어렵기 때문에 피해야 한다.

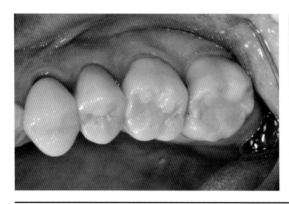
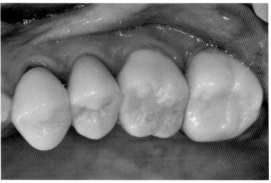

📷 6-26

상악 좌측 제2대구치 증례로 빠른 소성으로 제작하였다. 불투명감이 조금 높고 상대적으로 하얗다.

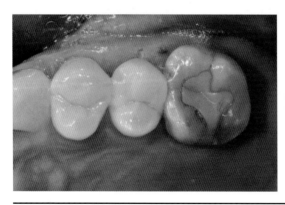
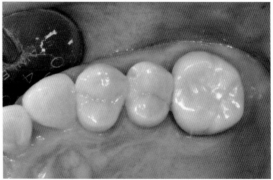

📷 6-27

빠른 소성을 할 때는 평소 사용하는 색상보다 한 단계 더 진한 색상으로 표현하는 것이 좋다. 예를 들어, 이 증례에서 평상시 사용하던 색상이 A3라면 A3.5나 A4 색상으로 채색하는 것이 좋다는 것이다. 그렇게 했을 때 결과적으로 평상시 하던 색상과 유사한 색상을 얻을 수 있다는 것이다.

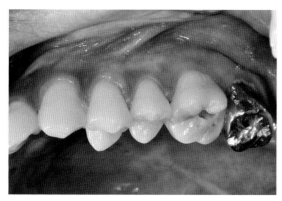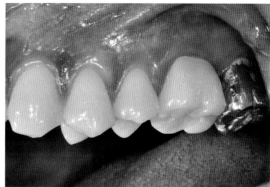

📷 6-28

이전 증례와 마찬가지로 인접치아에 비해 불투명감이 높고 희다. 평균적으로 빠른 소성에서는 색상을 예측하기가 어렵다. 회사에 따라서는 빠른 소성을 위한 스케줄에 큰 차이가 있는 경우도 있기 때문에 관련 사항들을 확인하는 것이 필요하다.

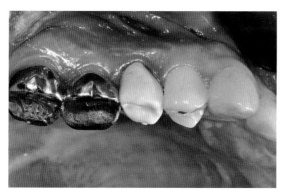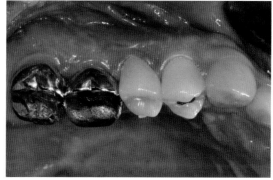

📷 6-29

동일한 회사의 지르코니아 디스크 A3 색상을 가지고 제작한 크라운이다. 좌측은 빠른 소성 스케줄로 만든 크라운이고, 우측은 보통 소성 스케줄로 만든 크라운이다. 빠른 소성으로 인한 불투명감이 이 정도로 심하게 표현된 이유는 이 회사에서 요구하는 소성 스케줄을 따르지 않았거나 이 제품의 경우 빠른 소성 스케줄을 지원하지 않았을 수도 있다. 따라서 빠른 소성 스케줄을 이용하는 경우에는 결과를 대략적으로 예상할 수 있는 회사의 제품을 이용하는 것이 바람직하다.

연마(polishing)

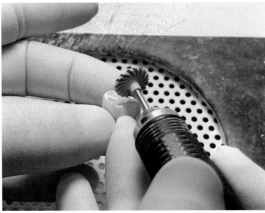

📷 6-30

크라운 표면을 활택하게 만드는 방법에는 소성 후 글레이징을 하는 방법과 연마를 하는 방법 두 가지가 있다. 보통 전치는 글레이징을 이용하지만 구치부의 경우에는 보통 연마를 한다. 글레이징은 액을 너무 희석하여 할 경우 오히려 표면의 질감이 연마보다 못한 경우가 많다. 둥근 휠타입의 연마기구는 보통 협설면과 인접면 처럼 면이 편평한 경우에 사용하고 깃털 모양의 녹색과 회색 기구는 교합면을 연마할 때 사용한다. 포인트 형 태의 기구는 교합면의 미세구를 연마하는 데 그다지 효과적이지 않아 필자는 잘 사용하지 않는다. 요타(Jota Co., Swiss)에서 출시한 지르코니아 연마 제품을 추천한다.

마무리하는 글

밀링한 크라운은 바로 소성에 들어가지 않고 대부분 채색 단계(coloring)를 거친다. 다중 색상 지르코니아에는 보통 채색 작업을 하지 않지만 단일 색상 지르코니아를 사용하는 경우에는 채색 과정이 필요하다. 다중 색상 디스크는 평균적인 색상 값을 부여한 것이기 때문에 환자 개개인의 독특한 개성을 표현하는 데 한계가 있다. 따라서 이런 경우에는 단일 색상 지르코니아에 채색을 하는 것이 오히려 바람직하다. 다중 색상 지르코니아에 추가적으로 색상을 부여하는 것은 추천하지 않는다. 단일 색상 지르코니아에 색상을 부여하는 것보다 결과가 좋지 못하고 비용도 훨씬 많이 소요되기 때문이다. 밀링 과정에는 술자가 특별히 기여하는 바가 없지만 기계 상태를 최적화할 수 있도록 해야 한다. 주기적으로 필터를 청소해야 하고 버 슬롯(bur slot)에 이물질이 끼지 않도록 주기적으로 청소해야 한다. 밀링한 결과물이 예전과 달리 좋지 않거나 치핑이 많이 일어난다면 버를 새것으로 교체하거나 기계 내부를 청소해야 한다. 따라서 청소 날짜 및 관리 목록을 시간을 정해놓고 점검하는 것이 바람직하다.

7장

지르코니아 보철의
색조 표현,

소성 전 컬러링,
소성 후 스테인 적용

Atlas of
Digital
Dentistry

지르코니아 보철의 색조 표현, 소성 전 컬러링, 소성 후 스테인 적용

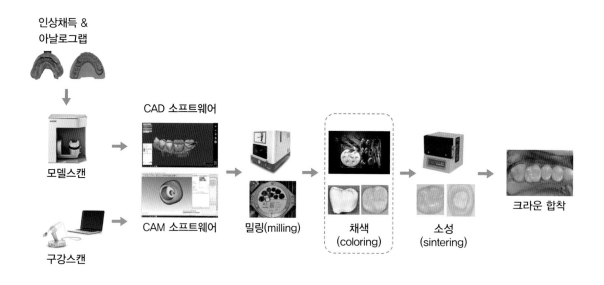

인상채득 & 아날로그랩

모델스캔

구강스캔

CAD 소프트웨어

CAM 소프트웨어

밀링(milling)

채색 (coloring)

소성 (sintering)

크라운 합착

📷 **7-1**

지르코니아를 밀링한 다음에는 원하는 색상을 부여하는 단계를 거쳐야 한다. 이 단계를 어떻게 하는가에 따라 지르코니아 크라운이 백조가 되느냐 미운 오리가 되느냐가 결정된다.

도재(porcelain)를 이용한 보철보다 지르코니아 크라운이 자연치아의 색상을 표현하는 데 열등하다고 생각했던 적이 있다. 그도 그럴 것이 기공소를 통해서 이제까지 받아보았던 지르코니아 크라운은 예외 없이 불투명 감이 높고 심미적이지 않았기 때문이다. 임플란트 크라운의 경우에는 금속지대주 색상이 바깥으로 투영되어서 회색 빛을 나타내는 경우가 많았다. 다른 이들의 증례도 크게 이 범주를 벗어나지 않았기 때문에 지르코니아 크라운의 색상 표현에는 큰 한계가 있다고 생각할 수 밖에 없었다. 아래의 증례는 그렇게 믿고 있던 시절

탄생한 미운 지르코니아 크라운이다. 지르코니아 크라운의 심미적인 표현을 위해서는 소성 전후에 적절한 채색 작업을 해야 한다. 불투명감이 높은 지르코니아 크라운의 문제적 색상이 원래 그런 게 아니라 채색 작업을 매우 소홀히 했기 때문이라는 것을 직접 많은 증례들을 기공해보면서 알게 되었다. 그렇다면 지르코니아 크라운의 채색을 위해 무엇을 해야하는가 알아보자.

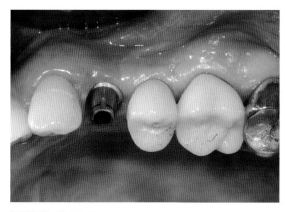
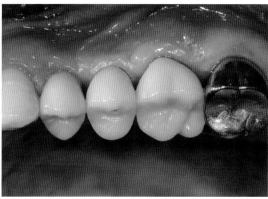

📷 7-2

오래전 상악 좌측 제1, 2소구치에 기성지대주를 이용하여 임플란트 보철을 하였다. 제1대구치까지 총 3개의 지르코니아 크라운을 하였다. 그런데 환자는 "친구의 임플란트 보철은 도재(porcelain)로 해서 예쁘던데 왜 내 크라운은 어둡고 부자연스럽냐"라고 항의하였다. 실제로 자연광 아래에서 보면 임플란트 크라운의 색상이 하얗기도 하고 어둡기도 하고 회색 빛이 돌기도 하였다. 왜 이런 문제가 발생하는지를 그 당시에는 알지 못했고 지르코니아의 내재적 단점이라고 생각했다. 그러나 그것이 지르코니아 크라운의 문제가 아니라는 것을 훗날 보철기공을 해보고 나서 알게 되었다.

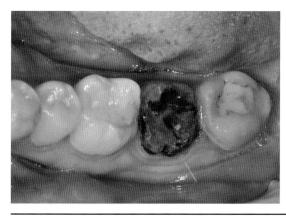
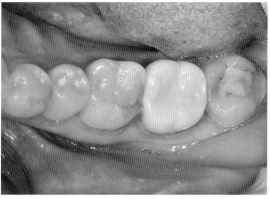

📷 7-3

지르코니아 크라운의 색상이 인접치아와 조화를 이루지 못하고 나 홀로 튀고 있다. 더 이상 이런 색상의 지르코니아 크라운을 용납해서는 안 된다.

지르코니아 크라운의 채색 방법

치과보철의 디지털화에 가장 지대한 공헌을 한 것이 지르코니아 크라운이라고 해도 과언은 아니다. 그러나 지르코니아의 사용을 이제까지 주저하게 만드는 가장 큰 이유 중 하나가 색상이었다. 지나치게 불투명하고 하얗기 때문이었다. 그런데 언제부터인지는 모르겠지만 현재 지르코니아 크라운의 비심미적인 색상 문제는 거의 해결되었다. 매우 다양한 지르코니아 디스크가 출시되었고, 컬러링 키트도 여러 회사에서 출시되고 있다. 소성 전 컬러링으로 해결이 안되는 문제는 소성 후에 스테인을 통해 해결할 수 있게 되었다. 그렇다면 지르코니아 크라운에 원하는 색상을 부여하려면 어떤 방법을 사용해야 하는지 알아보기로 하자.

첫째, 다중 색상의 지르코니아 디스크(multi-shade disc)를 사용한다. 다중 색상 디스크는 현재 여러 회사에서 출시되고 있다. 치경부에서부터 절단면까지 점진적으로 다르게 색상을 표현하여 자연치아의 심미성을 재현하고 있다. 대부분 비타(Vita) 계열의 색상을 표방하지만 같은 번호의 색상이라고 하더라도 회사마다 나타내는 세부적인 표현은 매우 다르다. 따라서 여러 번의 시행착오를 거쳐서 환자에게 맞는 색상을 스스로 찾아가는 것이 필요하다. 그러나 다중 색상 지르코니아는 평균적인 색상을 바탕으로 만들었기 때문에 환자의 치아 색상이 독특한 개성을 갖는 경우에는 좋은 결과를 얻기 어렵다.

둘째, 가장 많이 사용하는 방법으로 단일 색상 디스크에 컬러링 키트(coloring kit)를 사용하는 방법이 있다. 컬러링 키트를 이용해서 치경부에서부터 교합면까지 점진적으로 색상 변화를 표현한다. 각각의 색상이 어떤 결과를 가져다주는지는 경험을 통해 스스로 정리해야 한다. 다중 색상 디스크에 컬러링 용액을 이용해서 추가로 색상을 부여하는 것은 바람직하지 않다. 이미 그림이 그려진 캔버스에 덧칠하는 것과 마찬가지이기 때문이다.

셋째, 소성(sintering)이 끝난 다음 글레이징 기능을 포함하는 스테인 키트를 이용해서 색상을 부여하는 방법이 있다. 환자의 치아 색상이 평균적인 색상을 넘어서는 특성을 가지고 있을 때는 다중 색상 디스크나 소성 전 채색만으로는 심미적인 결과를 얻을 수 없다. 스테인 기법을 사용하여 환자의 독특한 개성을 표현하는 것이 바람직하다.

다중 색상 지르코니아 디스크를 통한 채색

📷 7-4

지르코니아 디스크를 출시하는 회사들은 대부분 다중 색상 디스크를 출시한다. 대표적으로 많은 사용자층을 가지고 있는 제품이 노리타케사의 카타나™ 지르코니아 디스크이다. 투명감에 따라 제품군이 여러 가지로 나뉘고 있으나 실제 사용해 보면 다중 색상 지르코니아만으로 투명감을 표현하는 것은 좀 무리라는 생각을 한다. 지르코니아 크라운에 투명감 효과를 효과적으로 표현하기 위해선 스테인 과정이 필수적이다. 다중 색상 지르코니아는 평균적인 비타계열 색상을 보유하고 있는 환자들에게 사용하는 것이 좋다. 개성이 강한 치아 색상을 가지고 있는 환자에겐 최상의 결과를 얻어낼 수 없다.

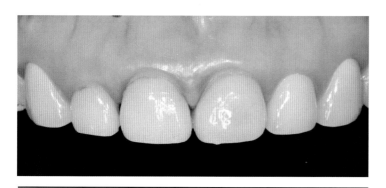

📷 7-5

상악 우측 중절치 라미네이트 탈락을 주소로 내원하였다.

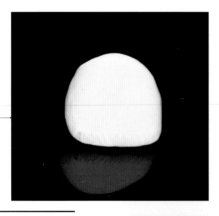

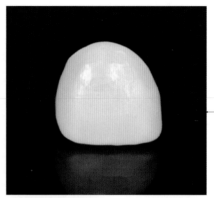

📷 7-6

노리타케사의 카타나 지르코니아인 다중 색상 STML A1을 사용하였다. 밀링 후 투명감 부여를 위해 절단면과 인접면 부위에 회색(grey) 컬러를 사용하였다.

📷 7-7

보통 소성(normal sintering) 후 모습이다. 투명감을 나타낸다고 선전하는 디스크라 하더라도 지르코니아 디스크와 회색 컬러링만으로는 투명감을 표현하기 어렵다. 소성 전 사용하는 컬러링 용액은 지르코니아 자체에 색이 깊이 흡수되어서 퍼지기 때문에 특정 영역에 국한된 투명감이나 색상 효과를 표현할 수 없다.

📷 7-8

소성 후 글레이징을 하였다. 글레이징은 보통 전치에 국한해서 시행하고 소구치 이후는 지르코니아 표면을 연마(polishing)하는 것으로 마무리한다. 전치와 같이 심미적인 표현이 중요한 부위에는 스테인을 이용해서 환자의 치아가 가지고 있는 개성을 표현해야 한다. 그러나 소구치와 구치부라고 하더라도 치아색상에 개성이 뚜렷하면 스테인 작업을 한다.

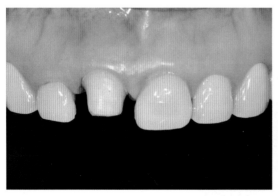

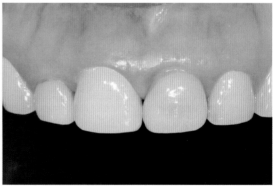

📷 7-9

시적 후 사진을 보면 인접치이보다 밝디. 디중 색상 지르코니아 디스크는 이런 세밀한 색상 차이까지 표현하지는 못 하기 때문에 전치부 단일 치아에 사용했을 경우에는 색상 불일치를 경험하게 된다. 이런 부분은 스테인을 통해 극복해야 한다.

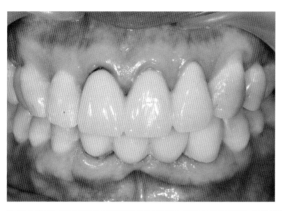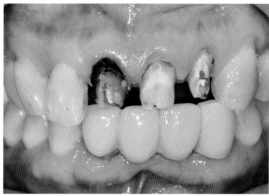

📷 7-10

기존 보철물의 재제작을 의뢰받았다. 환자는 중절치 주위의 치아변색이 가장 큰 불만이고 크라운 제거 후 심한 치아변색이 관찰되었다. 우측 중절치는 치아 내부를 미백한 후 보철을 다시 하는 것이 바람직하지만 기존에 있던 금속 포스트를 제거하는 것이 어려워 미백은 포기하였다.

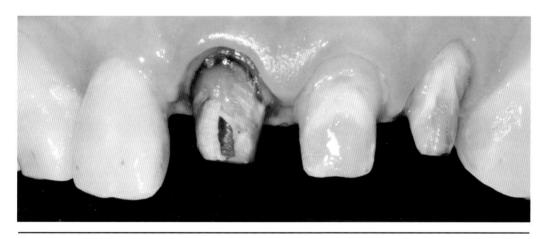

📷 7-11

할 수 있는 범위 내에서 치아삭제를 마무리하고 스캔을 채득하였다.

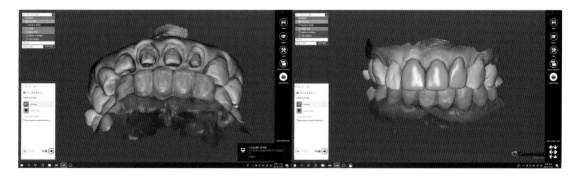

📷 7-12

구강스캔 자료를 바탕으로 엑소캐드에서 크라운을 디자인하였다.

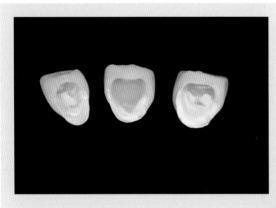

📷 **7-13**

투명감이 강화되었다고 하는 카타니 UTML A2 지르코니아 디스크를 사용하였다. 변색된 부분을 가리기 위해 소성 전 화이트오패크(white opaque)를 크라운 내면에 도포하였다. 소성을 하면 크라운 내면이 사진과 같이 하얗고 불투명하게 변하고 이것이 변색을 차단한다.

📷 **7-14**

소성 후 전면 모습이다. 화이트오패크를 너무 강하게 사용하면 크라운 바깥으로 흰색이 투영되어서 오히려 비심미적인 결과를 야기할 수 있다.

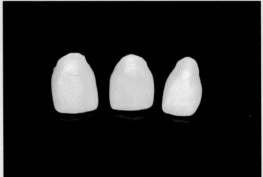

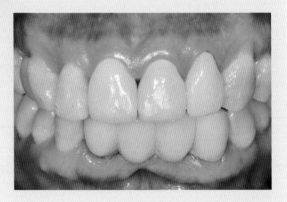

📷 **7-15**

소성 후 글레이징을 하였다. 크라운 변연 부위에 화이트오패크로 인한 색상투영이 관찰된다. 절단면에는 투명감 표현을 위해 헤라우스사의 블루 스테인을 사용하였다. 그러나 스테인이 표면에서 겉돈다는 느낌을 받는다. 경험 부족에서 오는 결과라고 생각한다.

📷 **7-16**

다중 색상 지르코니아를 사용했지만 이것만으로는 전치부 심미적인 요구조건을 만족시키기에는 한계가 있다. 글레이징 효과도 일부 부족해 보인다. 글레이저를 너무 희석해서 생긴 결과이다.

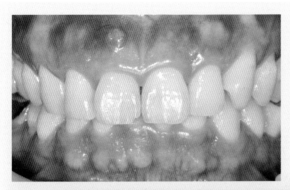

📷 7-17

근관감염으로 인한 누공이 존재하고 치아파절이 존재하는 상악 우측 중절치를 근관치료하였다. 이후 카타나 지르코니아 STML A2 디스크를 이용하여 보철수복하였다. 별도의 스테인은 하지 않았고 글레이징만 하였다. 기존 환자의 치아 색상이 Vita 색상과 유사한 경우에는 다행스럽게 좋은 결과를 얻을 수 있으나 이런 경우는 드물다.

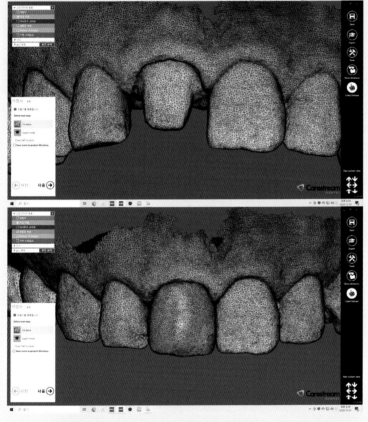

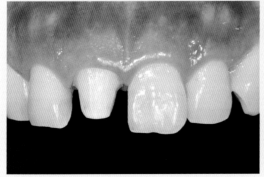

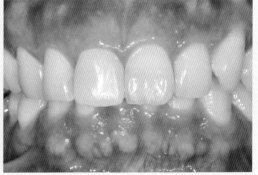

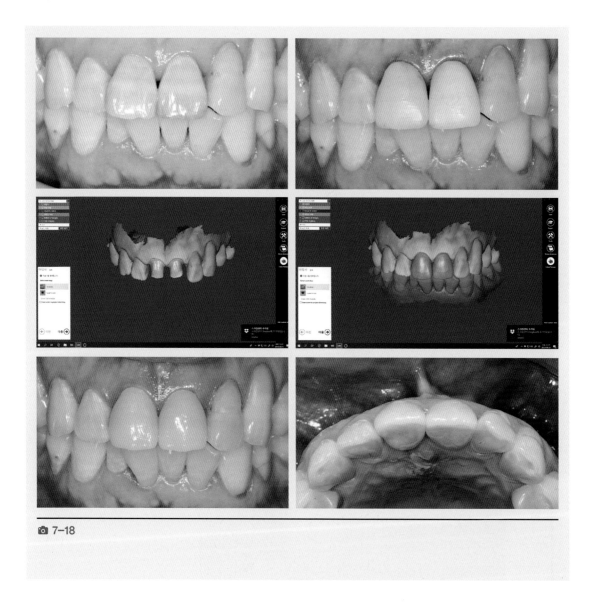

📷 7-18

카타나 UTML A3.5 지르코니아를 이용한 증례이다. 카타나 디스크 중 투명감을 훨씬 강화한 지르코니아라고 하지만 실제 사용해 보면 STML과 큰 차이를 느낄 수 없다. 임시치아는 PMMA 소재를 사용하여 밀링하였고 임시치아를 통해 치아의 모양에 대한 평가를 환자와 주변 지인들로부터 받았다. 평가를 마친 후 지르코니아 밀링에 들어갔다. 환자는 치아의 회전과 삐드러짐을 개선해주기를 원했고 치료 결과에 만족하였으나 심미적 으로 뭔가 좀 부족해 보인다. 다중색상 디스크가 표현하는 색상은 완성도가 대개 평균 수준이다.

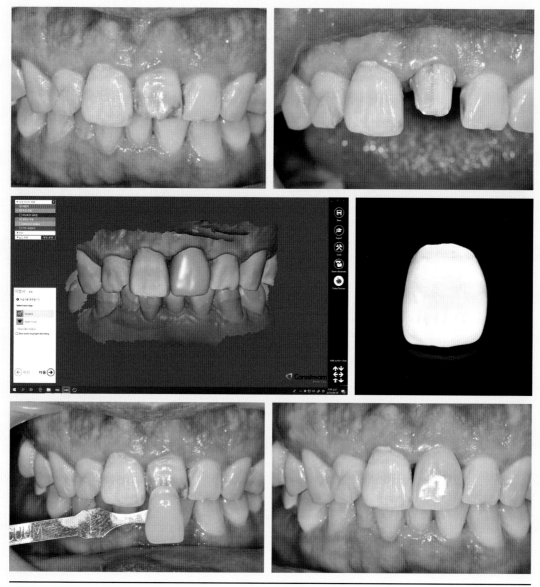

📷 7-19

파절된 상악 좌측 중절치를 회복하기 위해 카타나 UTML A4를 사용했다. 우측 중절치에 존재하는 띠 형태의 무늬를 표현해보고자 소성 전 컬러링 용액을 사용해 보았으나 만족스러운 결과를 얻지는 못했다. 소성 전 컬러링은 지르코니아 소재에 깊이 스며들면서 색상을 나타내기 때문에 특정 영역에 미세하게 표출되는 색상 표현에는 사용하면 안 된다. 원하는 효과를 얻을 수 없다.

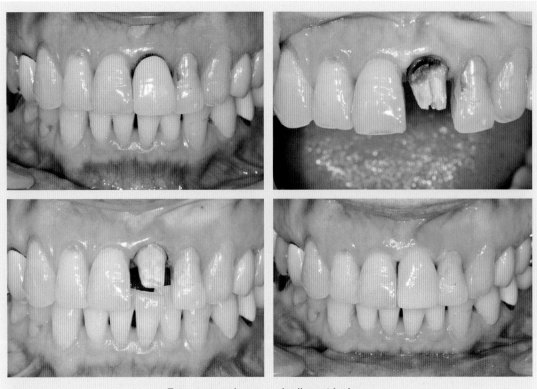

Extreme translucency of adjacent incisors

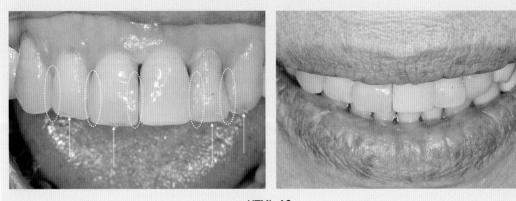

UTML A3

📷 7-20

상악 좌측 중절치를 카타나 지르코니아 UTML A3를 이용하여 재치료하였다. 환자의 만족 여부와 상관없이 인접치아와 사뭇 다르다. 절단면에서 보이는 투명감에 가장 큰 차이가 있고 전체적인 중간부 색상도 차이가 난다. 이런 부분을 어떻게 극복해야 하는지를 시행착오를 통해 거듭 시도해 보았다.

크라운에 개별 색상을 부여하는 것이 번거롭기 때문에 보통 다중 색상 지르코니아 디스크를 사용하려고 한다. 그러나 실제 결과를 보면 다중 색상 디스크 자체만으로는 원하는 색상을 얻기가 어렵다. 따라서 다중 색상 디스크를 사용했다고 하더라도 원하는 심미성을 표현하려면 소성 후 스테인을 활용해야 한다.

소성 전 컬러링 용액을 이용해서 채색하는 방법

지르코니아 크라운에 원하는 색상을 부여하기 위해서는 기본적으로 알아야 할 것들이 있다. **첫째,** 환자의 치아 색상이 갖는 특징을 이해하고 있어야 한다. 이를 위해 환자의 치아 사진 자료를 가지고 있어야 한다. **둘째,** 사용하고자 하는 지르코니아 디스크가 나타내는 색상을 이해하고 있어야 한다. 동일한 Vita 색상을 가지고 있다고 해도 회사마다 표현하는 느낌은 매우 다르다. **셋째,** 사용하려고 하는 지르코니아 디스크의 색상(예를 들어 A1, A2, A3, A3.5, A4)이 중요하다. **넷째,** 사용하고자 하는 컬러링 키트의 특징을 이해하고 있어야 한다. **마지막**으로 이들 요소들을 어떻게 조합할 것인지를 판단해야 한다. 이런 이해를 바탕으로 어떤 회사, 어떤 색상의 지르코니아 디스크를 사용할 것인지를 우선 결정하고, 어떤 컬러링 키트를 사용해서 원하는 색상을 표현할 것인지를 결정해야 한다. 만약 소성 전 채색만 가지고는 표현할 수 없는 특징을 환자가 가지고 있다면 소성 후 스테인으로 완성도를 높이는 전략을 세워야 한다.

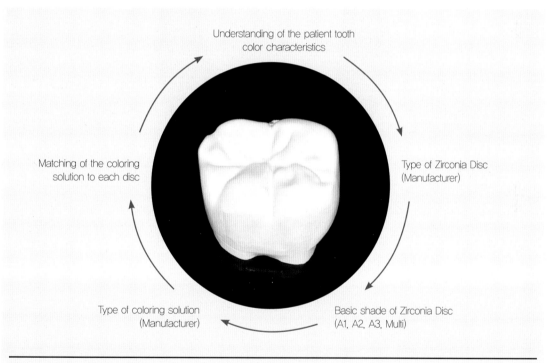

📷 7-21 **Understanding of the patient tooth color characteristics**

원하는 치아 색상을 표현하기 위해서는 위와 같은 요소들에 대한 통합적 이해를 가지고 있어야 한다. 환자의 치아 색상이 갖는 개성을 이해하기 위해 사진 자료는 반드시 확보하고 있어야 한다.

환자의 치아 색상은 어떤 특징을 가지고 있는가?

오랜 시간 채색 작업을 반복하면서 치아의 색상표현을 위한 나름의 원칙들을 세우게 되었다. 단일 색상 지르코니아와 컬러링 키트를 이용해서 다중 색상 지르코니아가 가지는 색조표현 형태를 개개인의 특성에 맞게 개별화하는 것이다. 평균적으로 치아 색상은 전면에서 봤을 때 4단계로 구분된다. 치근부위, 최대풍융부 하방, 중간 영역 1/3, 절단면 1/3로 4분화해서 치아 색상을 표현하는 것이 가장 자연스럽다. 각각의 부위마다 다른 채색을 하면 다중 색상 지르코니아보다 훨씬 자연스럽고 환자의 개별화된 특성을 표현할 수 있다.

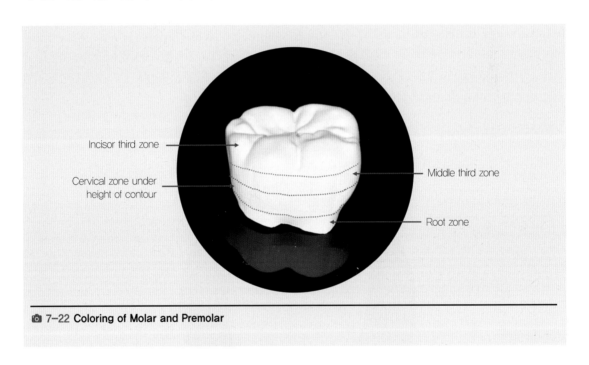

Incisor third zone

Cervical zone under
height of contour

Middle third zone

Root zone

📷 7-22 Coloring of Molar and Premolar

대구치와 소구치의 색상을 4분화해서 표현한 가이드라인이다. 최대풍융부를 기준으로 하방으로 갈수록 조금 어둡고 오렌지 색조가 두드러지며, 상부로 갈수록 밝고 투명감이 증가하는 경향을 보인다.

지르코니아 크라운의 투명감 표현 방법

지르코니아 크라운에 투명감을 부여하기 위해서는 개별 치아들이 가지고 있는 투명감의 위치와 투명한 정도를 잘 파악하고 있어야 한다. 치아의 색상 정보를 보여주는 사진 자료가 없으면 할 수 없는 작업이다. 투명감이 어떤 식으로 표현되고 있는지에 대한 평균적인 가이드라인은 다음과 같다. 대구치와 소구치의 경우 투명감은 교두첨을 기준으로 내사면 쪽으로 환상형 밴드형태로 존재하는 경우가 많다. 투명감은 연속 혹은 불연속적으로 존재하는 경우가 많기 때문에 그때마다 표현을 달리해야 한다. 투명감은 매우 국소적인 영역에 국한해서 표현해야 하기 때문에 색이 스며들어 확산되는 특징을 가진 소성 전 채색 작업으로 투명감을 표현하는 것은 거의 불가능하다. 따라서 스테인 작업에서 이를 표현하는 것이 바람직하고 소성 전 채색은 바탕 밑그림을 그린다는 느낌으로 접근해야 한다.

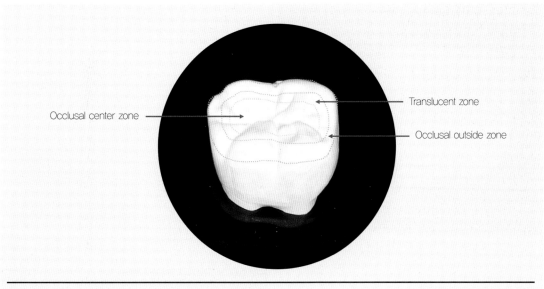

📷 7-23 Coloring of Molar and Premolar

교합면 쪽에서 본 대구치와 소구치의 색상 특성이다. 중심구를 기준으로 방사형으로 색조가 옅어지는 경향을 보인다. 교합면 중심구 주변 색조는 평균적으로 치경부의 색조와 거의 비슷한 경향을 보인다. 따라서 채색 작업을 할 때 치경부와 교합면에 같은 색상을 이용한다. 교합면 쪽 채색 작업을 위한 가이드라인은 3분화를 추천한다. 교합면 중심구 주변 영역, 투명감이 있는 부위, 투명감 외곽 교두 부위, 평균적으로 이렇게 세 부분으로 나누어서 채색 작업을 진행한다. 물론 환자의 특성에 따라 약간의 차이를 두고 소성 전 채색 작업만으로 해결되지 않는 부분은 스테인과 글레이징 작업을 추가해서 마무리한다. 평균적 경향을 알고 있으면 그 밖의 예외적인 상황에 대한 대응이 쉽지만, 기본적으로 표현을 위한 기준이 없으면 매 환자마다 우왕좌왕할 수밖에 없다. 그런 면에서 필자가 제시하는 채색 가이드라인을 잘 활용하였으면 한다.

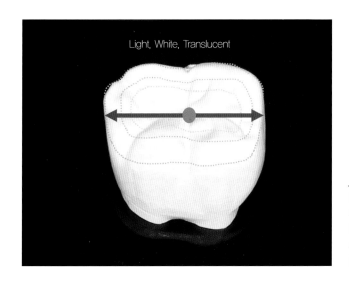

📷 7-24 Coloring of Molar and Premolar
치아의 심미적인 표현을 좌우하는 가장 큰 요소가 투명감이다. 대구치의 경우 교합면에서 봤을 때 중앙에서 외곽으로 갈수록 밝고 하얗고 투명감이 증가하는 경향을 보인다.

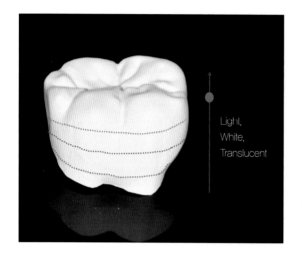

Light,
White,
Translucent

🖸 7-25 Coloring of Incisor and Canine

대구치의 경우 치경부에서 교합면 쪽으로 갈수록 밝아지고, 흰색과 투명감이 증가하는 성향을 보인다. 채색 작업을 통해 투명감을 얻는 것은 경험적으로 불가능하다. 지르코니아 디스크의 제조 방법과 재료 구성, 그리고 소성 온도와 스케줄이 기본적으로 투명감에 가장 큰 영향을 미친다. 지르코니아 보철의 투명감은 실제 투명도를 증가시키는 행위가 아니라, 보는 사람에게 투명하게 보이도록 눈속임을 하는 행위이다. 따라서 스테인과 글레이징을 통해 이를 표현하는 것이 가장 효과적이다.

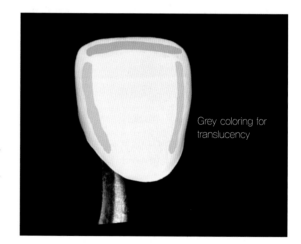

Grey coloring for
translucency

🖸 7-26 Coloring of Incisor and Canine

전치 채색과 투명감 부여를 위한 가이드라인은 비교적 단순하다. 이는 채색으로 할 수 있는 요소가 극히 제한적이라는 의미도 있다. 술자가 추가해야 할 개별적 요소가 매우 많기 때문에 채색 작업이 매우 어렵다.

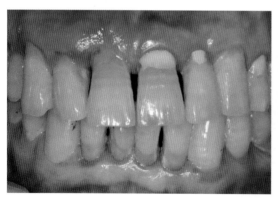
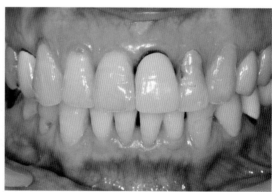

🖸 7-27

보철을 앞둔 전치부 모습이다. 투명감이 여러 부위에 산재하고 밴드 형태의 무늬가 존재한다. 치아에 결도 존재하고 때로는 크랙라인 등도 표현해야 한다. 기본 색상도 여러 가지 색상이 층별도 다르게 표현되어 있다. 지르코니아 크라운에 이런 특성을 부여하기 위해선 적절한 디스크의 선정과 스테인 기법 등이 고려되어야 한다. 단순히 지르코니아 디스크 자체와 채색 작업만으로는 이런 다중 색상의 느낌을 표현하는 것은 불가능하다.

가장 빈번히 사용하는 채색 작업의 예 – 루젠사의 컬러링 키트를 사용

구치부는 특별한 경우가 아니면 소성 전 채색만으로 색상표현을 마무리한다. 치근이 살짝 노출되어 있는 치아를 보철할 때는 다음과 같은 가이드라인을 따른다. 치경부와 최대풍융부 하방에 Vita A3.5를 바르고 치경부 위쪽 중앙 1/3 부위에는 A3를 도포하여 점진적 색상 변화를 나타낸다. 치경부와 치근 부위는 오렌지 색상을 추가한다. 교두를 기준으로 외사면과 내사면 일부에 에나멜 컬러를 바르고 투명감을 보강하는 컬러를 바른다. 교두 중앙에는 치경부에 발랐던 A3.5를 발라준다. 치경부와 교합면 중심구 인근 색상을 비슷하게 가져간다. 교두와 중심구 사이에 밴드 형태로 회색 컬러를 좁게 도포하여 투명감 느낌을 보강한다.

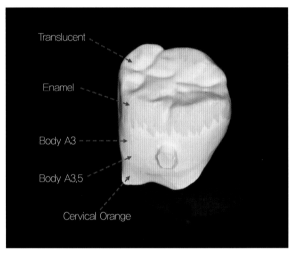
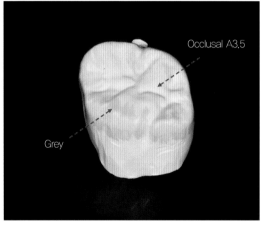

📷 **7-28 루젠 컬러링 키트를 이용한 채색 작업**

예스바이오사의 지르코니아(제품명: Sky®)로 밀링한 후 루젠(Luxen Co.) 컬러링 키트를 이용하여 채색 작업하였다. 색상을 표현하는 용어는 회사마다 차이가 있으므로 개별 회사의 키트가 가지고 있는 특징을 잘 파악한 뒤 사용해야 한다.

🎥 루젠 컬러링 키트를 이용한 채색 과정 보러가기

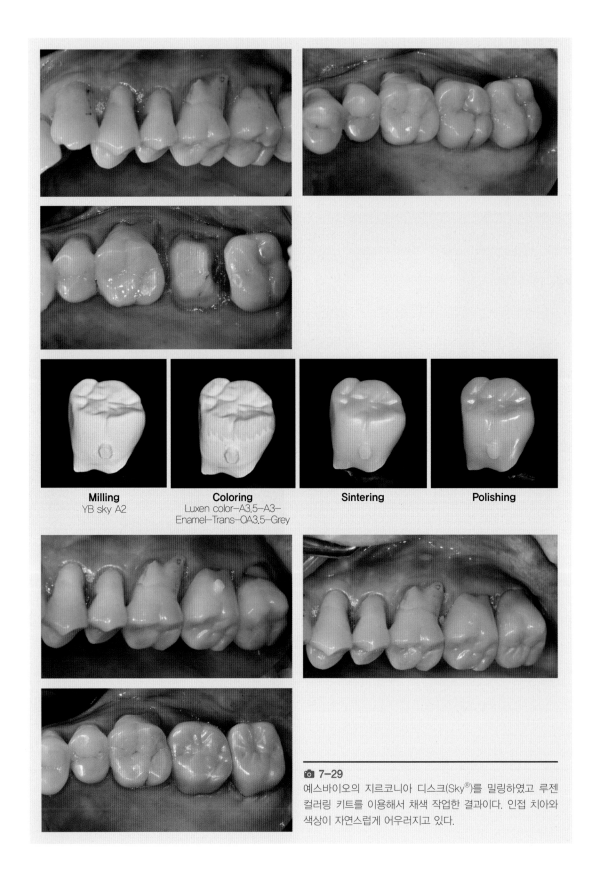

Milling
YB sky A2

Coloring
Luxen color-A3.5-A3-
Enamel-Trans-OA3.5-Grey

Sintering

Polishing

📷 7-29

예스바이오의 지르코니아 디스크(Sky®)를 밀링하였고 루젠 컬러링 키트를 이용해서 채색 작업한 결과이다. 인접 치아와 색상이 자연스럽게 어우러지고 있다.

가장 빈번히 사용하는 채색작업의 예 2 – UNC사의 컬러링 키트 사용

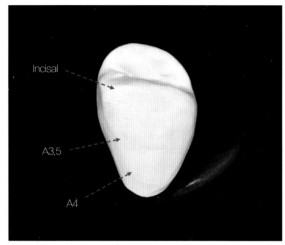

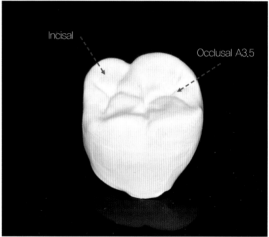

UNC 지르코니아 A3 디스크에 UNC 컬러링 키트를 이용해서 채색하였다. 루젠 컬러링 키트에 비해 입혀진 색상이 약해 보인다. 그러나 겉으로 드러난 색상은 아무 의미가 없다. 이 색은 그저 색상을 구분하기 위해 포함시킨 색소일 뿐이고 소성 시 모두 사라지기 때문이다.

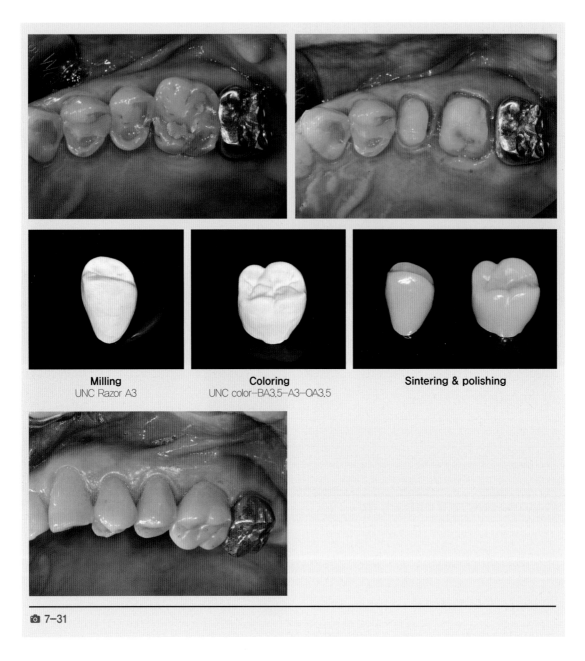

Milling
UNC Razor A3

Coloring
UNC color–BA3.5–A3–OA3.5

Sintering & polishing

📷 7–31

UNC 지르코니아 A3를 이용해서 마무리한 증례이다. UNC 지르코니아는 연령이 높고 색상이 진한 치아에 좋은 결과를 가져다 준다.

채색할 때 가장 기준으로 삼는 것은 치아의 가장 밝은 부위 색상과 투명감이다. 밝은 것은 채색을 통해 어둡게 만들 수 있지만 어두운 것은 밝게 할 수 없기 때문에 치아의 색상 중 가장 밝은 부위를 기준으로 기본 색상을 선택해야 한다. 보통은 치아의 절단면과 교두부 색상이 선택의 기준이 된다. 치경부에서부터 시작해서 교합면까지 점진적으로 변화하는 색상을 사진에서 보는 것처럼 표현한다.

어떤 컬러링 키트를 구입하는 것이 좋을까?

컬러링 키트는 지르코니아 디스크의 특성, 사용자의 표현 능력과 적용 방법 등에 따라 매우 다양하게 표현될 수 있기 때문에 절대적인 장단점을 논하기는 어렵다. 사용자가 여러 가지 제품을 비교 사용해 보면서 자신에게 맞는 채색 방법과 제품을 맞추어가는 것이 바람직하다.

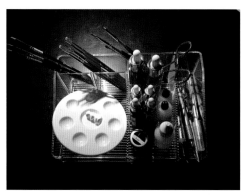

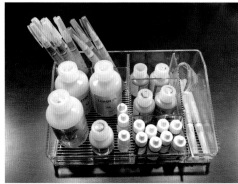 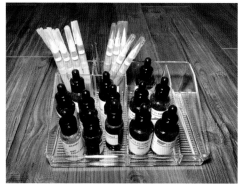

📷 7-32

좌측에서부터 창스(Chang's), 루젠(Luxen), UNC 컬러링 키트이다. 지르코니아 디스크를 제조 판매하는 회사가 자사의 디스크와 가장 어울리는 키트를 제공하는 경우가 많다. 어떤 키트는 원액에 가까워서 사용 시 희석을 해야 하는 경우도 있다. 희석이 안 된 제품은 서툴게 사용할 경우 농도 조절이 안 되어서 색상 표현을 너무 과하게 할 수 있으므로 주의해야 한다. 요새는 희석된 제품이 많이 출시되고 있다. 반복해서 발라도 되기 때문에 채색을 처음 시작하는 초보자에게 적합하다. 팔레트에 용액을 담아서 붓으로 바르는 방식이 있고 만년필처럼 카트리지에 용액을 담아서 사용하는 방식이 있다. 사용하기 간편하고 도포하는 양을 조절하기 쉬운 카트리지 방식을 추천한다.

소성 후 스테인을 통해 색상을 부여하는 방법

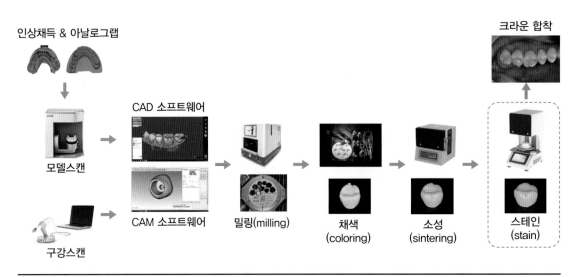

인상채득 & 아날로그랩

크라운 합착

모델스캔

CAD 소프트웨어

구강스캔

CAM 소프트웨어

밀링(milling)

채색
(coloring)

소성
(sintering)

스테인
(stain)

📷 7-33

보철치아의 심미성을 좌우하는 마지막 기회가 소성 후 스테인이다. 반복해서 여러 번 강조하지만 소성 전 채색은 치아의 전반적인 바탕색을 좌우하는 과정이다. 바탕색 위에 표현된 환자 개개 치아의 개성적인 표현들은 채색으로 해결하기 어렵다. 심한 투명감, 크랙라인, 화이트라인, 결진 모양 등은 채색이 아니 스테인을 통해 해결해야 한다. 소성 전 채색은 지르코니아에 깊이 스며들며 바탕색에 영향을 주기 때문에 교합조정이나 연마를 해도 치아 색에 큰 변화가 없다. 그러나 스테인은 재료에 깊이 스며드는 방식으로 색을 입히는 것이 아니라, 코팅 개념으로 색을 입히는 것이기 때문에 교합조정을 시행해서 그 부분을 제거하면 색상이 없어진다. 구치부 교합면에 스테인을 한 경우 교합조정을 한 다음에 얼룩이 생기는 것은 이러한 이유 때문이다. 따라서 구치부 교합면은 특히 특별한 경우가 아니면 글레이징과 스테인을 추천하지 않는 것이다. 소성 전 채색과 소성 후 연마만으로 마무리하는 것이 깔끔한 결과를 보장한다. 스테인을 하는 경우는 두 가지에 국한된다. 전치부에는 항상 스테인을 해야 한다고 생각해야 한다. 다중 색상 지르코니아와 소성 전 채색만으로는 전치의 심미적인 표현을 충분히 할 수 없다. 반드시 소성 후 스테인으로 디테일한 부분들을 해결해야 한다. 구치부라고 하더라도 소성 전 채색만으로는 표현하기 어려운 독특한 개성이 존재할 경우 스테인을 한다. 다음은 다중 색상 디스크와 소성 전 채색만으로 전치의 심미적 특성을 왜 표현하기 어려운지 보여주는 증례이다.

하악 중절치 사이의 과도한 공간이 만들어내는 비심미적인 결과를 개선하기 위해 몇 가지 시도를 하였다. 1차 시도에서는 카타나 UTML A4 다중 색상 디스크를 사용하였다. 투명감 표현을 위해 절단면과 측면에 채색을 하였다. 보통 스케줄로 소성을 한 후 표면 광택을 위해 글레이징을 하였다. 표면 활택을 위해서는 연마와 글레이징 두 가지 방법을 사용할 수 있다. 전치부는 글레이징으로 표면의 활택감과 투명감을 부여하는 것이 바람직하고 구치부는 연마로 활택감을 부여하는 것이 바람직하다. Vita 색조를 이용해서 색상을 선택했지만 인접 치아보다 여전히 밝고 불투명하다. 다중 색상 중 가장 어두운 색상을 이용했음에도 만족스러운 결과를 얻지 못했다. 그래서 두 번째 시도를 하였다.

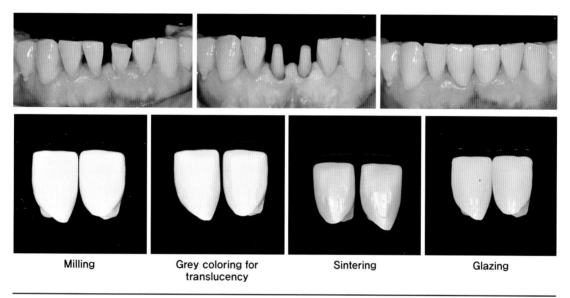

| Milling | Grey coloring for translucency | Sintering | Glazing |

📷 7-34 Lower anterior full zirconia with UTML A4
노리타게사의 카타나 UTML A4 디스크를 사용하였고 투명감을 부여하기 위해 절단면과 측면에 채색을 하였다. 다중 색상 디스크와 채색 만으로는 전치부에 원하는 색감과 투명감을 절대 얻을 수 없다.

선택의 가장 끝단에 있는 A4 다중 색상 지르코니아를 사용해서 원하는 결과를 얻지 못했다. 따라서 단일 색상 디스크과 채색을 통해 원하는 결과를 얻고자 시도하였다. 결론적으로 다중 색상 지르코니아보다 조금 나은 결과였지만 절대적으로 보면 원하는 기준에 도달하지 못했다.

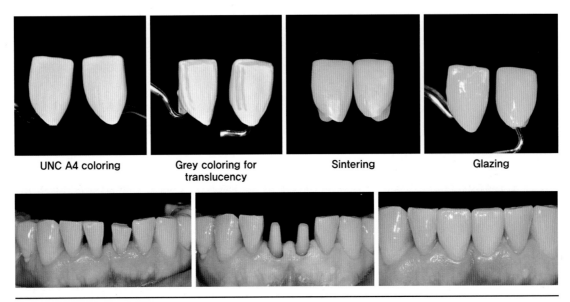

UNC A4 coloring | Grey coloring for translucency | Sintering | Glazing

📷 7-35 Lower anterior full zirconia with Luxen E2

루젠의 단일 색상 디스크인 E2 디스크를 이용하였다. Vita A1.5 정도의 색상을 가지는 제품이다. 여기에 UNC 컬러링 키트 중 A4 용액을 이용하여 바탕색을 표현하였고, 절단면과 측면에 투명감을 부여하기 위한 채색을 하였다. 첫 번째 시도보다는 조금 개선되었으나 그래도 밝다.

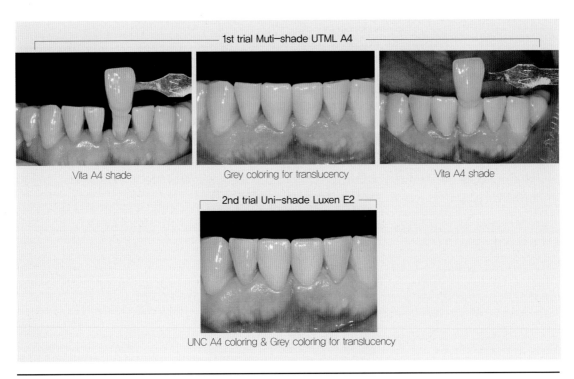

1st trial Muti-shade UTML A4

Vita A4 shade | Grey coloring for translucency | Vita A4 shade

2nd trial Uni-shade Luxen E2

UNC A4 coloring & Grey coloring for translucency

📷 7-36

Vita A4 색상을 표현하는 지르코니아 디스크와 컬러링 키트를 사용했지만 표현된 결과는 Vita A4 가이드와 사뭇 다르다. 제조사에서는 이런 결과가 야기된 원인이 소성 스케줄의 미세한 차이에 있다고 한다. 그러나 매우 다양한 회사의 다양한 지르코니아 디스크를 사용하는 이용자 입장에서 작업할 때마다 소성 스케줄을 계속 바꾸는 것은 쉽지 않다. 또 그것이 진짜 원인이라고 확신할 수도 없다. 가장 좋은 해결책은 스테인을 사용하는 것이다.

스테인을 통해 원하는 심미성 확보하기
치아 색상에 개성이 듬뿍 담겨있는 경우에는 스테인을 통해 이를 극복해야 한다. 이것이 유일한 해결책이다.

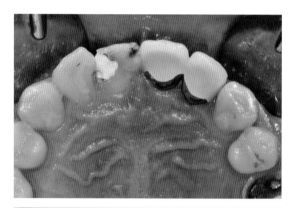
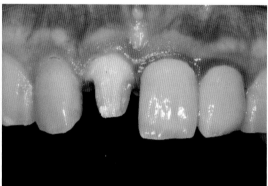
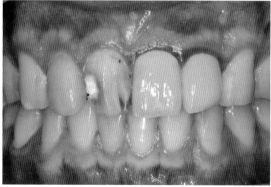

📷 7-37

상악우측 중절치에 심한 치아우식이 존재하여 근관치료 후 보철수복을 계획하였다.

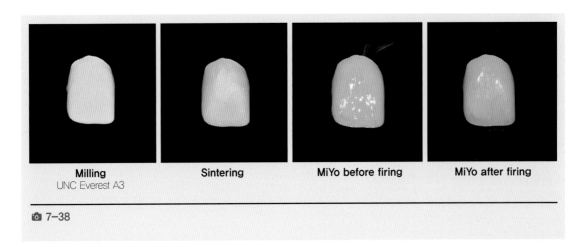

| Milling | Sintering | MiYo before firing | MiYo after firing |
| UNC Everest A3 | | | |

📷 7-38

UNC Everest A3 다중 색상 지르코니아를 사용하였고, 미요 스테인 키트를 이용하여 개별화된 치아 색상을 부여하였다. 투명감 처리를 위해 MiYo shade A, spring halo-storm-smoke-slake를 사용하였다. 미요는 열처리하기 전후에 색상 변화가 크지 않은 것이 장점이다.

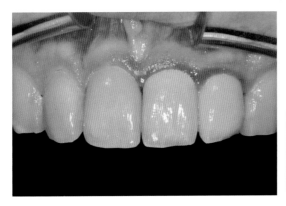

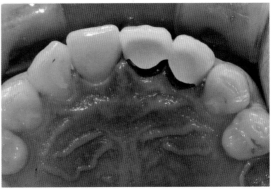

📷 7-39

미요로 스테인 처리한 최종보철은 인접한 PFM에 비해 훨씬 자연스러운 모습을 보인다.

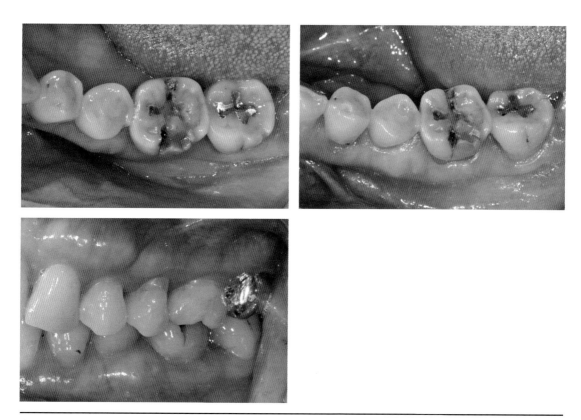

📷 7-40

탈락한 수복물 하방에 치아우식과 다수의 크랙이 관찰된다. 일반적인 채색으로 마무리하기에는 인접치아의
색상과 투명감이 매우 개성 있고 복잡하다.

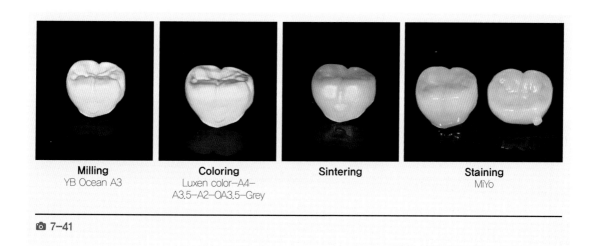

Milling
YB Ocean A3

Coloring
Luxen color–A4–
A3.5–A2–OA3.5–Grey

Sintering

Staining
MiYo

📷 7-41

예스바이오의 Ocean A3 지르코니아를 밀링한 후 루젠 컬러링 키트로 기본 색상을 부여하였다. 환자가 가지는
유난스러운 투명감과 색상 특성을 표현하기 위해 미요(MiYo, Jensen Co.)를 사용하여 스테인 처리하였다.

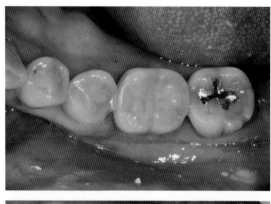
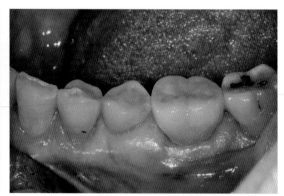
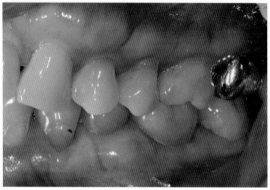

📷 7-42

소성 전 채색과 소성 후 스테인을 적절히 혼합처리하여 매우 뛰어난 심미적 결과를 얻을 수 있었다. 지르코니아 크라운의 심미적인 표현은 스테인으로 완성된다.

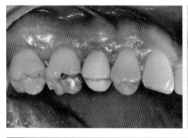
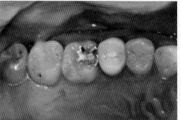
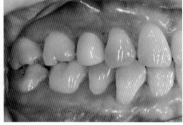

📷 7-43

상악 좌측 제2소구치 크라운의 치근단 병소로 인해 기존 크라운을 제거한 후 재근관치료 하였고, 다시 크라운 수복을 하였다. 기존 크라운의 색상이 인접치아의 색상과 많이 다르다.

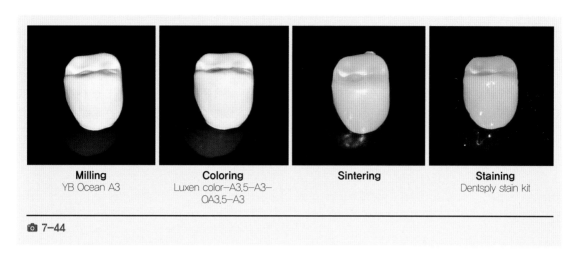

Milling	Coloring	Sintering	Staining
YB Ocean A3	Luxen color–A3.5–A3– OA3.5–A3		Dentsply stain kit

📷 7-44

투명감이 좋은 예스바이오 Ocean 지르코니아 디스크를 사용하였고, 루젠 컬러링 키트로 채색한 후 소성하였다. 스테인에는 덴츠플라이 스테인 키트를 이용했다.

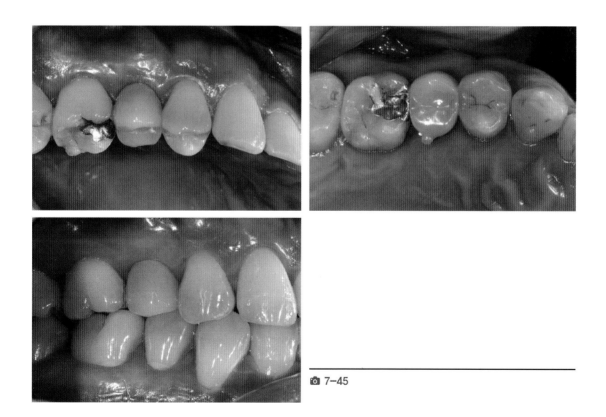

📷 7-45

인접치아를 보면 특이하게 치경부와 절단면이 밝고 최대풍융부가 더 색상이 진하다. 이렇게 평균적인 Vita 색상에서 벗어나 있는 경우도 스테인 키트를 이용하면 좋은 결과를 얻을 수 있다.

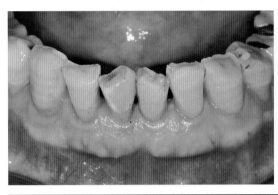
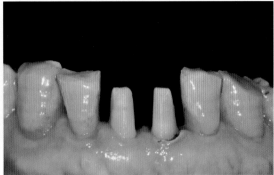

📷 7-46

하악 중절치에 심한 통증과 함께 치수 병변이 발생하였다. 근관치료 후 보철치료를 진행하였다. 투명감, 다수의 크랙라인, 화이트라인이 존재하는 등 심미적 표현이 쉽지 않은 상황이다.

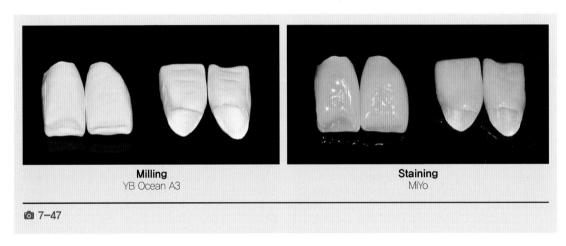

Milling
YB Ocean A3

Staining
MiYo

📷 7-47

예스바이오 Ocean A3 단일 색상 지르코니아를 이용하였고, 소성 후 미요(MiYo)를 이용해서 환자의 상황을 재현하였다.

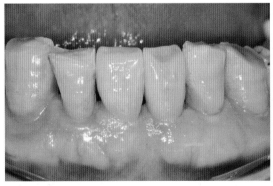
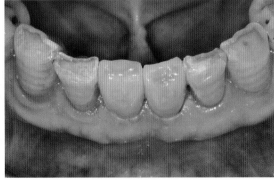

📷 7-48

치간공극을 줄이기 위해 치아 사이즈를 키웠다. 치아 형태는 좀 부자연스러워졌으나 심미적인 면에서 많은 부분들을 인접치아와 유사하게 표현하였다.

어떤 스테인 키트를 이용해야 하는가?

두 가지 스테인 키트가 있다. 덴츠플라이 시로나에서 나온 스테인 키트와 젠센(Jensen Co.)에서 나오는 미요 (MiYo) 키트가 가장 많이 사용되는 지르코니아 스테인 키트이다. 덴츠플라이 스테인 키트는 메탈릭옥사이드 (metallic oxide)를 기반으로 하고 있고 젠센 미요 키트는 세라믹 옥사이드를 기반으로 하고 있다.

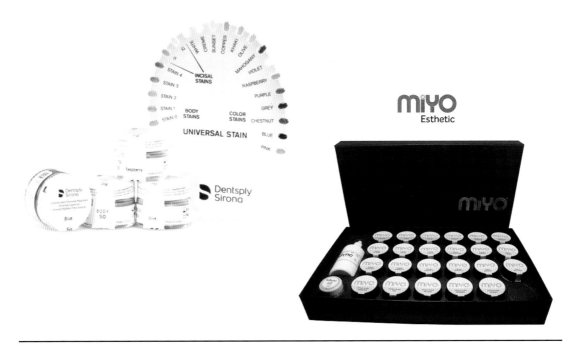

📷 7-49

덴츠플라이 키트는 기본색상을 Vita 색상 표현과는 다르게 S0, A1, S2, S3, S4으로 표현하기 때문에 조금 낯설다. 스테인을 효과적으로 사용하기 위해서는 여러 가지 색상을 혼합해서 사용하기도 한다. 따라서 많은 증례들을 해보면서 그 결과를 좀 체계적으로 정리해 놓을 필요가 있다. 스테인은 오버글레이즈를 먼저 바른 상태에서 조금씩 색상을 추가해서 원하는 색상을 표현한다.

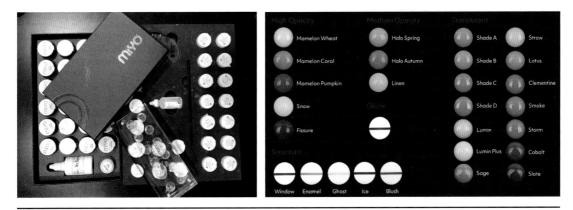

📷 7-50

젠센 미요 키트는 사용이 매우 수월하고 색상 표현도 뛰어나다. 기존에 익숙하던 Vita 색상 표현법을 그대로 적용한다. 포세린퍼니스에 넣기 전후에 색상 차이가 크지 않기 때문에 결과에 대한 예측이 가능하다는 장점도 있다. 초보자도 기본 기능을 익히는 데 무리가 없을 정도로 접근성이 뛰어나다. 각각의 스테인 키트는 색상을 표현하는 방법이 다르기 때문에 각각의 색상이 어떤 특성을 나타내는지를 교육받을 필요가 있다.

마무리하는 말

지르코니아 크라운은 쉽게 깨지지는 않지만 심미적인 면에서 열등하다는 편견을 이제는 거두어야 한다. 지르코니아 크라운은 디지털 진료 환경하에서 가장 최적화된 재료이다. 특히 임플란트 크라운을 수복할 때 지르코니아보다 더 좋은 재료를 찾기 어렵다. 파절에 대한 저항성, 치태 축적에 대한 생물학적인 안정성에 더해 이제는 심미적인 부분에서도 비약적인 개선이 이루어지고 있다. 전치부에 사용할 때 문제가 되었던 투명감을 상당히 개선한 지르코니아 디스크가 속속 개발되고 있다. 다중 색상 지르코니아의 표현 능력도 점점 좋아지고 있으며 스테인 방법의 진화도 놀라울 정도이다. 이제는 전치부에 사용해도 문제가 없을 정도가 되었다. 아주 탁월한 세라미스트가 하는 도재 작업과는 견주지 못한다고 하더라도 어지간한 수준의 포세린 작업을 대체하는 데는 문제가 없다. 구강스캔과 캐드 디자인, 밀링과 채색 작업, 스테인 작업을 직접 많이 해본 결과를 바탕으로 말하자면, 지르코니아는 원내 디지털 보철을 위해 태어났다고 할 만큼 좋은 결과를 보여주고 있다. 기능적인 면에서는 기존의 골드 크라운을 대체하였고, 심미적인 면에서는 PFM (porcealin fused to metal)과 세라믹을 대체하는 수준까지 도달하고 있다고 생각한다.

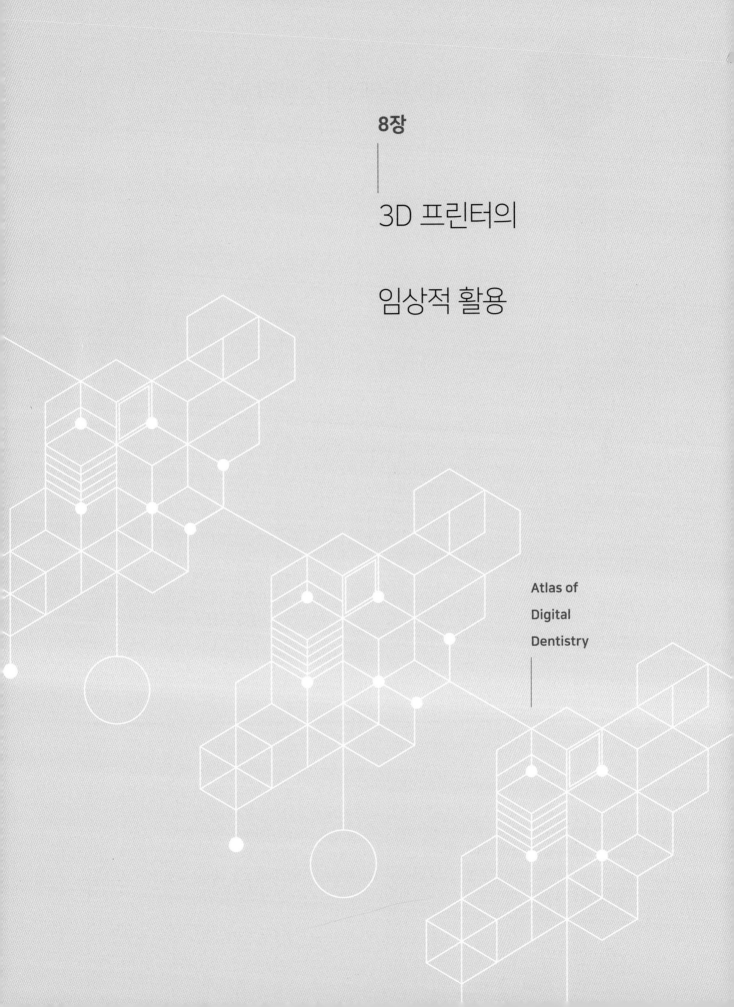

8장

3D 프린터의

임상적 활용

Atlas of
Digital
Dentistry

3D 프린터의 임상적 활용

디지털 치의학에서 3D 프린터가 차지하는 위치는 어디쯤 될까? 3D 프린터를 실제 임상에서 적용하기 위해서는 3D 프린터가 현재 사용하고 있는 방법에 비해 어떤 장점을 가지고 있는지를 비교 평가해 보아야 한다. 3D 프린터를 사용하는 것이 돈은 훨씬 많이 들고 임상적인 장점은 기존과 비슷하다면 아직 본격적으로 임상에 적용할 단계라고 할 수는 없다. 구강스캐너와 각종 밀링 장비, 그리고 지르코니아 재료들은 최종보철물로 사용함에 있어서 기존 아날로그 보철 방법보다 확실히 임상적 장점을 갖는다. 비용적인 면에서 초기 구입비용을 고려한다고 하더라도 충분히 투자할 만한 가치가 있다. 그렇다면 3D 프린터의 경우는 어떠한가? 3D 프린터에는 여러 가지 종류가 있다. 인공장기를 만드는 바이오프린터에서부터 금속을 녹여서 프린팅하는 것까지 매우 다양한 종류의 3D 프린터가 소개되고 있다. 그러나 임상적으로 충분히 정밀하고 믿을 만한 결과를 얻을 수 있다고 하더라도 장비 가격이 너무 비싸다면 개원의가 사용할 장비는 아니다. 따라서 이 장에서는 3D 프린터에 대한 대략적인 소개와 더불어 개원의 수준에서 현실적으로 사용 가능한 3D 프린터의 종류와 임상적 사용에 대해 소개한다.

3D 프린터의 임상적 사용 범위

3D 프린터의 임상적인 적용은 프린터에 제공되는 재료의 수급 여부에 많은 부분을 의존한다. 치과용으로 사용이 허가된 제품이 있는지가 매우 중요한 이슈이기 때문이다. 따라서 현재 가장 많이 사용되는 분야는 임플란트 가이드수술을 위한 템플레이트와 임시치아 영역이라고 할 수 있다. 그리고 최종보철을 위한 중간 단계에서 사용하는 임시의치, 최종인상용 개별트레이, 교합채득을 위한 바이트 플레이트 베이스 등에도 3D 프린터는 매우 유용하다. 투명교정을 위해 치아이동 단계별 모델이 필요한 경우에도 구강스캔과 3D 프린팅은 큰 효용성을 나타낸다. 디지털 작업 과정으로 모델 없이 보철을 하고 있다면 3D 프린터로 모델을 출력할 일은 별로 없다. 캐스팅용 코핑 프린팅은 기공소에서는 필요하지만 원내 디지털 보철 출력을 주로 하는 치과에서는 사용할 일이 없다. 의치상용 핑크 레진의 경우는 여러 가지 기술적인 문제로 인해 최종의치보다는 임시의

치에 사용하는 경우가 많다. 그러나 앞으로 가장 빠르게 최종의치까지 임상적 적용이 확대될 수 있는 부분이다. 국소의치를 위한 메탈 프레임의 제작에도 현재 응용하고 있고, 앞으로 전체 의치 제작 과정 역시 디지털화할 것이다. 교정용 지그의 출력이나 악관절 질환 치료를 위한 장치 출력에도 3D 프린터는 활용도가 폭발적으로 증가할 것이다.

3D 프린터의 종류

3D 프린터는 수십만 원짜리 저가에서부터 수억 원에 이르는 고가의 제품이 있을 정도로 가격대가 다양하다. 가성비와 출력의 정밀도를 적절히 고려하여 다양하게 선택하여 사용할 수 있다. 3D 프린팅에 사용하는 재료는 여러 가지가 있지만, 치과임상에서 사용하는 용도로는 액상수지가 대표적이다. 현재 사용하고 있는 대표적인 3D 프린팅 방식에는 다음과 같은 것들이 있다.

1. FDM (fused deposition modeling)
2. SLS (selective laser sintering)
3. SLA (stereolithography apparatus)
4. DLP (digital light processing)
5. Polyjet
6. MJM (multi-jet modeling)

1. FDM (fused deposition modeling)

노즐 형식으로 공급되는 플라스틱 재료를 열로 녹여서 판 위에 경화시키는 3D 프린터이다. 가장 저렴한 형태의 3D 프린터이지만 적층 속도가 매우 느리고 정밀도가 좋지 않다. 표면 조도가 거칠기 때문에 치과임상용으로 사용하기에는 부적절하다.

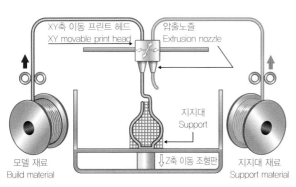

📷 8-1 FDM (fused deposition modeling)

두 개의 노즐을 통해 모델 재료와 지지대 재료가 분출된다. 열을 가해 노즐 속 재료를 녹여서 쌓아 나간다. 케이크에 크림을 쌓아 올리 듯 재료를 쌓아가는 방식이기 때문에 정밀성이 요구되는 치과임상용으로는 부적절하다. 층과 층 사이의 결이 육안으로 관찰될 정도이다. 시간이 너무 많이 소요된다는 것도 임상적 사용을 어렵게 하는 요소이다.

2. SLS (selective laser sintering)

레이저로 금속분말을 선택적으로 녹여서 입체적인 조형물을 만드는 프린터이다. 성형수술용 프레임이나 골이식에 사용하는 티타늄 프레임 등을 출력할 때 사용할 수 있는 프린터이다. 매우 고가이기 때문에 일반 치과용이라기보다 뼈이식 전문 기업에 적합한 모델이라고 할 수 있다.

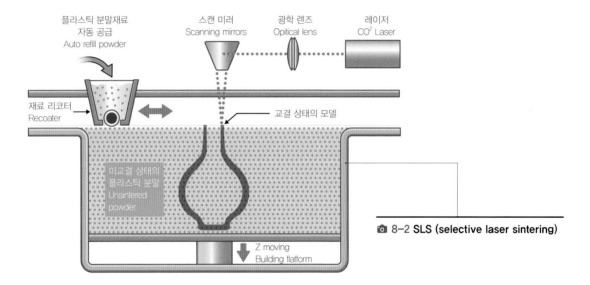

📷 8-2 SLS (selective laser sintering)

3. SLA (stereolithography apparatus)

광경화성 수지를 담고 있는 수조에 레이저를 조사하여 입체적인 조형물을 만들어내는 3D 프린터이다. 적층 두께가 비교적 얇고(0.025–0.125 mm) 정밀도가 상대적으로 높다. 조형 시간은 조금 줄어들었지만 치과용 모델 출력에 2시간 이상 소요되기 때문에 좀 답답한 면이 있다.

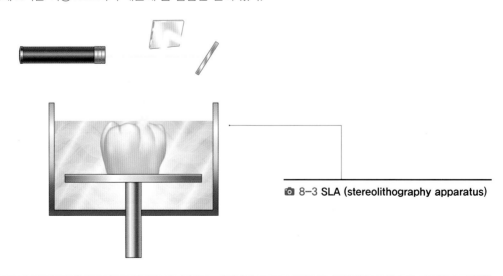

📷 8-3 SLA (stereolithography apparatus)

레이저가 출력을 원하는 모양을 계속 따라가면서 조사하는 방식을 취하기 때문에 시간이 오래 걸린다. 모델 하나를 출력하는 데 수시간이 소요되기 때문에 대체품이 존재하는 현재 관점에서 봤을 때는 선택에서 좀 밀린다.

4. DLP (digital light processing)

SLA 방식과 유사하나 광경화성 수지를 담고 있는 수조에 프로젝션 빔을 조사하여 면 단위로 적층한다. 면 단위로 출력하기 때문에 SLA 방식보다 출력 속도가 빠른 것이 장점이다. 정밀도도 우수한 편이고 가성비를 고려한 초기 장비 가격도 적당한 편이어서 현재 치과임상용으로 출시되는 3D 프린터 대다수가 이 방식을 채택하고 있다.

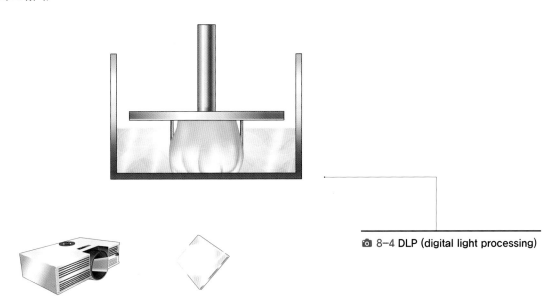

📷 8-4 DLP (digital light processing)

빔 프로젝터가 빛을 쏘면 한 면 전체가 경화되는 방식이기 때문에 출력 속도가 빠르다. 가격과 성능 모두 일반 치과임상용으로 사용하기에 무난하다. 출력 시간은 출력물에 따라 다르지만 빠른 것은 15분 이내에 출력되는 제품도 있고 대부분 1시간 안팎으로 출력이 이루어진다.

5. Polyjet

잉크젯 프린터와 유사한 원리로 작동하는 3D 프린터이다. 카트리지에서 나오는 광경화성 수지를 자외선으로 경화하여 원하는 조형물을 출력하는 방식이다. 정밀도가 매우 우수하고 얇은 제품의 출력이 가능하며, 출력 속도 또한 우수하다. 매우 고가의 프린터이기 때문에 치과의원에서 사용하기엔 적절하지 않고 기업형으로 대량 출력하는 용도로 적합하다. 현재 임플란트용 가이드 제작 서비스를 하는 회사들이 이 프린터를 사용한다.

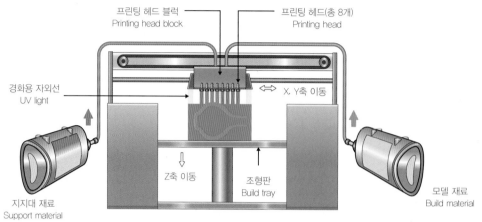

프린팅 헤드 블럭
Printing head block

프린팅 헤드(총 8개)
Printing head

경화용 자외선
UV light

X, Y축 이동

Z축 이동

조형판
Build tray

지지대 재료
Support material

모델 재료
Build material

📷 8-5 Polyjet
지지대를 물로 세척하여 제거하는 방식을 취하기 때문에 출력물에 지지대 흔적이 없다. 출력물의 정밀도가 높고 뒷마무리가 깔끔하다. 사진은 오스템의 임플란트 가이드인 원가이드®(OneGuide®, Osstem Co.)로 Polyjet을 이용하여 출력한다

6. MJM (multi-jet modeling)

프린터 헤드에서 광경화성 수지와 왁스를 동시에 분사하면 자외선으로 이를 경화하여 원하는 조형물을 만드는 방식이다. 개인치과에서 운영하기엔 고가의 제품이므로 기업형이라고 할 수 있다.

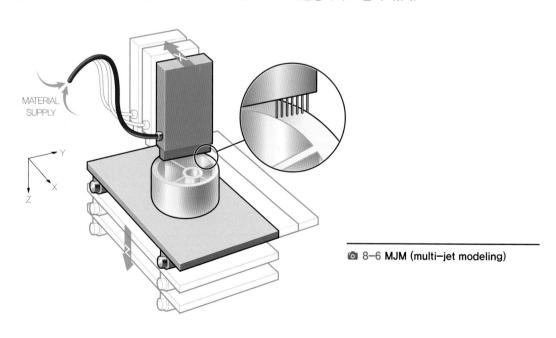

MATERIAL
SUPPLY

📷 8-6 MJM (multi-jet modeling)

3D 프린팅 과정

3D 프린팅을 위해서는 디자인된 STL 파일이 있어야 한다. 디자인을 외부에 의뢰하고 출력만 병원에서 할 수도 있고, 디자인과 출력 모두 병원에서 할 수도 있다. 병원 환경에 따라 어떤 것을 선택할지 결정하면 된다. 보철과 보철부속품 디자인에는 엑소캐드나 덴탈시스템 같은 캐드 프로그램을 이용하고, 임플란트 수술용 가이드를 디자인할 때는 임플란트 스튜디오(3Shape Co.) 같은 별도의 프로그램이 필요하다. 일단 원하는 아이템에 대한 디자인을 완성하면 이 파일을 STL 파일로 저장한다. 이 STL 파일을 3D 프린팅 전용 프로그램으로 불러와서 프린팅을 위한 작업을 한다. 3D 프린터용 프로그램은 적층(add layers)을 통해 출력하므로 얇게 썰었다는 의미로 슬라이싱 프로그램이라고도 표현한다. 밀링용 캠 프로그램은 버를 어떤 순서로 어떤 각도에서 어떻게 깎을 것인가를 계산하지만, 슬라이싱 프로그램은 재료를 어떤 순서로 쌓아 올릴지를 계산한다. 계산이 끝나면 프린터로 자료를 전송하여 출력을 시작한다. 출력을 하기 전에 준비해야 할 사항이 몇 가지 있다. 출력 전 레진을 균일하게 혼화하는 과정이 필요하다. 수조 안에 레진을 오래 보관할 경우 위 아래층의 레진 성분이 달라질 수 있기 때문에 수조 전용 실리콘 밀대로 수조 내 레진을 섞어 주어야 한다.

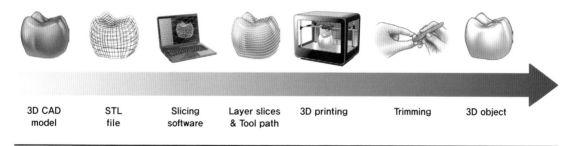

| 3D CAD model | STL file | Slicing software | Layer slices & Tool path | 3D printing | Trimming | 3D object |

📷 8-7
프린팅 전 과정을 표현하고 있는 모식도이다. "디자인–슬라이싱 프로그램 계산–출력–후공정"으로 이루어져 있다.

📷 8-8
액상 레진을 최초 개봉하기 전에 정해진 시간 동안 혼화시켜주는 롤러이다. 레진의 점도가 높을수록 이 과정이 필요하다. 원시적으로는 통을 위아래 계속 뒤집어서 흔들어주는 방법이 있지만 균일한 혼합을 보장할 수 없다. 가이드용 레진처럼 점도가 낮아 흐름성이 강한 경우에는 상대적으로 이 과정이 쉽고 시간도 적게 소요된다.

혼화 후 수조 내 레진과 기계 온도가 출력 가능한 온도가 되었는지 확인하고 출력을 시작해야 한다. 레진 수조는 사용 횟수 제한이 있으므로 주의해야 한다. 수십 차례 사용 후 출력물의 결과가 마음에 들지 않는다면 대부분 수조 문제일 가능성이 높기 때문에 수조를 교체해야 한다. 수조 교체 비용은 3D 프린터를 구입할 때 매우 중요하게 고려해야 하는 사항이다. 100만 원이 넘는 제품도 있지만 국산의 경우는 4만 원 안팎에서 가격이 형성되어 있다. 출력을 오래 하면 레진 찌꺼기가 바닥에 붙어 있는 경우가 많고, 이것이 출력 실패로 이어지는 경우가 많기 때문에 벤치클리어링 기능을 이용해서 종종 바닥에 붙어 있는 이물질을 제거해주어야 한다.

3D 프린팅 후 세척과 후공정

치과임상에서 주로 사용하는 DLP 3D 프린터는 출력이 끝나면 베이스 플레이트와 지지대가 달려 있다. 출력 직후에는 액상의 레진이 출력물을 덮고 있는데, 이를 깨끗이 제거해 주지 않은 채 경화시키면 표면에 하얀색 혹은 광택이 나는 잔유물이 관찰될 수 있다. 이런 잔류 레진을 제거하기 위해 3D 프린터 회사들이 전용 세척 기계를 판매하고 있다. 그러나 치과에서 사용하는 출력물은 크기가 매우 작고 출력 횟수가 많지 않기 때문에 이런 전용 세척기를 구입하는 것은 추천하지 않는다. 전용 세척기에 들어가는 세척용액의 양이 너무 많기 때문에 환기가 되지 않을 경우 사용자의 건강에 해로울 수 있으므로 주의해야 한다.

📷 8-9

3D 프린터 제조사인 폼랩사(FormLab Co.)에서 출시한 세척기로 가격이 100만 원이 넘는다. 대용량이기 때문에 2L가량의 알코올을 담을 수 있다. 큰 출력물을 세척할 수 있을 정도로 넉넉한 공간을 가지고 있다. 그러나 치과용으로 쓰기에는 사이즈가 지나치게 크고 알코올 소모가 많다. 더 큰 문제는 알코올이 휘발되면서 사용자의 건강을 해칠 가능성이 있다. 따라서 이런 대용량 세척기를 사용하기 위해선 환기시설이 반드시 필요하다.

📷 8-10

인터넷에서 판매되는 소형 초음파세척기이다. 2만 원대 중반 가격에 구입할 수 있는 제품이다. 안경 하나 정도 들어갈 수 있는 사이즈이기 때문에 치과용으로 사용하기에 가장 좋다. 그러나 뚜껑의 플라스틱 부분이 알코올에 의해 쉽게 부식된다는 것이 흠이라면 흠이다. 하지만 가격이 워낙 저렴하기 때문에 소모품으로 생각하고 사용한다면 크게 문제가 되지 않는다.

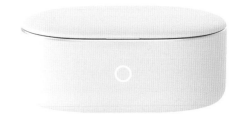

액상 수지 형태의 3D 프린터 출력물을 세척하는 용액으로 원래 추천하는 제품은 아이소프로필 알코올이었다. 그러나 이 제품은 무색무취이고 인화성이 있기 때문에 치과에서 장시간 사용하기에는 바람직하지 않다. 시중에서 소량 구입하기도 쉽지 않고, 대용량으로 판매하기 때문에 보관도 용이하지 않다. 환기가 되지 않을 경우 사용자의 건강에 문제를 야기할 수 있으므로 치과에서 사용하는 세척제로는 추천하지 않는다. 아이소프로필 알코올 대용으로 사용할 수 있는 것이 에틸알코올이다. 3D 프린팅은 대부분 최종보철물이나 최종 수복물의 출력에 사용하기보다는 중간재 내지는 임시재 역할로 사용하기 때문에 출력 결과의 수준이 조금 떨어지거나 세척이 완벽하지 않더라도 크게 문제되지는 않는다. 세척과 후처리에 있어서 약간의 융통성이 허용된다.

출력물을 세척할 때는 초음파세척기에 바로 넣지는 않는다. 에틸알코올이 담긴 용기 속에서 칫솔 등으로 일차적으로 세척을 한 다음 초음파 세척기로 세부적인 세척을 한다. 지지대 사이 사이가 잘 세척되지 않을 수 있기 때문에 지지대 밑판과 지지대 일부를 조심스럽게 제거한 후 세척하는 것도 좋다. 에틸알코올로 세척이 끝나면 에어로 건조시킨 다음 경화기에 넣는다. 광경화 시간은 3D 프린터 회사에 따라 추천하는 시간이 다르나 보통 10분에서 30분 사이를 추천한다. 회사에서 권고하는 시간을 따르는 것이 바람직하다.

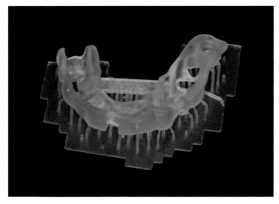

📷 8-11

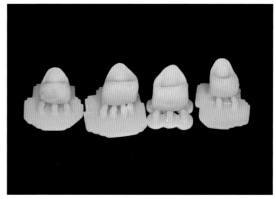

📷 8-12

세척과 건조, 광경화가 모두 종료되면 위와 같은 상태가 된다. 세척이 잘 되었다면 표현에 번들거림이 없고 깔끔한 표면 상태를 얻을 수 있다. 이 상태에서 지지대를 자르고 연결 부위를 잘 연마한다. 임플란트 수술용 가이드는 표면에 이물질이 남아있으면 절대 안 되기 때문에 지지대 제거와 연마 후 물로 표면을 깨끗이 세척해야 한다.

3D 프린터의 임상적용

1. 임시치아의 제작

전치부처럼 심미적으로 중요한 임시치아를 만들거나 다수의 치아에 임시치아를 만드는 경우에는 3D 프린터를 이용하는 것이 손으로 제작하는 것보다 유리하다. 임시치아에 들어가는 시간을 대폭 줄일 수 있기 때문이다. 임시치아를 제작하는 목적은 치아삭제 후 치아 기능을 다시 할 수 있도록 하는 것이 첫 번째이고, 두 번째는 최종보철을 만들기 위해 필요한 평가자료를 얻기 위함이다. 임시치아를 통해 환자의 심미적, 기능적인 요구가 무엇이지를 평가한 후 최종보철을 만드는 것이 좋기 때문이다. 교합과 수평 및 수직 피개의 적절성을 임시치아를 통해 확인하는 것도 치아 모양을 확인하는 것만큼 중요하다. 따라서 임시치아는 한 번 만들고 끝나는 것이 아니라 환자와 술자가 만족하는 어떤 결과물이 나올 때까지 여러 번 만들어야 할 경우두 있다. 전치부 보철이나 전악수복에 준하는 다수 치아의 보철을 할 때 임시치아 과정은 매우 중요하다. 과거 손으로 임

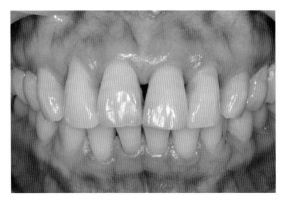
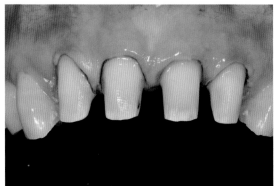
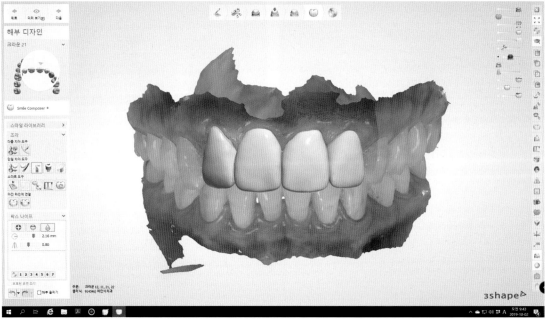

📷 8-13

상악 4전치의 공간 폐쇄와 심미적 개선을 위해 보철을 계획하였다. 크라운을 위한 치아삭제 후 구강스캔을 히였고 캐드로 4전치를 디자인하였다. 화면상에서 보여지는 것과 실제 이미지가 다를 수 있기 때문에 다수 치아를 보철할 때에는 임시치아를 먼저 출력해서 확인하는 것이 필요하다.

시치아를 만들 때에는 임시치아에서 획득한 정보를 최종보철에 그대로 옮기는 것이 쉽지 않지만, 구강스캔을 통한 디지털 수복에서는 정보의 수정과 출력이 매우 용이하기 때문에 임시치아의 정보를 매우 정교하게 최종 보철에 옮겨줄 수 있다. 이런 임시 치아의 제작에 3D 프린터는 매우 유용하게 사용된다. 치아당 출력비도 매우 저렴하고 다수 치아를 출력할 경우에는 PMMA보다 훨씬 빠른 시간 안에 임시치아를 만들 수 있다.

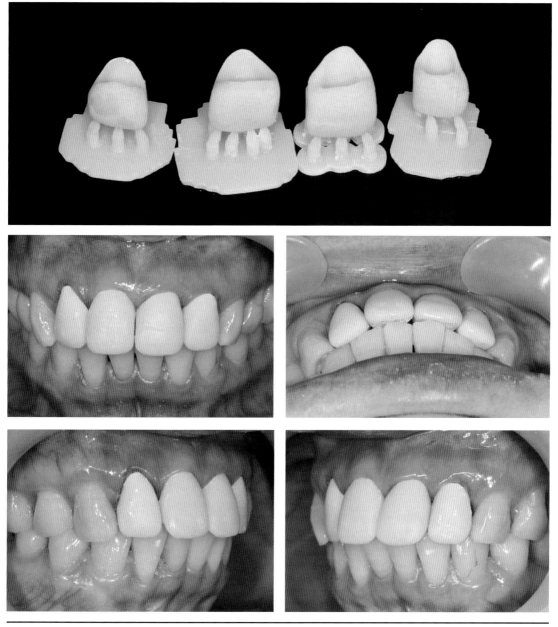

📷 8-14
디자인한 보철을 3D 프린터로 출력하였다. 환자에게 임시시적한 후 약 1주일 정도 평가하도록 하였다. 이때 고칠 수 있는 부분과 고칠 수 없는 부분에 대한 설명이 필요하다.

상악 4전치의 형태 개선을 목적으로 보철을 시행하였다. 이런 증례는 심미적인 목적을 우선으로 하므로 보철물의 형태를 환자가 만족하는지를 확인할 필요가 있다. 과거 아날로그 환경하에서는 모든 것이 기공사의 손을 통해 표현되므로 환자가 원하는 것을 매우 디테일하게 수정하는 것이 어려웠다. 그러나 디지털 환경에서는 캐드를 통해 디자인을 매우 디테일하게 수정할 수 있고 이것을 3D 프린터나 PMMA로 밀링해서 바로 표현할 수 있기 때문에 환자가 원하는 것을 완벽하게 표현할 수 있다. 이 증례에서는 디자인해서 3D 프린터로 출력한 임시치아를 시적한 다음 환자와 환자 가족의 평가를 기다렸다.

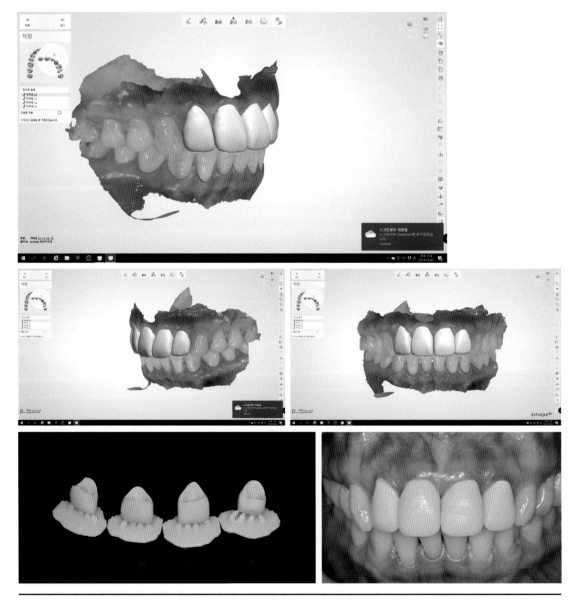

📷 8-15

환자의 요구를 캐드 디자인에 재차 반영하여 다시 한 번 3D 프린터로 출력하였다. 3D 프린터로 출력한 임시치아는 어떤 이유인지 몰라도 절단면과 절단면 공극(incisal embrasure)이 캐드 디자인과는 다르게 조금 동글동글하게 출력되는 경향이 있다. 따라서 형태를 평가할 때 이 부분에 주의할 필요가 있다. 형태의 정확성은 PMMA가 3D 프린터보다 정밀하고 우수하기 때문에 정확한 교합과 형태를 평가하려면 PMMA로 밀링한 임시치아를 사용하는 것이 좋다.

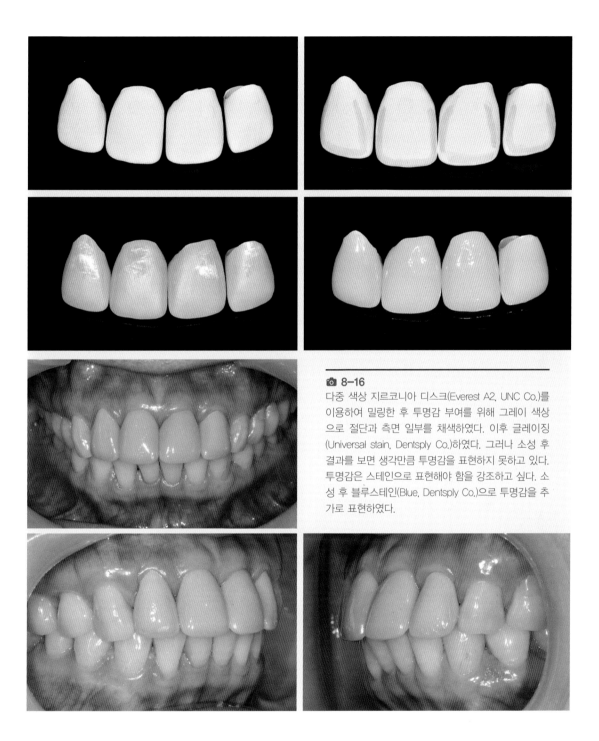

📷 **8-16**

다중 색상 지르코니아 디스크(Everest A2, UNC Co.)를 이용하여 밀링한 후 투명감 부여를 위해 그레이 색상으로 절단과 측면 일부를 채색하였다. 이후 글레이징(Universal stain, Dentsply Co.)하였다. 그러나 소성 후 결과를 보면 생각만큼 투명감을 표현하지 못하고 있다. 투명감은 스테인으로 표현해야 함을 강조하고 싶다. 소성 후 블루스테인(Blue, Dentsply Co.)으로 투명감을 추가로 표현하였다.

임시치아 제작을 위해 치아 삭제 전 스캔을 이용할 수도 있다. 이런 형태의 임시치아는 새로 제작하는 보철물을 제안하기 위한 용도로는 사용할 수 없다. 기존에 있던 치아를 바탕으로 임시치아를 만든 것이기 때문에 치아삭제 후 정교하게 디자인된 임시치아를 새롭게 제안하기 전 수일 동안만 사용할 수 있도록 하는 것이 목적이다. 따라서 형태적으로나 심미적으로 완전하지 않고 쉘(shell) 형태로 세삭하기 때문에 내면을 레진워시를 통해 수정해야 한다.

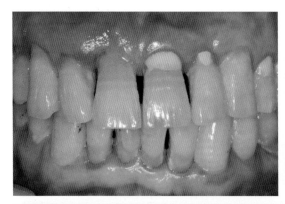
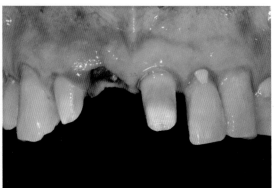
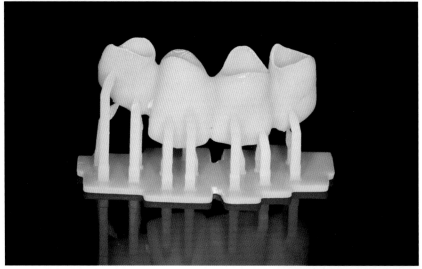
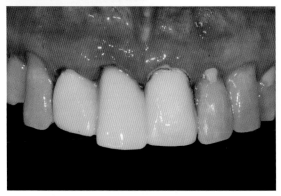

📷 8-17
발치 당일 바로 치아삭제하고 임시치아를 해주어야 하는 증례이다. 지대치를 삭제하고 상악우측 중절치를 발치하였다. 사전 스캔과 3D 프린팅으로 미리 제작해 두었던 임시치아 쉘을 가지고 임시치아를 즉시로 수정하여 세팅하였다. 기존에 있던 치아 형태를 이용하여 임시치아를 제작하였기 때문에 형태적으로나 심미적으로 완전하지 않다. 이후에 최종보철을 위해 스캔한 자료를 바탕으로 최종보철물과 동일하게 임시치아를 다시 제작해 준다. 이것에 대한 평가를 바탕으로 임시치아를 수정하고 최종보철을 완성한다.

2. 임플란트 수술을 위한 가이드 제작

임플란트 수술용 가이드를 본격적으로 원내에서 출력하게 되면 3D 프린터의 활용도는 급격히 증가한다. 직접 디자인해서 출력할 수도 있지만 때에 따라서는 타 기관에서 디자인한 파일을 다운받아서 출력할 수도 있다. DLP 프린터로 출력하는 정도만 되어도 수술의 정밀도를 어느 정도 보장할 수 있다. 가이드 수술의 정밀함은 3D 프린터의 성능 차이보다는 디자인 숙련도에 의해 좌우된다고 보는 것이 합리적이다. 임플란트 수술용 가이드에 대해선 다음 장에서 자세히 언급하도록 한다.

3. 의치 제작을 위한 레코딩베이스 제작

완전의치를 제작할 때 환자의 교합고경을 채득하고 도치를 배열하기 위해 레코딩베이스를 만든다. 레진상 위에 왁스를 올린 레코딩베이스는 매우 단순한 구조를 갖지만 기공소로 제작을 의뢰하면 보통 1주일 정도 후에 기공물을 보내준다. 환자가 현재 사용하고 있는 의치가 없다면 이 기간 동안 치아가 없는 상태로 지내야 한다. 그러나 3D 프린터를 이용해 출력한다면 인상채득한 당일 레코딩베이스를 이용해서 교합고경을 채득할 수 있다. 환자의 완전의치 제작 기간을 대폭 줄여줄 수 있다는 의미이다.

레코딩베이스를 디자인하고 출력하는 과정은 매우 단순하다. 프린팅된 레진상 위에 올라가는 치열 모양의 왁스는 기성품으로 나와 있다. 이 왁스를 레진상 위에 올려서 환자의 치형에 맞게 수정한 후 사용한다. 구강 내에서 바이트를 채득한 후 이를 모델 스캐너에서 다시 스캔하여 마운팅하면 임시의치 제작을 위한 준비가 끝나게 된다.

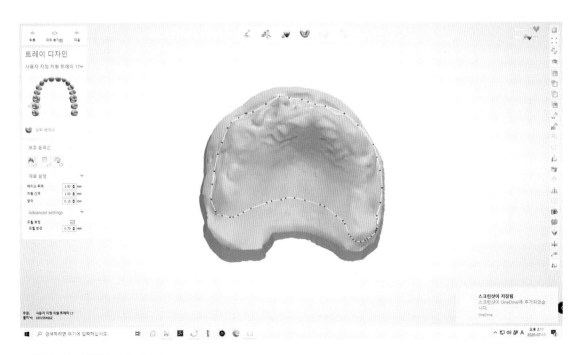

레코딩베이스의 영역을 설정하였다.

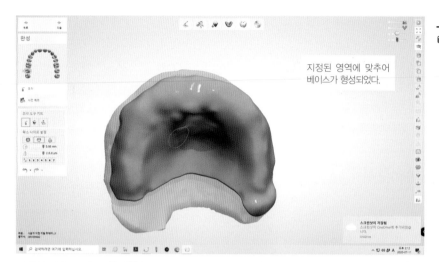

지정된 영역에 맞추어
베이스가 형성되었다.

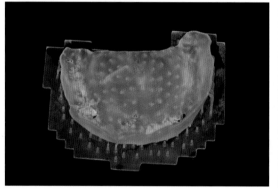

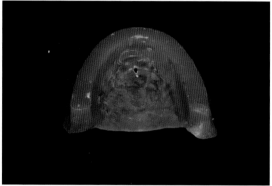

디자인된 레코딩베이스를 출력하였다. 수직지지대만 사용하다보니 출력이 완전하지 못한 부위가 관찰된다. 이렇게 큰 면적을 출력할 때에는 반드시 수직지지대와 이를 가로지르는 수평지지대가 함께 사용되어야 한다.

교합설정에만 사용되기 때문에 일부 출력이 불완전한 부위가 있다고 하더라도 작업에 문제되지는 않는다. 왁스림을 올리고 환자 구강내에서 교합관계를 채득한다.

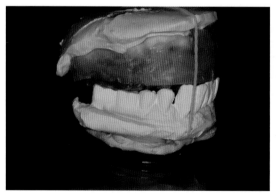

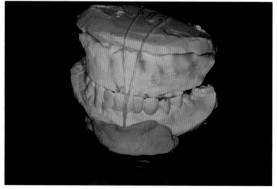

구강내에서 교합관계를 채득하였고 이를 모델스캐너용 플레이트에 장착히였디.

모델스캐너로 스캔하기 전에 왁스 상태의 표면에 파우더를 뿌려주었다. 왁스 표면은 스캔이 잘 되지 않기 때문이다. 이 상태로 스캔하면 디자인 프로그램상에 마운팅된 상하 모델이 나타난다.

4. 의치 제작을 위한 인상용 개별 트레이의 제작

레코딩베이스와 마찬가지로 개인인상용 트레이도 3D 프린터를 이용하면 제작 기간을 대폭 단축할 수 있다. 의치를 제작하는 기간이 단축되면 환자와 병원 모두에게 큰 도움이 된다. 환자는 치아 없이 지내는 기간을 대폭 단축할 수 있기 때문에 치아상실로 인해 야기되는 심리적 사회적 문제를 줄일 수 있다. 개별 트레이의 제작 과정은 레코딩베이스 제작과 크게 다르지 않다. 레코딩베이스에 손잡이와 핑거스톱을 만들고 구멍을 뚫어 주면 된다. 의치 제작을 위해 단계별로 소요되는 시간을 크게 단축시킬 수 있다.

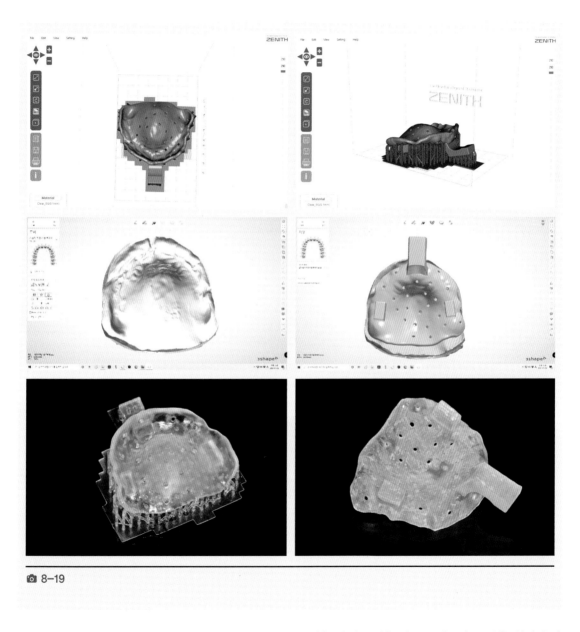

📷 8-19

레코딩베이스에 손잡이와 핑거스톱을 부착하고 인상체 고정을 위해 구멍을 다수 뚫어준다. 구멍은 설정된 값에 의해 클릭을 하면 자동으로 형성된다.

5. 임시의치의 제작

기존의 방법을 이용했을 때 임시의치의 제작에 소요되는 시간과 작업 과정은 최종의치 제작 과정과 크게 다르지 않다. 임시의치를 제작하는 이유는 몇 가지가 있다. 첫째, 발치와의 치유에 따르는 치조제 형태의 변화를 최종의치에 반영하기 위한 시간을 벌기 위함이다. 둘째, 의치를 처음 착용하는 환자가 의치의 형태와 모양, 기능에 적응하도록 유도하기 위함이다. 셋째, 최종의치 형태에 환자의 바람을 반영하기 위한 평가기준을 만들기 위함이다. 그런데 임시의치 제작에 소요되는 시간이 너무 길다 보니 환자는 치아 없이 3주가량을 힘들게 버텨야 했다. 그러나 스캐너가 있고 캐드 디자인과 3D 프린터를 사용할 수 있다면 이 작업을 수일 내에 마칠 수가 있다. 병원의 진료 경쟁력을 상당히 높여줄 수 있다.

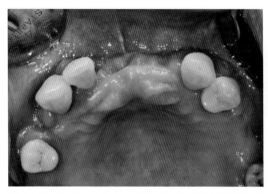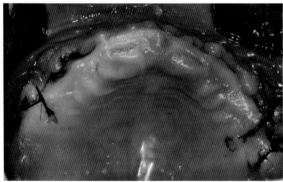

📷 8-20

잔존치아를 모두 발치해야 하는 상황이다. 발치 후 인상을 채득하고 임시치아를 만드는 것보다 발치 전 인상 혹은 구강스캔을 통해 디지털 모델을 만든다. 캐드상에서 미리 레코딩베이스를 만들면 발치하는 날 레코딩베이스를 이용하여 교합관계를 채득하는 것이 가능해진다. 그러면 다음 날 임시의치를 환자에게 끼워주는 것이 가능하다.

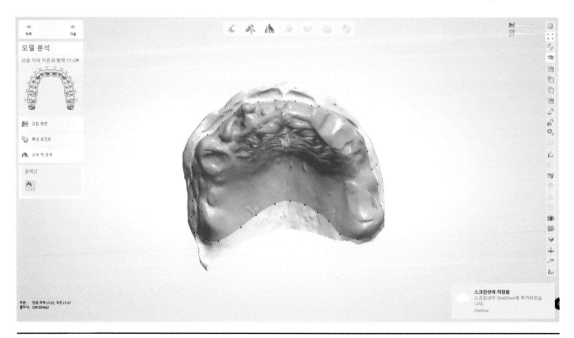

📷 8-21

발치 전 채득한 모델에 존재하던 잔존치아를 제거한 후 임시의치의 영역을 설정한다. 이 위에 도치를 배열한다.

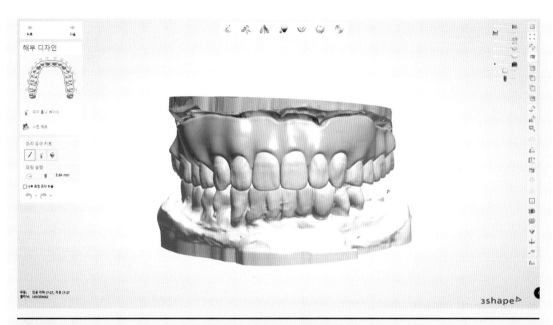

📷 8-22

의치상에 치아를 배열하고 교합을 맞춘 다음 의치상과 치아를 연결하여 임시의치의 디자인을 완성한다.

📷 8-23

3D 프린터 슬라이싱 프로그램에서 출력을 위한 설정을 한다. 그렇게 큰 전악 출력물을 프린팅할 때는 지지대를 매우 촘촘하게 연결하는 것이 좋다. 수직 지지대에 수평 지지대를 반드시 추가해서 출력해야 출력 실패를 피할 수 있다.

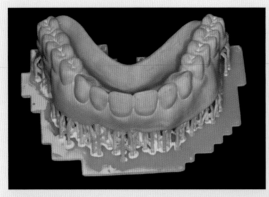
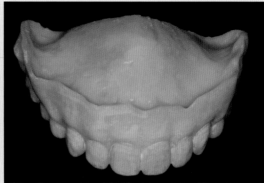

임시치아 출력에 사용하는 레진을 이용해서 도치와 의치상을 함께 출력한다.

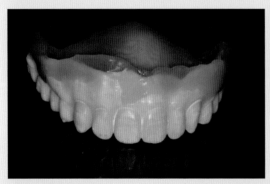
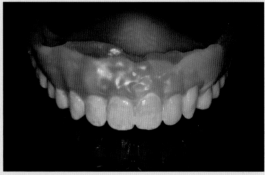

의치상 내면을 리베이싱하고 치은색상을 표현하기 위해 잇몸색상 레진을 의치 외면에 추가한다.

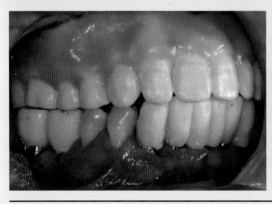
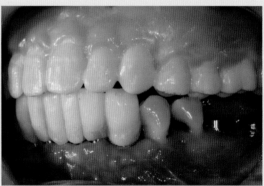

📷 8-24
임시의치를 구강내에 시적한 모습이다. 도치와 의치상을 각각에 맞는 색상으로 별도 출력하여 접착하는 방식이 일반적으로 많이 사용되고 있으나 필자는 이 방식보다 통합해서 출력하는 현재의 방식을 선호한다.

치아를 발치한 다음 기공소를 통한 작업 경로를 거쳐서 임시의치를 만들려면 단계별로 매우 오랜 시간이 소요된다. 그러나 구강스캔 혹은 모델스캔과 3D 프린터를 이용하면 발치한 당일에도 임시의치를 출력해서 환자에게 제공할 수 있다. 어차피 발치를 하게 되면 의치의 내면 적합과 유지력은 좋을 수가 없고, 출력된 임시의치 내면을 리베이스하는 과정을 거쳐야 한다.
임시의치를 제작하는 방법으로는 의치 전체를 출력하는 방법과 의치상과 치아를 각각 출력하여 접착하는 방법이 있다. 따로 출력하는 방법을 사용할 경우에는 핑크레진으로 의치상을 출력하고 도치 부분을 치아색 레진으로 출력한 후 서로 접착한다. 심미적으로는 이 방법이 좋을 수 있지만 과정이 다소 복잡하다. 치아색상 레진으로 의치 전체를 출력하는 방법을 사용하면 의치상의 색상이 문제가 된다. 그러나 내면을 리베이스하고 치은 부위를 컬러링 레진으로 처리하면 어느 정도 심미적인 부분을 만족시킬 수 있다. 작업상의 편의를 따진다면 이 방법이 임시의치 출력 방법으로 더 많은 장점을 갖는다. 의치상 컬러링에는 크레어라인(Crealign, Bredent Co.)이란 제품이 아주 유용하다. 바르고 광중합하면 치은 색상을 얻을 수 있다.

6. 투명교정을 위한 모델 출력

전치부에 공간이 있거나 치열이 고르지 않은 경우 투명교정을 많이 한다. 과거에는 인상을 채득해 만든 모델을 미세톱으로 절단하여 치아의 위치를 재구성하고, 이를 다시 복제하여 투명장치를 만드는 데 이용하였다. 그러나 현재는 교정용 프로그램에서 치아를 배열하면 치료가 끝날 때까지 필요한 모델을 단계별로 출력할 수 있게 해준다. 단계별로 계산된 모델 STL 파일을 3D 프린터로 출력한다. 그리고 출력한 모델별로 장치를 제작한다. 만약 교정 환자가 많은 치과라면 구강스캔과 프로그램 운용, 3D 출력과 투명장치 제작을 직접 하는 것이 좋겠지만 가끔 필요한 경우라면 구강스캔한 파일을 전문 기공소에 의뢰하는 것이 더 합리적이다. 프로그램을 구입하고 운용하는 데 필요한 경비를 가성비 측면에서 생각하고. 모델을 출력하고 장치를 만들고 후가공하는 데 들어가는 노력 등을 고려하면 전문업체에 의뢰하는 편이 좋다고 생각한다. 병원의 진료 포트폴리오에 따라 어느 정도 수준에서 개입할지를 결정하면 된다.

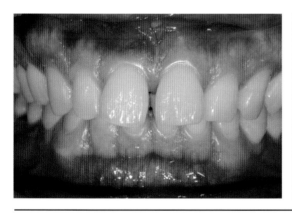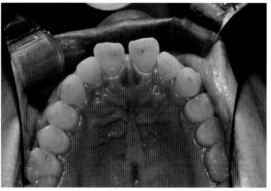

📷 8-25
상악 전치 사이에 존재하는 공간을 없애는 것이 환자의 요구사항이다.

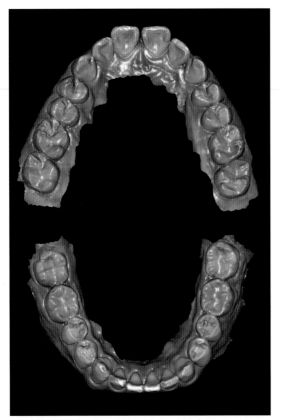
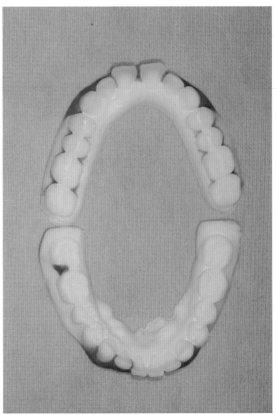

📷 8-26
케어스트림 CS3600 스캐너를 이용해서 상악과 하악을 스캔한 후 3D 프린터로 모델을 출력하였고, 이 모델을 바탕으로 투명교정 장치를 제작하였다.

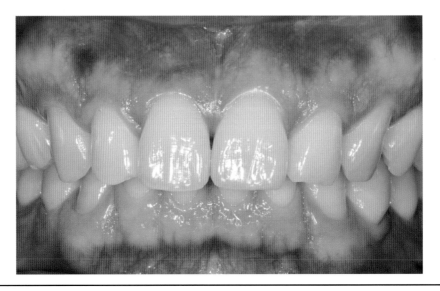

📷 8-27
투명교정장치를 이용해서 상악전치 공간이 폐쇄되었다.

마무리하는 글

3D 프린터를 이용한 치과임상은 매우 다양한 방법으로 활용이 가능하다. 최종 단계의 진료보다는 디지털 작업과정(workflow)의 중간 단계에서 매우 유용하게 활용할 수 있다. 전체적인 작업시간과 더불어 환자의 진료 대기시간을 대폭 단축시킬 수 있다. 최종 단계의 진료까지 소화하기 위해서는 장비와 재료의 개선이 상당 부분 더 이루어져야 하고, 가성비까지 따라오려면 아직 가야 할 길이 멀기는 하지만, 현재 단계에서도 임시 크라운과 임시의치 제작, 스플린트 제작에 매우 유용하고, 무엇보다 임플란트 수술을 위한 가이드 제작에 큰 도움을 주고 있다. 재료의 국산화도 속속 이루어지고 있고 출력시간 또한 단축되고 있다. 처음 디지털을 시작하는 치과에서 가장 쉽게 접근할 수 있는 항목이 3D 프린터이다. 비용도 밀링에 비해 상대적으로 저렴하고 운용도 단순하며, 다양하게 응용할 수 있기 때문이다. 그러나 출력시간이나 성능에 있어서 아직 개선의 여지가 많이 남아 있기 때문에 지나치게 고가의 3D 프린터보다는 DLP 방식의 3D프린터가 현재 일반치과에서 운용하기에 가장 적합하다.

9장

임플란트
가이드 수술,

디자인부터 수술까지

Atlas of
Digital
Dentistry

9장 · 임플란트 가이드 수술, 디자인부터 수술까지

가이드 수술은 수술을 못하는 사람들이나 사용하는 방법이라고 생각했던 적이 있었다. 가이드 수술에 대해 강의하는 분들의 임상적 배경이 임플란트 수술을 많이 집도했던 의사들보다 다른 분야를 전공했던 치과의사들이 많았던 것도 그러한 선입견을 갖는 데 일조했다. "어려운 수술을 쉽게 할 수 있게 해준다"는 주장의 배경에는 수술 자체에 대한 두려움과 수술 자체의 어려움이 존재한다. 분명 이 부분은 가이드를 하는 가장 중요한 이유이다. 그러나 수술을 아무리 잘하는 의사라고 하더라도 가이드를 이용하지 않으면 극복하기 어려운 부분들이 가이드 수술의 이면에 존재한다는 사실을 가이드 시술을 본격적으로 하면서 깨닫게 되었다. 가이드 수술은 디지털을 이용한 임플란트 치료 과정의 시작이며, 모든 치과의사가 따라야 할 치료 규범이라고 생각하는 데 한 치의 주저함도 없다. 옛말에 "시작이 반"이라는 말이 있다. 이를 가이드 수술에 적용한다면 "시작이 전부"라고 표현하고 싶다. 처음에 어떻게 임플란트를 식립했는가에 따라 향후 보철물의 심미적 · 기능적 운명이 결정되고, 이는 임플란트의 장기적 예후를 결정하는 데 절대적으로 중요하기 때문이다.

예전에 수술했던 환자들을 되돌아보면서 그때 가이드를 이용했더라면 이 치료의 운명이 어떻게 바뀌었을까 생각하게 된다. 빌 클린턴이 "It's the economy, stupid!"(문제는 경제야, 바보야)라는 선거 캠페인을 했다고 한다. 어찌 보면 임플란트와 연관된 많은 문제들은 임플란트의 식립 위치와 절대적으로 연관이 있다. "It's the implant position, stupid"(문제는 임플란트 위치야, 바보야) 이런 식으로 표현할 수 있다. 그렇다면 '가이드가 뭐길래 이런 문제를 극복할 수 있게 해주는 것일까'를 여러 증례를 통해 살피고자 한다. 가이드 제작에 필요한 디자인적 고려사항과 수술 시 주의할 점들에 대해 이 장에서 논하고자 한다.

임플란트 식립 위치의 결정을 좌우하는 요소들

당연한 말이지만 임플란트의 식립 위치는 최종보철물을 염두에 두고 결정되어야 한다. 문제는 알면서도 그렇게 못한다는 데 있다. 근원심에 인접치아가 있는 경우에는 이를 이용해서 식립 위치를 결정하는 데 도움을 받을 수 있다. 그러나 최후방 구치에 임플란트를 심거나 자연치아로부터 조금 떨어진 위치에 임플란트를 식립할 때는 임플란트 식립 위치에 오류가 발생할 가능성이 매우 커진다. 임플란트 식립 위치를 결정할 때 4가지 정도를 우선적으로 고려해야 한다. 첫 번째가 대합치아와의 수직적 공간이다. 수직적 공간이 충분하면 크라운의 크기를 보다 정상적으로 가져갈 수 있다. 그러나 수직적 공간이 부족하여 대합치아와의 간격이 긴밀한 경우에는 크라운의 근원심 크기를 줄이는 것이 좋다. 두 번째는 무치악의 근원심 위치이다. 인접 자연치아가 모두 존재하는 경우에는 크라운의 근원심 위치를 결정하는 것이 쉽지만, 최후방 구치의 경우에는 임플란트 크라운의 근원심 위치를 잡는 데 보다 주의를 기울여야 한다. 특히 하악 제2대구치에 임플란트를 식립할 때 대합치아와의 거리를 고려하지 않고 임플란트를 식립하면 크라운의 형태가 부적절해지는 경우가 많다. 세 번째는 협설측 위치이다. 가장 좋은 위치는 인접치아의 중심구(central groove)를 연결한 가상선상에 임플란트가 위치될 수 있다면 가장 이상적이다. 그러나 발치 후 협측 골판의 흡수가 심하면 임플란트 식립 위치가 설측으로 치우치게 되는 경우가 많아 크라운의 형태에 부정적인 영향을 미칠 수 있다. 임플란트의 협설측 위치는 골폭이 너무 넓어도 문제가 된다. 골폭은 넓은데 임플란트 식립 위치가 부적절하면 골폭이 좁은 경우보다 오히려 보철하기 어려울 수도 있다. 네 번째는 임플란트의 식립 깊이다. 임플란트 식립 깊이는 임플란트 주위에 형성되는 생물학적 폭경(biologic width)과 밀접한 연관이 있다. 잇몸의 두께를 고려하지 않고 치조정 높이에 맞추어서 임플란트를 심을 경우 적절한 생물학적 폭경을 확보하는 데 실패하여 임플란트의 장기적인 예후를 위태롭게 할 가능성이 있다.

1. 임플란트의 근원심 위치가 부적절했을 때 발생하는 문제

임플란트 식립 위치에 문제를 야기하기 가장 쉬운 부위가 제2대구치이다. 일단 시술 부위에 대한 시야 확보가 어렵고 환자가 입을 벌리기 어렵기 때문에 드릴링 중간에 드릴링의 경로가 바뀔 가능성이 매우 높다. 특히

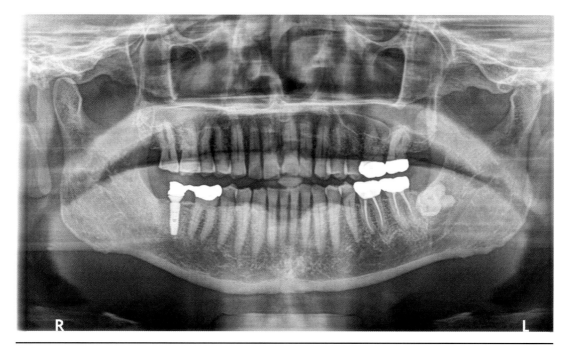

📷 9-1

파노라마 방사선 사진상에서 보여지는 하악 제2대구치 임플란트 식립 위치가 약간 원심경사되어 있다. 임플란트 식립이 쉬워 보이지만 결코 쉽지 않은 부위이다.

대합치아와의 거리가 짧을 경우에는 보철을 위해 필요한 수직적 거리가 줄어들기 때문에 보통 크라운의 전체적인 크기를 줄여서 만드는 것이 일반적이다. 그런데 임플란트의 식립 위치가 조금만 원심으로 치우치게 되면 크라운의 형태를 정상적으로 만들기 어렵기 때문에 향후 유지 단계에서 주기적인 염증과 식편압입, 치태축적 등의 부작용을 야기할 가능성이 높아진다.

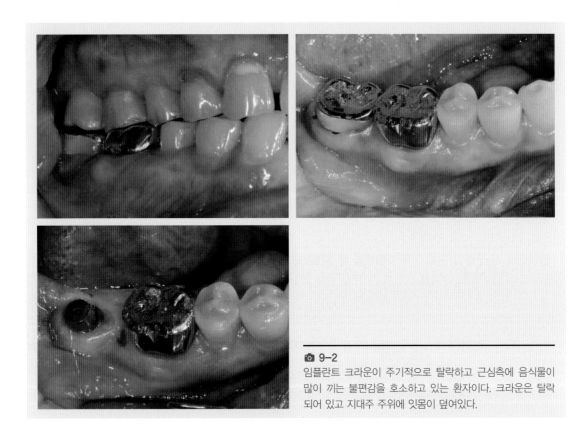

📷 9-2
임플란트 크라운이 주기적으로 탈락하고 근심측에 음식물이 많이 끼는 불편감을 호소하고 있는 환자이다. 크라운은 탈락되어 있고 지대주 주위에 잇몸이 덮여있다.

하악 제2대구치 임플란트 식립 위치에 여러 가지 문제가 존재한다. 인접치아의 축(axis)에 비해 지나치게 원심경사되어 있다. 보철한 치아는 크라운으로 인해 정확한 치축을 파악하는 것이 어렵기 때문에 식립 경사를 볼 때 주의해야 한다. 임플란트가 원심으로 식립된데다 대합치아와의 거리가 짧기 때문에 크라운의 유지력이 좋지 않았고 주기적으로 크라운이 탈락하였다. 기존 크라운에는 마모로 인해 구멍이 뚫려있는 상태였다. 크라운의 식립 깊이도 치조 정상 수준에서 설정되어 있었기 때문에 지대주의 길이를 연장하는 데에도 한계가 있다. 이 증례에서는 지대주와 나사가 일체형으로 되어 있는 지대주가 사용되어 있었다. 지대주 교체를 위해 나사를 풀려고 하였으나 뜻대로 되지 않아 기존 지대주를 계속 이용해야만 했다. 임플란트 식립 위치와 식립 깊이, 지대주 선택 등 선택해야 하는 요소요소에서 아쉬움이 관찰되었다. 임플란트를 식립하는 순간 이 임플란트는 태생적으로 불편함을 가지고 태어난 것이다. 쉽고 단순해 보이지만 만만하게 볼 수 없는 임플란트가 최후방 구치이다. 그래서 가이드가 필요한 것이다.

2. 임플란트의 협설측 위치가 부적절해서 발생하는 문제

임플란트의 협설측 위치는 크라운의 향후 형태에 지대한 영향을 미친다. 인접치아의 위치와 대합치아와의 교합관계를 크게 염두에 두지 않고 임플란트를 식립하면, 식립하는 순간 그 임플란트는 계속해서 환자에게 근심거리를 제공한다. 환자의 골폭이 좁은 경우에는 식립할 수 있는 위치에 선택의 여지가 없어서 임플란트 식립 위치를 선정하는 데 고민할 필요가 없지만, 골폭이 넓은 경우에 오히려 실수할 가능성이 더 높다. 익숙한 대로 잔존치조제 중앙에 임플란트를 식립하려는 습관 때문에 문제가 발생한다. 발치 전 치아의 상태를 보면

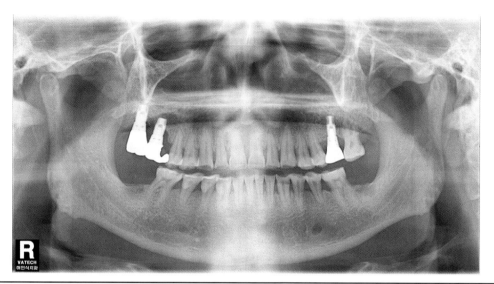

📷 9-3A
파노라마 사진을 보면 임플란트의 근원심 식립위치는 문제 없어 보인다. 그러나 상악 우측 제1대구치 주위에 심한 골파괴가 관찰된다.

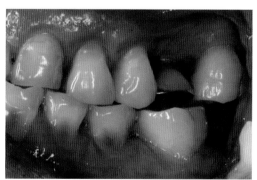

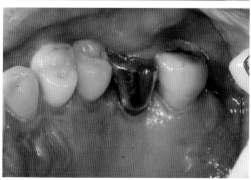

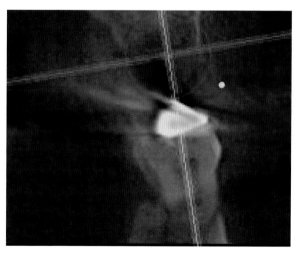

📷 9-3B
구강내 상태를 보면 임플란트 형태가 매우 부적절하다. 왜 이런 문제가 발생했을까? 혹시 협측골소실 때문이었을까? 이유는 정반대이다. 오히려 골폭이 넓은 게 문제이다. 술전 단층촬영 방사선 영상을 보면 골폭이 매우 넓다. 대합치 관계를 고려하지 않고 치조제 중앙 혹은 구개측으로 치우쳐서 식립한 것으로 추측한다.

치조제의 협설측 폭이 넓다고 하더라도 치아가 협측으로 치우쳐 있는 경우가 많다. 만약 이런 상황을 염두에 두지 않고 치조제 중앙에 임플란트를 식립하면 임플란트는 이상적인 위치에서 상당히 구개측 혹은 설측으로 치우치게 되고, 최종 크라운 형태에 아주 나쁜 결과를 야기하게 된다.

환자가 임플란트를 치료했던 병원에 대해 엄청 욕을 해댄다. 상악 우측 임플란트에는 심각한 임플란트 주위염이 존재하고 상악 좌측 임플란트에는 식립 위치에 문제가 있다. 컴퓨터 단층촬영 영상을 보면 뼈는 충분해 보이는데 임플린트 식립 위치가 구개측으로 심하게 치우쳐 있다. 이런 상황에서는 보철의 협측 외형에 문제가 발생할 수 밖에 없고, 만성적으로 음식물이 저류되는 문제가 존재한다. 초기 드릴링 시 협설측 위치를 잘못 선택했거나, 드릴이 구개측으로 밀렸을 가능성이 있다. 임플란트의 식립과 동시에 평생 환자를 괴롭히는 문제를 만들어준 것이다. 가이드를 이용했다면 근본적으로 이런 문제는 존재하지 않는다.

3. 임플란트 식립 깊이가 부적절해서 발생하는 문제

기존에 식립해 있던 좌우측 하악 임플란트 주위에 상당한 치조골 소실이 관찰된다. 임플란트 주위에는 부

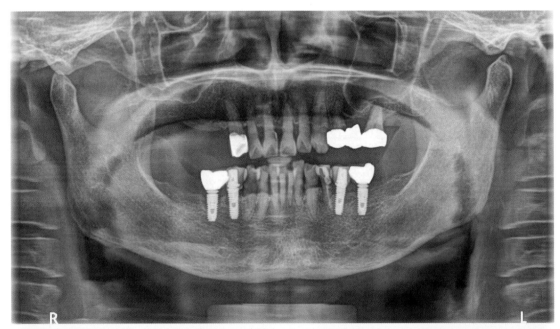

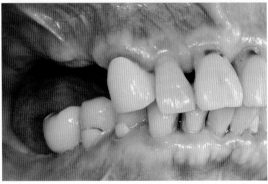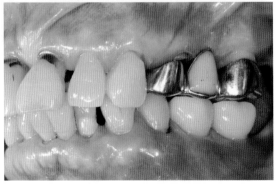

📷 9-4

착성 각화점막이 존재하지 않고 기존 점막의 두께는 매우 얇다. 전형적으로 잇몸의 바이오타입이 얇은 환경(thin biotype gingiva)이다. 파노라마상에서 보면 지대주 길이가 상당히 짧고 골파괴가 양쪽 모두 진행되어 있다. 이런 문제를 야기한 근복적인 원인이 임플란트 식립 깊이에 있음을 추측할 수 있다. 수술을 집도한 사람은 환자의 점막 두께를 크게 의식하지 않고 치조제 정상수준에 임플란트 식립 높이를 맞추었을 것이다. 그리고 보철할 때가 되니 잇몸의 두께가 얇아 그것에 맞는 치은 높이를 가지는 지대주를 선택하여 보철을 마무리했을 것으로 추측된다. 부착성 각화점막이 부족하여 임플란트 주변 점막의 탈부착(attachment and detachment of mucosal sealing)이 반복되고, 생물학적 폭경을 확보하게 되는 수준까지 치조골 소실이 발생하였다. 이후 또 다른 원인요소들이 더해지면서 추가적인 골소실로 이어졌을 것으로 추정한다. 그런데 완전치유가 이루어져 있는 치조제에서 임플란트를 치조정 하방 깊이 식립하는 것이 기술적으로 쉽지 않다는 데 문제가 있다. 특히 피질골이 얇고 골다공증 소견이 있는 여성 같은 경우에는 자칫 임플란트를 골수강 내로 집어넣을 가능성도 존재한다.

가이드가 있었더라면 결과가 어떻게 바뀌었을까?

환자의 치조제 상태가 좋지 않아 여러 가지 방법으로 골재생술과 연조직 이식을 시행했던 수술을 소개한다. 최선을 다했다고 생각했지만 임플란트 식립 위치와 관련하여 많은 아쉬움이 남는 증례이다. 임플란트의 근원심 위치는 어느 정도 수술 경험이 쌓이면 가이드를 사용하지 않아도 극복할 수 있는 있다. 그러나 협설측 위치와 임플란트 식립 깊이는 술자가 많은 경험을 가지고 있다고 하더라도 쉽게 극복할 수 없는 부분이 있음을 강조하고 싶다.

첫 번째 증례이다. 수평적 · 수직적 골량이 부족해서 골이식을 하였고 유리치은이식술(FGG)을 통해 연조직 이식을 시행한 환자이다. 임플란트 식립 위치와 식립 깊이의 의미를 되새겨볼 수 있게 하는 증례이기에 전 과정을 소개한다.

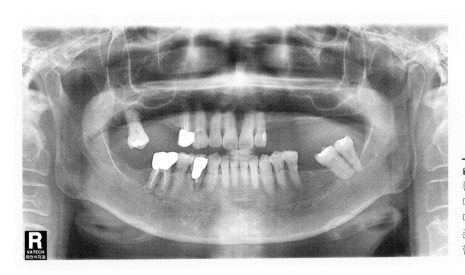

📷 9-5
환자의 초진 파노라마 방사선 사진으로 다수의 치아소실이 존재하고 상악동의 함기화가 관찰된다.

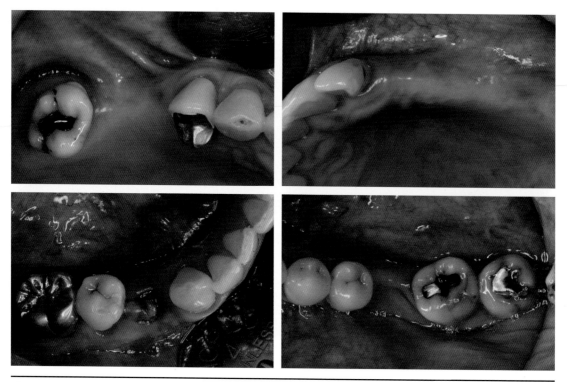

📷 9-6

초진 시 상악 좌우측 사진을 보면 좌측 치조제의 수평적 위축이 상당함을 볼 수 있다. 하악우측 제1소구치 잔존 치근이 남아 있고, 좌측 제2소구치는 치조제의 협측골판의 흡수가 상당히 진행되어 치조정상이 상당히 설측으로 치우쳐 있음을 볼 수 있다.

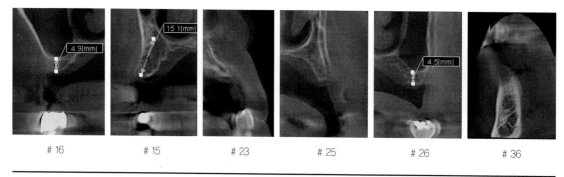

| # 16 | # 15 | # 23 | # 25 | # 26 | # 36 |

📷 9-7

임플란트 식립 예정 부위의 컴퓨터 단층촬영 영상이다. 상악 좌우측 대구치에는 상악동 거상술이 필요하고 좌측 견치와 소구지 부위에는 수평적 치조골이식이 필요하다.

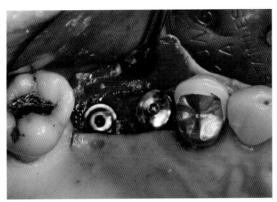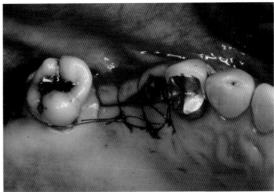

📷 9-8

상악 우측 제1대구치는 치조정 접근법을 통해 상악동막 거상과 골이식을 한 후 임플란트(TS3, Osstem Co.) 식립을 하였고, 별도의 골이식이 필요하지 않은 제2소구치는 일회법 개념의 임플란트(SS2, Osstem Co.)를 식립하였다.

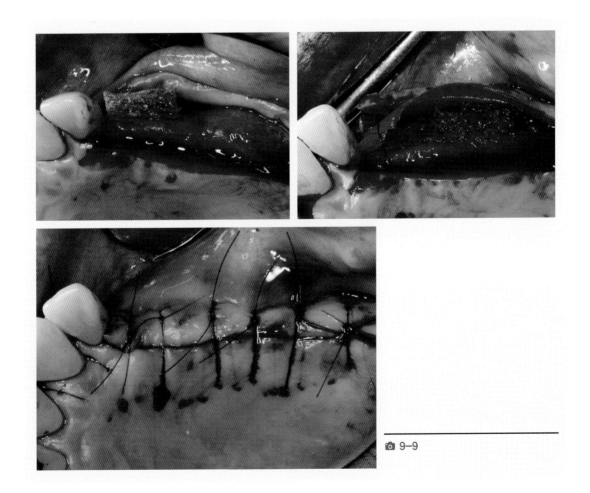

📷 9-9

상악 좌측의 경우에는 상악동 거상술과 수평치조제 증대술을 동시에 시행하였다. ICB 블록형 동종골과 입자형 동종골, 흡수성 차폐막(Ossix)을 사용하여 수평적 골증대술을 시행하였고, 상악동 골이식에는 이종골(TiOss)과 흡수성 차폐막(EZ-Cure)을 사용하였다.

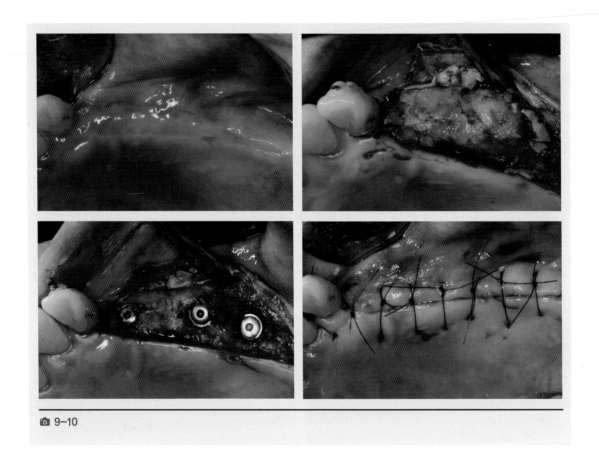

📷 9-10

5개월 뒤 임플란트 식립을 위해 전층 판막을 거상하였다. 수평적 골증대가 잘 이루어져 있음을 확인할 수 있었고 임프란트를 치조제정 높이에 맞게 식립하였다. 임플란트 식립을 위한 판막의 절개선으로부터 임플란트가 협측으로 많이 떨어져 있다는 것은 치조점막경계(mucogingival junction)가 구개측으로 많이 이동했다는 증거이다. 골이식 부위를 일차봉합하기 위해 골막유리절개(periosteal releasing incision) 등을 통해 판막을 구개측으로 많이 끌어당겼기 때문이다. 판막을 거상한 상태에서는 점막의 두께와 임플란트의 수직적 깊이를 정확하게 파악하는 것이 어렵다. 따라서 판막을 거상하고 임플란트를 식립하는 통상적인 수술기법으로는 임플란트의 식립 깊이를 적절히 조절하기 어려운 면이 있다. 따라서 수술 부위 점막의 두께와 임플란트 식립 깊이에 대한 평가를 수술 전에 확인할 필요가 있고, 이런 면에서 가이드 수술 기법이 최선의 대안이 된다.
임플란트 식립 후 3개월이 경과하였다. 임플란트의 커버스크류가 점막을 통해 비쳐 보인다. 임플란트를 지나

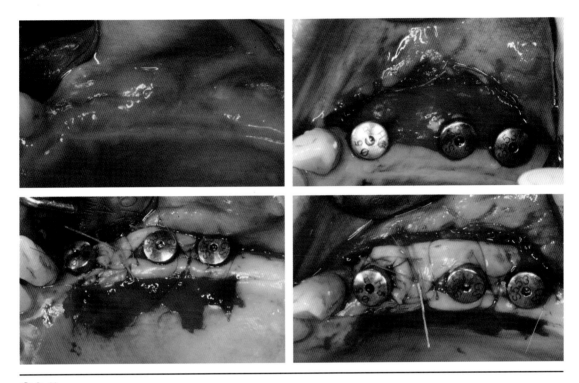

📷 9-11

치게 협측으로 심어서가 아니라 발치한 지 오래되었고 골이식으로 인해 치조점막경계가 구개측으로 이동했기 때문이다. 이 상태에서 치유지대주를 연결하면 임플란트 주위를 비각화점막이 둘러싸는 문제가 발생할 수 있다. 따라서 동측 구개부에서 각화점막을 채득하여 유리치은이식(FGG)을 시행하였다. 수여부의 모양에 맞추어 유리치은이식을 디자인하였다.

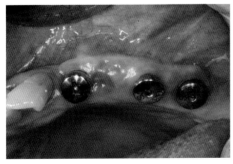

📷 9-12

1개월 정도 시간이 경과한 후 아날로그 인상을 통해 개별지대주를 제작하였다.

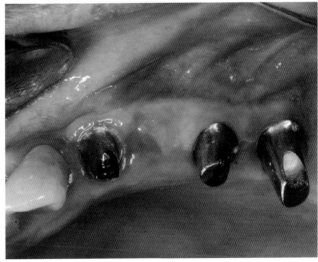

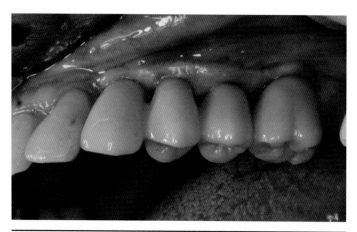

📷 9-13

지르코니아 최종보철물 모습이다. 크라운 주변에 각화점막이 잘 형성되어 있다.

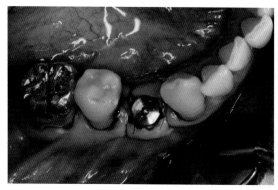 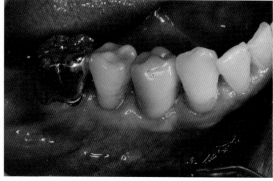

📷 9-14

하악 우측 제1소구치에 식립한 임플란트는 기존 치아의 중심구 선상에 식립되었기 때문에 보철 형태에 큰 문제가 없다. 지르코니아 크라운의 색상표현이 주변치아와 어우러지지 않는다.

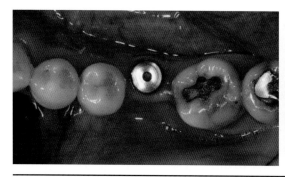 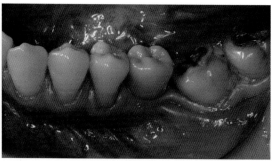

📷 9-15

하악 좌측 제2소구치 임플란트는 협측골판의 흡수를 고려하여 식립 위치를 보나 설측으로 이동하여 식립하였고 일회법 유형의 임플란트(SS2, Osstem Co.)를 식립하였다. 가이드 없이 통법에 의해 임플란트를 식립하면 협측의 골열개와 같은 상황을 피하기 위해 이와 같은 위치에 임플란트를 심게 된다. 그러나 이런 식립 위치는 크라운의 협측 외형에 문제를 야기한다. 결과적으로 크라운 치경부가 내측으로 들어가는 형태의 임플란트 보철이 되고 말았다. 음식물이 저류하는 원인이 될 수도 있고 심미적으로도 좋지 못하다. 만약 골수준 임플란트(bone level implant)를 사용하였다면 개별지대주를 통해 보철물의 형태를 조금 더 개선할 수 있는 여지가 있지만, 잇몸수준(gum level implant) 임플란트를 사용하였기 때문에 개별지대주를 통한 크라운의 형태 개선을 얻기도 어려웠다. 그러나 만약 지금 가이드를 이용해서 다시 한다면 보철하기 적절한 위치에 임플란트를 식립할 수 있었던 증례이다.

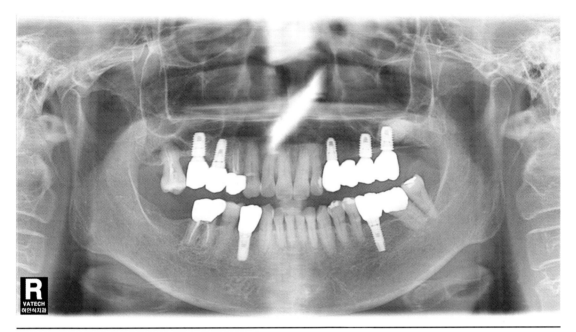

📷 9-16

치료가 종료된 후 촬영한 파노라마 방사선 사진이다. 다른 부위에 비해 상악 좌측 대구치 지대주가 매우 짧다. 생물학적 폭경을 얻는 데 필요한 점막의 두께가 부족할 수 있고, 향후 변연골 소실이 올 수 있음을 의미한다.

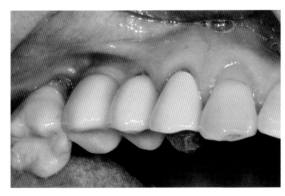
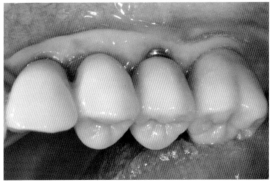

📷 9-17

치료 종결 후 2년 정도 시간이 경과하였다. 우측은 별다른 변화가 없지만, 좌측의 경우는 제2소구치 임플란트의 본체 상단이 노출되어 있다.

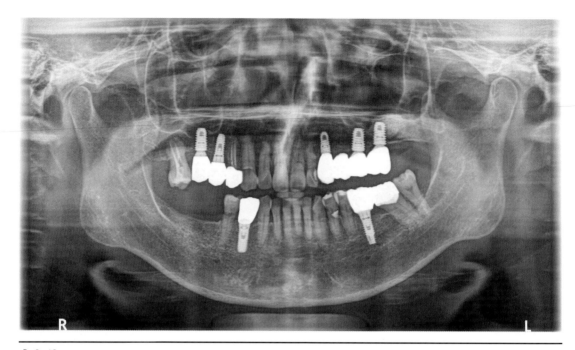

📷 9-18

치료 종료 후 3년 6개월 정도 시간이 경과하였다. 다행히 상악 좌측 임플란트 주위로 본격적인 변연골 소실이 관찰되고 있지는 않지만 항상 주의하면서 지켜보고 있다. 가이드 수술을 통해 접근했더라면 치료 프로토콜이 달랐을 것이다. 가이드를 통해 임플란트를 원하는 수직적 깊이에 식립하면서 동시에 유리치은이식을 하는 프로토콜을 사용했을 것이다.

두 번째 증례이다. 전 치열에 걸쳐서 심한 치주염이 존재했다. 전반적인 치료가 필요한 상황이나 환자는 우측만 우선 치료하기를 원하였다. 하악의 브릿지 일부를 제거한 다음 상악과 하악 대구치에만 임플란트를 식립하기로 하였다.

치주염이 전반적으로 매우 심한 환자에게 일부만을 임플란트로 치료하는 것에는 주의가 필요하다. 기존에 존재하던 치주병이 새롭게 식립한 임플란트에 나쁜 영향을 줄 수 있기 때문이다. 따라서 이런 경우에는 치료 후 지속적인 관리를 통해 병의 진행 상황을 모니터링해야 한다.

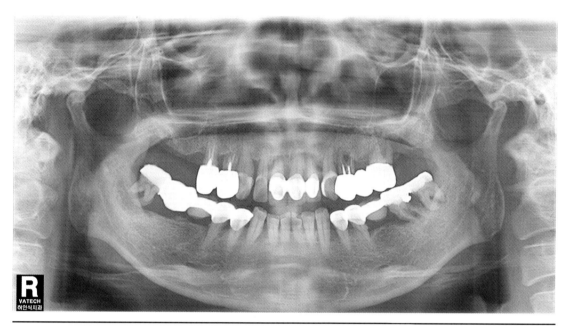

📷 9-19

전 치열에 걸쳐서 심한 치주염으로 인한 치조골 파괴가 관찰된다.

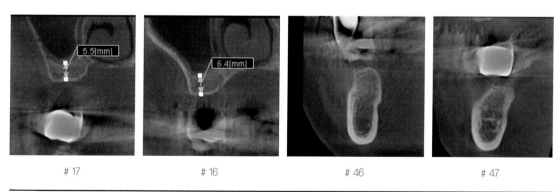

📷 9-20

컴퓨터 단층촬영 영상을 보면 상악의 수직골량은 부족하지만 수평골량은 충분하다. 하악대구치의 경우에도 골량 자체는 부족해 보이지 않는다. 그러나 기존 보철물의 형태를 두고 판단할 때 통법대로 판막을 열고 치조제 중앙에 임플란트를 식립한다면 상악과 하악 임플란트의 협설측 위치와 대합치 간의 교합관계에 문제가 발생할 수도 있음을 추측할 수 있다.

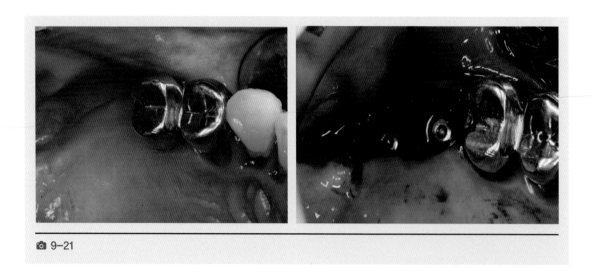

📷 9-21

상악 좌측 대구치에 치조정 접근법으로 골이식(Osteon II, Dentium Co.)을 하면서 임플란트(TS3, Osstem Co.)를 식립하였다.

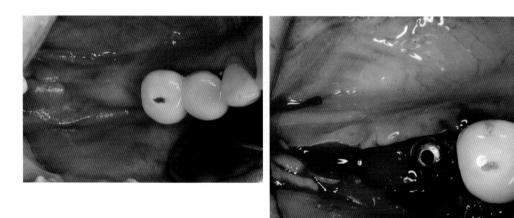

📷 9-22

하악도 전층판막을 열고 치조정 높이에 맞추어서 임플란트(TS3, Osstem Co.)를 식립하였다. 점막의 두께가 얇다는 것을 고려하면 이보다 훨씬 깊이 식립하는 것이 좋았다. 그러나 이런 디자인의 임플란트(conical connection)를 치조정보다 한참 깊게 식립하는 것은 식립 프로토콜상 쉽지 않다. 깊게 식립한 임플란트 주위의 뼈를 치유지대주가 걸리지 않도록 처리하는 것도 쉽지 않고, 만약 피질골이 얇을 경우에는 골수강 내에 임플란트를 빠트릴 수 있는 위험도 존재한다. 상악의 경우에는 자칫 상악동에 임플란트를 집어넣을 수도 있다. 그러나 가이드 수술을 적용하면 환자의 점막 두께와 생물학적 폭경을 종합적으로 고려하는 식립 깊이를 사전에 예측할 수 있기 때문에 이런 문제들을 피해갈 수 있다.

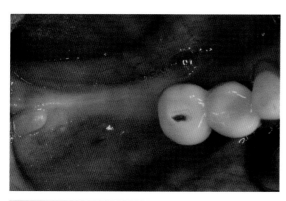

📷 9-23

부족한 각화점막을 만들어주기 위해 유리치은이식을 시행하였다.

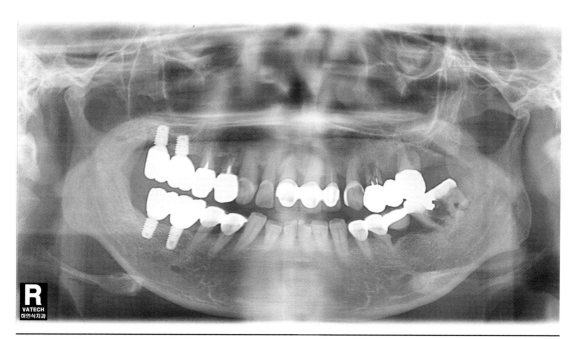

📷 9-24

치료가 종결된 후 1년이 경과하였다. 여전이 잔존치아의 치주건강 상태는 매우 심각하다. 임플란트 식립 부위에 큰 문제는 없지만 임플란트 지대주의 높이가 매우 짧다. 임플란트 주변 점막의 두께가 얇으면 생물학적 폭경을 확보하기 위해 변연골의 흡수가 일어날 수 있다. 더욱이 환자는 심한 치주염을 가지고 있다.

가이드 수술의 가장 큰 장점은 임플란트 식립 깊이를 술자가 원하는 대로 설정할 수 있고 실제로 식립할 수 있다는 것이다. 임플란트 식립 깊이의 조절은 판막을 열고 임플란트를 식립하는 통법으로는 쉽게 할 수 없다. 가이드를 해야 하는 가장 중요한 이유이다.

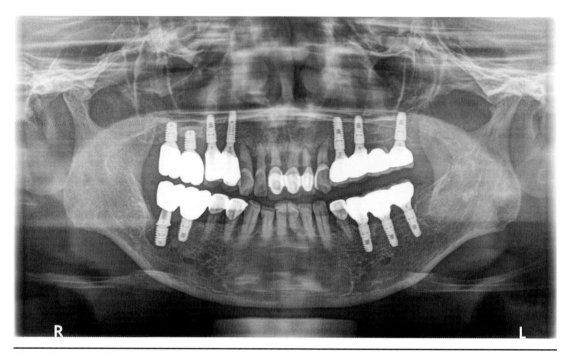

📷 9-25

최종보철 7년 후 환자가 재내원하였다. 기존에 식립했던 임플란트 주위에 심각한 임플란트 주위염이 존재한다. 얕게 식립한 임플란트는 임플란트 주위염을 악화시키는 중요한 원인요소로 작용한다.

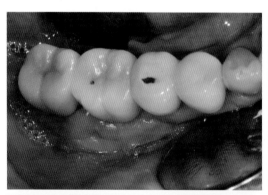

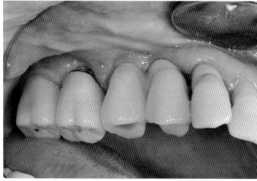

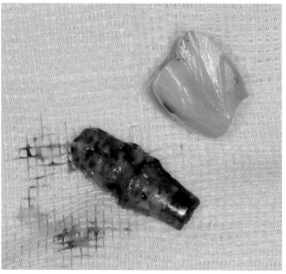

📷 9-26

상태가 매우 안 좋은 하악 우측 제2대구치 임플란트를 제거하기 위해 보철물을 분할하였다. 발치된 임플란트 매식체 주위가 오염원에 의해 덮혀 있다.

상태가 절망적인 하악 우측 제2대구치 임플란트를 보철에서 분할하여 발거하였다. 얕게 식립한 임플란트는 임플란트 주위염의 발현과 진행에 크게 기여한다. 가이드를 했으면 조금은 운명이 달라지지 않았을까 아쉬움이 남는 증례이다.

잇몸의 두께가 얇고 각화점막이 부족하면 임플란트 식립 후 임플란트 주위에 밀접한 점막 접촉을 유지하기가 어려워진다. 임플란트에 대한 점막의 부착과 탈착이 계속 반복되면 이런 움직임으로부터 영향을 받지 않는 수준까지 변연골은 흡수된다. 따라서 잇몸의 두께가 얇은 경우에는 판막을 열고 치조정 수준에 맞추어서 임플란트를 식립하면 안 된다. 필연적으로 생물학적 폭경과 연관된 문제가 발생한다. 그러므로 가이드를 이용해서 이 부분을 극복해야 한다.

임플란트 식립 각도의 사소한 차이가 최종보철 디자인에 어떤 영향을 주는지를 **세 번째 증례**를 통해 소개한다. 대합치와의 교합관계를 고려한 임플란트 식립 위치의 선정은 아무리 말해도 지나치지 않을 정도로 중요하다. 시작이 절반이 아니라 시작이 거의 전부이다.

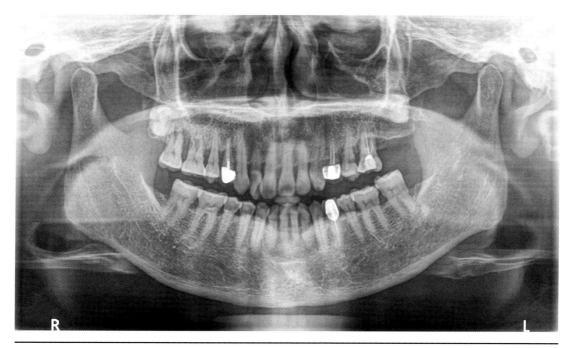

📷 9-27

상악 좌우 구치부에 심한 치조골 파괴가 관찰되어 발치 후 임플란트 시술을 계획하였다.

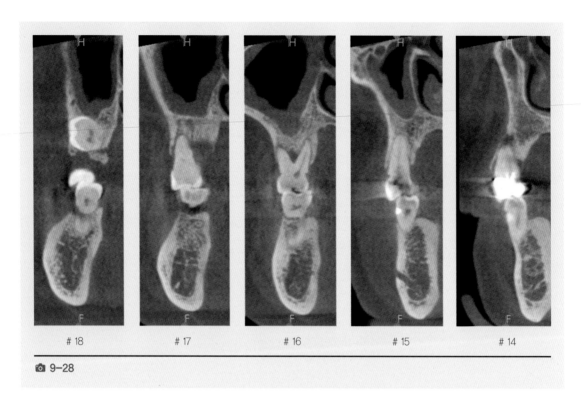

📷 9-28

컴퓨터 단층촬영 영상을 보면 제1소구치부터 제3대구치까지 모두 발치해야 하는 상황이었다.

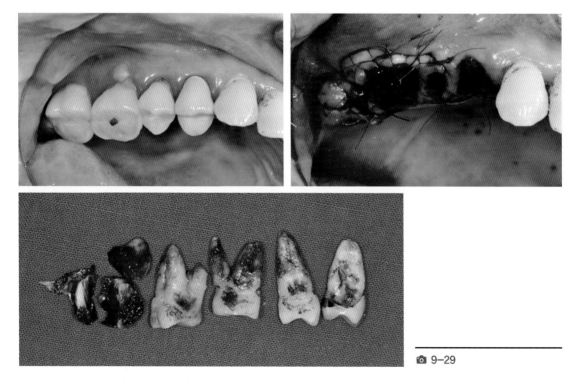

📷 9-29

구치부를 모두 발치하였고 이종골(BioOss, Geistlich Co.)을 이용해서 발치와 치조제 보존술을 시행하였다.

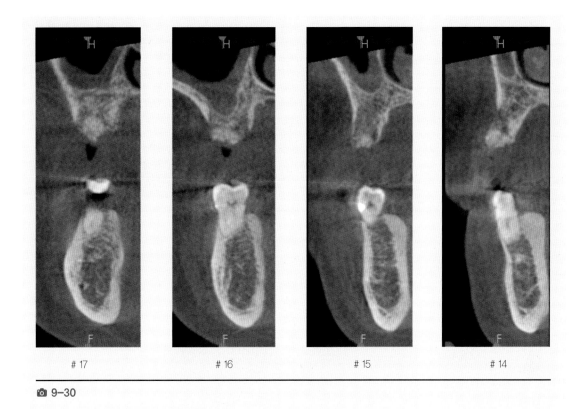

📷 9-30

발치 후 5개월이 경과하였다. 골이식재가 기존골에 완전히 혼화된 모습을 보이고 있지는 않지만 임플란트 식립을 위해 더 이상 기다릴 필요는 없다고 판단하였다.

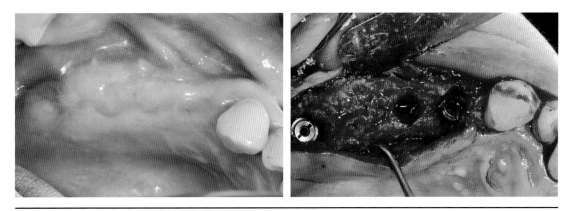

📷 9-31

전층판막을 열어 임플란트(Luna, Shinhung Co.)를 식립하였다.

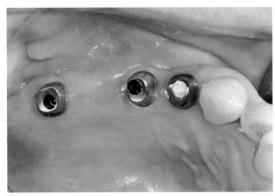
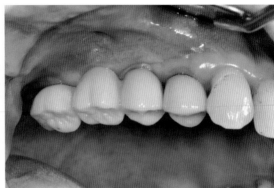

📷 9-32

대략 골융합을 위해 3개월 정도의 치유기간을 두었고, 개별지대주와 지르코니아 크라운으로 보철을 마무리하였다. 그런데 지대주의 크기와 형태가 적절해 보이지 않고, 특히 제2대구치 치경부가 너무 내측으로 들어가 있다.

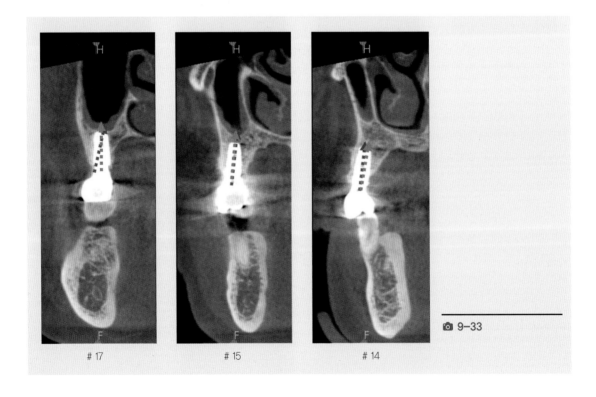

\# 17   \# 15   \# 14

📷 9-33

상악우측 제1, 2소구치 임플란트의 축(파란색 점선)은 대합치의 기능교두를 향해 있지만 제2대구치 임플란트의 축은 기능교두보다는 중심구를 향해 있다. 임플란트 식립 방향(붉은색 점선)이 하악 치아의 기능교두를 향해 위치했더라면 이런 문제를 피할 수 있었을 것이다. 최후방 구치는 시야확보가 어렵고 환자가 입을 잘 벌리지 못할 경우가 낳아 이러한 문제가 야기될 가능성이 높다. 이런 문제를 피할 수 있는 유일한 방법이 가이드 수술이다.

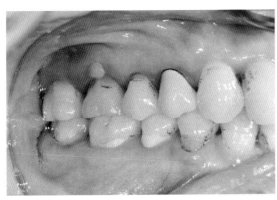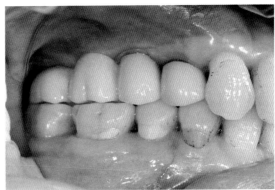

📷 9-34

초진 상태와 비교해 보면 제2대구치 임플란트 형태에 많은 아쉬움이 남는다. 임플란트의 식립 위치와 각도, 지대주 디자인에 많은 아쉬움이 있다.

이런 유형의 문제는 실제 임상에서 빈번하게 일어난다. 아무리 경험이 많고 임플란트를 많이 식립했다고 하더라도 이런 부분들을 매번 피해갈 수는 없다. 술전 분석을 통한 가이드 수술이 가장 확실한 대안이다. 최종 보철 디자인을 염두에 둔 탑다운(Top-Down) 방식의 가이드 수술을 통해 우리는 이러한 문제들을 매우 쉽고 일관성 있게 극복할 수 있다.

임플란트 가이드 수술을 통해 얻을 수 있는 임상적인 장점

가이드 수술은 기존에 하던 수술 방법에 많은 변화를 야기한다. 경조직 처치와 연조직 처치 프로토콜에 많은 변화를 가져다 준다. 그리고 임플란트 식립 위치에 대한 기존의 고정관념에도 상당한 변화를 가져다 준다. 보철하기 가장 좋은 위치, 즉 자연치가 원래 있었을 자리에 임플란트를 식립할 수 있다면 가장 좋은 형태의 보철을 만들 수 있다. 식립 위치가 잘못되면 좋은 보철을 디자인할 방법이 없고, 설령 만들었다고 하더라도 장기적인 예후를 장담할 수 없다.

첫 번째 증례는 가이드를 이용하는 것이 왜 필요한지 보여주는 확실한 증례이다. 가이드가 제안하는 임플란트 식립 위치는 기존의 통법에서 제안하는 식립 위치와 다른 경우가 많다. 판막을 열고 수술할 때 뼈가 충분한 곳에 임플란트를 식립하려는 경향이 있다. 가능하면 협설측 뼈의 높이가 비슷하도록 임플란트를 식립하려고 한다. 그러나 기본적으로 가이드는 보철하기 가장 좋은 위치에 임플란트를 식립하는 것을 제안하기 때문에 임플란트 식립 후 협설측 뼈의 높이가 다른 것을 문제로 생각하지 않는다. 자연치아의 협설측과 근원심에 존재하는 치조골의 위치가 전치부로 갈수록 서로 매우 상이하다는 것을 염두에 둘 필요가 있다.

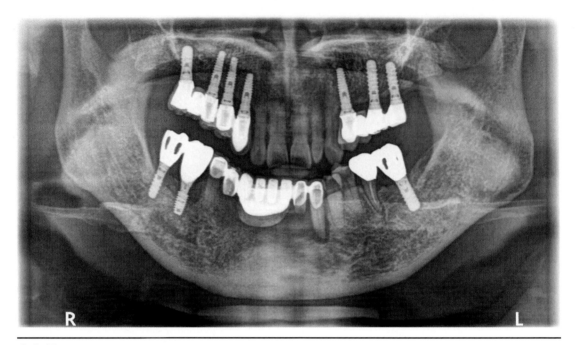

📷 9-35

하악 전치부에 8개의 치아를 스플린팅한 보철이 존재한다. 지대치가 하나씩 망가지더니 종국에는 브릿지를
지지하고 있던 하악 좌측 견치를 발치해야 하는 상황이 되었다. 환자는 임플란트를 원하고 있으나 쉽지는 않
은 상황이다.

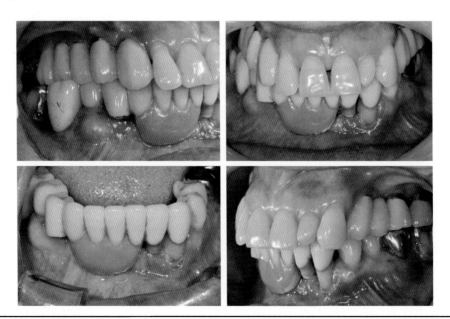

📷 9-36

기존의 보철물을 보면 치조제의 흡수가 매우 심하다는 것을 알 수 있다. 고정성 보철물로 환자가 원하는 임플
란트 보철을 할 수 있을지 확신이 서질 않았다.

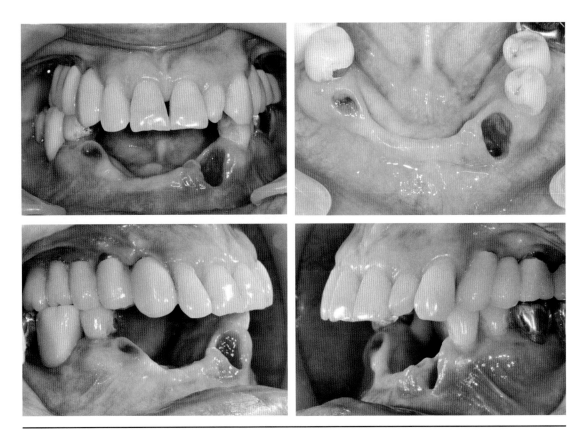

📷 9-37

보철물을 제거한 다음 상황을 보면 수직적 결손뿐 아니라 수평적 결손이 매우 심하다. 측면에서 바라본 수평피개(overjet) 양을 고려한다면 고정성 임플란트 보철물을 정상적인 형태로 만드는 것은 불가능해 보인다. 가장 먼저 하악 좌측 견치를 발거하고 골이식을 동시에 시행하였다.

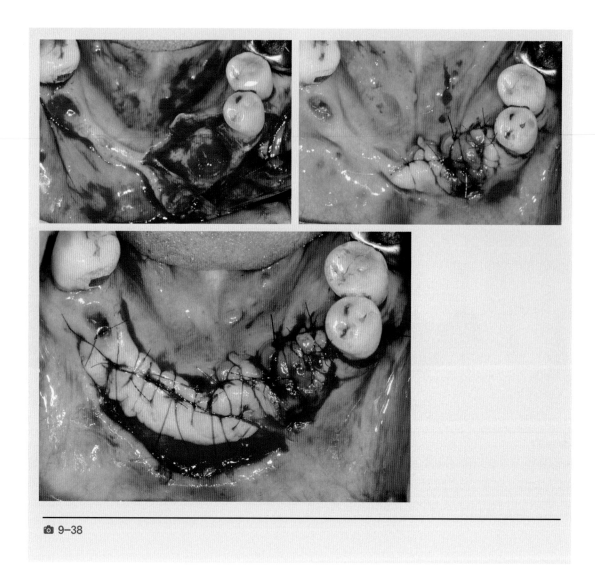

📷 9-38

치아를 발거하고 이종골(BioOss, Geistlich Co.)을 이용해서 골이식하였다. 별도의 차폐막은 사용하지 않았고 발치와 내면에 이장되어 있던 육아조직을 판막의 일부로 사용하여 봉합하였다. 동시에 부족한 각화점막을 만들어주기 위해 유리치은이식을 시행하였다. 유리치은이식을 시행한 것만으로도 수평피개가 어느 정도 감소하는 착시 효과를 얻을 수 있었다.

골이식을 할 때 차폐막을 반드시 사용해야 하는 것은 아니다. 차폐막은 상부 상피가 골이식 부위로 침투하여 골형성을 방해하는 문제를 차단해 준다. 그러나 반대로 상부 판막에 대한 혈류를 차단하기 때문에 상부 판막의 괴사를 야기하는 경우가 많다. 따라서 두 가지 반대 결과를 저울질하여 차폐막을 선택하는 것이 좋을지 사용하지 않는 것이 좋을지 상황에 따라 다르게 판단해야 한다. 이 증례에서는 상부판막이 발치와를 덮고 있던 미성숙한 조직이므로 사용하지 않는 것이 유리하다고 판단하였다.

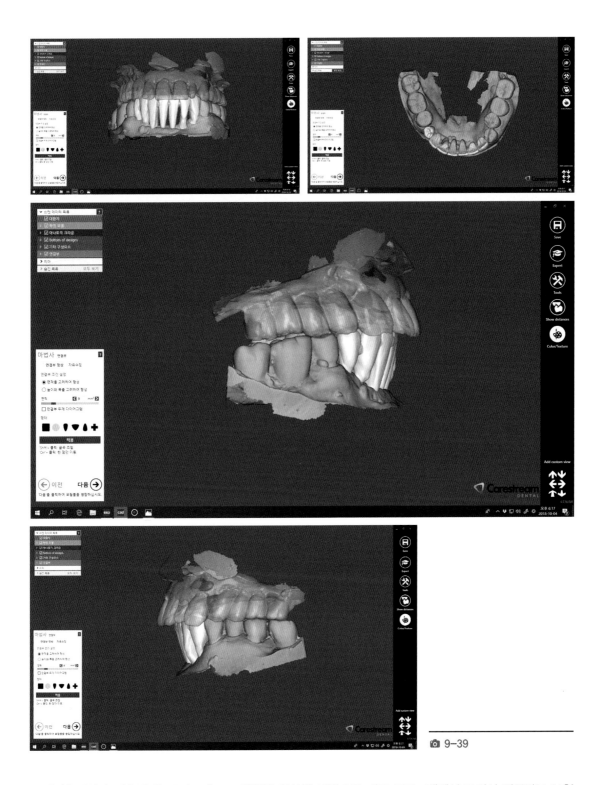

📷 9-39

유리치은이식이 치유된 후 구강스캔으로 촬영된 영상을 바탕으로 캐드 프로그램에서 고정성 임플란트 보철물이 가능한지 평가해 보았다. 컴퓨터 단층촬영과 스캔자료를 바탕으로 가이드를 이용한 임플란트 식립과 고정성 보철물 제작이 가능하다고 판단하였다.

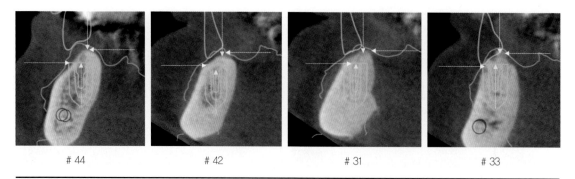

44   # 42   # 31   # 33

📷 9-40

컴퓨터 단층촬영 영상과 모델을 가이드센터(Osstem OneGuide Center)로 보내 가이드 제작을 의뢰하였다. 가이드 디자인 프로그램(Implant Studio, 3Shape Co.)에서 제안한 보철과 임플란트 위치를 보면 기존에 익숙하던 식립 위치와 매우 다르다는 것을 알 수 있다. 이 증례에서 치조제 정상에 임플란트를 식립했다면 어떤 결과를 얻었을까? 첫째, 임플란트가 설측에 위치하기 때문에 보철물의 형태가 전방으로 매우 뻐드러지거나 형태가 정상적인지 않은 보철물이 만들어지게 된다. 둘째, 점막의 두께가 매우 얇기 때문에 임플란트의 생물학적 폭경을 확보하기가 어렵다. 임플란트 지대주에 적절한 길이를 부여하기 어렵고 변연골 소실로 이어질 가능성이 매우 높다. 따라서 임플란트를 식립하는 즉시 많은 문제를 태생적으로 가지게 될 가능성이 크다. 가이드에서 제안하는 임플란트 위치는 철저하게 탑다운의 원칙에 의거하여 이상적인 보철 위치에 임플란트를 식립하도록 제안한다. 이 증례에서 보면 임플란트 식립 후 임플란트의 협측과 설측 치조제의 높이가 다르게 임플란트를 식립하였다. 보철적 측면에서는 이 위치에 임플란트를 식립하는 것이 적절하다. 그러나 가이드를 사용하지 않고 통법대로 판막을 열고 임플란트를 식립한다면 아무리 술자의 경험과 직관이 뛰어나다고 하더라고 이 위치에 임플란트를 심을 수 없다. 가이드는 최적화된 보철 위치에 임플란트를 식립할 수 있게 해준다. 이는 술자의 경험으로 극복할 수 있는 요소가 아니다.

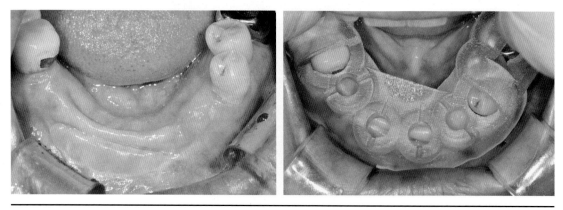

📷 9-41

하악 좌측 견치를 발거한 후 4개월 정도 경과하였을 때 가이드를 통한 임플란트 식립을 계획하였다.

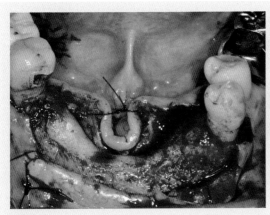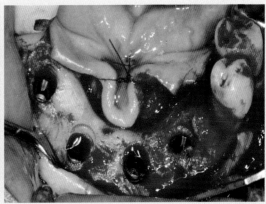

📷 9-42

가이드를 이용한 임플란트 식립은 특별한 경우가 아닌 한 판막을 열지 않고 하는 것이 일반적이지만, 골이식한 부위의 상태를 확인하기 위해 판막을 열고 임플란트를 식립하였다. 하악 좌측 중절치 임플란트를 식립하던 중 환자의 골질이 너무 단단하여 임플란트에 크랙이 발생하였다.

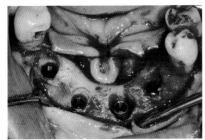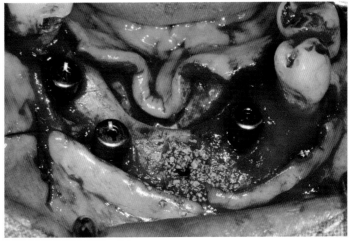

📷 9-43

크랙이 발생한 임플란트를 제거하고 추가 드릴링 후 새로운 임플란트를 식립하였다. 이후 주위에 이종골 (BioOss, Geistlich Co.)을 이식하였다.

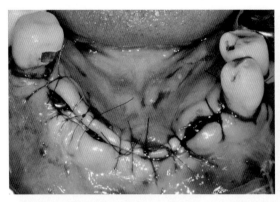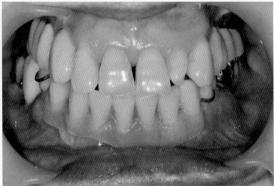

📷 9-44

골이식한 좌측 중절치 임플란트를 제외한 나머지 임플란트에 치유지대주를 연결하고 봉합하였다. 치유기간 동안에는 가철성 임시의치를 사용하였다.

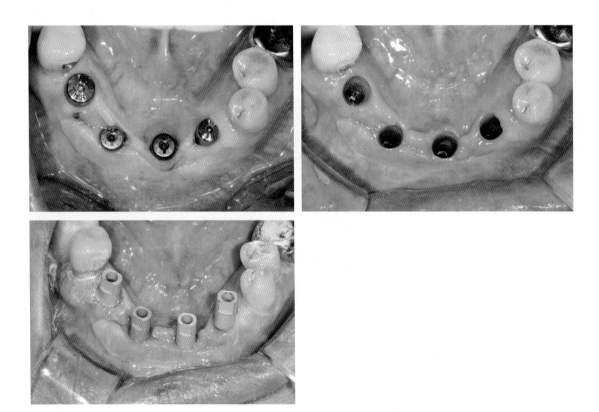

📷 9-45

임플란트 식립 3개월 후 구강스캔을 통해 모델 제작 없이 보철 과정을 진행하였다.

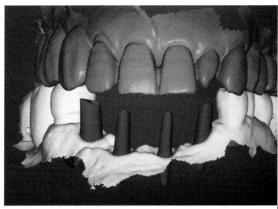

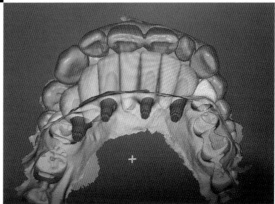

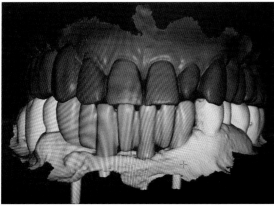

📷 9-46

엑소캐드 프로그램에서 최종지대주와 보철을 디자인한 후 도재 빌드업을 위한 컷백을 시행하였다. 보험 임플란트가 일부 포함된 증례였기에 기공소와의 협업으로 기공 과정을 진행하였다.

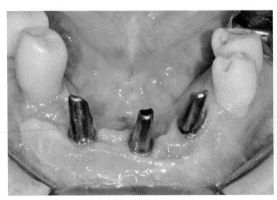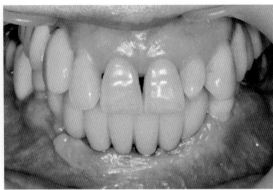

📷 9-47

개별지대주를 연결한 다음 최종보철물을 연결하였다.

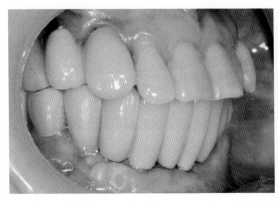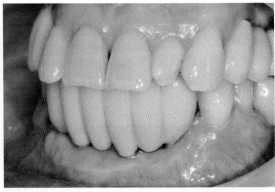

📷 9-48

측면에서 바라본 최종보철물의 모습을 보면 수평적, 수직적 골증대를 하지 않았음에도 매우 개선된 형태의 보철물을 얻을 수 있었음을 확인할 수 있다. 발치와 치조제 보존술과 유리치은이식술, 가이드 수술이 서로 조화를 이루어서 가장 바람직한 위치에 임플란트를 식립하였기 때문이다.

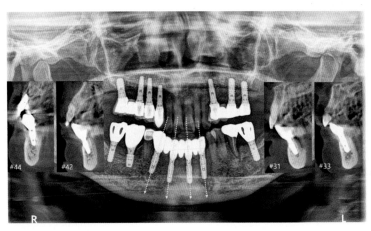

📷 9-49
치료가 종결된 후 촬영한 파노라마와 컴퓨터 단층촬영 비교영상이다.

최종 보철치료가 마무리된 후 촬영한 파노라마 방사선 사진과 컴퓨터 단층촬영 영상을 비교해보면 임플란트 식립 위치가 기존의 수술 방법과 많이 다르다는 것을 알 수 있다. 아무리 술자가 오랜 수술 경험을 가지고 있다고 하더라도 가이드 없이 이런 위치에 임플란트를 식립하는 것은 불가능하다. 가이드를 사용했을 때에만 가능한 것이다. 임플란트 식립 위치에 대한 우리들의 고정관념을 깨는 매우 좋은 예라고 할 수 있다.

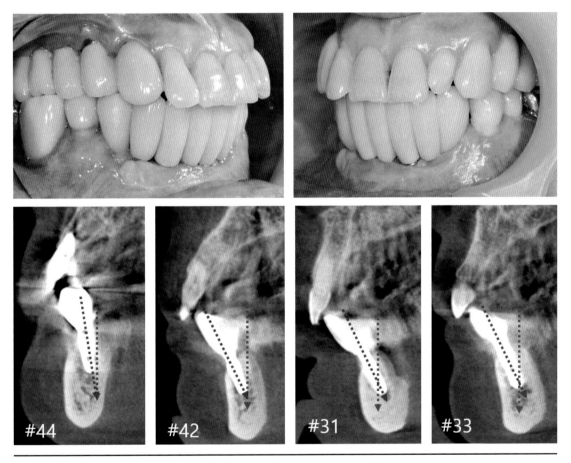

📷 9-50

최종보철과 임플란트 식립 각도를 비교한 사진이다. 치조정상에 임플란트를 식립하는 것과 가이드를 통해 임플란트를 식립하는 방법 사이에 임플란트 위치에 매우 큰 차이가 있다. 이 차이는 보철을 통해 극복할 수 있는 범위를 넘어선다. 최초 식립 위치의 중요성은 아무리 강조해도 지나치지 않다.

임플란트 위치에 대한 우리들의 고정관념을 깨뜨리며 가이드가 왜 필요한지를 설명해주는 두 번째 증례이다. 다수의 치아에 임플란트가 필요한 상황이지만, 환자의 개인적인 사정으로 하악 좌측 제2소구치에만 임플란트 식립을 요구하였다.

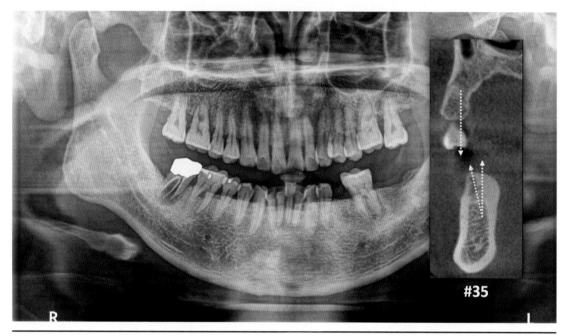

📷 9-51

이 환자의 가장 큰 문제는 하악 치조제의 위치가 대합치 기능교두의 방향과 상당히 차이가 난다는 점이다. 치조제 정중앙(노란색 점선)이 대합치아의 기능교두를 향하고 있는 것이 좋은데, 이 증례에서는 각각의 축이 매우 벗어나 있다. 추측하건대 발치 전 소구치 위치가 협측으로 매우 치우쳐 있었을 것이다.

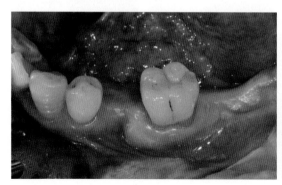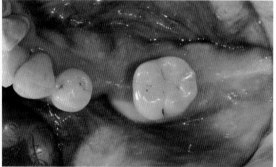

📷 9-52

방사선 사진상으로는 치조골이 풍부한 것처럼 보였지만 협측에 깊은 함요(concavity)가 존재한다. 치아가 존재하던 협측의 치조제는 심하게 흡수되고 설측으로만 골이 잔존하는 상황이 된 것이다. 이 상태에서 통법대로 판막을 형성하고 치조제 중앙에 임플란트를 식립하면 향후 보철물의 형태는 비정상적이 될 수밖에 없다. 그러나 가이드를 통해 임플란트를 식립한다면 상황은 많이 달라진다.

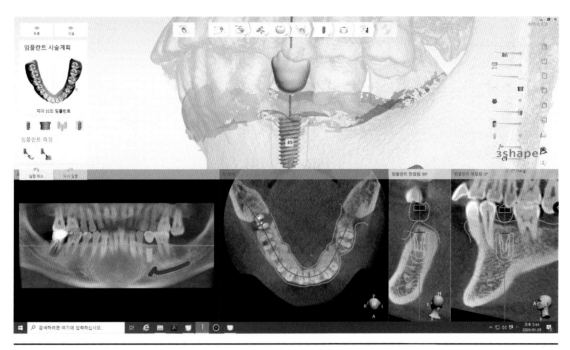

📷 9-53

가이드가 제시하는 임플란트의 위치는 통법에서 사용하는 위치와 많이 다르다. 가이드를 이용하면 지대주 주변의 생물학적 폭경을 충분히 확보할 수 있고 적절한 형태의 지대주 출현형상(emergence profile)을 얻을 수 있다. 임플란트 식립 위치에 대한 기존의 고정관념을 깨야 하는 이유이다.

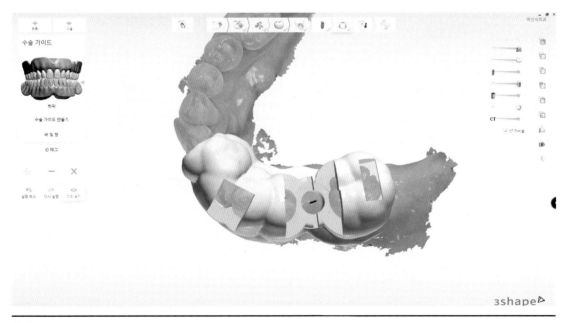

📷 9-54

임플란트 식립을 위해 최종적으로 확정한 가이드 디자인이다. 가이드 적합이 정확하게 이루어지고 있는지를 확인하기 위해 개방창을 군데군데 만들어 주었다. 이 디자인을 STL 파일로 추출한 다음 3D 프린터로 출력하였다.

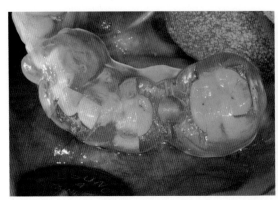
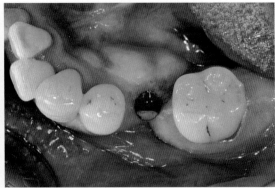

📷 9-55

가이드 적합을 확인한 다음 가장 먼저 티슈펀치를 이용해서 점막부를 제거하였다. 골이 경사져 있는 경우에는 티슈펀치가 모든 방향의 잇몸과 접촉하지 못할 수 있기 때문에 접촉하지 못한 부분을 날카로운 수술도로 잘라주어야 한다. 잇몸을 제거한 다음에는 골평탄화드릴(bone flattening drill)을 이용해서 다음 드릴이 쉽게 진입할 수 있도록 골면을 정리해 준다. 가이드 수술에서 제안하는 위치는 대부분 이 과정을 거쳐야 한다. 대부분의 식립 위치가 경사진 면에 위치한 경우가 많고, 협설측, 금원심으로 골의 높이가 다른 경우가 대부분이기 때문이다.

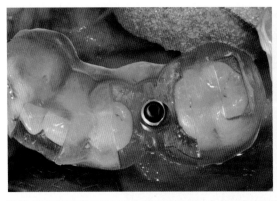
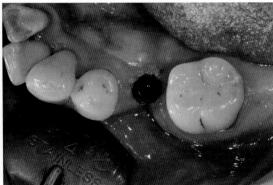

📷 9-56

가이드를 장착하고 임플란트를 식립하였다. 임플란트를 식립할 때 처음에는 핸드피스를 이용하지만 마무리는 라쳇을 이용해서 해야 한다. 그래야 골질에 대한 정확한 평가가 가능해진다. 임플란트를 원하는 위치에 식립하였으면 가이드를 제거하고 치유지대주를 장착한다.

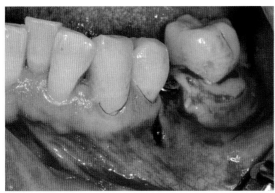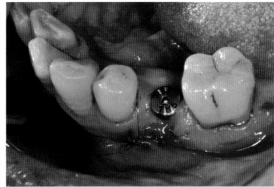

📷 9-57

협측에 존재하는 조직외형의 함요를 없애기 위해 골이식(The Graft, Purgo Co.)을 시행하였다. 치유지대주의 치유를 방해하지 않고 수평적 치조제 증대를 얻기 위해 터널링 기법(tunneling technique)을 사용하였다. 이 때 사용하는 뼈는 실제 골을 만들어주는 의미보다는 치조제 형태를 만들어주는 데 목적이 있기 때문에 흡수가 잘 되지 않는 골이식재를 사용하는 것이 바람직하다.

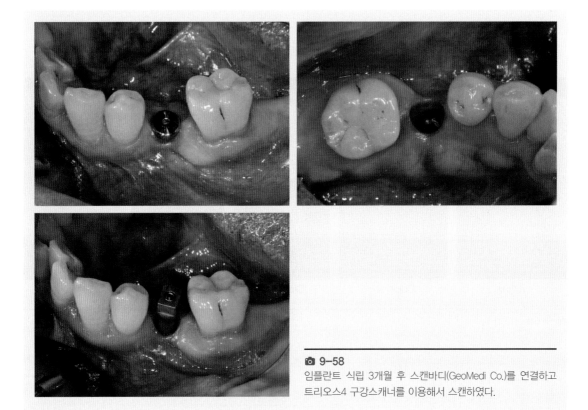

📷 9-58
임플란트 식립 3개월 후 스캔바디(GeoMedi Co.)를 연결하고 트리오스4 구강스캐너를 이용해서 스캔하였다.

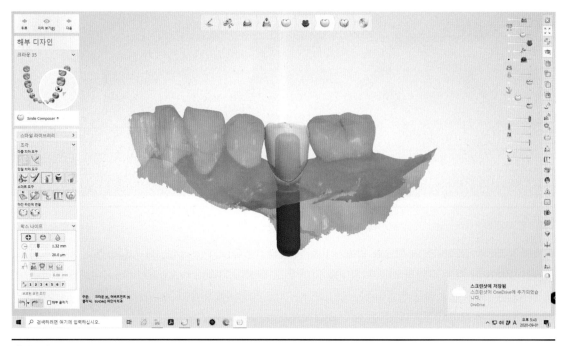

📷 9-59

3Shape의 덴탈시스템을 이용해서 개별 지대주와 보철을 동시에 디자인하였다. 지대주는 전문 밀링센터에 의뢰하였고, 원내에서 동일한 파일을 이용하여 크라운을 제작하였다.

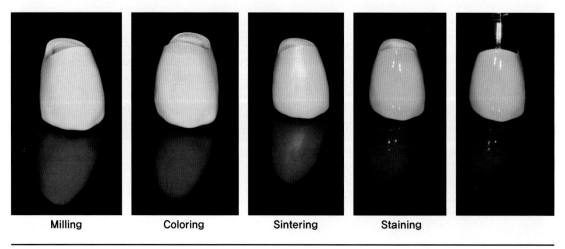

Milling   Coloring   Sintering   Staining

📷 9-60

원내에서 지르코니아 디스크를 밀링한 후 채색에 이어 소성하였다. 조금 더 자연스러운 색상을 표현하기 위해 연마(polishing)로 마무리하지 않고 스테인(MiYo, Jensen Co.) 작업을 하였다. 개별지대주와 연결한 모습을 보면 모델 없이 각기 다른 곳에서 제작한 지대주와 크라운의 적합이 매우 우수하다.

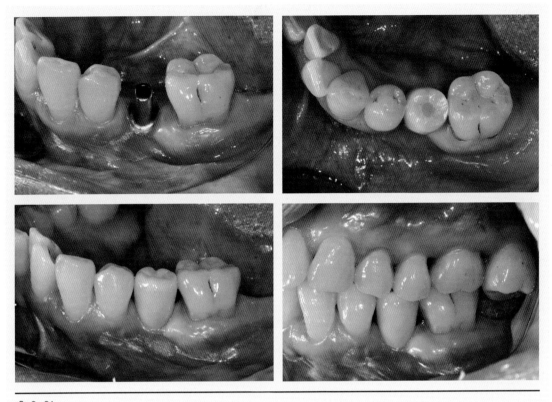

📷 9-61

개별지대주를 연결하고 지르코니아 보철을 마무리한 모습이다. MiYo를 이용한 스테인은 소성 전 컬러링만으로는 표현하기 어려운 느낌을 표현하는 데 매우 효과적이다. 잔존치조제의 함몰로 인해 자칫 보철물의 협측 형태에 문제를 야기할 가능성이 높은 증례였지만 가이드 식립과 골이식, 디지털 보철술식을 이용해서 매우 단순하게 문제를 극복할 수 있었다. 협측점막에 유리치은이식을 아주 조금 했더라면 보다 더 완벽한 외형을 얻을 수 있었지만, 환자의 지리적 시간적 여건 때문에 하지 못했던 것이 약간의 아쉬움으로 남는다.

임플란트의 식립 깊이는 무엇보다 임플란트의 예후를 크게 좌우하는 요소이다. 임플란트를 너무 깊게 식립하는 것도 문제지만, 너무 얕게 식립하는 것이 더 큰 문제를 야기한다. 점막의 두께가 얇은데 임플란트를 치조정 수준에 위치시키면 생물학적 폭경(biologic width)을 확보하는 데 필요한 점막두께가 부족해지기 때문에 변연골의 흡수로 이어질 수 있다. 그리고 만약 환자의 구강위생 상태가 불량하다면 이런 상황은 임플란트 주위염으로 발전할 가능성을 크게 증가시킨다.

생물학적 폭경을 고려한 임플란트 식립 깊이의 중요성을 말해주는 또 다른 예이다.

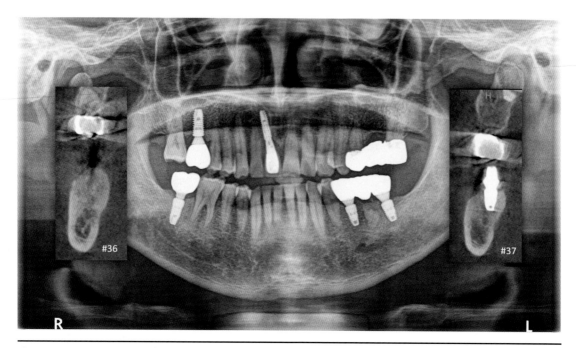

📷 9-62

4년 전 식립한 하악 좌측 임플란트 브릿지의 동요로 인해 내원하였다. 이 환자는 여러 곳에서 임플란트의 골융합 실패가 나타났기 때문에 이번에도 골융합 실패로 인한 동요가 발생한 것으로 추정하였다. 방사선 사진상으로는 임플란트 주위골의 분리가 관찰되지 않지만 브릿지 제거 후 임플란트와의 골융합 실패가 확인되었다.

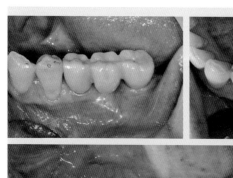
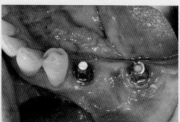
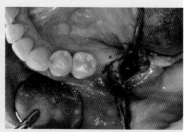

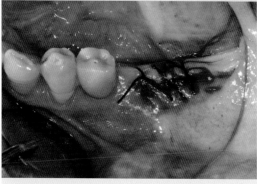

📷 9-63
나사풀림과 골융합 실패를 구분하는 방법은 간단하다. 지대주 나사를 조일 때 환자가 통증을 느끼고 지대주가 함께 회전하는 듯 하면 골융합의 실패로 간주할 수 있다. 임플란트를 제거한 후 별도의 골이식 없이 봉합하였다. 임플란트 주위 점막의 두께가 매우 얇음을 확인할 수 있다.

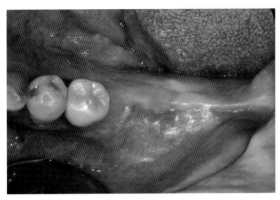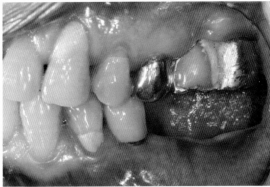

📷 9-64

골융합이 소실된 임플란트를 제거한 후 약 9주 정도 시간이 흘렀다. 임플란트 식립을 위한 가이드 제작을 위해 구강스캔과 컴퓨터 단층촬영을 하였다. 점막의 두께가 얇고, 치조점막경계(mucogingival junction)가 치조정상 부위에 있을 만큼 각화점막이 부족하다.

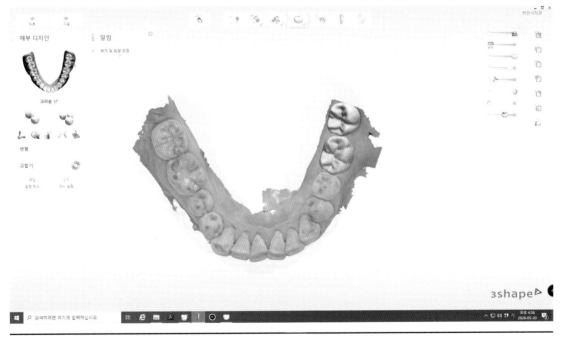

📷 9-65

가이드를 설계할 때 가장 중요한 단계 중 하나가 치아를 배열하는 과정이다. 최종 크라운의 크기와 위치, 형태와 축(axis)을 고려해서 실제와 유사하게 배치해야 한다. 이를 기준으로 임플란트 식립 위치를 결정하기 때문에 이 단계를 절대 소홀히 해서는 안 된다.

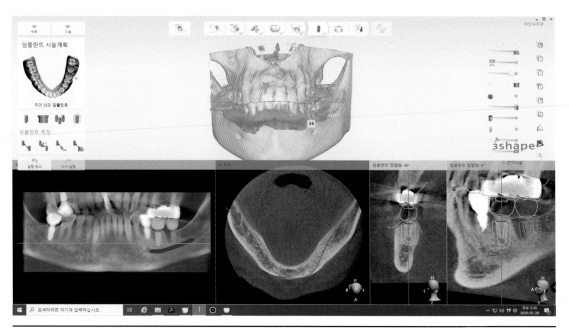

📷 9-66

생물학적 폭경에 필요한 점막의 두께를 충분히 고려하여 임플란트의 수직적인 위치를 결정하였다. 하치조신경과 충분한 안전거리를 확보해야 한다. 배치한 임플란트가 안전거리를 침범하면 임플란트 색상이 녹색에서 적색으로 바뀐다. 크라운의 외형을 기준으로 가능한 모든 위치에서 임플란트가 크라운 외형의 중앙에 오도록 배열한다.

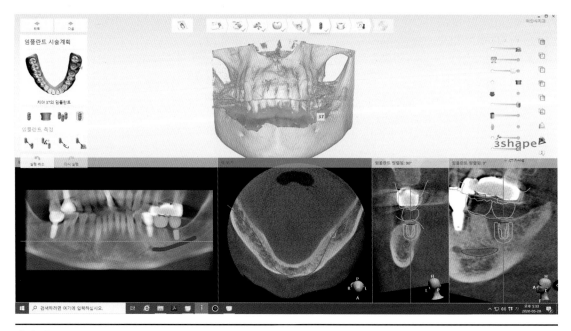

📷 9-67

하악 제2대구치는 하치조신경과의 거리가 가까워서 점막의 두께와 하치조신경과의 거리를 고려한 최적의 위치에 임플란트를 배치하였다. 가이드가 없다면 자칫 하치조신경을 건드리거나, 이를 너무 의식해서 임플란트를 매우 얕게 식립할 수 있는 상황이다.

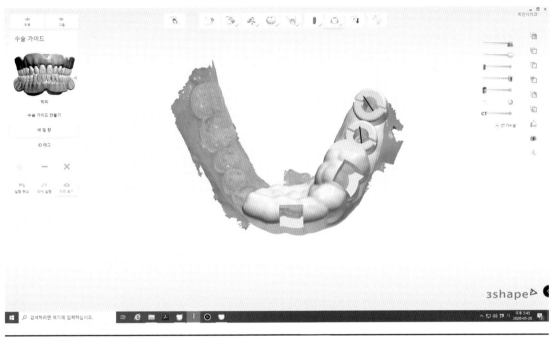

📷 9-68

최종적으로 완성된 가이드 디자인이다. 하악 대구치 2개를 식립할 때는 가급적 반대쪽 소구치까지는 가이드를 연장하는 것이 바람직하다. 드릴링 시 가이드 전방이 들릴 가능성이 있기 때문이다.

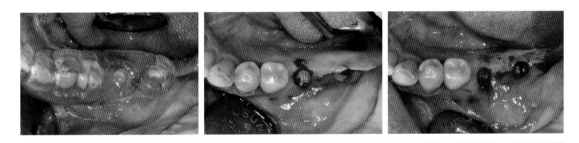

📷 9-69

가이드를 장착하고 티슈펀치로 점막을 펀칭하였다. 점막을 뼈로부터 분리할 때는 가이드를 뺀 상태에서 하는 것이 좋다. 치조점막경계가 임플란트 식립 위치를 침범하고 있는 모습을 볼 수 있다. 그리고 점막의 두께도 매우 얇아 이 정도 깊이로 임플란트를 식립하면 여러 가지 문제가 발생될 수 있음을 예상할 수 있다.

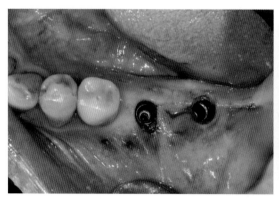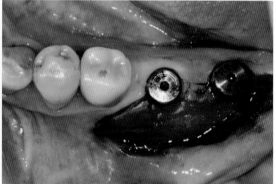

📷 9-70

다시 가이드를 장착하고 임플란트를 식립하였다. 임플란트 주위에 유동성 점막이 존재하면 지대주와 점막 사이에 지속적인 탈부착(mucosal detachment and attachment)이 반복되어 변연골 소실로 이어질 수 있다. 따라서 유동성 점막을 제거하였고 유리치은이식을 위한 수용부를 형성하였다.

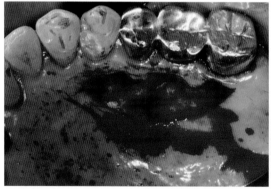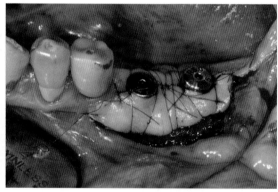

📷 9-71

동측 상악 구개부에서 각화점막을 채득하여 수용부로 옮긴 다음, 6-0 Nylon을 이용하여 봉합하였다.

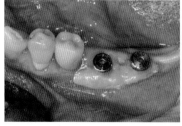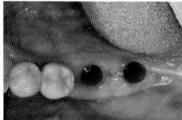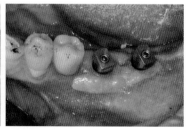

📷 9-72

유리치은이식 후 1개월 정도 치유 기간을 거친 다음 스캔바디를 연결하고 구강스캔을 하였다. 임플란트 주위에 생물학적 폭경이 충분히 확보되었음을 확인할 수 있다.

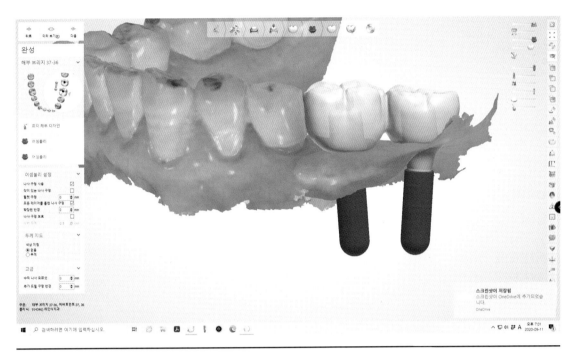

📷 9-73

3Shape사의 덴탈시스템을 이용해서 개별지대주와 크라운을 동시에 디자인하였다. 전문 밀링센터에 지대주의 CNC 가공을 의뢰하였고, 크라운은 원내에서 제작하였다. 전 과정을 모델 없이 진행하였다.

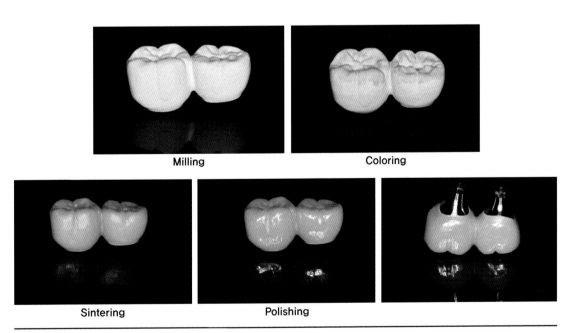

📷 9-74

밀링과 채색, 소성과 연마는 원내에서 마무리되었다. 외부에서 제작된 개별지대주와 크라운이 매우 탁월한 결합을 보여주고 있다. 이 정도 작업에선 더 이상 모델 작업이 필요 없다.

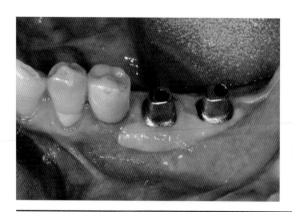
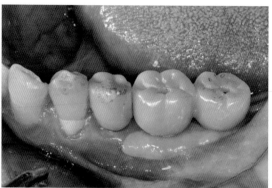

📷 9-75

개별지대주를 연결한 다음 지르코니아 크라운을 연결하였다. 최종적합과 교합을 확인한 다음 35N으로 나사를 조여주었다. 크라운에 SCRP 구멍이 있기 때문에 별도의 지그(jig)는 필요 없다. 나사를 조여준 후 최종접착을 시행하였다.

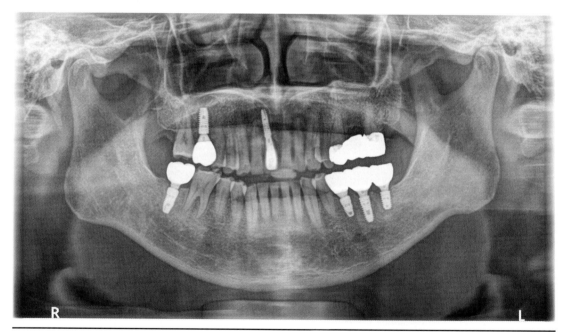

📷 9-76

최종보철이 마무리된 다음 촬영한 파노라마 방사선 사진이다. 적절한 점막 두께가 지대주 주변에 존재하는 것을 볼 수 있다. 생물학적 폭경을 보유할 수 있도록 임플란트를 식립하는 것이 가이드 수술의 가장 중요한 의미이다.

가이드 설계를 위한 임플란트 스튜디오(3Shape Co.) 작업 과정

임플란트 식립을 위한 가이드 설계에 사용하는 대표적인 프로그램이 3Shape사의 "임플란트 스튜디오"이다. 기존 3Shape 프로그램과 완벽하게 호환되고 매우 직관적인 작업 과정을 보여준다. 임플란트 식립 경험이 있는 사람이라면 한나절 정도의 교육만으로 쉽게 가이드를 설계할 수 있을 정도로 작업 과정이 매우 단순하다. 각 단계별로 중요하게 생각하는 포인트와 사용방법에 대해 이야기하고자 한다. 상악 우측 제2대구치 단일 임플란트를 디자인하는 과정이다.

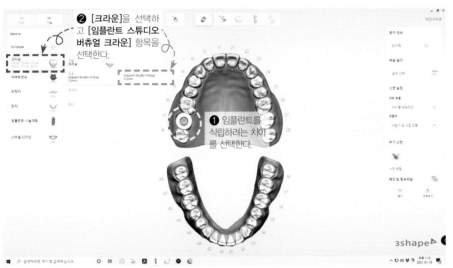

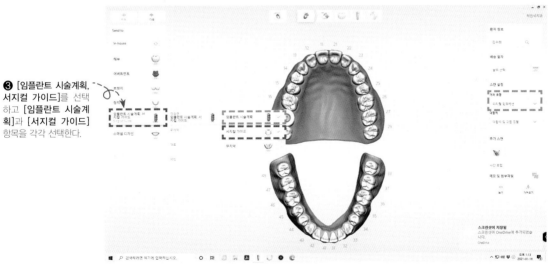

📷 9-77

환자 파일을 만든 후 가장 먼저 나오는 화면이다. 시술하려는 치아를 선택한 다음 [크라운]과 [임플란트]를 선택한다. 구강스캔 파일을 이용하는 경우 우측 [개체 유형]에서 [디지털 임프레션]을 선택한다.

정보입력이 끝나면 본격적으로 프로그램을 시작한다. 우선 상악과 하악의 스캔파일을 불러온다. 순서는 [상악 표면 스캔 가져오기] – [하악 표면 스캔 가져오기] – [환자 CT 스캔 가져오기] 순서로 진행한다.

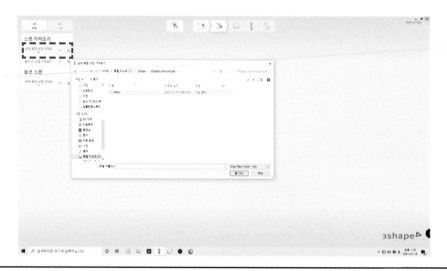

📷 9-78

스캔 가져오기 단계에서는 스캔파일이 저장된 폴더를 찾아 스캔파일을 불러온다. 스캔파일은 [로컬디스크 (C)] – [3Shape] – [3Shape Communicate] – [Inbox] 폴더에 저장되어 있다.

📷 9-79

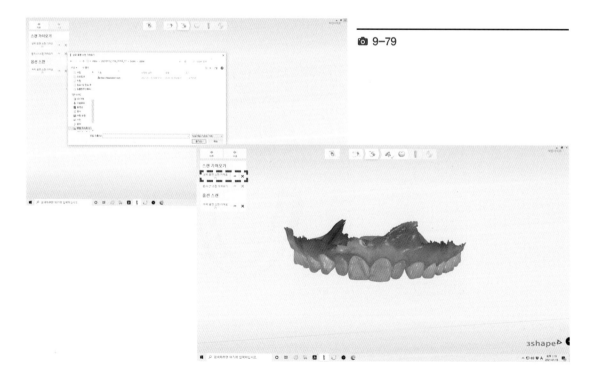

먼저 환자의 상악 스캔파일을 [Inbox] 폴더에서 불러온다.

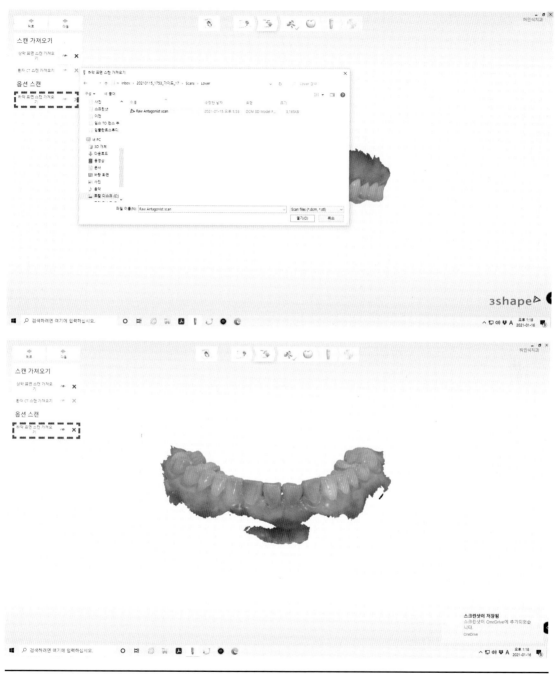

📷 9-80

바로 밑에 [환자 CT 스캔 가져오기]가 있지만 이 과정보다 [하악 표면 스캔 가져오기]를 먼저 클릭한다. 하악 스캔파일을 동일하게 [Inbox] 폴더에서 불러온다.

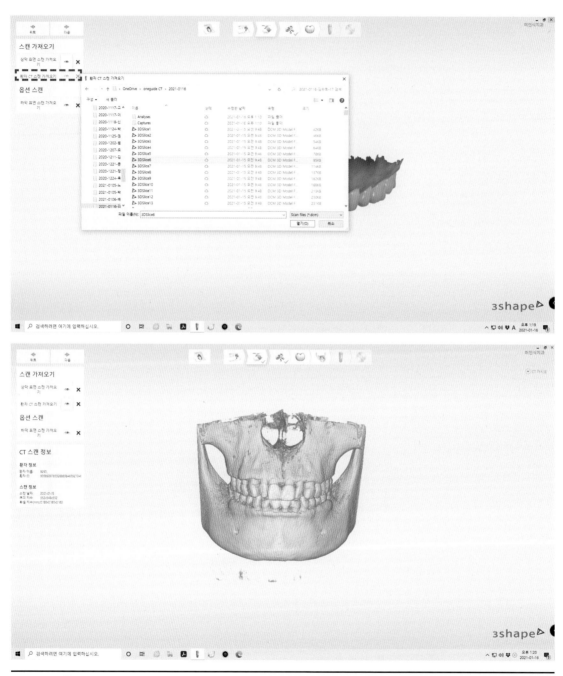

📷 9-81

마지막으로 컴퓨터 단층촬영 영상인 DCM 파일을 별도로 저장했던 폴더에서 불러온다. 컴퓨터 단층촬영 영상은 스캔파일과 통합해서 생성되지 않기 때문에 방사선 촬영 후 별도의 폴더를 만들어 저장하는 것이 좋다.

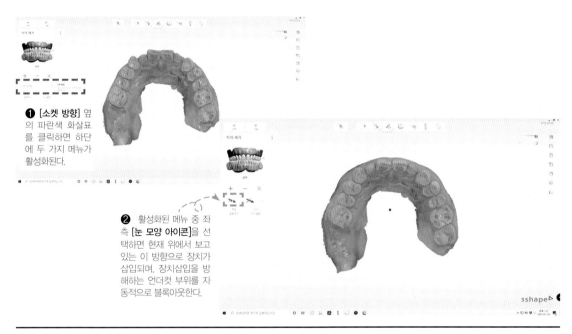

❶ [소켓 방향] 옆의 파란색 화살표를 클릭하면 하단에 두 가지 메뉴가 활성화된다.

❷ 활성화된 메뉴 중 좌측 [눈 모양 아이콘]을 선택하면 현재 위에서 보고 있는 이 방향으로 장치가 삽입되며, 장치삽입을 방해하는 언더컷 부위를 자동적으로 블록아웃한다.

📷 9-82

치아제거 단계는 가이드 장착에 방해가 되거나 발치가 예상되는 치아를 제거하는 단계이다. 그리고 장치 삽입 방향을 결정한다. 보통 수술 부위를 위에서 바라보는 상태로 방향을 결정한다.

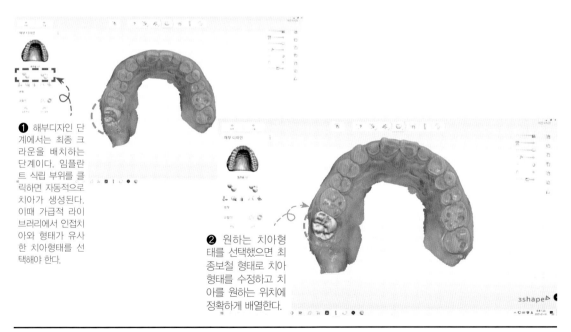

❶ 해부디자인 단계에서는 최종 크라운을 배치하는 단계이다. 임플란트 식립 부위를 클릭하면 자동적으로 치아가 생성된다. 이때 가급적 라이브러리에서 인접치아와 형태가 유사한 치아형태를 선택해야 한다.

❷ 원하는 치아형태를 선택했으면 최종보철 형태로 치아형태를 수정하고 치아를 원하는 위치에 정확하게 배열한다.

📷 9-83

해부디자인 단계는 크라운의 위치를 탑다운으로 결정하는 단계이다. 크라운의 축(axis)과 방향을 정확하게 설정해야 하며, 크라운의 길이와 크기도 실제와 비슷하게 만들어야 한다. 이 크라운의 위치를 기반으로 임플란트 위치가 결정되기 때문에 이 단계는 지극히 중요하다. 임플란트의 협설측 기울기와 근원심 기울기도 세심히 살펴보아야 한다.

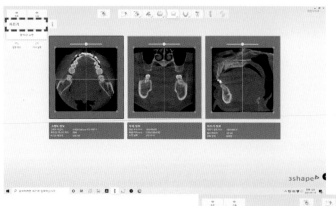

컴퓨터 단층촬영 영상 크기를 조정하는 단계이다. 사진의 모서리 파란색 점을 클릭하여 움직여서 크기를 확정한다.

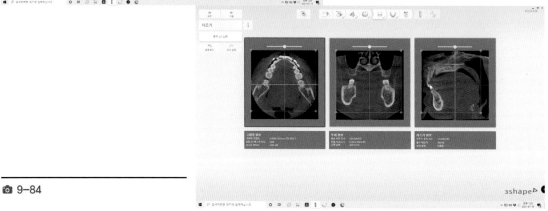

📷 9-84

컴퓨터 단층촬영 영상 중 불필요한 부분을 '자르기 단계'이다. 수정하지 않고 그냥 지나쳐도 상관없다.

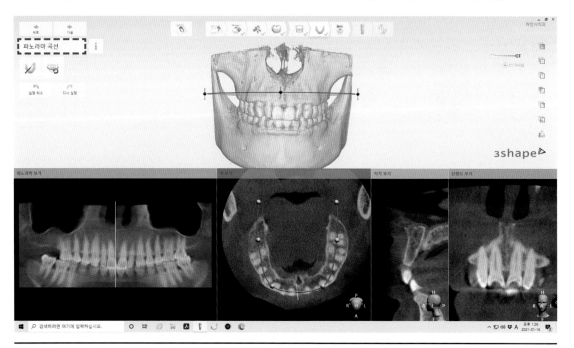

📷 9-85

파노라마 곡선 단계로 치조골의 중심선을 그린다. 치아의 중앙을 지나도록 중심선을 그려준다.

구강스캔의 치아 부분과 컴퓨터 단층촬영의 치아 부분을 정합하는 단계이다.

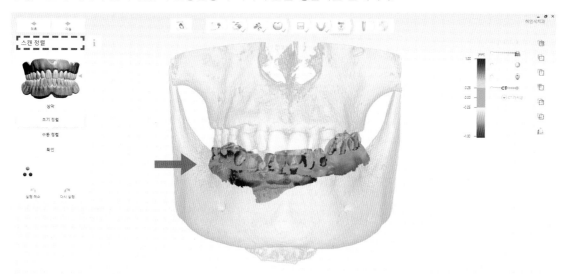

📷 9-86

초기정렬 단계 사진에서 보는 것처럼 치아 색상이 붉은 색으로 표현되면 스캔파일과 CT 영상의 정합이 잘 이루어지지 못한 것이다. 이 상태에서는 디자인을 할 수도 없고 해서도 안 된다.

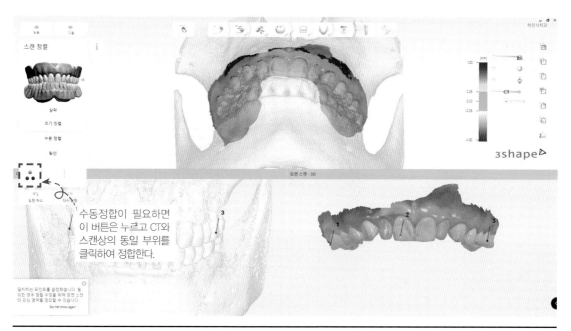

📷 9-87

초기정합이 좋지 않으면 수동정합을 해야 한다. 좌측 하단 CT 이미지에서 치아 형태가 온전하게 나와있는 치아 부위를 클릭하고, 우측 하단 스캔파일에서 동일한 부위에 다시 한 번 클릭해 준다. 이와 같은 과정을 세 번에 걸쳐 다른 부위(좌측, 중앙, 우측)에 동일하게 진행되면 수동정합이 완료된다. 수동정합 결과가 좋으면 상단의 치아 색상이 진한 녹색으로 표현된다.

정렬 후 수직–수평선을 이동하여 정합의 외곽선이 치아와 정확하게 일치하는지 확인해야 한다.

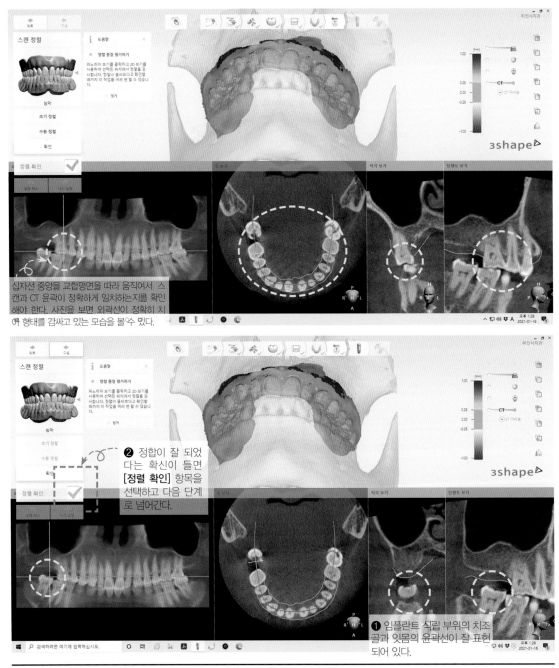

📷 9-88

정합 후 임플란트 치료계획 단계에서는 치식의 **[(+) 버튼]**을 눌러 원하는 임플란트의 길이와 직경을 선택한다. 크라운 외곽선을 기준으로 임플란트의 근원심, 협설측 위치와 생물학적 폭경을 고려한 식립 깊이를 결정한 후 최종 위치를 확정한다.

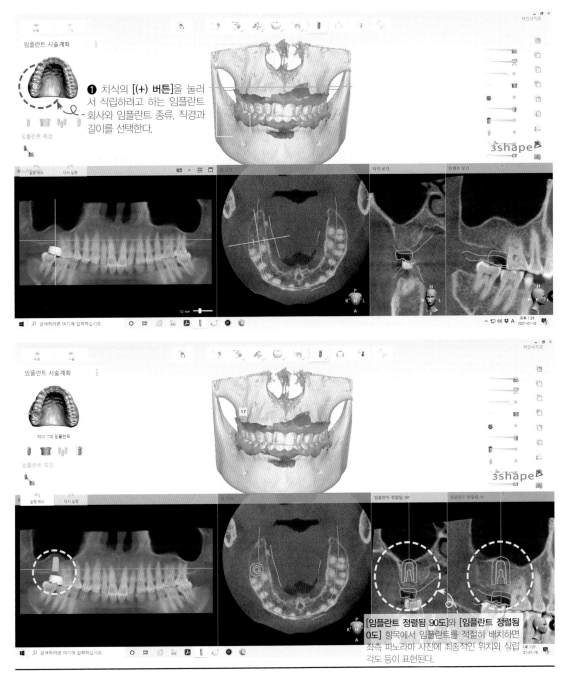

① 치식의 **[(+) 버튼]**을 눌러서 식립하려고 하는 임플란트 회사와 임플란트 종류, 직경과 길이를 선택한다.

[임플란트 정렬됨 90도]와 **[임플란트 정렬됨 0도]** 항목에서 임플란트를 적절히 배치하면 좌측 파노라마 사진에 최종적인 위치와 식립 각도 등이 표현된다.

📷 9-89

임플란트 위치가 확정되면 **슬리브 유형**을 결정한다. 슬리브를 **열린유형(open type)**을 할 것인지 **닫힌 유형 (closed type)**으로 할 것인지 결정한다.

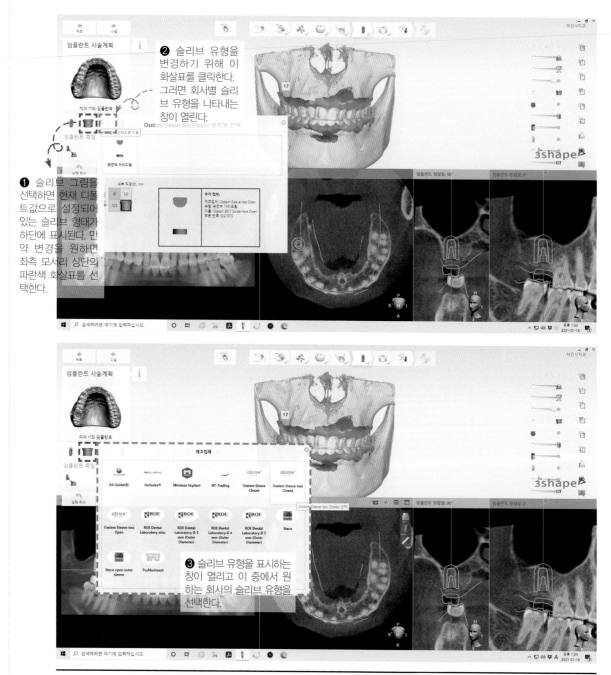

❶ 슬리브 그림을 선택하면 현재 디폴트값으로 설정되어 있는 슬리브 형태가 하단에 표시된다. 만약 변경을 원하면 좌측 모서리 상단의 파란색 화살표를 선택한다.

❷ 슬리브 유형을 변경하기 위해 이 화살표를 클릭한다. 그러면 회사별 슬리브 유형을 나타내는 창이 열린다.

❸ 슬리브 유형을 표시하는 창이 열리고 이 중에서 원하는 회사의 슬리브 유형을 선택한다.

📷 9-90

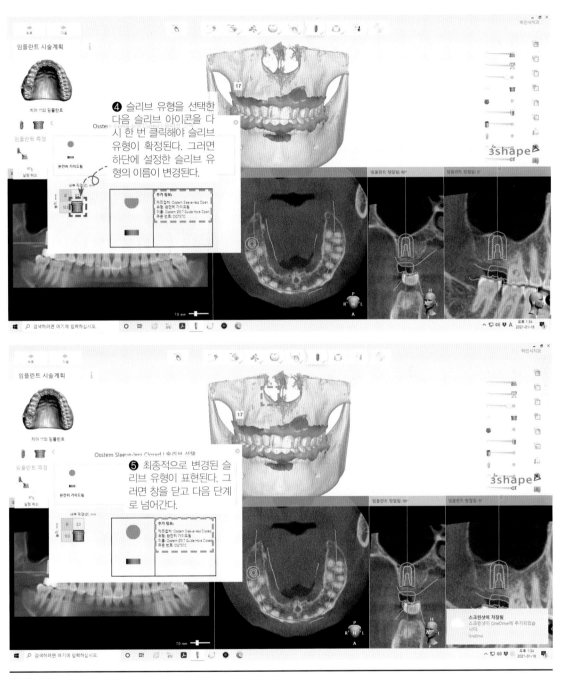

📷 9-91

기본적으로는 **[열린 유형(Sleeve-less Open)]**으로 슬리브가 선택된 경우가 많기 때문에 이를 **[닫힌 유형 (Sleeve-less Closed)]**으로 바꿔준 다음에는 **[슬리브]** 버튼을 눌러서 슬리브 유형을 확정해 주어야 한다.

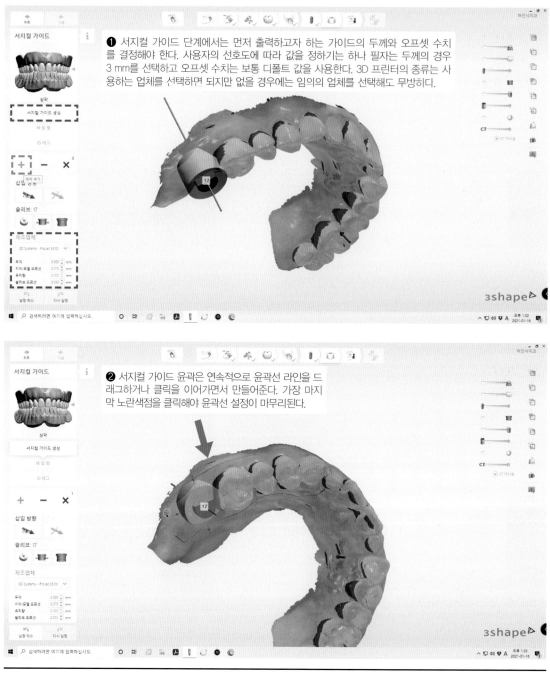

❶ 서지컬 가이드 단계에서는 먼저 출력하고자 하는 가이드의 두께와 오프셋 수치를 결정해야 한다. 사용자의 선호도에 따라 값을 정하기는 하나 필자는 두께의 경우 3 mm를 선택하고 오프셋 수치는 보통 디폴트 값을 사용한다. 3D 프린터의 종류는 사용하는 업체를 선택하면 되지만 없을 경우에는 임의의 업체를 선택해도 무방하다.

❷ 서지컬 가이드 윤곽은 연속적으로 윤곽선 라인을 드래그하거나 클릭을 이어가면서 만들어준다. 가장 마지막 노란색점을 클릭해야 윤곽선 설정이 마무리된다.

📷 9-92

슬리브 유형이 결정되면 슬리브를 중심으로 본격적으로 가이드의 외곽선을 디자인한다. 서지컬 가이드 생성 단계에서 [(+) 버튼]을 누르고 슬리브 외곽선을 그려준다. 만약 이때 가이드가 생성되지 않고 컴퓨터가 다운되는 듯한 상황이 연출되면 스캔자료에 문제가 있는 것이다. 스캔자료의 거친 부분을 다시 다듬어서 전송하면 대부분 문제가 해결된다.

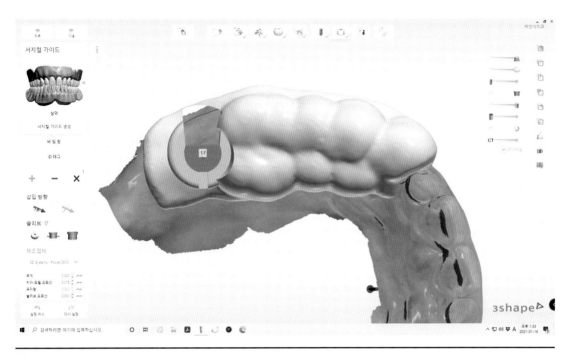

📷 9-93

열린 유형(Sleeve-less Open)으로 슬리브를 선택했을 때의 가이드 디자인이다. 입을 벌리기 어려운 환자에게 선택하는 디자인이다. 식립의 안정성은 줄어들지만 개구량이 부족하여 닫힌 유형(Sleeve-less Closed)의 가이드를 사용할 수 없을 때 필요하다.

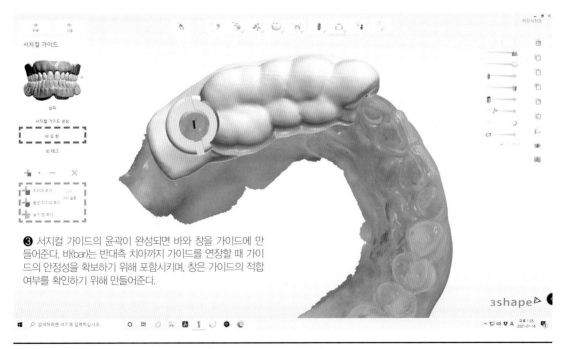

❸ 서지컬 가이드의 윤곽이 완성되면 바와 창을 가이드에 만들어준다. 바(bar)는 반대측 치아까지 가이드를 연장할 때 가이드의 안정성을 확보하기 위해 포함시키며, 창은 가이드의 적합 여부를 확인하기 위해 만들어준다.

📷 9-94

닫힌 유형으로 슬리브를 선택했을 때의 디자인이다. 가장 안정적으로 임플란트 식립을 가능하게 한다.

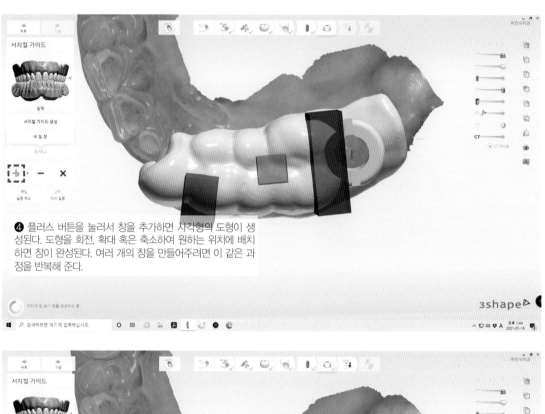

❹ 플러스 버튼을 눌러서 창을 추가하면 사각형의 도형이 생
성된다. 도형을 회전, 확대 혹은 축소하여 원하는 위치에 배치
하면 창이 완성된다. 여러 개의 창을 만들어주려면 이 같은 과
정을 반복해 준다.

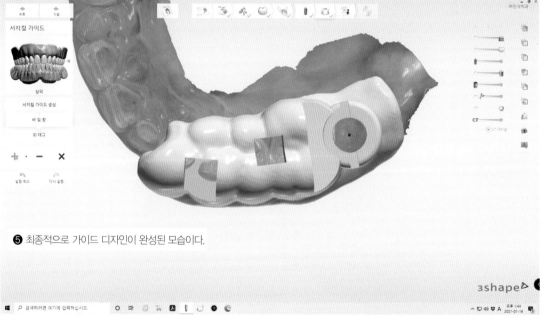

❺ 최종적으로 가이드 디자인이 완성된 모습이다.

📷 9-95

서지컬 가이드 외형이 나오면 바 및 창을 만드는 단계로 접어든다. 바는 가이드가 반대측까지 연장될 경우 가
이드의 안정성을 증가시키기 위해 지지대 역할로 이용하며, 창은 가이드 적합을 구강내에서 확인하기 위한
용도로 사용한다.

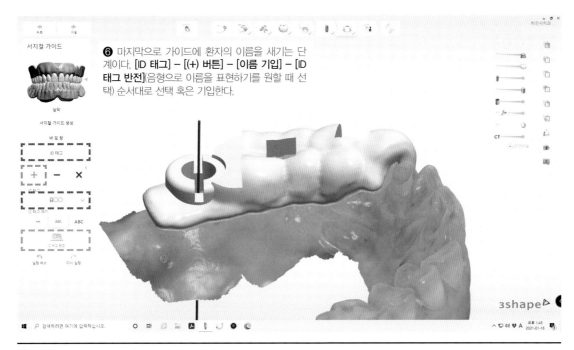

❻ 마지막으로 가이드에 환자의 이름을 새기는 단계이다. [ID 태그] – [(+) 버튼] – [이름 기입] – [ID 태그 반전](음형으로 이름을 표현하기를 원할 때 선택) 순서대로 선택 혹은 기입한다.

📷 9-96

바 및 창 단계를 지나면 가이드에 환자 이름을 새기는 단계인 **ID 태그** 단계에 진입한다. ID 태그는 양형으로 만들어줄 수도 있고 음형으로 만들어 줄 수도 있다.

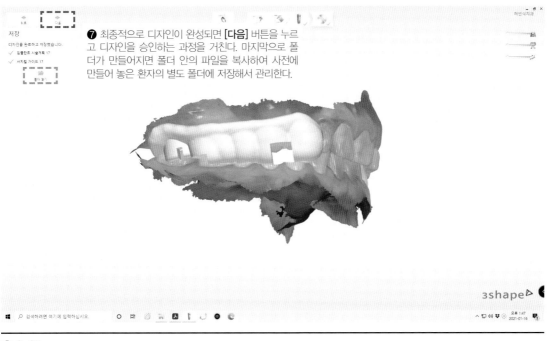

❼ 최종적으로 디자인이 완성되면 [다음] 버튼을 누르고 디자인을 승인하는 과정을 거친다. 마지막으로 폴더가 만들어지면 폴더 안의 파일을 복사하여 사전에 만들어 놓은 환자의 별도 폴더에 저장해서 관리한다.

📷 9-97

디자인을 완성하면 여러 번의 승인 단계를 거쳐서 저장을 한다. [폴더열기]를 클릭하면 가이드에 관한 레포트와 출력을 위한 STL 파일을 확인할 수 있다.

임플란트
가이드 디자인
과정 보러가기

마무리하는 글

거듭해서 강조하지만 가이드는 임플란트 수술 초보자에게 필요한 선택적인 도구가 아니다. 임플란트를 시술하는 모든 이들이 따라야 할 치료의 규범이다. 임플란트 치료는 가이드 수술로부터 시작하여 모델 없이 지대주와 크라운을 제작하는 단계로 진화하고 있다. 가이드 수술은 일관성 있는 결과를 보장하고 실수를 최소화하도록 도와준다. 이는 모든 치과의사들이 따라야 할 길이다. 임플란트는 식립되는 순간 운명이 결정된다고 할 수 있다. 경험과 직관에 의존하는 종래의 접근법은 모든 상황에서 최적의 결과를 보장하지 않는다. 임플란트의 근원심 기울기는 경험으로 극복될 수 있는 면이 있다. 그러나 상대적으로 협설측 위치와 임플란트의 식립 깊이는 경험을 뛰어넘는 부분이 있다. 생물학적 폭경과 직접 연관되는 임플란트 식립 깊이는 가이드를 사용하지 않고는 예측 가능하게 조절하기 어렵다. 가이드는 임플란트 초보자들의 전유물이라는 잘못된 편견에서 벗어나야 한다. 가이드는 임플란트를 매우 정교하게 시술할 수 있도록 하는 출발점이라는 인식이 자리잡혀야 한다. 초보자에게는 시술 초기의 시행착오를 극복하기 위한 수단으로, 경험자들에게는 임플란트 시술의 완성도를 높여주는 도구로 가이드를 고려해야 한다.

10장

디지털 보철을
활용한

자연치 증례

Atlas of
Digital
Dentistry

10장 · 디지털 보철을 활용한 자연치 증례

이 장부터는 디지털 작업 과정으로 치료한 증례를 소개하고자 한다. 모델 작업은 하지 않았고 구강스캔과 캐드 디자인, 밀링, 컬러링, 스테인 등 전체 작업 과정을 필자가 직접 하였다. 모든 보철은 풀지르코니아 크라운으로 작업하였다. 디지털 치과임상은 지르코니아라는 소재의 도입과 더불어 활짝 꽃 피게 되었다. 지르코니아 소재의 사용은 디지털 치과임상에 매우 중요한 의미를 차지한다. 지르코니아는 임플란트 크라운 재료로서 도재(포세린)가 가지고 있는 파절의 문제를 상당 부분 극복할 수 있게 해주었다. 단 한 가지 문제가 되었던 심미적인 색조 표현도 다양한 스테인 재료와 사용법의 도입으로 점차 극복되고 있다. 이 장에서는 풀지르코니아 크라운으로 치료한 전치와 구치부 증례에 대해 비교적 최근 증례를 바탕으로 소개한다. 필자가 지르코니아 크라운에 집중하는 이유는 작업의 단순성 때문이다. 환자진료와 캐드 디자인, 기공 과정을 혼자 직접 하려면 가능한 기공 작업이 쉽고 단순해야 한다. 기존의 아날로그 작업처럼 모델 제작과 핀 작업, 왁스업, 도재 축성 같은 작업들을 거쳐서 기공을 마무리해야 한다면 이는 치과의사가 진료와 함께 병행할 수 있는 작업 수준을 넘어선다. 그러나 디지털화와 소재의 발전으로 인해 이러한 기공 과정을 생략하고도 심미적이고 기능적인 보철물을 얻을 수 있게 되었다. 작은 병원에서 디지털 장비를 이용하여 최적의 기능성과 심미성을 갖는 보철물을 어떻게 만들 수 있는지를 소개하는 것이 이 책의 가장 중요한 목적이다. 디지털 진료는 장비와 소재의 발전에 따라 앞으로도 발전될 부분들이 많이 있다. 물론 현재 수준에서도 디지털 임상의 결과는 아날로그 임상을 추월하고 있다고 생각한다. 그런 발전의 도상에서 자연치를 치료할 때 어떤 부분에 유념해야 하는지를 언급하고자 한다. 앞선 장에서 언급되었던 많은 내용들을 10가지 증례 속에 녹여서 종합적으로 언급할 것이다. 각각의 증례는 초진 사진부터 캐드 디자인, 기공 과정, 최종보철 과정을 담고 있다. 이러한 사진촬영 포맷은 원내 디지털 보철 과정에서 필수적이다. 잘 규격화된 초진 사진은 디지털 기공을 할 때 필요한 디자인의 기준을 제시한다는 면에서 매우 중요하다. 이러한 사전 준비 없이 디지털 임상에 뛰어들면 아날로그 기공 방식보다 현저하게 떨어지는 보철 결과를 얻을 수밖에 없다. 경제적인 동기가 우선되는 디지털 임상은 결코 환자를 위해 바람직하지 않다. 치아의 해부학적 형태에 대한 이해, 사진 자료를 통한 참고자료의 획득, 캐드 디자인 프로그램에 대한 적절한 이해, 지르코니아를 비롯한 가공 소재에 대한 이해, 소성 전후 컬러링에 대한 이해가 함께 어우러져야지만 비로소 아날로그적인 치료 방법을 능가하는 좋은 결과를 얻을 수 있다. 하지만 이러한 준비를 하지 않고 디지털 원내 보철에 도전한다면 오히려 안 좋은 치료 결과를 양산할 수 있다. 그러므로 디지털 진료를 시작하고자 할 때 고려해야 하는 여러 가지 임상적, 기공적 고려 사항들을 각각의 증례를 통해 보다 자세하고 통합적으로 언급하고자 한다.

CASE 1

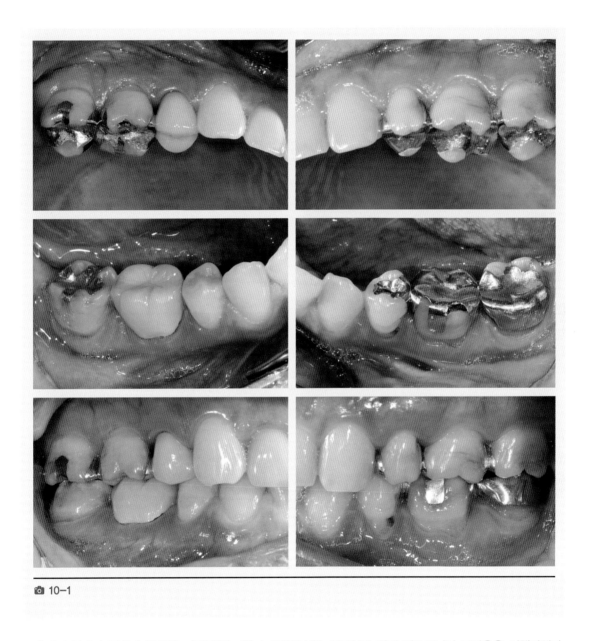

📷 10-1

오래된 금인레이 주변에 발생한 미세균열(크랙)과 치아우식을 치료하기 위해 지르코니아 크라운을 시행하였다. 환자의 최초 방문 이유는 상악 우측 제1대구치의 치료였지만, 치료 과정 중 전반적인 재치료를 요구하였다.

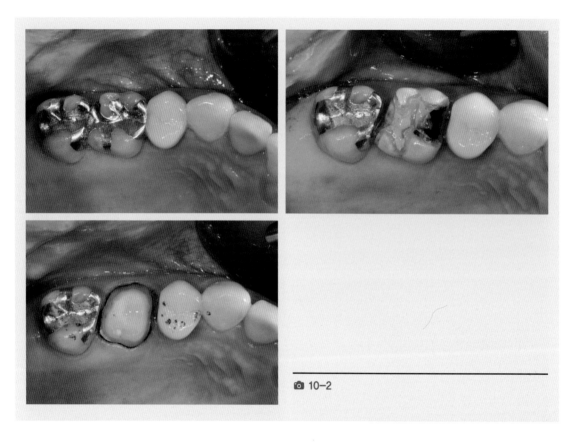

📷 10-2

인레이를 제거한 후 2차우식이 심하게 진행되어 있음을 관찰하였다. 근관치료 후 레진코어를 올리고 1차 코드만을 넣은 후 구강스캔을 채득하였다. 지르코니아 크라운을 위한 치아삭제 시 변연부는 지르코니아 최소 두께를 확보할 수 있도록 만들어주어야 한다. 골드 크라운처럼 나이프에지 방식으로 삭제하면 지르코니아 크라운이 과풍융(overcontour)하게 만들어질 수 있고, 두께가 얇아져서 치핑(zirconia chipping)을 야기하는 원인이 된다.

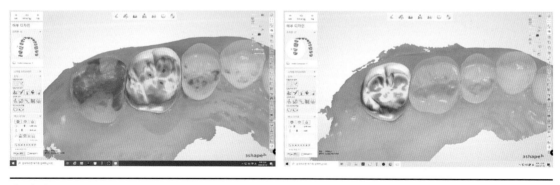

📷 10-3

크라운을 디자인할 때는 초진 사진을 참고하여 가능한 한 자연치 원형 그대로를 재현하려고 노력한다. 환자가 오랫동안 익숙해져 있는 치아 형태이기 때문에 치아의 외형석 훼손이 심하지만 않다면 원형을 복원하는 것이 환자에게 가장 좋은 보철이라고 생각한다. 물론 전치부와 같이 심미적인 목적을 우선으로 해야 할 경우에는 예외이다.

16

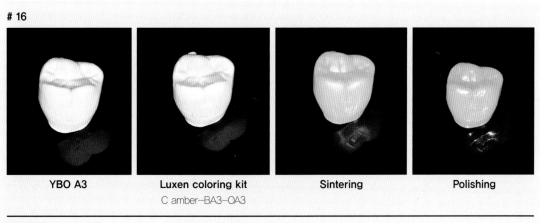

| YBO A3 | Luxen coloring kit
C amber−BA3−OA3 | Sintering | Polishing |

📷 10−4

디자인된 상악 우측 제1대구치를 기공한 모습이다. 예스바이오사의 지르코니아 오션(Ocean) A3 디스크를 사용하였다. 오션은 이 회사의 브랜드 이름 중 하나이다. 협측에 A3 컬러를 적용한 후 치경부에 앰버 색상을 추가하였고, 교합면에도 A3 색상을 사용하였다. 소성 전 컬러링을 할 때 보통 치경부와 교합면 색상을 동일하게 한다. 일반 소성 후 연마로 표면을 활택하였다. 구치부에서 환자의 치아 색상이 보편적인 색상을 나타내고 있다면 스테인과 글레이징 작업은 하지 않는다.

17

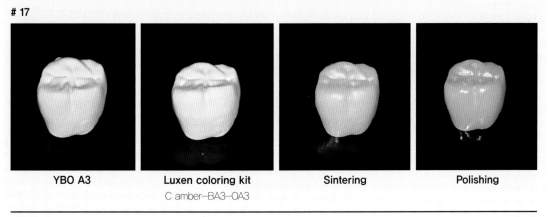

| YBO A3 | Luxen coloring kit
C amber−BA3−OA3 | Sintering | Polishing |

📷 10−5

상악 우측 제2대구치 역시 제1대구치와 동일하게 작업하였다. 각각의 치아에 사용한 지르코니아 디스크의 종류와 컬러링 키트의 종류를 반드시 기록으로 남긴다. 보통은 컴퓨터에 저장하는 파일 이름에 표시한다. 이 증례에서는 예스바이오사의 오션디스크 색상 A3를 사용하였기 때문에 약자로 YBO A3로 표시하였다. 컬러링 키트로는 루젠사 제품을 사용하였고, 사용한 색상을 치경부에서부터 교합면까지 이어서 표시하였다. 예를 들어, C amber−BA3−OA3라는 이름은 치경부(C)에는 앰버 색상을 사용하였고 위쪽 바디(B)에는 A3 색상을 교합면(O)에 A3 색상을 사용하였다는 의미이다. 각각의 작업마다 이렇게 자료를 남겨놓으면 훗날 다른 치아를 치료할 때 이 색상 자료를 참고하여 보다 빠르고 효율적으로 기공작업을 할 수 있다. 그리고 이런 과정을 통해 각각의 재료가 표현하는 미세한 차이들을 이해할 수 있게 된다.

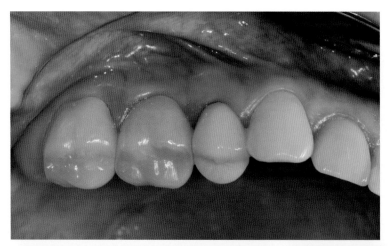

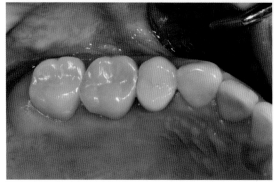 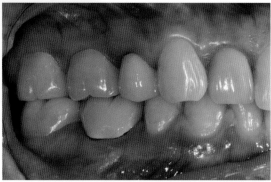

📷 10-6

완성된 상악 우측 제1,2대구치 지르코니아 크라운을 보면 치아의 형태와 크기, 색상이 인접한 기존 도재크라운(PFM)과 비교해 보았을 때 훨씬 자연스럽고 심미적임을 확인할 수 있다. 색상이 점진적으로 자연스럽게 잘 표현되어 있다. 이렇듯 기존 치아의 색상이 평범한 범주에 있을 경우에는 별도의 스테인 작업 없이 소성 전 컬러링만 가지고도 좋은 결과를 얻을 수 있다.

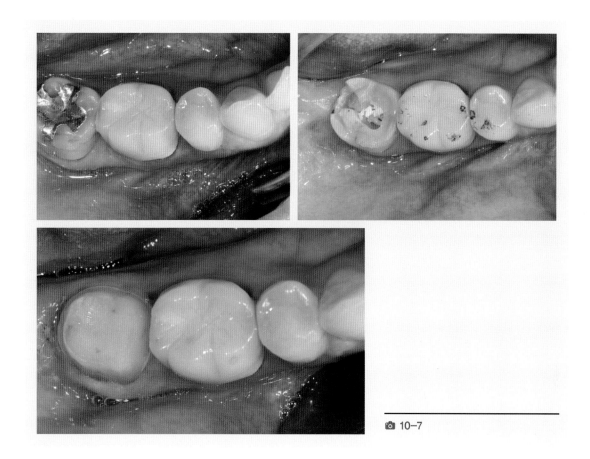

📷 10-7

하악 우측 제2대구치도 앞선 증례와 동일한 문제로 인레이를 제거한 후 근관치료를 하였다. 레진코어를 올린 후 구강스캔하였다.

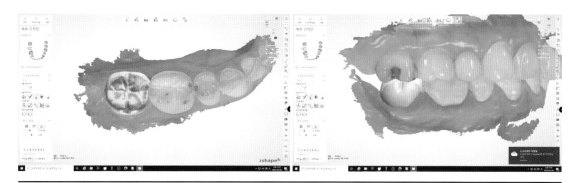

📷 10-8

하악 우측 제2대구치는 초진 사진에서 약간 회전된 모습을 하고 있었기 때문에 원심측 형태를 일부 더 삭제하여 치아 형태를 바로잡아 주었다. 치아 형태에 변화를 주더라도 가급적 수평피개와 수직피개 양상은 변화시키지 않으려 노력한다. 이 부분에 대한 급격한 변화는 혀와 뺨을 씹는 원인을 제공할 수 있기 때문이다.

47

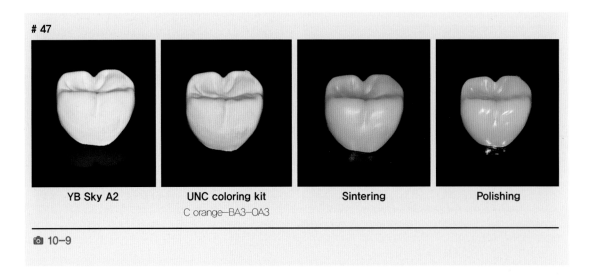

| YB Sky A2 | UNC coloring kit
C orange–BA3–OA3 | Sintering | Polishing |

📷 10-9

하악 우측 제2대구치에는 에스바이오사의 스카이 디스크 A2를 사용하였다. 지르코니아 디스크는 각 회사마다 사용한 지르코니아 분말의 원재료, 혼합비율, 첨가제의 유형에 따라 각기 다른 개성을 보인다. 투명감과 오패크한 정도, 소성 전 컬러링을 할 때의 색소 침투율, 소성 온도와 스케줄에 따라 매우 다른 결과를 나타낸다. 이 부분은 시행착오를 통해 꼭 극복해야 할 부분이다. 컬러링 키트로는 UNC사의 키트를 사용하였다. 치경부에는 오렌지 색상을 부여했고 바디와 교합면에 A3 색상을 사용하였다. 이전 증례와 다른 컬러링 키트를 사용한 것에 별다른 임상적 의미는 없다. 그러나 가능한 색상 표현의 통일성을 위해 동일 환자에서는 같은 키트를 사용하는 것이 좋다.

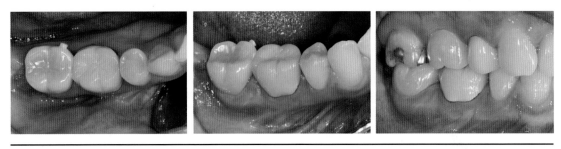

📷 10-10

예스바이오사의 스카이 디스크는 약간 오패크한 느낌이 필요할 때 사용한다. 인접한 도재크라운(PFM)보다 형태와 색조 면에서 더 자연스럽다. 지르코니아 디스크는 비심미적이라는 선입견을 깰 수 있는 증례이다.

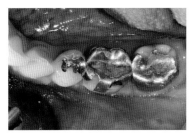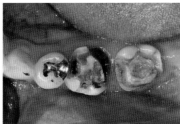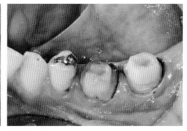

📷 10-11

하악 좌측 제2소구치부터 제2대구치까지도 금인레이를 제거한 후 지르코니아 크라운으로 수복하였다. 2차우식의 범위가 매우 넓고 인레이 주위에 크랙이 많이 존재하여 수복이 쉽지 않았던 증례이다.

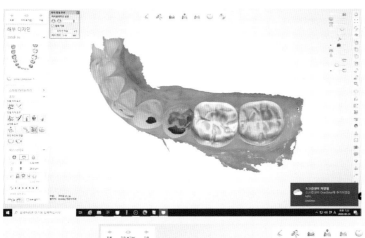

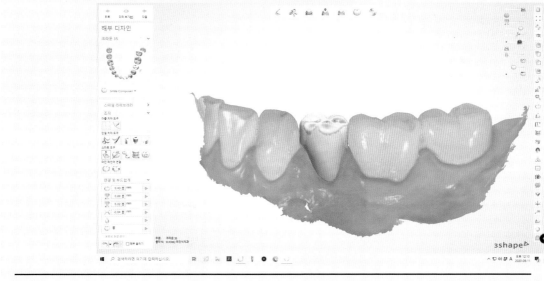

📷 10-12

금인레이가 광범위하게 되어 있던 하악 좌측 대구치는 이미 자연치 원형이 존재하지 않으므로 반대측 치아를 참고하여 디자인하였다. 이런 의미에서 보면 스캔 자체를 전악스캔으로 하는 것이 반대악을 참고하기에 좋다.

35

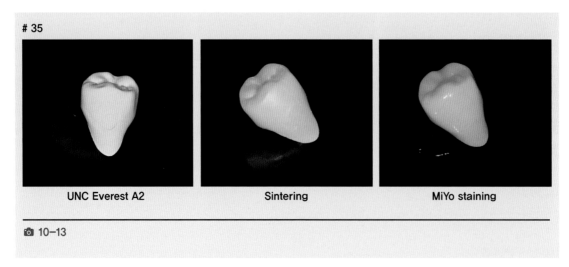

UNC Everest A2   Sintering   MiYo staining

📷 10-13

하악 좌측 제2소구치에는 UNC사의 다중 색상 지르코니아인 에버레스트 디스크 A2를 사용하였다. 다중 색상이므로 소성 전 컬러링은 하지 않았다. 소성 후 개별 치아 색상을 보다 세밀하게 표현하기 위해 젠센사(Jensen Co.)의 MiYo 스테인을 적용하였다. 환자의 치아 색상을 미세하게 표현하려면 소성 전 컬러링보다는 소성 후 스테인을 적용하는 것이 좋다.

35, 37

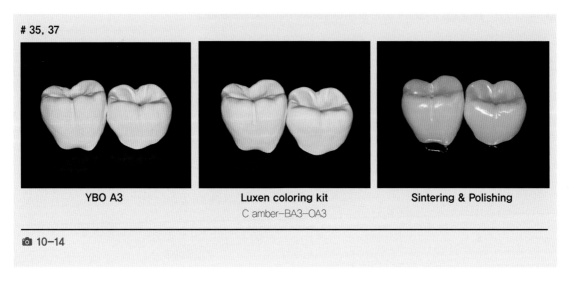

YBO A3   Luxen coloring kit
C amber–BA3–OA3   Sintering & Polishing

📷 10-14

하악 좌측 대구치에는 예스바이오사의 오션 지르코니아 디스크 A3를 사용하였다. 상악 우측 대구치에 적용한 소성 전 컬러링 방법을 동일하게 적용하였다. 소성 후 별도의 스테인 없이 연마만으로 마무리하였다.

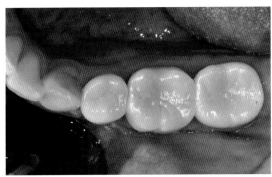
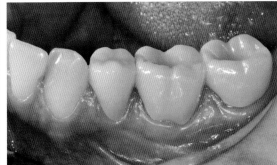
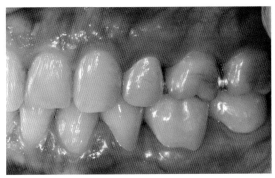

📷 10-15

하악 제2대구치는 교합조정 양이 조금 많았다. 스테인을 하면 교합조정 후 스테인한 부분이 부분적으로 벗겨지면서 표면에 얼룩이 생기는 문제가 발생한다. 그러나 소성 전 컬러링은 지르코니아 속 깊이 색상이 스며들기 때문에 교합조정을 한다고 해도 얼룩이 남지 않는다. 따라서 교합면에는 치아 색상을 소성 전 컬러링으로 표현할지 스테인을 적용해서 표현할지 판단하는 것이 상당히 중요하다.

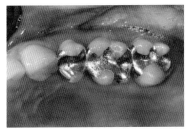
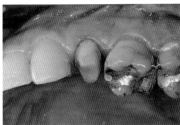
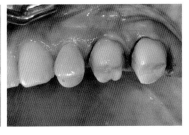

📷 10-16

상악 좌측 제2소구치와 대구치를 서로 시차를 두고 치료한 이유는 치료계획에서 추가된 부분이 발생했기 때문이다.

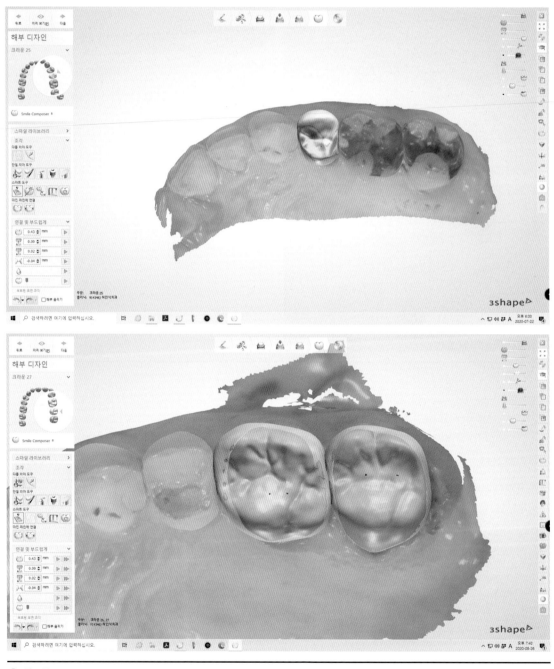

📷 10-17

기존 자연치 원형을 참고하여 크라운 외형을 디자인하였다.

25

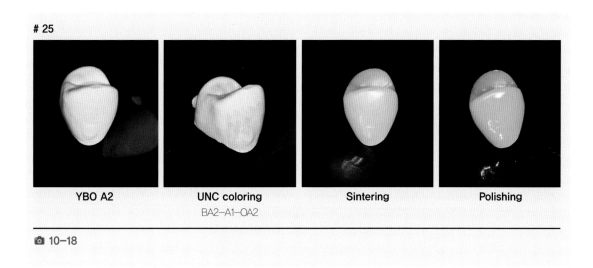

YBO A2   UNC coloring   Sintering   Polishing

BA2–A1–OA2

📷 10-18

상악 좌측 제2소구치에는 예스바이오사의 오션 A2 지르코니아 디스크를 사용하였다. UNC사의 컬러링 키트를 이용해서 바디에 A2–A1를 적용하고 교합면에 A2 색상을 적용하였다. 소성 후 연마만으로 마무리하였다.

26, 27

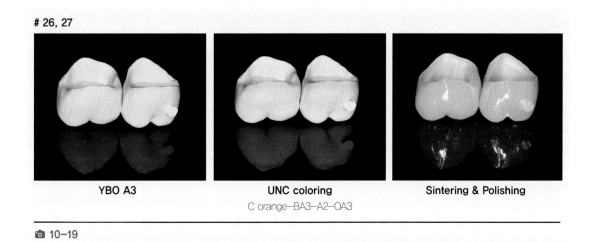

YBO A3   UNC coloring   Sintering & Polishing

C orange–BA3–A2–OA3

📷 10-19

상악 좌측 대구치에는 예스바이오사의 오션 A3 지르코니아 디스크를 사용하였다. 루젠사의 컬러링 키트를 이용해서 치경부에 오렌지 색상, 바디에 A3, A2를 순차적으로 적용하고, 교합면에 A3 색상을 적용하였다. 소성 후 연마만으로 마무리하였다.

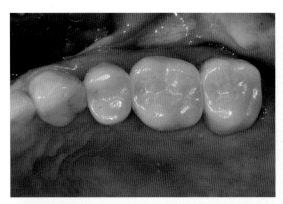
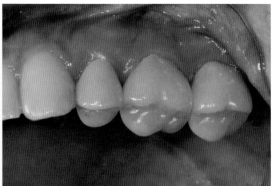
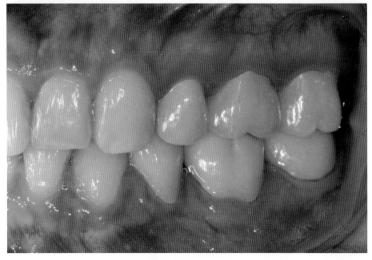

📷 10-20

최종보철 사진을 보면 상악 좌측 제2소구치 부위의 색상이 약간 아쉽다. 소성 전 컬러링이 너무 약하게 적용되었다. 소성 후 치경부와 바디에 스테인을 추가했으면 더 좋은 결과를 얻었을 것이다.

CASE 2

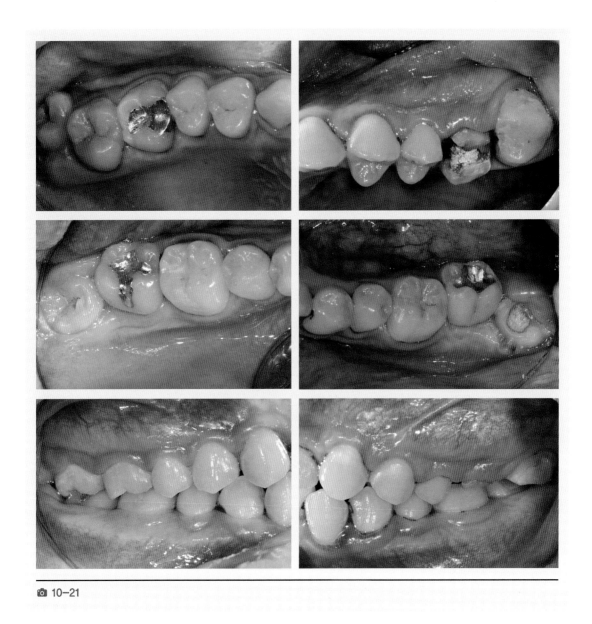

📷 10-21

상악 좌측 대구치의 치아우식이 심하게 진행된 상태이다. 임상치관의 길이가 매우 짧고 부정교합도 존재한다.

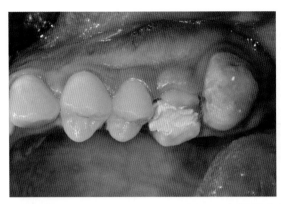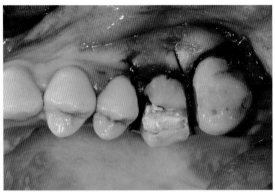

📷 10-22

치아우식이 심한 상악 좌측 제1대구치에 근관치료를 시행한 다음, 제2소구치부터 제2대구치까지 치관길이 연장술(crown lengthening)을 시행하였다. 제1대구치 주변으로는 치조골 삭제도 병행하였다.

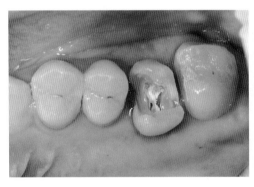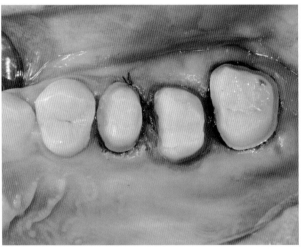

📷 10-23

수술 후 1개월 경과한 시점에서는 치아 주변의 잇몸이 완전하게 자리잡지 못하기 때문에 코드를 삽입하기 어렵다. 오히려 불필요한 출혈을 야기할 수 있기 때문에 코드 삽입 없이 스캔을 진행하였다.

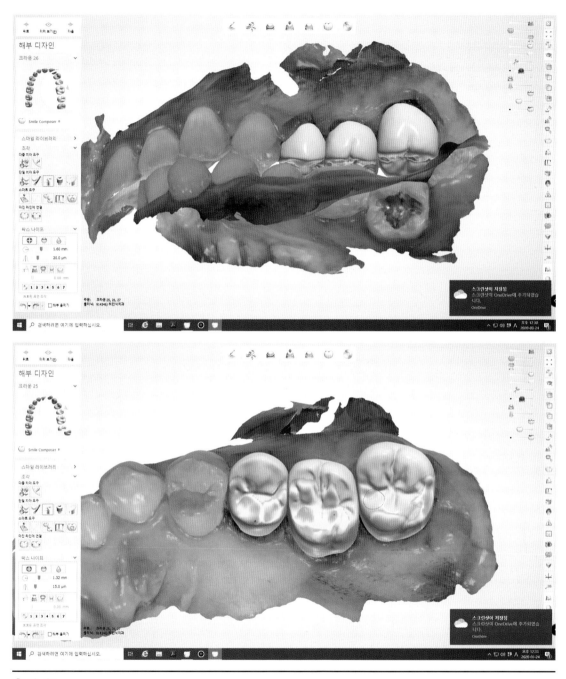

📷 10-24

술전 치아 형태를 참고하여 치아를 디자인하였다. 크라운의 형태를 인위적으로 바꾸는 것보다 현재의 형태를 보존하는 것이 바람직하다고 판단하였다. 하악 제2대구치가 설측으로 치우쳐서 위치해 있었기 때문에 교합은 좋지 않았다.

25, 26, 27

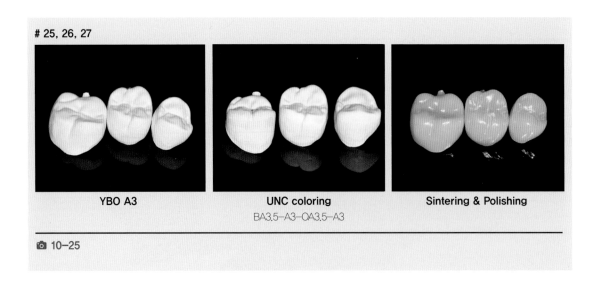

YBO A3 | UNC coloring BA3.5–A3–OA3.5–A3 | Sintering & Polishing

📷 10-25

예스바이오사의 오션 A3 지르코니아 디스크를 사용하였다. UNC사의 컬러링 키트를 이용해서 협측은 치경부에서부터 A3.5–A3를 순차적으로 적용하였고 교합면은 중심에 A3.5, 외곽에 A3 색상을 순차적으로 적용하였다. 이후 소성과 연마로 마무리하였다.

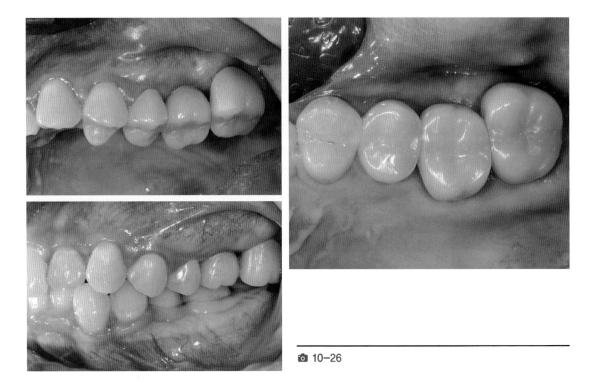

📷 10-26

인접한 자연치와 형태 및 색상이 자연스럽게 어우러지고 있고, 적절한 임상치관 형태를 회복하였다.

CASE 3

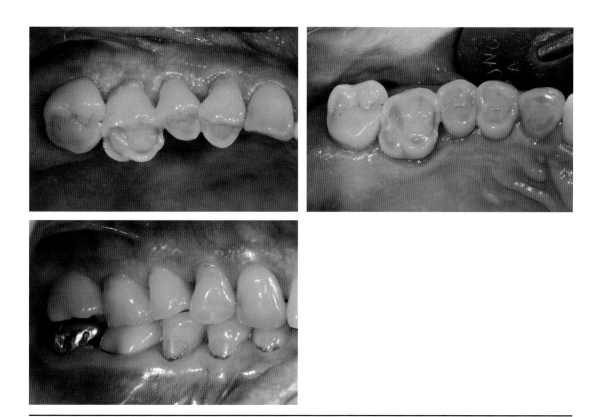

📷 10-27

상악 우측 제1대구치의 근원심에 치아우식이 존재하고 치아파절과 부식 및 마모 양상이 관찰된다. 치아가 정상 치열에서 약간 설측으로 치우쳐서 위치해 있으며, 수평피개 양이 많지 않다.

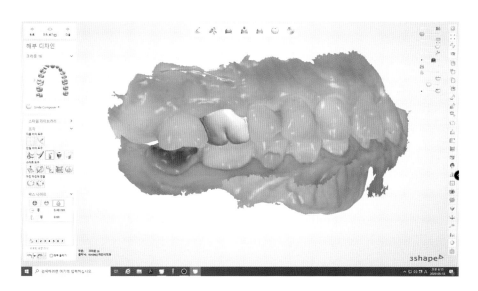

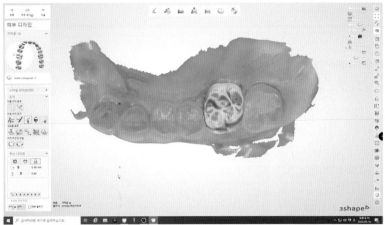

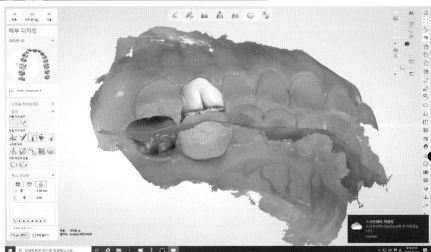

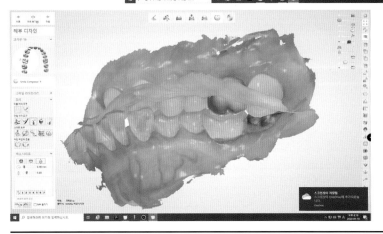

📷 10-28

이런 치아를 수복할 때 술전 사진이 없다면 기공하는 사람은 치아 형태를 어떻게 마무리해야 하는지 고민할 수 밖에 없다. 그러나 술전 사진을 바탕으로 디자인하면 그런 고민을 덜 수 있다. 술전 위치와 형태를 그대로 재현했기 때문에 치료 후 환자는 익숙하게 새로운 크라운을 받아들인다.

16

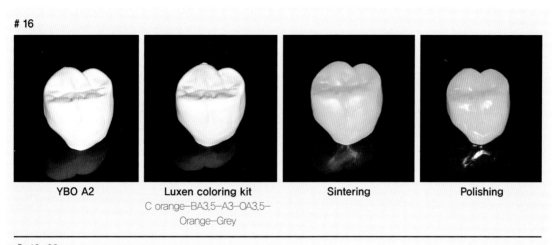

YBO A2 | Luxen coloring kit C orange—BA3.5—A3—OA3.5— Orange—Grey | Sintering | Polishing

📷 10-29

예스바이오사의 오션 A2 지르코니아 디스크를 사용하였다. 오션 디스크는 투명감을 잘 표현해준다. 루젠사의 컬러링 키트를 이용해서 치경부에 오렌지 색상, 바디에 A3.5, A3를 순차적으로 적용하였고, 교합면에 A3.5와 오렌지 색상을 적용하였다. 투명한 밴드 효과를 위해 그레이 색상을 추가하였다. 소성 후 연마하였다.

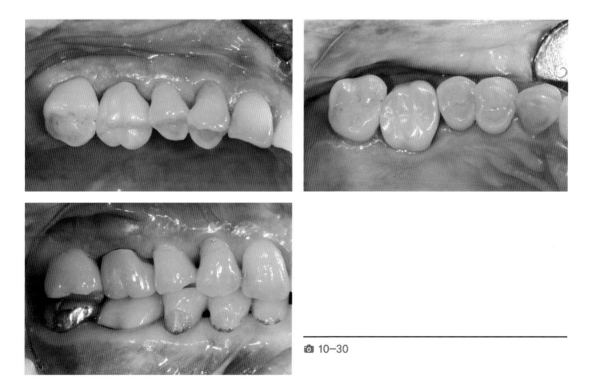

📷 10-30

측면과 교합면의 기본 색상이 인접치아와 유사하게 표현되었다. 인접치아 교합면에 존재하는 투명감 밴드 존을 표현하기 위해 그레이 컬러를 사용하였지만 두드러지게 표현하지는 못하였다. 이런 세밀한 효과는 소성 후 스테인을 이용하는 것이 효과적이다.

CASE 4

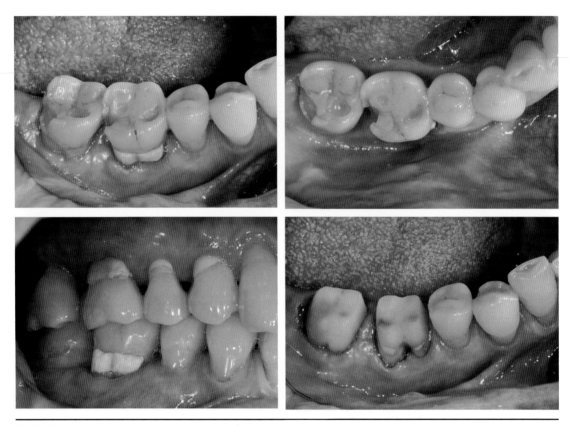

📷 10-31

고령층에서 많이 볼 수 있는 치아 상태이다. 치주건강 상태가 좋지 않고 심한 치은 퇴축과 치경부 마모, 교합면 마모와 치아파절이 존재한다. 이렇게 치은 퇴축이 심한 치아는 치경부의 마모된 부위를 덮는 형태로 크라운을 제작하기 위해 상당히 많은 치아를 삭제해야 한다. 따라서 근관치료가 선행되는 경우가 많다. 술자의 육안으로는 언더컷이 없어 보이더라도 실제로는 언더컷이 존재하는 경우가 많기 때문에 스캔 후 반드시 언더컷 존재 여부를 확인해야 한다.

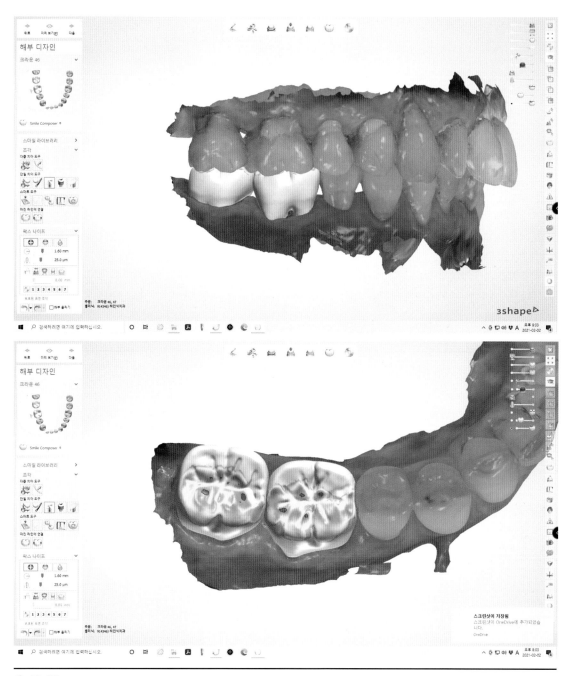

📷 10-32

술전 사진을 참고하여 치아를 디자인하였다. 이렇게 치경부 마모가 심한 치아는 치관외형이 과다 풍융하게 (overcontour) 제작되는 경우가 많기 때문에 주의해야 한다.

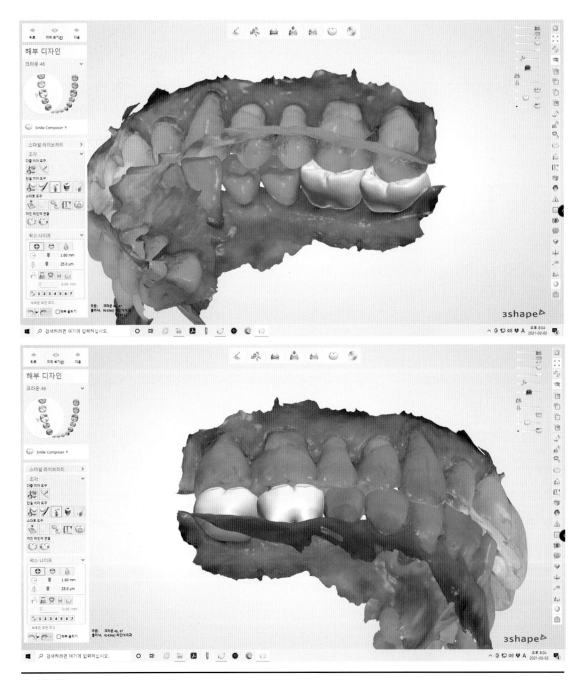

📷 10-33

필자가 구치부를 디자인할 때 가장 주의하는 부분 중 하나가 수평피개와 수직피개이다. 최소한 술전 형태를 보존하려고 노력하고 급격한 변화를 피한다.

46

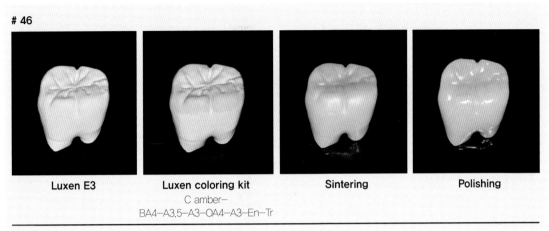

| Luxen E3 | Luxen coloring kit | Sintering | Polishing |

C amber–
BA4–A3.5–A3–OA4–A3–En–Tr

📷 10-34

여러 가지 지르코니아 디스크를 사용하다 보면 각각의 회사마다 독특한 개성이 있음을 알게 된다. 이 증례에서 사용한 루젠사의 지르코니아 디스크는 다른 회사와는 달리 비타 색상(Vita shade) 분류법을 사용하지 않는다. 예를 들어, 이 증례에 사용한 E3 디스크는 기존 비타 색상으로 따지면 A3와 A2 사이에 위치하는 색상이라고 할 수 있다. 이런 미묘한 차이를 잘 이해하지 못하면 소성 후 나온 색상이 너무 어둡거나 너무 밝게 표현될 수 있다. 이럴 때는 소성 후에 스테인을 이용해서 원하는 색상을 유도해야 한다. 환자의 나이가 많고 치은 퇴축이 심하여 치근의 노출이 있을 경우에는 소성 전 컬러링을 할 때 이 부위에 좀 더 세심한 표현을 해야 한다. 따라서 치근 부위에 A4 색상을 바르고 그 위쪽으로 A3.5와 A3를 이용하여 점진적 색상 변화를 표현하였다. 교두 부위에는 에나멜(Enamel)과 투명 색상(Translucent)을 도포하였고 치경부에는 앰버 색상을 추가하여 치근 특유의 어둡고 진한 색상을 표현하였다. 소성 후 연마하였다.

47

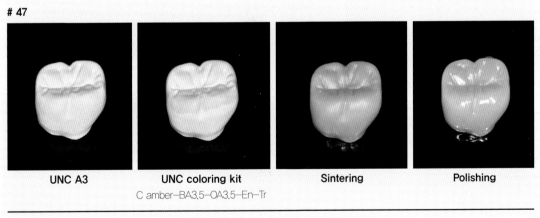

| UNC A3 | UNC coloring kit | Sintering | Polishing |

C amber–BA3.5–OA3.5–En–Tr

📷 10-35

제2대구치에는 UNC사의 지르코니아 디스크 중 A3 색상을 이용하였다. 제2대구치와 동일하게 루젠사의 컬러링 키트를 동일한 방법, 동일한 사양으로 적용하였다. 한 환자에게 여러 개의 지르코니아 보철을 할 때 가능한 한 같은 회사, 같은 색상의 지르코니아 디스크를 통일감 있게 사용하는 것이 바람직하다. 여러 회사 제품을 섞어서 사용할 경우 같은 비타 계열을 사용했다고 해도 미세한 색상 차이를 나타낼 수 있다.

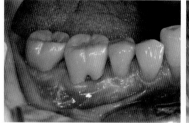
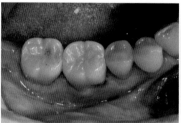
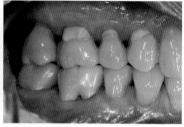

📷 10-36

하악 우측 제1,2대구치 지르코니아 보철을 비교해 보면 같은 동일한 컬러링 방법을 적용하였지만 제1대구치 색상이 조금 더 밝은 것을 볼 수 있다. 환자의 잔존치아 색상과 비교해 보면 UNC A3를 사용하거나 제1대구치 치경부와 최대풍융부 하방을 조금 더 진하게 컬러링하는 것이 좋았다.

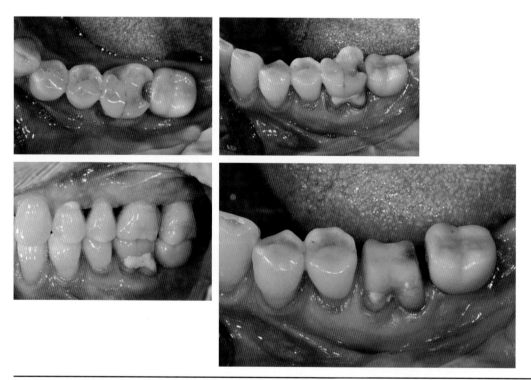

📷 10-37

하악 좌측 제1대구치도 하악 우측과 비슷한 상황이다. 치근이개부 입구와 퇴축된 치근을 피개하는 크라운을 제작하려고 할 때 치아삭제를 충분히 했다고 생각해도 하방에 언더컷이 존재하는 경우가 대부분이기 때문에 주의가 필요하다. 반드시 렌더링하기 전에 언더컷 존재 여부를 확인해야 한다.

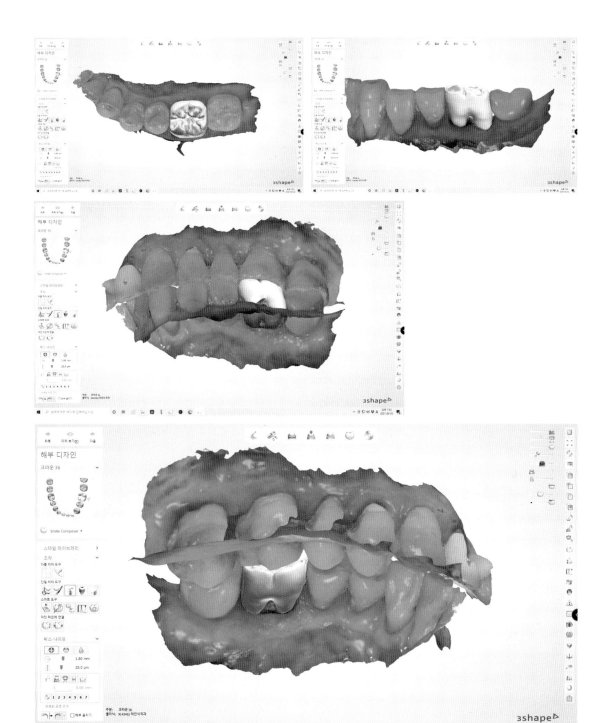

📷 10-38

충분한 치아삭제가 이루어지지 않으면 이런 치아의 경우 과다 풍융된 크라운이 되거나 지르코니아 크라운 최소 두께를 확보하지 못하게 되는 경우가 발생한다. 따라서 스캔자료를 렌더링하기 전에 언더컷 유무와 마진의 정확성, 최소 두께 등을 고려한 삭제가 되었는지를 꼼꼼히 점검해야 한다.

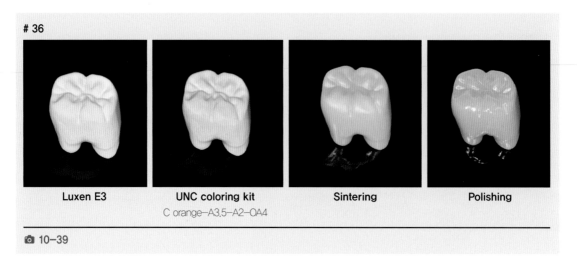

📷 10-39

반대측 제1대구치와 동일하게 루젠사의 E3 색상 지르코니아 디스크를 사용하였다. 컬러링 키트로는 UNC사 제품을 사용하였다. 치근과 최대풍융부를 A3.5로 표현하였고 그 위에 A2, 교합면에 A4 색상을 적용하였다. 치근에는 오렌지 색상을 추가하였다. 소성과 연마로 마무리하였다.

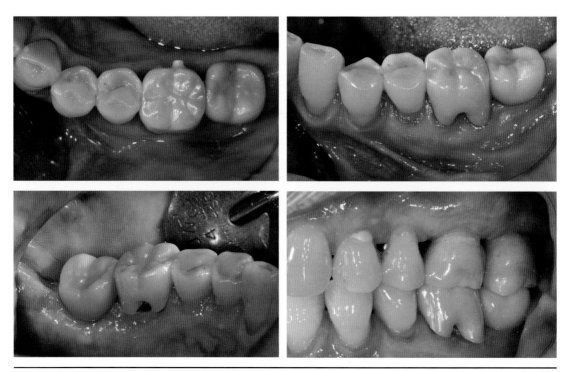

📷 10-40

최종 시적된 모습을 보면 전방의 자연치보다 조금 밝고 희다. 자연치아가 오렌지 색상을 보이는 경우. 소성 전 컬러링으로는 이를 표현하기 어렵다는 것이 현재까지의 경험이다. 이럴 때에는 스테인을 추가하는 방법을 사용한다. 소성 전 컬러링 키트에도 오렌지 색상이 있지만 약간 어두운 느낌(dark orange)을 부여하는 효과를 얻을 수는 있어도 이 증례처럼 밝은 오렌지(light orange) 색상을 표현하지는 못한다.

CASE 5

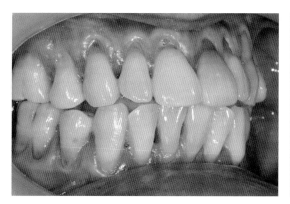
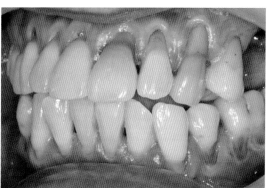
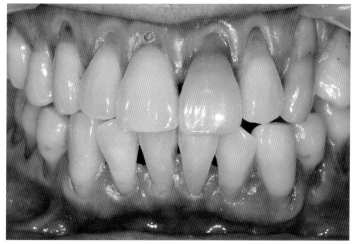
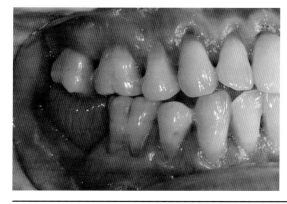
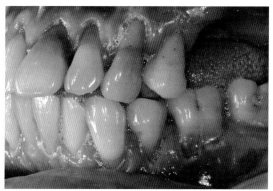

📷 10-41

치아와 잇몸이 오랜 시간 관리되지 않아 다수의 상실치아가 존재한다. 상악 좌측 중절치 주변으로는 치조골 파괴가 심하고 치아동요도가 크게 존재하여 발치해야 할 상황이다.

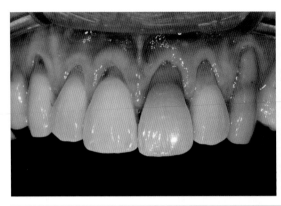
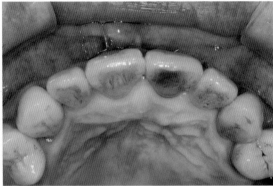

📷 10-42

상악 좌측 중절치의 치조골 소실이 심하고 환자의 직업 특성상 치료를 조기에 마무리지어야만 하는 상황이어서 임플란트가 아닌 브릿지로 치료계획을 정하였다. 염증 영향으로 치아의 정출을 확인할 수 있다.

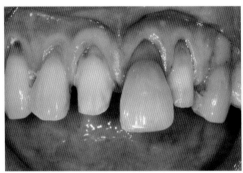
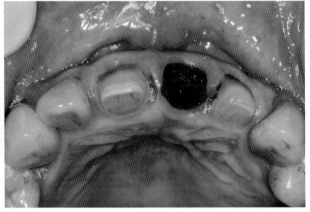

📷 10-43

발치를 하기 전에 인접한 지대치를 먼저 삭제하였다. 지대치 삭제 전 발치를 먼저 하면 발치와의 출혈 등으로 인해 치아삭제 시 시술을 방해할 가능성이 존재하기 때문에 치아삭제를 먼저 하였다. 만성적인 염증이 존재하였기 때문에 발치와 내면에 육아조직이 두껍게 붙어 있었다.

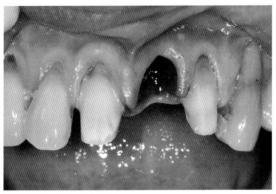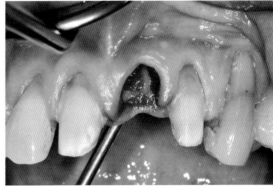

📷 10-44

발치와 내면에 붙어있던 육아조직을 뼈로부터 분리하여 판막의 일부로 사용하는 치조제보존술을 사용하였다.

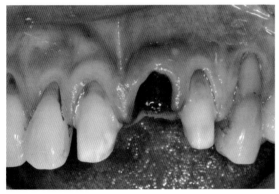

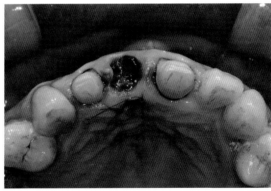

📷 10-45

발치와를 자연치유되도록 그대로 방치하면 치조제 수축이 심하게 일어나기 때문에 임플란트를 하든 브릿지를 하든 비심미적인 치아 길이를 야기한다. 발치와 내면 육아조직을 들어 올리고 그 하방에 뼈이식재(InterOss, SigmaGraft Co.)를 채워 넣었다. 봉합 후 사진을 보면 치조제의 수직적 · 수평적 형태가 매우 양호하게 유지되고 있음을 확인할 수 있다.

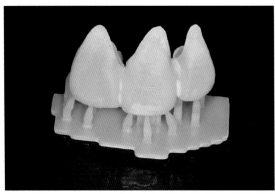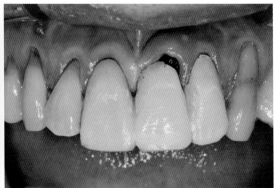

📷 10-46

발치 전에 채득한 스캔자료를 바탕으로 3D 프린터로 사전 제작한 임시치아쉘(temporary shell)을 이용하여 임시치아를 술후 장착하였다. 이런 형태의 임시치아는 발치 전 치아 형태를 그대로 이용하여 만들었기 때문에 적절한 형태를 재현하기 어렵다. 따라서 지대치 삭제 후 스캔한 자료를 바탕으로 새로운 임시치아를 제작해야 한다.

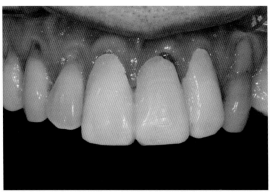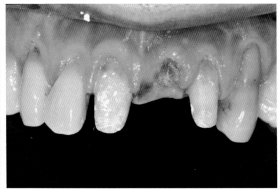

📷 10-47

발치 후 1주일이 경과한 모습이다. 발치와 내면 조직과 이종골(InterOss, SigmaGraft Co.)을 이용한 발치와 치조제보존술의 결과가 매우 성공적이다. 발치와에 대한 방치와 자연치유로는 기대할 수 없는 치조제 외형을 확인할 수 있다.

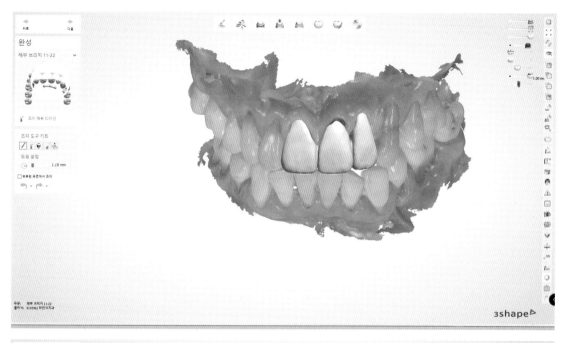

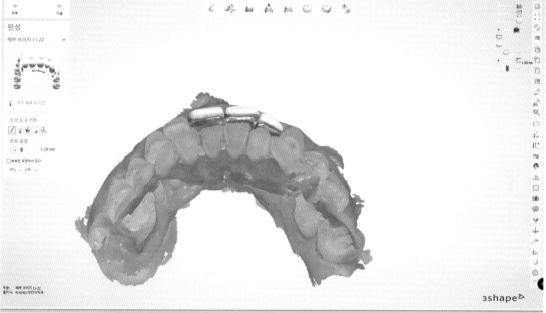

📷 10-48

일차 디자인을 완성하였다. 이를 바탕으로 새로운 임시치아를 제작해서 봉합사를 제거하는 날 교체하였다.

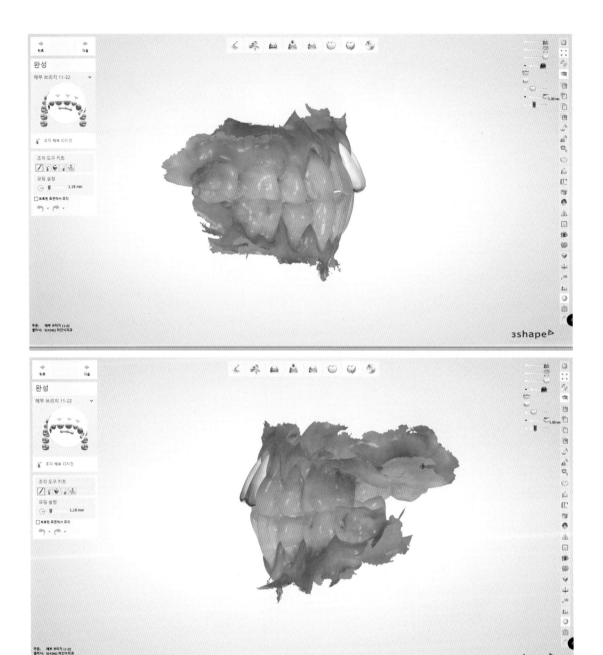

📷 10-49

발치와 치조제보존술을 시행한 날 채득한 스캔자료를 바탕으로 최종보철을 디자인하였고, 5축 밀링기계를 이용하여 PMMA 임시치아를 새롭게 제작하였다. 최종보철을 하기 전에 이 과정은 필수적이다. 전치부는 환자의 심미적 기능적 만족을 위해 환자와 주변 가족의 평가를 받은 다음 최종보철 제작에 들어가는 것이 좋다. PMMA 크라운을 통해 치아의 길이, 형대, 수평 피개 및 수직 피개, 돌출 정도 등을 종합적으로 판단한다. 만약 이 과정 없이 최종보철 작업을 진행하면 환자에게 불만족스러운 부분이 있어도 이를 수정하기 쉽지 않고 자칫 분쟁의 요소가 발생할 수 있다.

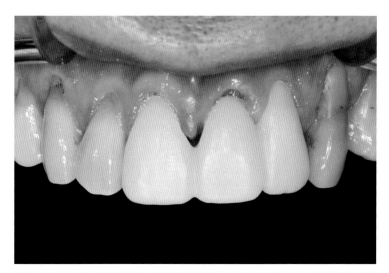

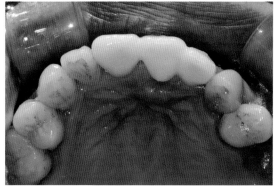
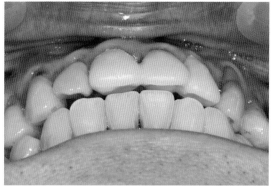

📷 10-50

발치와 치조제보존술 후 1주일 경과한 시점에 3D 프린터로 제작했던 기존 임시치아를 새롭게 제작한 PMMA 임시치아로 교체하였다. 최종보철물의 형태와 교합을 평가하기 위해서는 3D 프린팅으로 제작한 임시치아보다는 PMMA로 제작한 임시치아를 사용하는 것이 바람직하다. 3D 프린터 출력 시 함께 생성되는 다수의 지지대가 크라운의 정확한 형태와 교합을 평가하는 것을 방해하기 때문이다. 그리고 3D 프린팅으로 제작된 임시치아는 절단면의 모서리 부위가 조금 동그랗게 출력되는 경향이 있어서 정확한 형태 평가를 어렵게 한다. 이런 임시치아를 통해 치간 공극의 크기와 치아의 형태, 각도 등을 시차를 두고 자세히 평가할 수 있다. 또한 환자 본인의 주관적인 평가와 바람을 청취하고 이를 최종 디자인에 반영한다. 화면으로 본 디자인과 실제 출력으로 나타난 실물에는 상당한 차이가 존재할 수 있기 때문에 그런 부분을 최종 디자인에 포함시키기 위해선 임시 출력물의 품질이 매우 중요하다.

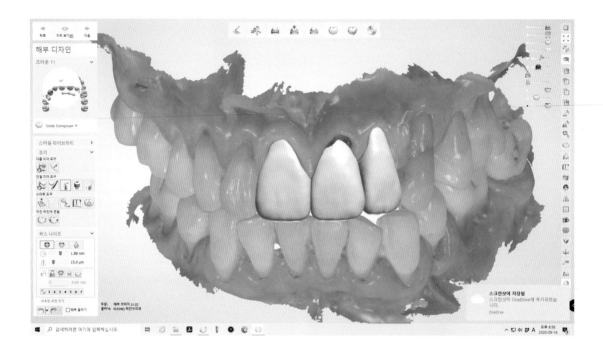

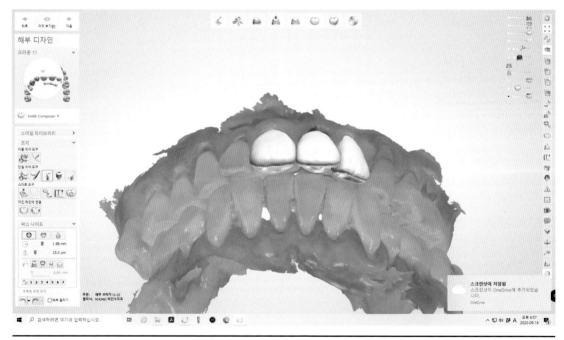

📷 10-51

전치의 경우에는 치료 결과에 대한 환자와 주변 지인들의 평가가 치료의 만족 여부가 결정하는 데 매우 중요한 역할을 한다. 새로운 임시치아 대한 환자의 피드백을 받아 일부 디자인을 변경하였고 이를 바탕으로 세 번째 임시치아를 제작하였다.

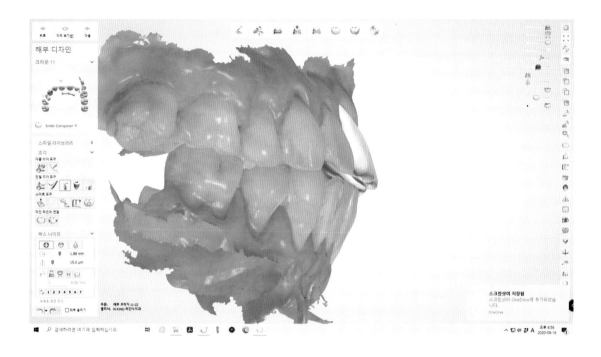

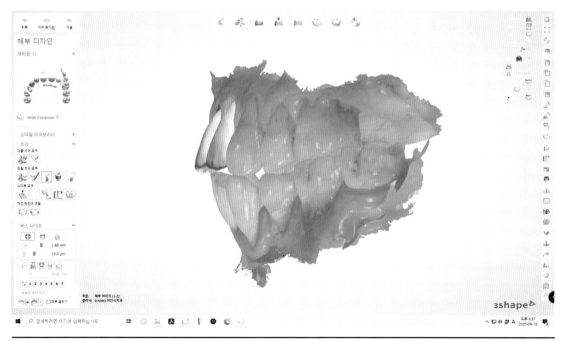

📷 10-52

측면에서 본 모습으로 인접치아와 치아 외형이 자연스럽게 이어지는지 확인하였다. 그러나 화면에서 보는 것과 실제 이미지에 차이가 있을 수 있기 때문에 다시 한 번 이에 대한 피드백을 받아야 한다.

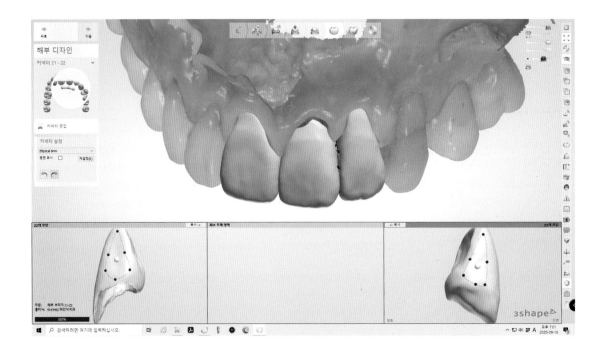

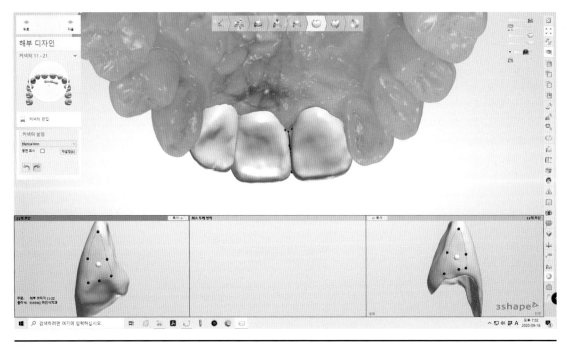

📷 10-53

임시치아에서 발견한 문제점과 환자에게서 받은 피드백 내용을 추가해서 최종 디자인에 반영하였다. 3Shape 사의 덴탈시스템은 브릿지의 커넥터 디자인을 만들고 수정하는 기능이 매우 쉽고 탁월하다. 세 번째로 만든 임시치아에 대해 환자의 평가를 확인하고 별도로 추가할 부분이 없었기 때문에 최종적인 크라운 제작에 들어 갔다.

11-22 Bridge

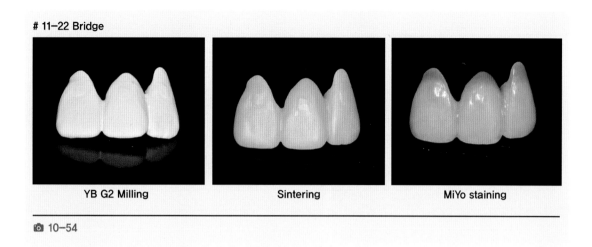

YB G2 Milling   Sintering   MiYo staining

📷 10-54

예스바이오사의 다중 색상 디스크 중 G2 디스크를 사용하여 밀링하였고, 소성 후 환자의 개별 치아색상 특성을 고려하여 MiYo 스테인을 이용하여 스테인 처리를 하였다.

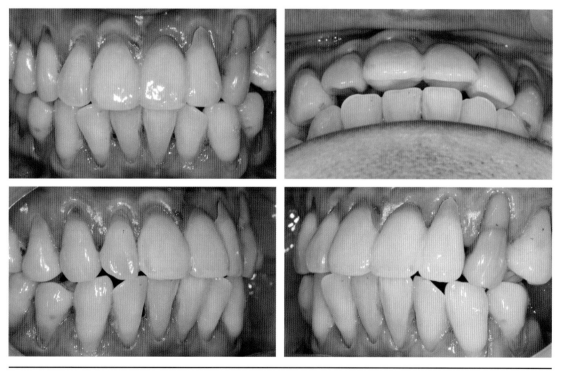

📷 10-55

치아의 색상에 개성이 뚜렷한 부분이 존재하면 소성 전 컬러링과 다중 색상 지르코니아만으로는 이를 표현하기 어렵다. 반드시 스테인 처리나 도재 축성이 병행되어야 한다.

CASE 6

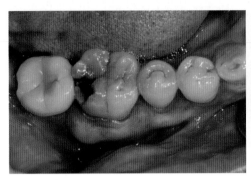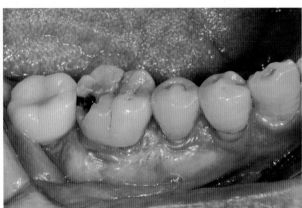

📷 10-56

치아 형태가 조금 특이한 증례이다. 협설측 원심에 발육구가 각각 한 개씩 존재한다. 크라운을 제작할 때 이 부분을 그대로 표현하기로 결정하였다. 환자가 가지고 있는 원래의 치아 형태는 특별한 이유가 존재하지 않는 한 그대로 보존하는 것을 원칙으로 하고 있기 때문이다.

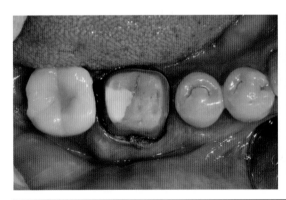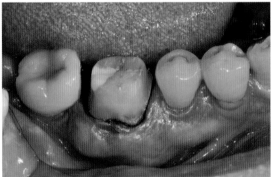

📷 10-57

만약 초진 사진을 가지고 있지 않다면 환자의 치아 형태는 평균적인 치아 형태에 맞추어 제작할 수밖에 없다. 기공사는 원래의 치아에 대한 정보를 알 수 없기 때문이다. 따라서 초진 사진 촬영의 중요성을 다시 한 번 강조한다.

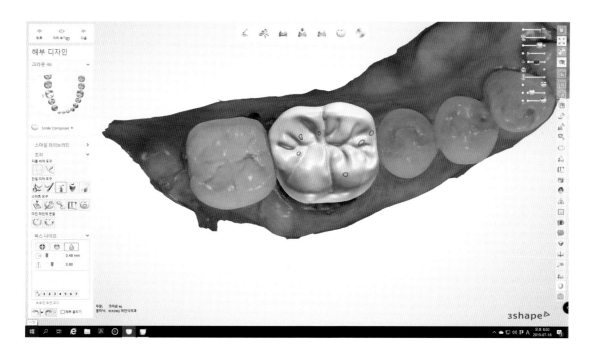

📷 10-58

라이브러리에서 제공된 디자인을 바탕으로 최초 디자인한 크라운 형태이다. 보통 하악 제1대구치의 경우 협측에 2개, 설측에 한 개의 구(groove)가 존재하지만, 이 증례는 2개의 구가 존재하였기 때문에 다시 한 번 수정하여 최종 디자인을 완성하였다.

📷 10-59

설측 원심에 초진과 동일하게 구 하나를 추가하였다.

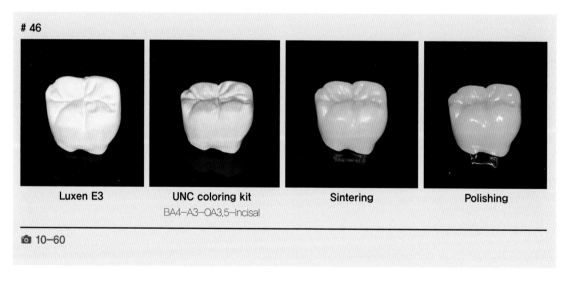

📷 10-60

루젠사의 E3 지르코니아 디스크를 이용하였고 UNC사의 컬러링 키트를 이용하여 색상을 부여하였다. 치근과 치아풍융부에 A4 색상을 적용하였고 상방으로 A3 색상을 적용하였다. 교합면에는 A3.5를 적용하였으며, 교두 외사면에 Incisal 색상을 추가하였다. 소성 후 연마로 마무리하였다.

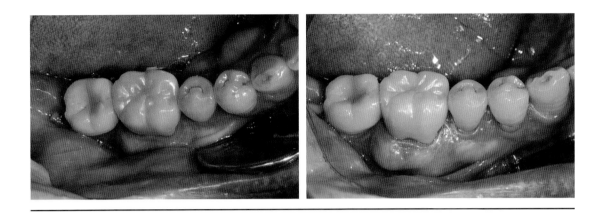

📷 10-61

환자의 초진 상태를 잘 보존하여 최종 크라운이 완성되었다.

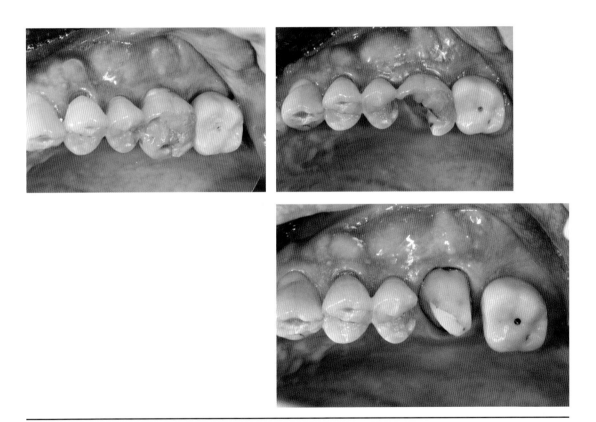

📷 10-62

동일 환자의 상악 좌측 제1대구치이다. 어느 날 갑작스러운 치아파절로 내원하였다. 잔존 치아의 부담을 줄여주기 위해 당일에 모든 치료를 마무리하였다. 치아파절이 조금 더 확대되면 발치로 이어질 수 있기 때문에 가급적 빠른 시간 안에 치료를 마무리하고자 했다.

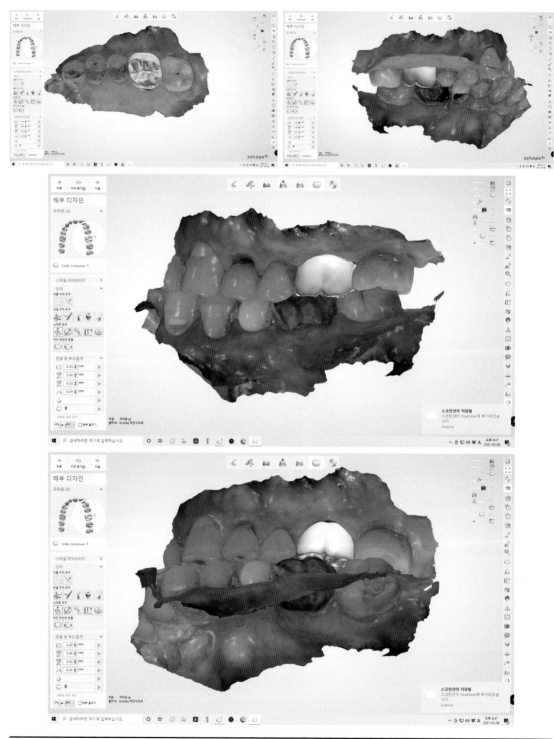

📷 10-63

초진 시 치아 상태를 바탕으로 크라운을 디자인하였다. 수평 및 수직씨개 양상에 대한 확인은 매우 중요하며, 치은 공극을 어느 정도로 할 것인지에 대한 판단도 매우 중요하다. 식편압입 이슈와 연관되기 때문이다.

26

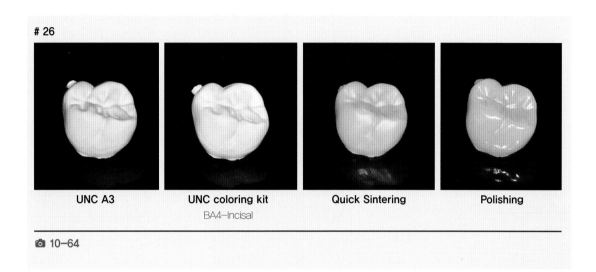

| UNC A3 | UNC coloring kit
BA4-Incisal | Quick Sintering | Polishing |

📷 10-64

UNC사의 A3 지르코니아 단일 색상 디스크(Razor, UNC Co.)를 이용하였고 UNC사 컬러링 키트를 이용하여 색상을 부여하였다. 바디에는 전체적으로 A4 색상을 적용하였고 절단면에 Incisal 색상을 추가하였다. 평소보다 기본 디스크의 색상과 컬러링을 한 단계 더 진하게 사용하였다. 빠른 소성 모드를 이용하면 다소간 색상이 하얗고 오패크하게 표현되기 때문에 평상시 색상보다 한 단계 상향하여 표현하는 것이 좋다. 또한 회사에 따라 빠른 소성 모드 스케줄에 차이가 있기 때문에 사용 전에 제조사에 소성 스케줄을 확인해야 한다. 빠른 소성에는 45분 정도가 소요되며 연마로 최종 마무리하였다.

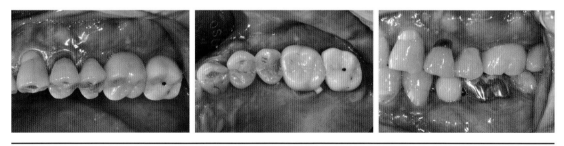

📷 10-65

비록 빠른 소성 모드로 작업하였지만 색상에 큰 차이를 보이지 않는다. 상악 좌측 제2대구치 임플란트 크라운의 색상이 오히려 전형적인 빠른 소성 크라운으로 작업했을 때 자주 보는 색상이다. 만약 보통 하던 대로 컬러링 방법을 사용했다면 제2대구치와 같은 색상으로 결과물이 나왔을 것이다. 빠른 소성을 위해선 디스크의 소성 스케줄을 확인하고 평상시보다 한두 단계 진한 컬러링을 해야 한다는 것에 유념해야 한다.

CASE 7

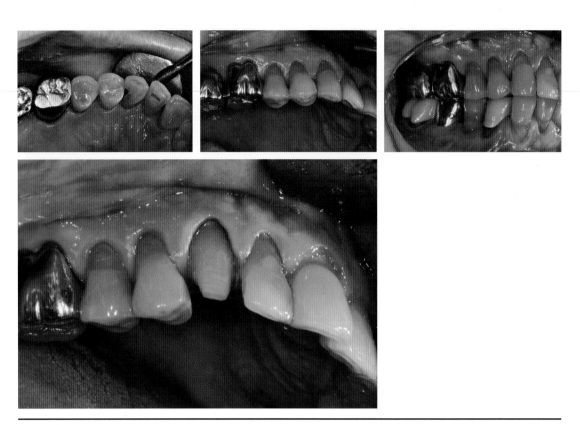

📷 10-66

상악 우측 견치 원심에 매우 심한 치아우식이 존재한다. 근관치료 후 크라운을 계획하였다. 치아에 투명감이 두드러지고 색상이 매우 진하다. 소성 전 컬러링과 다중 색상 디스크로는 절대 이런 치아 색상을 표현할 수 없다. 치아 삭제 후 코드를 하나만 사용한 다음 변연을 덮고 있는 잇몸을 레이저로 일부 다듬고 스캔하였다. 2차 코드는 어떤 경우에도 사용하지 않는다.

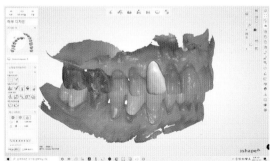

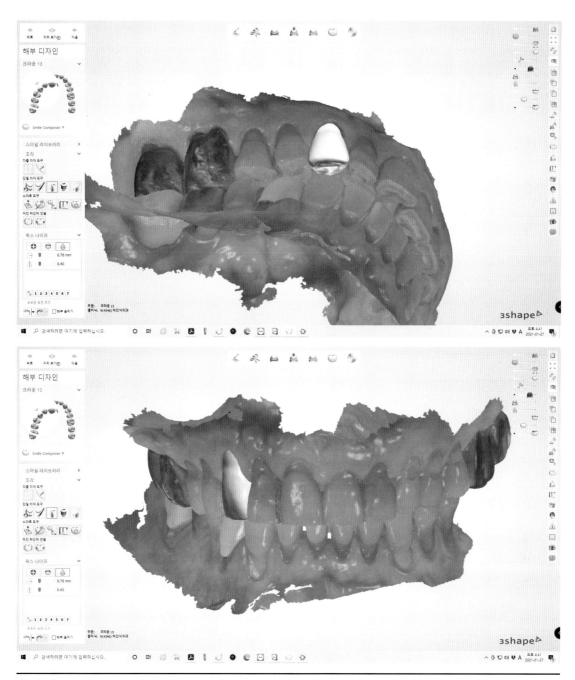

📷 10-67

덴탈시스템을 통해 크라운을 디자인하였다. 여러 각도에서 돌려보면서 크라운의 외형(profile)과 축, 각도 등을 인접치아와 비교하는 것이 좋다. 치경부와 치근의 외형을 표현하기 위해 약간의 단차를 표현하였다. 절단면에 마모된 형태를 표현하였다.

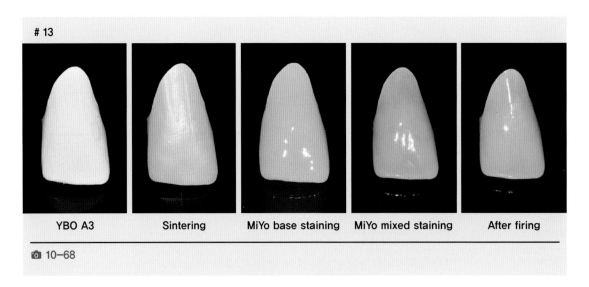

13

| YBO A3 | Sintering | MiYo base staining | MiYo mixed staining | After firing |

📷 10-68

예스바이오사의 지르코니아 A3 디스크를 사용하였고 소성 전 컬러링은 하지 않았다. 소성 후 MiYo 스테인을 사용하였다. MiYo는 퍼니스에 들어가기 전후 색상이 거의 유사하기 때문에 최종 결과를 보다 정확하게 예측할 수 있다.

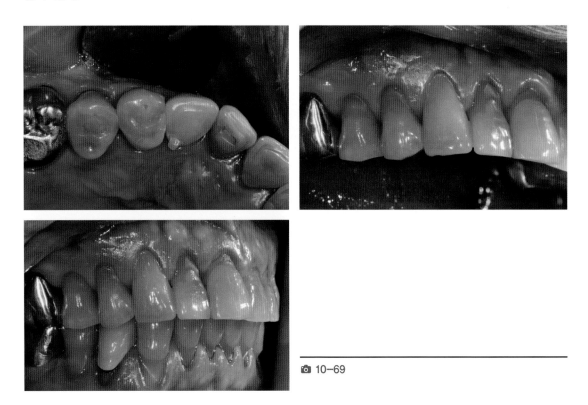

📷 10-69

보철물을 시적한 모습이다. 때로는 원하는 치아 색상을 표현하기 위해 MiYo 스테인을 일부 혼합해서 사용하기도 한다. 치아의 색상이 워낙 다양하고 독특하기 때문에 혼합 방식을 매뉴얼화하기 어려운 면이 있다. 술자의 판단하에 MiYo 색상을 혼합해야 하기 때문에 많은 경험과 시행착오가 있을 수 밖에 없는 부분이다.

CASE 8

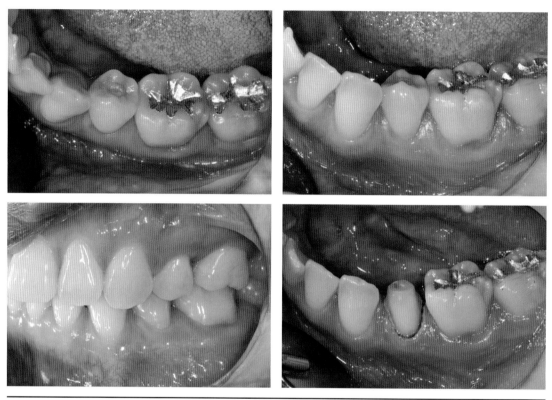

📷 10-70

하악 좌측 소구치에 크랙으로 인한 비가역성 치수염이 발생하여 근관치료 후 크라운을 진행하였다. 스캔 전 변연 노출을 위해 레이저를 사용하였다. 큰 통증을 야기하지 않기 때문에 대부분 마취 없이 진행한다.

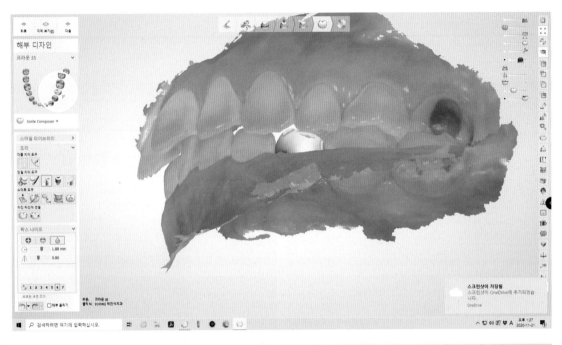

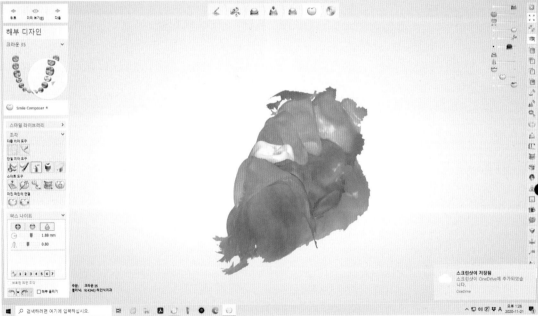

📷 10-71

크라운을 디자인할 때에는 디자인체를 여러 각도로 돌려보면서 인접치아와 유사한 흐름으로 크라운 외형이 표현되었는지를 확인해야 한다. 과다풍융 혹은 과소풍융을 방지하기 위함이다. 치아 외형은 향후 기능적인 요소와도 밀접한 연관을 나타낸다.

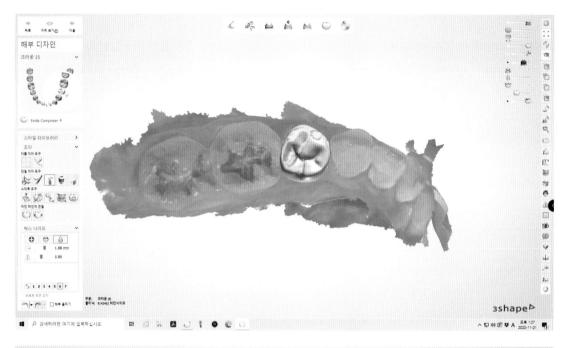

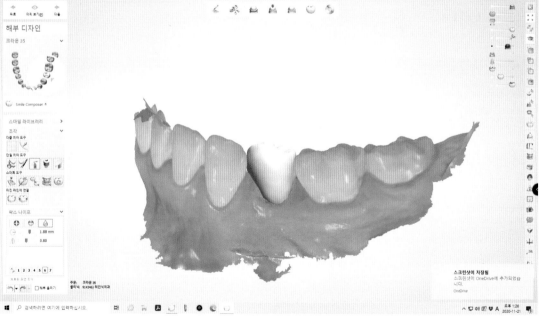

📷 10-72

치료 전 치아 형태를 참고하여 보철을 디자인하였다.

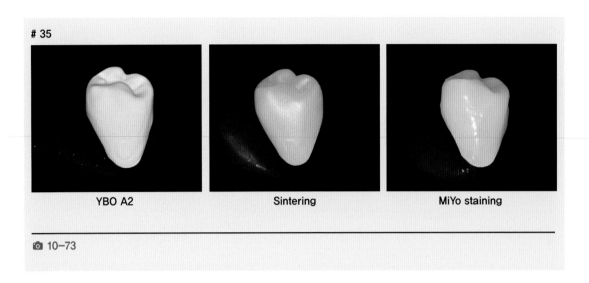

📷 10-73

소성 후 스테인 과정을 염두에 두고 있다면 소성 전 컬러링을 생략하는 경우도 많다. 예스바이오사의 지르코니아 A2 단일 색상 디스크를 이용하였고 소성 전 컬러링은 하지 않았다. 디스크의 기본 색상은 인접치아를 기준으로 가장 밝은 치아의 색상을 기준으로 선택한다. 밝은 치아를 어둡게 하는 것은 가능하지만 그 반대는 쉽지 않기 때문이다.

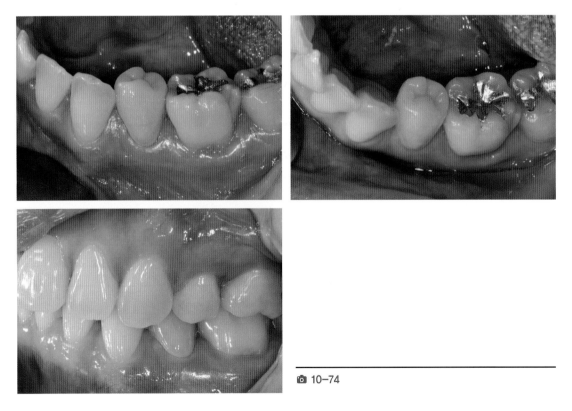

📷 10-74

최종보철이 완성된 모습으로 인접치아의 색상과 조화로운 모습을 보인다.

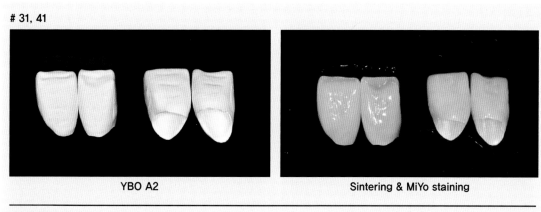

31, 41

YBO A2 | Sintering & MiYo staining

📷 10-77

예스바이오사의 지르코니아 A2 디스크를 사용하였으며, 소성 전 컬러링을 하지 않고 소성 후 스테인을 통해 환자의 고유한 치아 색상을 표현하였다.

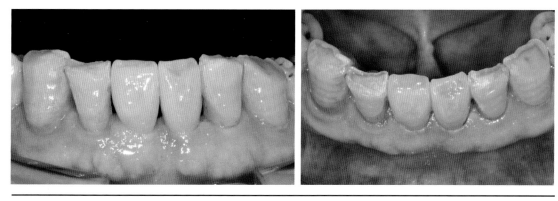

📷 10-78

절단면 마모 부위의 진한 오렌지 색상과 치경부 색상, 바디 부위의 밴드 무늬 등은 소성 전 컬러링으로는 재현하기 어렵다. 소성 전 컬러링은 용액이 재료 안으로 깊이 스며들기 때문에 국소적으로 강하게 표현되는 밴드 무늬는 표현할 수 없다. 반드시 소성 후 스테인이 사용되어야 한다. 지르코니아 보철기공을 많이 할수록 스테인의 필요성이 점점 증가한다.

CASE 10

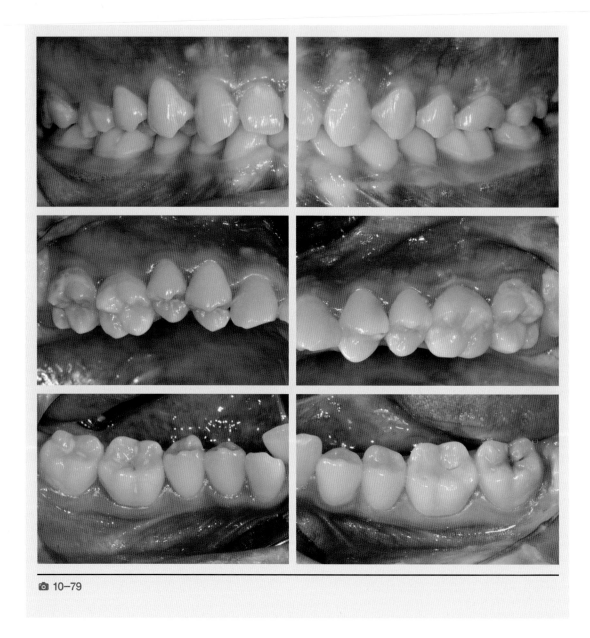

📷 10-79

전 치열에 걸쳐서 치아우식이 심하게 존재하는 20대 청년의 구강 사진이다. 우측의 경우는 부정교합이 심하게 존재하는 상황이다. 교정치료 계획이 없고 해외 유학 중이어서 치아우식 치료와 크라운으로 치료를 마무리하는 것으로 계획하였다. 이러한 초진 사진은 치료계획과 향후 보철 디자인에 매우 중요한 정보를 제공해 준다. 따라서 보철을 계획하고 있는 환자라면 싱글 크라운 증례라고 하더라도 항상 이러한 구도로 초진 사진을 확보한다.

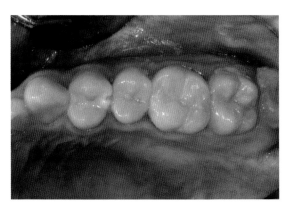
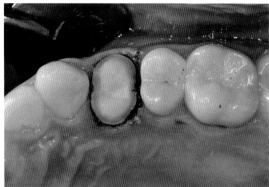

📷 10-80

상악 좌측 제1소구치 원심측으로 치아우식이 심하게 진행되어 있다. 근관치료 후 레진코어와 지대치 삭제 후 구강스캔을 실시하였다. 레이저를 통해 변연을 덮고 있는 잇몸을 일부 다듬고 스캔을 시행하였다. 레이저는 치아삭제 시 발생하는 잇몸 출혈을 조절하는 데도 아주 탁월한 효과를 발휘한다.

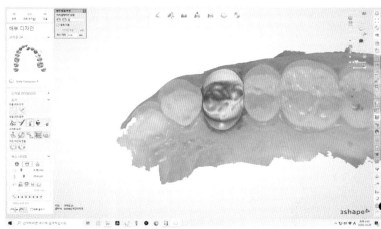

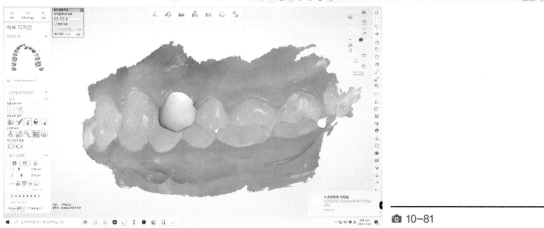

📷 10-81

초진 사진을 바탕으로 디자인하였다. 치아의 크기, 교두첨의 형태, 수평피개와 수직피개 양상 등을 주로 참고하였다.

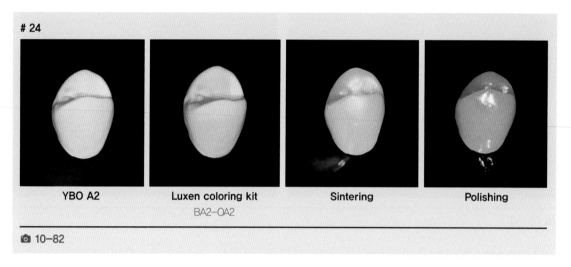

24

| YBO A2 | Luxen coloring kit BA2-OA2 | Sintering | Polishing |

📷 10-82

예스바이오사의 지르코니아 오션 A2 디스크를 사용하였다. 이 회사의 오션 브랜드는 투명감이 돋보이는 장점을 가진다. 보통은 투명감을 강화한 지르코니아 디스크는 강도가 낮아지기 마련인데, 이 제품은 강도를 떨어뜨리지 않으면서도 투명감을 나타내는 제조공법을 사용하였다고 한다. 루젠사의 컬러링 키트를 사용하여 바디와 교합면 중앙 부위에만 A2 색상을 부여하였다. 젊은 층의 경우에는 과도한 컬러링이 오히려 비심미적인 결과를 야기할 수 있기 때문에 주의해야 한다. 소성과 연마로 마무리하였다.

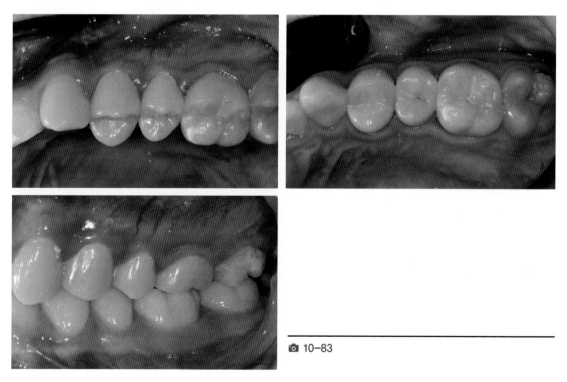

📷 10-83

제1소구치 보철을 종료한 모습이다. 전치부로 갈수록 연마보다는 스테인과 글레이징을 선호한다. 연마는 과도하게 빛 반사를 야기하는 경향이 있기 때문에 여러 가지 요소들을 고려하여 연마를 할 것인지 글레이징 할 것인지 결정한다.

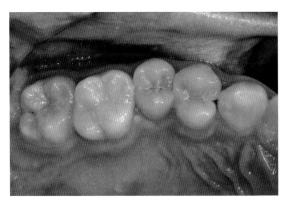
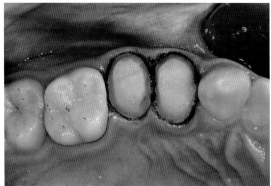

📷 10-84

상악 우측 제1,2소구치에도 심한 치아우식이 존재하여 근관치료를 시행하였다. 3-0 코드를 넣고 지대치 변연을 확보한 다음 레이저로 출혈 부위를 조절하고 스캔을 채득하였다. 지대치 변연 부위에 혈액과 타액이 존재한 상태로 스캔하지 않도록 주의해야 한다. 스캔 정확도가 떨어지고 디자인할 때 지대치 변연의 확인을 어렵게 만든다.

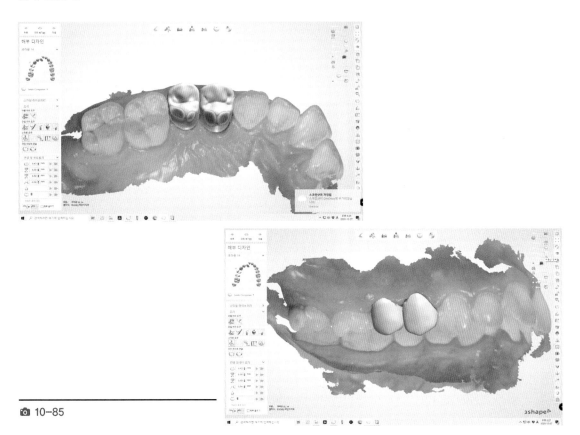

📷 10-85

초진 사진을 바탕으로 디자인을 완성하였다. 대합치아에 비해 협측으로 많이 치우쳐 있다. 교정을 하지 않는 한 보철치료로 이 관계를 개선하는 것은 역부족이기 때문에 술전 형태를 복원하는 것을 목표로 하였다.

14, 15

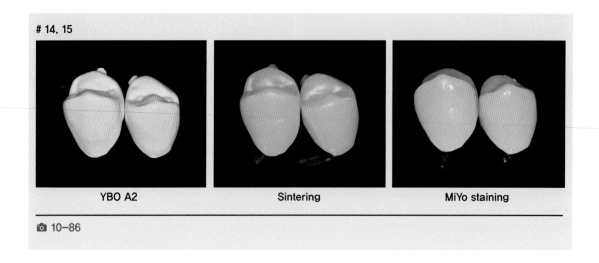

YBO A2 | Sintering | MiYo staining

📷 10-86

예스바이오사의 A2 지르코니아 오션 디스크를 사용하였다. 소성 전 컬러링을 하지 않았고 소성 후 스테인으로 색상을 약하게 표현하였다. 젊은 층 치아의 색상은 과유불급이라는 표현이 어울린다. 지나친 색상표현이 오히려 역효과를 나타낸다. 좀 밝은 색상의 디스크를 선택하고 스테인을 약하게 하는 것이 소성 전 컬러링을 하는 것보다 자연스러운 결과를 가져다준다.

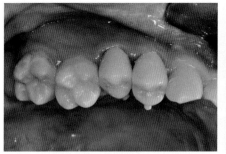
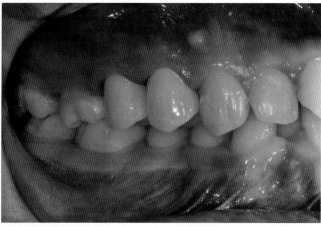

📷 10-87

최종보철을 시적한 모습이다. 교두첨의 길이와 형태를 초진 상태와 비교해 보면 유사하게 표현되었음을 알 수 있다. 초진 사진이 없다면 기공사가 치아 디자인을 어떻게 해야 하는지 심각하게 고민할 수밖에 없는 경우이다. 연마보다는 스테인을 사용하는 것이 심미적인 면에서는 우월한 결과를 보여준다.

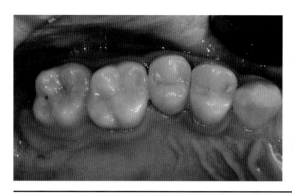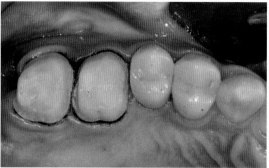

📷 10-88

상악 우측 소구치를 치료할 때 대구치 인접면에도 치아우식이 심하게 존재함을 확인하였다. 일단 소구치 치료를 완성한 다음 대구치 크라운 치료를 시작하였다.

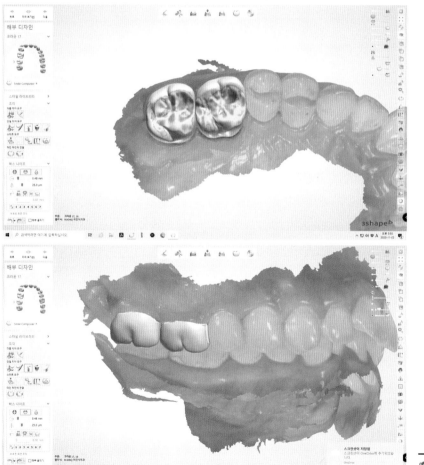

📷 10-89

초진 사진을 참고해서 디자인을 하면 디자인에 소요되는 시간을 대폭 줄일 수 있고 치료결과에 대한 만족도 역시 높다.

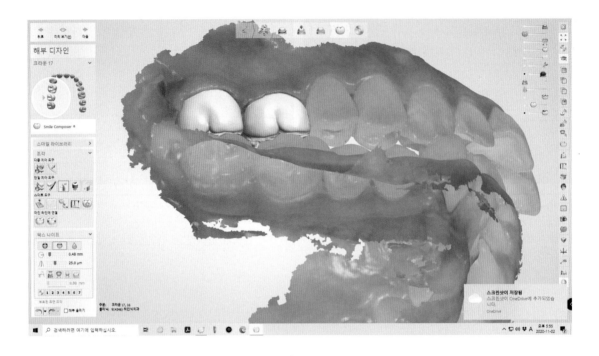

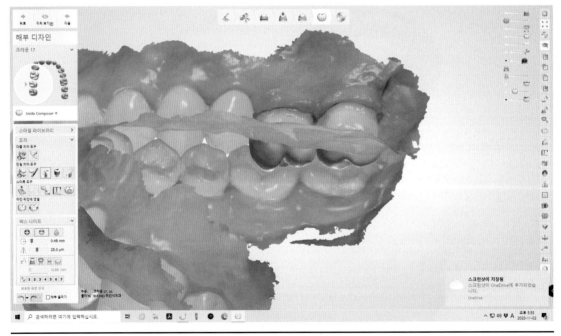

📷 10-90

대구치 크라운을 디자인한 모습을 보면 술전과 거의 유사하게 표현되었음을 확인할 수 있다. 특히 수평피개와 수직피개는 가능한 변화시키지 않는다. 이에 대한 급격한 변화는 뺨이나 혀를 씹는 원인을 제공할 수 있다. 이 부분에 대해선 여러 차례 반복하여 강조하였다.

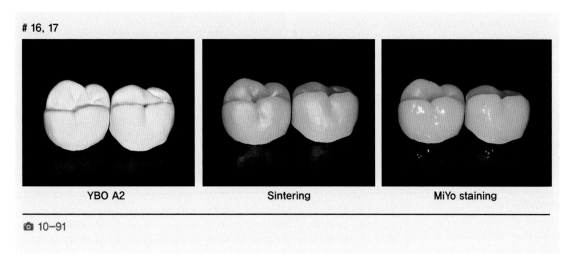

16, 17

YBO A2 | Sintering | MiYo staining

📷 10-91

예스바이오사의 A2 지르코니아 오션 디스크를 사용하였고, 소성 전 컬러링 없이 스테인으로 색상을 표현하였다.

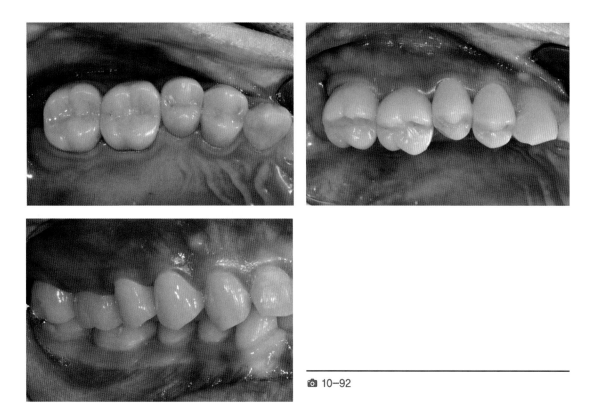

📷 10-92

제1대구치의 치경부 색상이 인접치아에 비해 강하게 표현되어 있는 것은 초진 시 치아 색상을 참고했기 때문인데, 오히려 무시하는 편이 좋았을 듯하다.

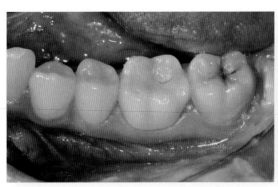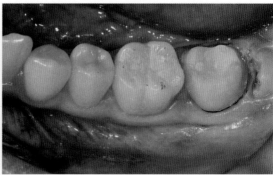

📷 10-93

하악 좌측 제2대구치에도 다중 치아우식이 존재하여 크라운 치료를 진행하였다.

📷 10-94

인접치아의 협설면 외형과 크라운이 자연스럽게 조화를 이루고 있는지 확인하고 교두 형태가 적절한지 여부도 확인한다.

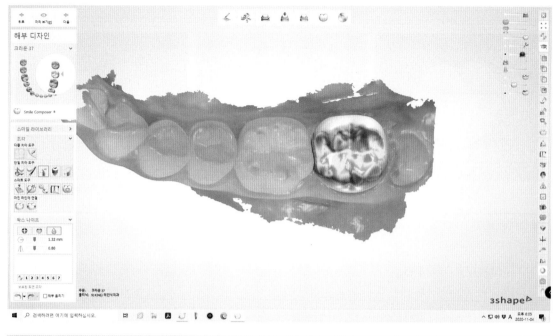

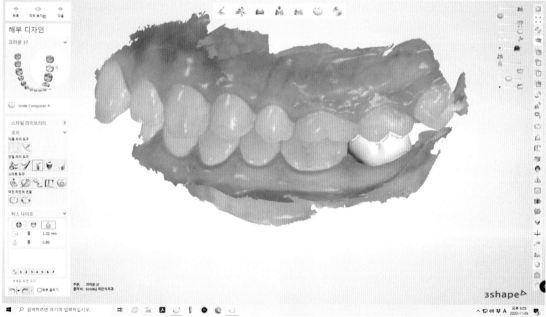

🔲 10-95

크라운을 디자인할 때에는 매우 다양한 각도에서 치아의 형태를 확인해야 한다. 그렇게 함으로써 치아의 경사도와 축 변화, 수평 및 수직피개, 치아 크기와 외형을 정확하게 평가할 수 있다.

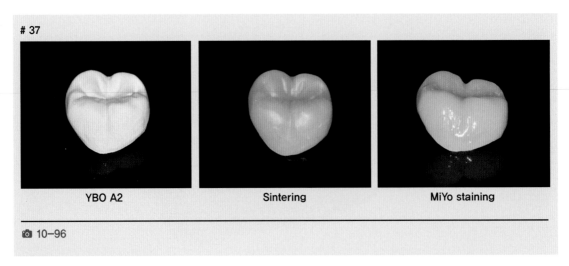

37

| YBO A2 | Sintering | MiYo staining |

📷 10-96

예스바이오사의 A2 지르코니아 오션 디스크를 사용하였고 소성 전 컬러링 없이 스테인으로 색상을 표현하였다. 치아의 기본 색상이 절단면은 매우 밝고 치경부 쪽은 약한 주황색을 나타내고 있기 때문에 스테인으로 이를 표현하였다. 교합면은 구(groove)를 제외하고는 스테인을 과도하게 하지 않는 것이 좋다. 교합조정 후 스테인한 부위가 벗겨지면 교합면 색상에 얼룩진 모양이 남을 수 있기 때문이다.

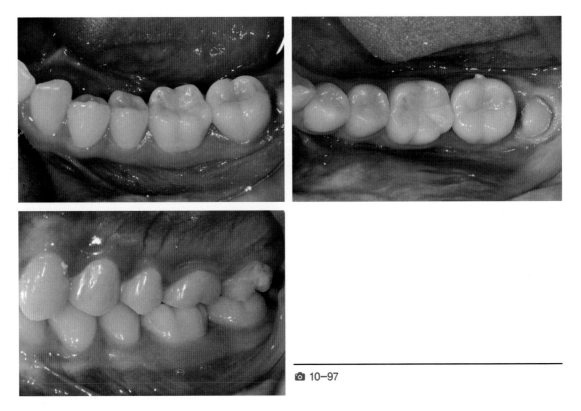

📷 10-97

최종보철이 마무리된 모습이다. 인접한 자연치와 잘 조화되고 있다. 교합 상태에선 크게 구분되지 않을 정도로 지르코니아 보철의 심미성이 잘 표현되었다.

마무리하는 글

여러 가지 증례를 경험해 보면서 느낀 결론들을 말하고자 한다. 지르코니아 크라운은 회사에 따라, 또는 제조 방법에 따라 상당한 차이를 나타낸다. 필자가 제시한 재료들을 참고해서 지르코니아 디스크를 선택할 수도 있지만 개개인이 선호하는 브랜드를 사용할 수도 있다. 그러나 여러 번의 시행착오를 통해 각각의 재료가 갖는 특성을 파악하고 이를 개별 환자에게 어떻게 적용할지를 매뉴얼화할 필요가 있다. 가장 바람직한 방법은 사진 촬영을 통해 자료를 남길 때 파일 이름에 이를 저장하는 것이 가장 좋다. 소총 사격 시 예비 사격을 통해 영점을 조절하는 것처럼 반복된 작업을 통해 어떤 지르코니아 디스크에 어떤 컬러링과 스테인을 할 것인지를 세밀하게 조정하는 과정은 반드시 있어야 한다. 작업을 거듭할수록 협측면에 스테인을 하는 빈도가 증가하고 있다. 그만큼 환자의 개별 색상을 맞추어보려고 하는 욕구가 증가하기 때문이다. 스테인 방법은 여러 가지를 사용할 수 있지만 현재는 MiYo가 가장 좋은 결과를 가져다준다고 생각한다. 술전 사진 촬영은 디자인할 때 겪을 수 있는 많은 시행착오를 벗어나게 해주며, 디자인의 기준점이 되기 때문에 반드시 필요하다. 치료 전 치아 원형을 그대로 보존하는 것 이상으로 좋은 치료는 없다고 생각한다. 사진 촬영은 좋은 치료의 시작이자 끝이다.

11장

디지털 보철을
활용한

임플란트 증례

Atlas of
Digital
Dentistry

11장. 디지털 보철을 활용한 임플란트 증례

디지털 기법을 활용한 임플란트 보철 과정은 자연치 보철 과정과 약간의 차이가 존재한다. 임플란트 보철은 자연치와 달리 기계적으로 설정된 변연을 이용하기 때문에 지대치처럼 변연을 확인하고 그려야 하는 번거로운 과정이 없다. 특히 개별지대주와 크라운을 동시에 디자인하거나 라이브러리에서 지대주를 불러와서 작업하는 경우에는 크라운 변연과 지대주 변연이 함께 연동해서 움직이기 때문에 변연과 관련된 문제가 크게 존재하지 않는다. 그러나 크라운의 외형을 디자인할 때에는 자연치 보철보다 신경 써야 할 부분이 훨씬 많다. 자연치는 치경부의 직경이 상대적으로 크기 때문에 치경부에서부터 교합면으로 이어지는 치아의 외형을 만들어주는 것이 용이하지만 임플란트는 치경부의 직경이 상대적으로 적기 때문에 치아의 외형을 자연스럽게 만들어주는 것이 어렵다. 따라서 지대주의 형태와 크라운의 형태를 적절히 타협하여 어느 정도 절충하는 디자인을 만들어야 한다. 크라운의 외형을 자연치아와 너무 비슷하게 만들어주려 하다 보면 지대주의 크기가 너무 커져서 잇몸 건강에 문제를 야기할 수 있고, 잇몸 건강을 고려하여 지대주의 크기를 작게 하면 크라운이 과소외형(undercontour)으로 만들어져 비심미적이고 음식물 저류가 발생하는 보철물이 될 수도 있다. 따라서 임플란트 크라운을 디자인할 때에는 이러한 요소들을 적절히 감안한 디자인이 이루어져야 한다. 그러나 무엇보다 임플란트 디자인이 좋게 되려면 식립 위치가 이상적이어야 한다. 임플란트 식립 위치가 좋지 못하면 아무리 탁월한 기공사가 작업한다고 해도 장기적인 예후와 심미성이 갖추어진 보철을 만들기 어렵다. 식립 위치와 관련한 이슈에는 시행착오와 경험을 통해 극복할 수 없는 무엇인가가 존재한다. 경험을 통해 약간의 실수를 줄일 수는 있지만 완벽하게 극복할 수는 없었다. 이 문제는 가이드를 사용해야지만 예측 가능하게 조절할 수 있다. 따라서 이번 장에서는 임플란트 보철의 시작과 끝을 디지털 기법을 사용해서 진행했던 증례들을 중심으로 진단과 임플란트 식립, 보철 과정에서 디지털 기법을 어떻게 사용하고 있는지를 통합적으로 다루려고 한다. 디지털 기법을 임플란트 진료에 도입하므로 기존 임플란트 수술 프로토콜에 어떤 변화가 오고 있는지에 대해서도 증례를 통해 언급할 것이다. 10장의 자연치 증례와 마찬가지로 10가지 임플란트 증례를 비교적 최신 증례를 바탕으로 소개하므로 디지털 기법을 이용한 임플란트 보철에 대한 독자들의 이해를 돕고자 하였다.

CASE 1

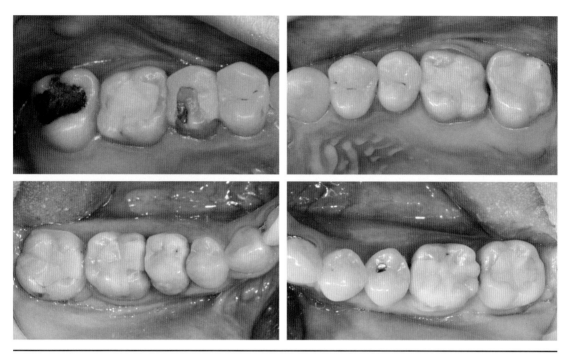

📷 11-1

잔존유치를 임플란트로 교체하고 전반적인 치아우식을 치료하기 위해 내원한 환자이다. 구치부를 중심으로 치간부 치아우식이 관찰된다. 교정치료 시 치아 관리가 소홀했던 것이 주요 원인으로 추정된다.

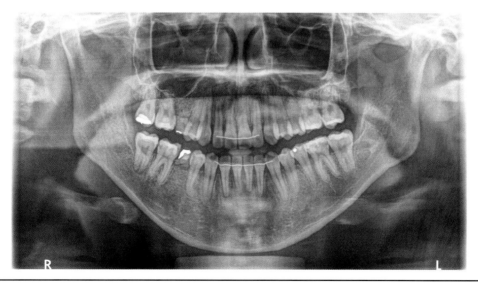

📷 11-2

파노라마 사진에서 보면 우측 상하악에 잔존유치가 존재하고 다수의 구치에 치간부 우식이 존재한다. 유치에는 발치 후 임플란트를 계획하였다.

15   # 45

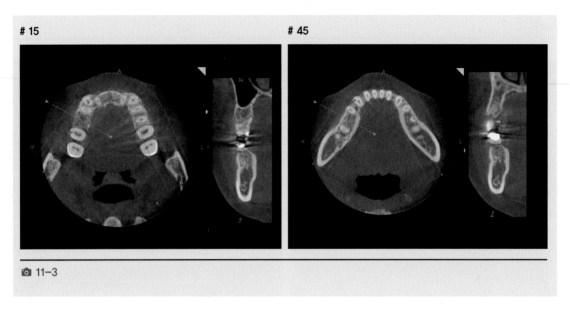

📷 11-3

잔존 유치에 대한 컴퓨터 단층촬영 결과를 보면 하부에 잔존골 폭이 충분하다는 것을 확인할 수 있다. 발치 후 즉시 식립이 가능하다고 판단하였다.

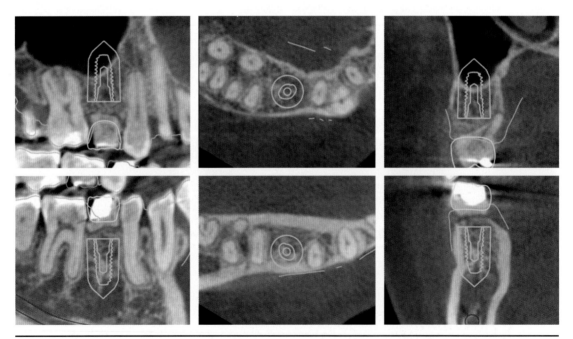

📷 11-4

가이드 수술을 위한 분석에서 상악 잔존 유치인 제2소구치 부위에는 약간의 상악동막 거상이 필요하였다. 하악 잔존유치인 제2소구치 부위의 협설측 골폭과 길이는 충분한 상태였다. 상악은 협설로 골사면이 존재하고 하악은 임플란트 식립 위치가 치조제 중앙이 아니라 협측으로 치우쳐 있다. 가이드를 이용하지 않고 통법으로 임플란트 수술을 진행할 경우 식립 위치와 깊이에 문제를 야기할 가능성이 있다.

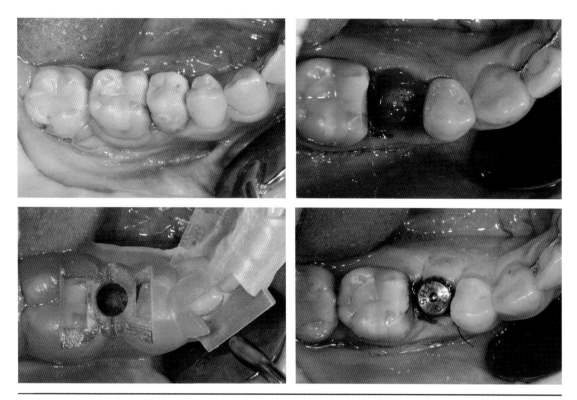

📷 11-5

하악우측 잔존유치를 발치한 다음 가이드를 이용하여 임플란트(TS3, BA, Osstem Co.)를 식립하였다.

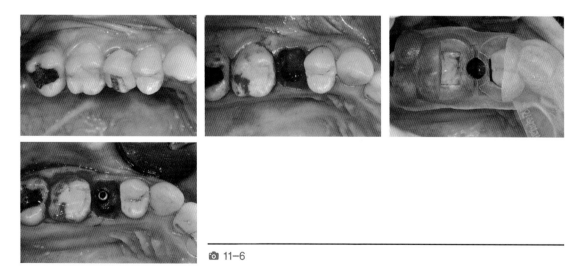

📷 11-6

상악도 마찬가지로 유치를 제거한 다음 가이드를 이용하여 임플란트를 식립하였다. 발치 후 즉시 임플란트를 식립할 때 드릴이 미끄러지기 쉽다. 가이드는 이런 상황에서 드릴을 붙잡아주므로 보다 정확한 수술을 가능하게 해준다.

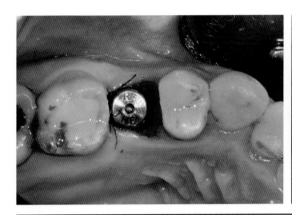
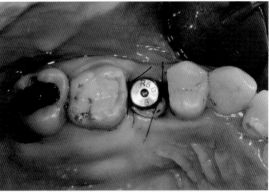

📷 11-7

임플란트 식립 후 근심측에 남아있는 조직 결손을 채우기 위해 제2대구치 원심측의 각화점막을 일부 절제하여 이식하였다. 이동한 연조직에 대한 혈장 및 혈액공급이 원활히 이루어져야 하기 때문에 봉합을 통해 잘 고정하는 것이 중요하다.

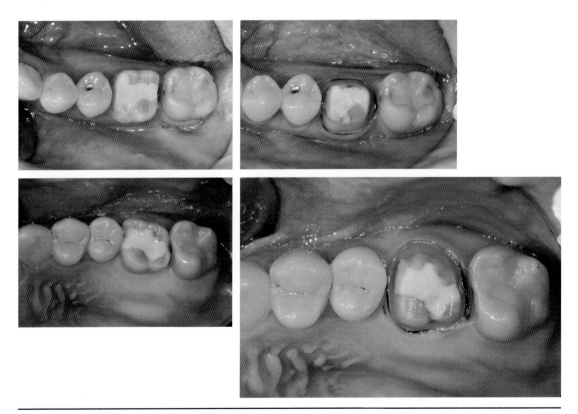

📷 11-8

상하악 좌측 제1대구치 인접면 치아우식을 치료하기 위해 지대치 형성 후 구강스캔하였다.

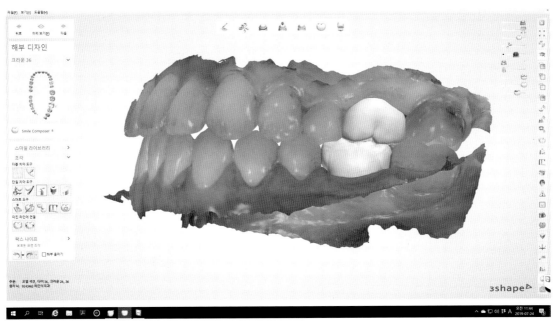

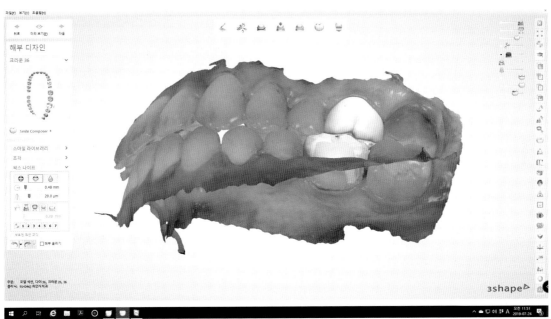

📷 11-9

덴탈시스템으로 디자인을 완성한 모습이다. 정상적인 수직피개와 수평피개를 보이고 있다.

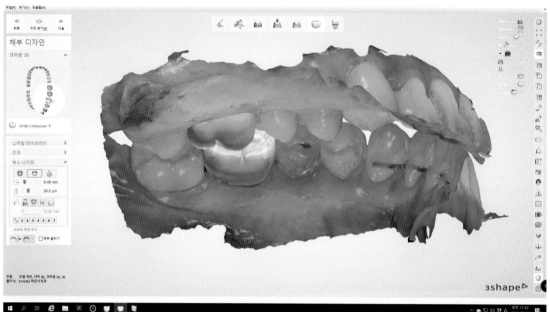

📷 11-10

후면과 전면에서 치아의 외형(profile)이 인접치아와 잘 조화를 이루고 있는지 항상 확인하고 설측으로도 수평 피개가 적절히 확보되고 있음을 확인해야 한다. 치아형태는 술전 상황을 가급적 재현하는 것이 바람직하다.

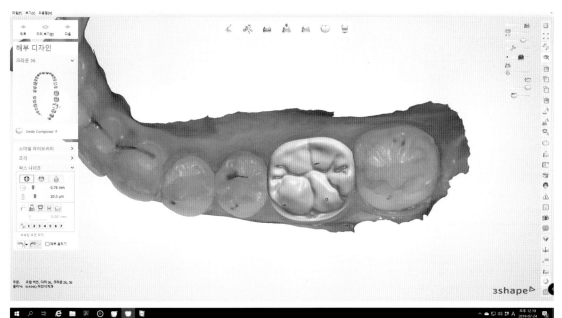

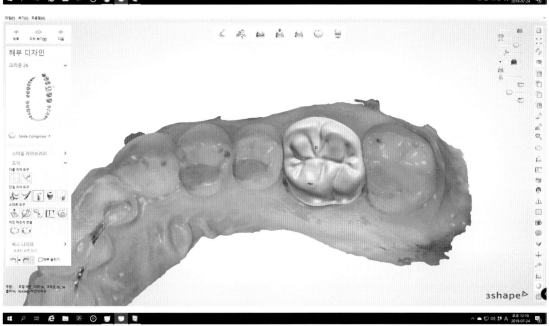

📷 11-11

교합면 형태는 인접치아의 크기에 비해 과도하게 커지지 않고 정상적인 해부학적 특성이 반영되어 있는지 확인하면 된다. 치아삭제가 부족하면 지르코니아의 최소 두께를 확보하기 위해 크라운이 과다풍융(overcontour)될 소지가 있으므로 주의해야 한다.

36

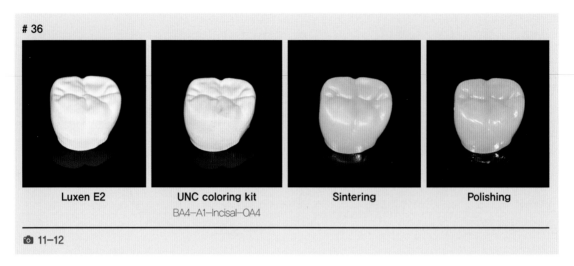

| Luxen E2 | UNC coloring kit
BA4–A1–Incisal–OA4 | Sintering | Polishing |

📷 11-12

루젠사의 E2 지르코니아 디스크를 사용하였다. 비타 색상으로 하면 A1과 A2 사이 색상이라고 할 수 있다. 조금 희고 밝다. UNC사의 컬러링 키트를 사용하였다. 치경부와 최대풍융부는 A4를 사용하였고 그 위로 A1을 사용하였다. 치경부와 바디 색상의 변화가 좀 급격히 이루어지는 경우에는 이런 식으로 급격한 색상 차이를 준다. 교두 부위에는 Incisal 색상을 적용하였고 교합면 중앙에 치경부와 동일한 A4 색상을 적용하였다. 소성 후 연마활택으로 마무리하였다.

26

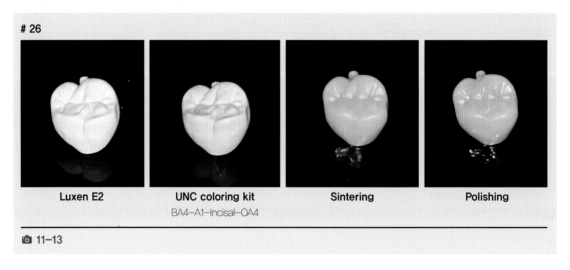

| Luxen E2 | UNC coloring kit
BA4–A1–Incisal–OA4 | Sintering | Polishing |

📷 11-13

상악 제1대구치도 하악과 동일한 지르코니아 디스크를 사용하였고 동일한 방법으로 채색하였다.

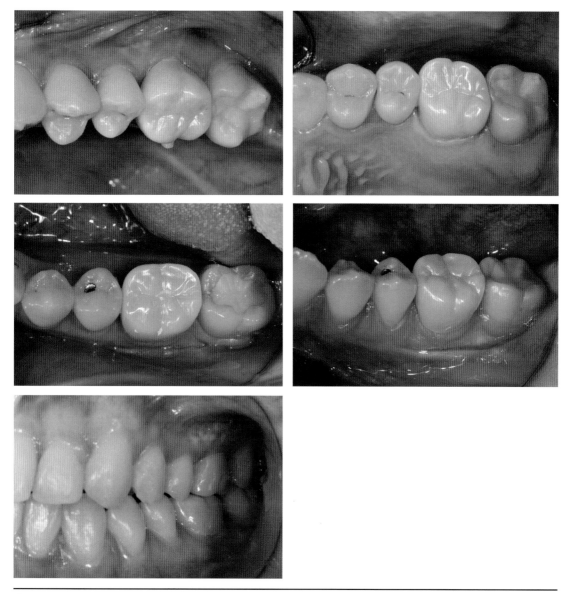

📷 11-14

상악과 하악 제1대구치 보철이 완성되었다. 적절한 교합과 치아형태를 회복하였으나 색상은 조금 밝다. 루젠사의 지르코니아는 가급적 치아 색상이 밝을 때 사용하는 것을 추천한다.

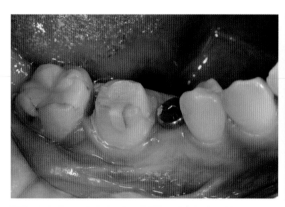
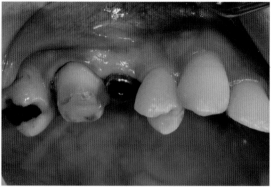

📷 11-15

임플란트 식립 후 3개월이 경과하였을 때 보철스캔을 하였다. 제1대구치도 치아우식으로 지대치 형성을 하였다. 일차코드만 넣은 후 스캔을 진행하였다. 임플란트 식립부위의 근원심 공간이 부족하였기 때문에 치아삭제 시 이를 감안하여 추가 삭제가 이루어졌다.

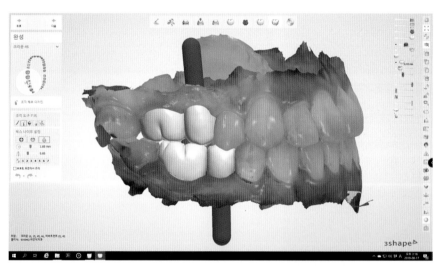

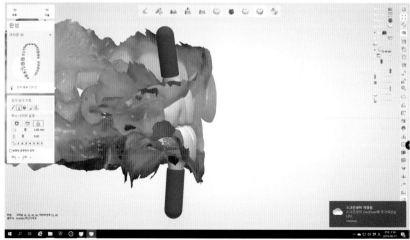

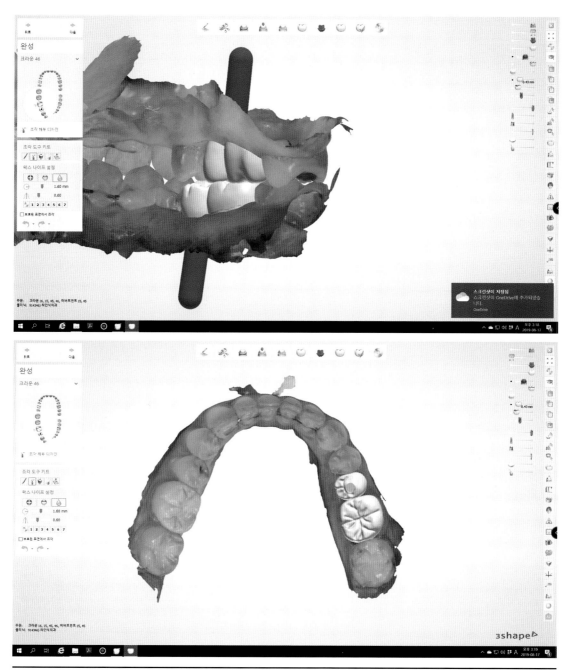

📷 11-16

우측은 좌측과 달리 부정교합에 대한 교정적 처치가 일부 미해결 상태로 남아있어서 에지바이트(edgebite) 형태의 교합 양상을 술전과 동일하게 유지하였다.

15, 16

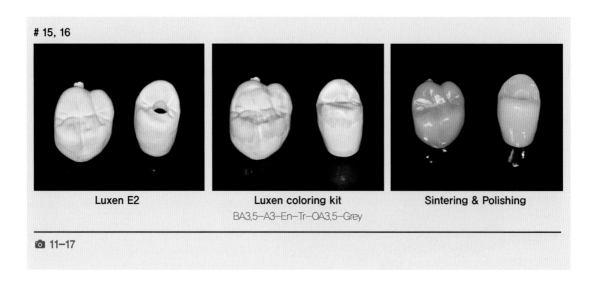

Luxen E2   Luxen coloring kit   Sintering & Polishing
                        BA3.5–A3–En–Tr–OA3.5–Grey

📷 11–17

루젠사의 지르코니아 디스크 E2와 컬러링 키트를 사용하였다. 치경부 A3.5를 시작으로 위쪽으로 A3 색상을 적용하였고, 교두 인접 부위에 에나멜(En)과 투명(Tr) 색상을 적용하였다. 교합면 중앙에는 A3.5를 적용하였고 약간의 투명밴드 효과를 위해 Grey 색상을 적용하였다. 그러나 투명밴드를 표현하는 방법으로는 소성 전 채색보다는 소성 후 스테인이 더 효과적이다. 소성 후 연마로 마무리하였다.

45, 46

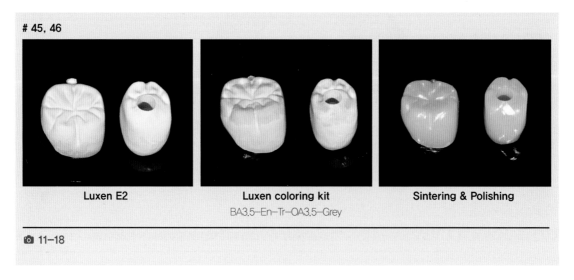

Luxen E2   Luxen coloring kit   Sintering & Polishing
                        BA3.5–En–Tr–OA3.5–Grey

📷 11–18

하악의 보철도 상악과 동일한 방법으로 만들었다. 치경부 쪽에 약한 오렌지 컬러를 추가하였다. 임플란트 보철 내면에는 오패크 색상을 항상 적용하여 금속 색상이 바깥으로 표현되지 않도록 한다.

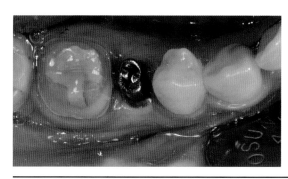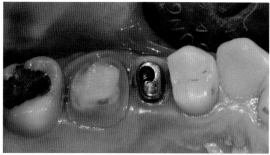

📷 11-19

크라운과 동시에 디자인한 개별지대주를 밀링센터에 의뢰하여 가공하였다. 크라운에 대한 기공작업은 원내에서 이루어졌다. 각기 다른 곳에서 제작하였지만 동일한 파일로 작업했기 때문에 적합은 매우 우수하다. 개별지대주 장착 시 별도의 지그는 필요하지 않았다. 크라운에 있는 홀(SCRP hole)을 통해 나사를 연결하면 되므로 크라운이 지그 역할도 수행한다.

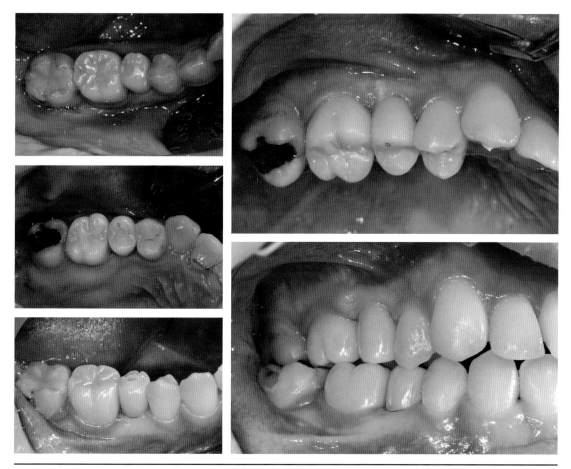

📷 11-20

보철 접착 후 레진으로 홀을 채웠다. 대합치와의 교합관계가 에지바이트(edgebite) 양상을 보이고 있다. 술전 상태를 바꾸지 않고 가능한 그대로 표현하려고 했다.

CASE 2

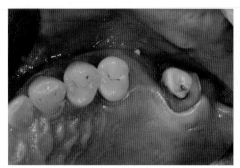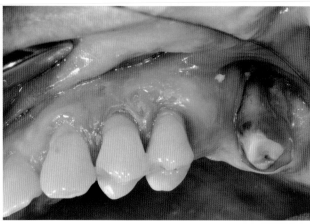

📷 11-21

상악 좌측 소구치와 제2대구치 주변에 치조골 파괴가 많이 진행되어 있다. 특히 제2대구치 협측 치조골은 완전히 소실되어 있다.

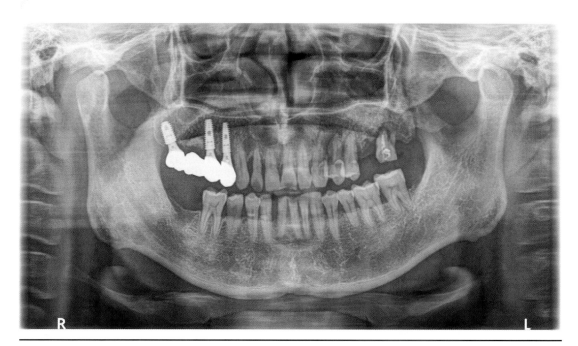

📷 11-22

파노라마 방사선 사진상에서도 상악 좌측 소구치, 대구치에 치조골 파괴가 상당히 진행되어 있음을 볼 수 있다.

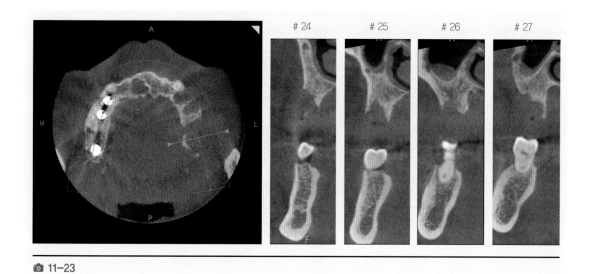

📷 11-23

발치 1주일 후 촬영한 컴퓨터 단층촬영을 보면 제1소구치와 제2대구치 협측 골판이 심하게 소실되어 있다.

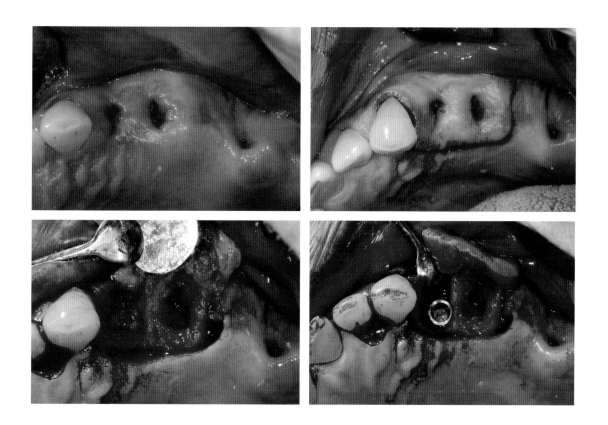

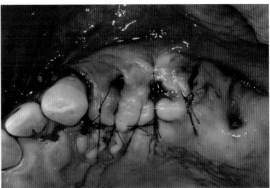

📷 11-24

발치 3주 후 상악 좌측 제1소구치에 임플란트를 식립하였고 주변부에 골이식(InterOss, SigmaGraft co.)을 시행하였다.

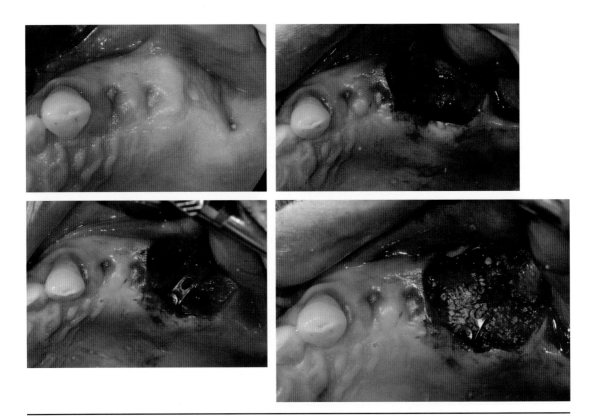

📷 11-25

협측골 파괴가 아주 심한 제2대구치 부위에 골이식을 시행하였다. 골형성을 위한 공간 확보를 위해 티타늄 플레이트(Dentium Co.)를 사용하였고 티타늄 미니스크류로 고정하였다. 골이식재는 이종골(InterOss, SigmaGraft Co.)을 사용하였다.

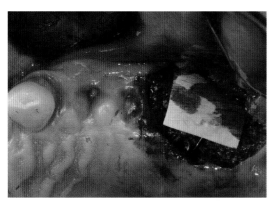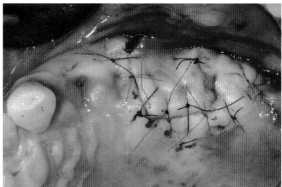

📷 11-26

골이식 후 흡수성 교원질 차폐막(RegenoGide, Nibec Co.)을 덮어주었다. 봉합은 5-0, 6-0 나일론 봉합사를 사용하였다. 판막의 확실한 적합을 위해 5-0 봉합사를 사용하고, 미세적합을 위해 6-0 봉합사를 함께 사용하였다.

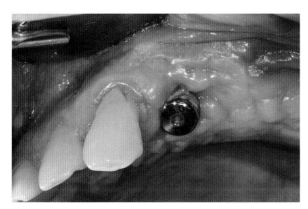

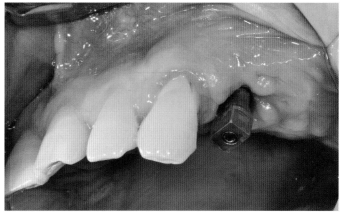

📷 11-27

임플란트 식립 5개월 후 상악 좌측 제1소구치에 대한 보철작업을 시작하였다. 스캔바디(GeoMedi Co.)를 연결하고 구강스캔하였다.

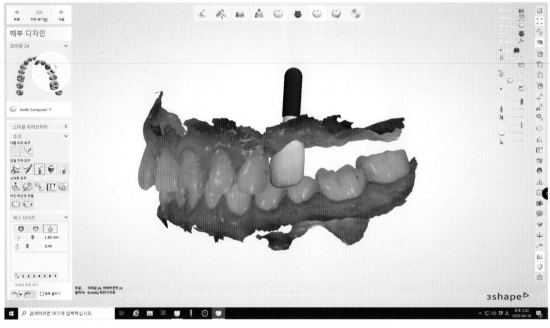

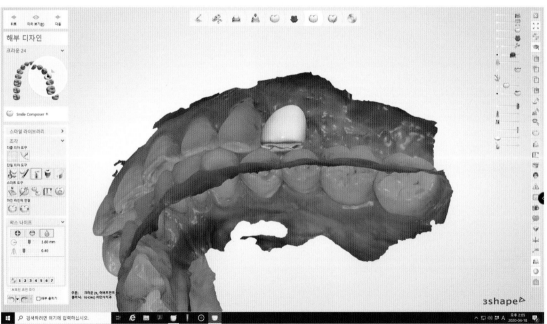

📷 11-28

덴탈시스템을 통해 개별지대주와 크라운을 디자인하였다.

24

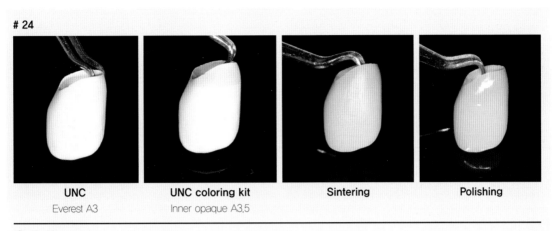

UNC	UNC coloring kit	Sintering	Polishing
Everest A3	Inner opaque A3.5		

📷 11-29

UNC사의 다중 색상 지르코니아인 에버레스트 색상 A3를 이용하였다. 다중 색상 디스크를 이용할 때는 추가로 컬러링을 하지 않지만 금속 색상 차단을 위해 크라운 내부에 오패크 색상을 사용하였다. 치경부에 A3.5 색상을 추가하였다. 소성 후 연마로 마무리하였다. 전치부터 소구치까지는 협측 색상 재현에 스테인을 사용하는 것이 연마를 이용하는 것보다 자연스럽다.

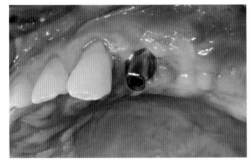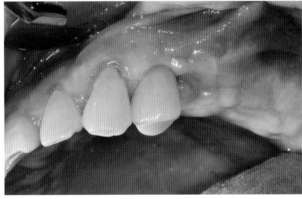

📷 11-30

개별지대주 장착 후 보철물을 적합하였다. 견치의 색상과 비교해보면 일부 미세한 차이가 있다. 이런 효과는 스테인을 적용해서 해결해야 한다.

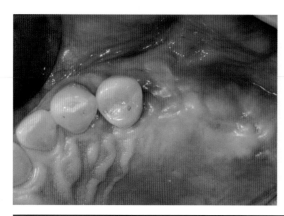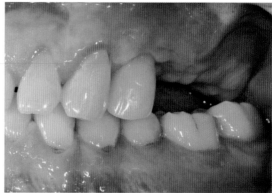

📷 11-31

뼈이식 후 6개월이 경과된 모습이다. 측면에서 보면 상악 좌측 제2대구치 정상이 대합치보다 구개측에 위치하고 있는 것처럼 보인다. 만약 이 위치에 임플란트를 식립한다면 반대교합의 보철물을 얻게 될 가능성이 매우 높다.

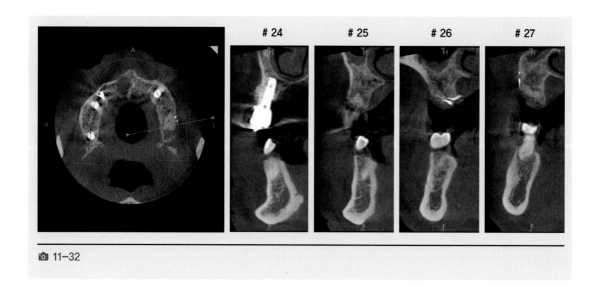

📷 11-32

뼈이식 후 6개월 경과되었을 때 상악 좌측 제2소구치와 제2대구치에 대한 가이드 임플란트 수술을 계획하였다. 임플란트 시술 시 뼈이식에 사용한 티타늄 플레이트와 나사를 어떻게 제거할 것인지가 시술의 중요한 핵심 중 하나였다.

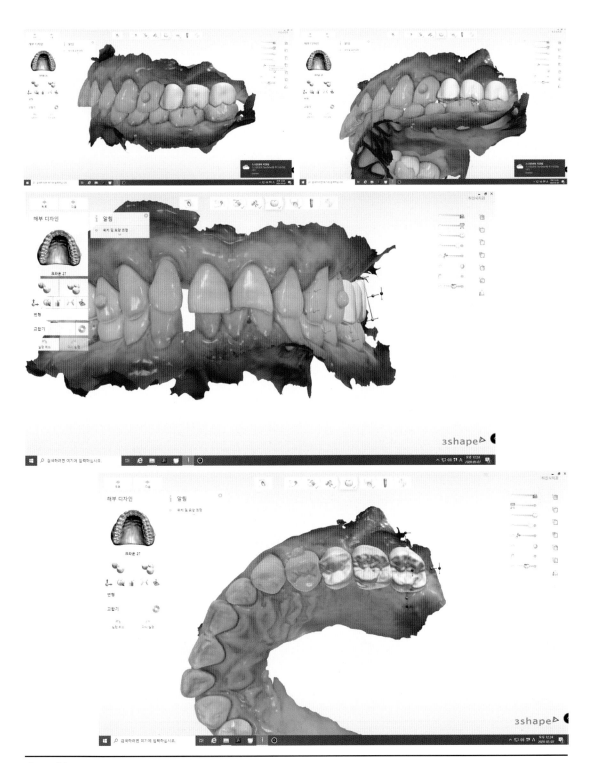

📷 11-33

향후 기대하는 브릿지 유형의 보철물을 디자인하여 배치한 다음 임플란트 식립 위치를 결정하였다. 특히 상악 제2대구치가 정상적인 수평피개와 수직피개를 가지도록 배치하였다.

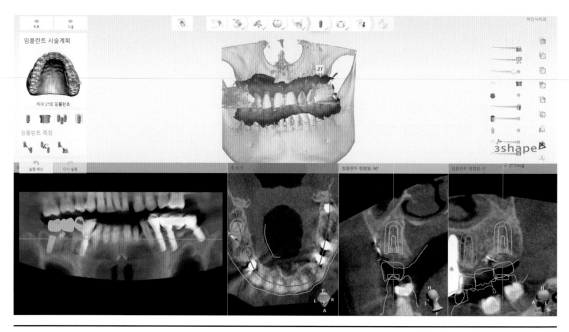

📷 11-34

대합치 기능교두에 임플란트 중심이 위치하도록 배치하였고, 적절한 생물학적 폭경을 확보할 수 있는 수직적 위치에 임플란트를 배치하였다.

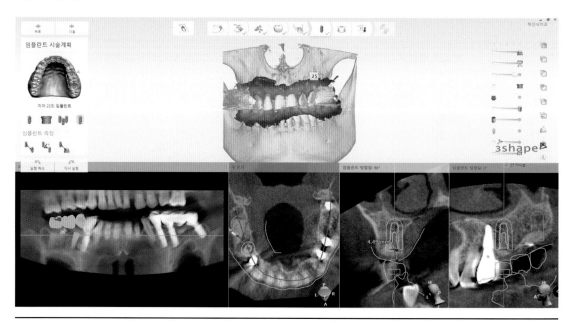

📷 11-35

가이드를 디자인할 때 가장 중요한 것이 초기 치아배열이다. 최종보철의 크기와 위치, 형태를 대략 유사하게 만들어서 배치해야 한다. 이 과정은 최적의 보철 디자인을 가능하게 하는 핵심 중 핵심이다. 이 배치대로 임플란트의 수직적·수평적 위치가 결정되기 때문에 이 과정을 절대 소홀히 해서는 안 된다. 티타늄 플레이트가 임플란트 식립 위치에서 벗어나 있었기 때문에 수월한 임플란트 수술이 가능했다.

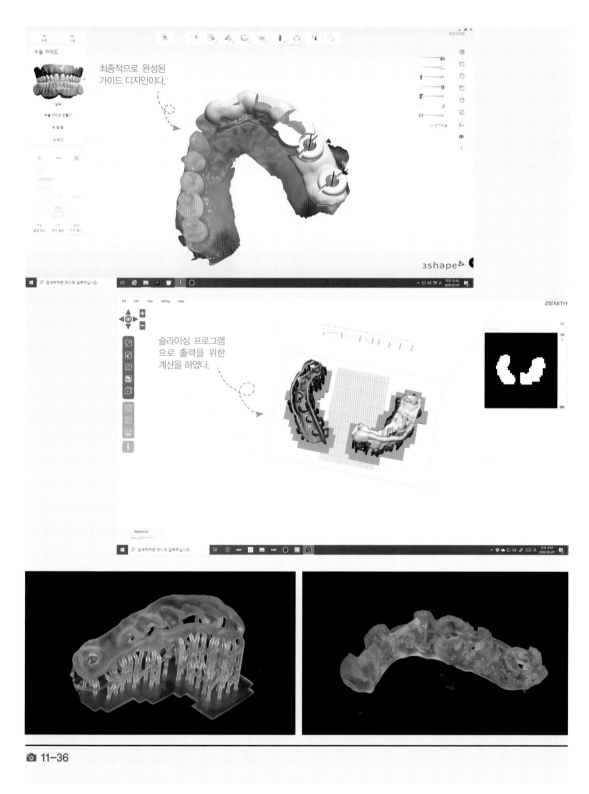

최종적으로 완성된
가이드 디자인이다.

슬라이싱 프로그램
으로 출력을 위한
계산을 하였다.

📷 11-36

3D 프린터로 최종 출력된 가이드 모습이다. 지지대를 제거한 후 표면에 잔유물이 남지 않도록 한다.

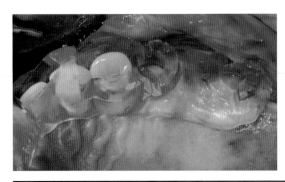
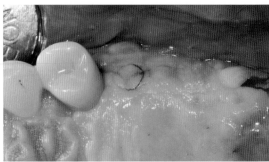

📷 11-37

가이드를 이용해서 임플란트 식립 부위에 대한 티슈펀치를 하였다. 티슈펀치 후 가이드를 빼고 펀칭 부위의 연조직을 제거해 주었다. 불완전하게 절단된 부위가 존재할 경우에는 오반나이프(Orban knife) 같은 기구를 이용하여 추가로 확실하게 절개를 해준다.

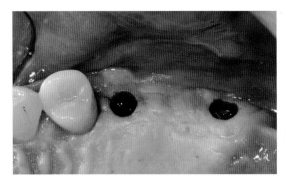
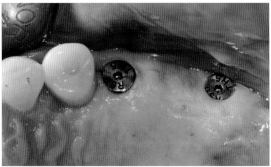

📷 11-38

가이드를 이용해서 드릴링을 완성한 다음 가이드가 정해준 수직적인 위치대로 임플란트(TS3, BA fixture, Osstem Co.)를 식립하였다. 만약 티타늄 플레이트가 임플란트 식립 부위를 가로지르고 있었다면 판막을 일부 열고 플레이트를 먼저 제거한 다음 임플란트 드릴링을 해야 하지만, 빗겨가 있었기 때문에 다행히 판막을 열 필요가 없었다.

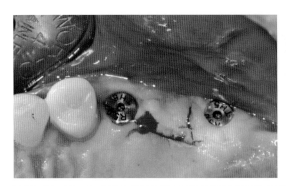
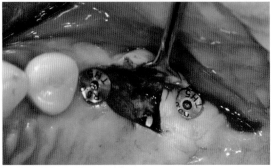

📷 11-39

뼈이식에 사용한 티타늄 플레이트를 제거하기 위해 제2대구치 임플란트 전방에 절개를 시행하였다. 플레이트에 대한 정확한 사전 위치 파악이 중요하기 때문에 컴퓨터 단층촬영을 가지고 플레이트의 주행 방향을 정확하게 계산하였다. 판막을 열었을 때 플레이트 고정에 사용한 스크류가 관찰된다.

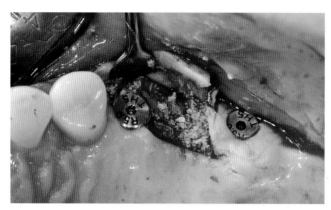
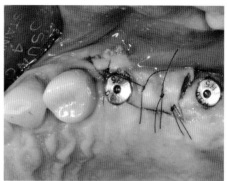

📷 11-40

플레이트를 제거한 부위에 뼈이식을 추가한 후 봉합하였다. 골이식과 플레이트의 장착과 제거, 임플란트 식립이 가이드의 도움을 받아 매우 쉽고 단순하게 진행되었다. 만약 가이드 없이 통법대로 판막을 열고 뼈이식과 임플란트를 식립했다면 판막거상의 범위와 수술 시간 등이 훨씬 증가했을 것이다. 정확한 위치에 임플란트를 식립할 수 있게 되었다는 것을 제외하고도 가이드 수술의 장점은 절대적이다.

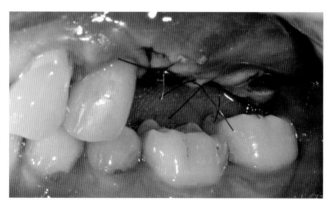

📷 11-41

대합치와의 위치를 보면 매우 이상적인 수평적 수직적 위치에 임플란트가 식립되어 있음을 확인할 수 있다. 판막을 열고 수술을 진행했다면 각화 점막의 폭과 뼈의 형태를 고려했을 때 제2대구치 임플란트 위치가 조금 구개측으로 치우쳐서 식립되었을 가능성이 높다.

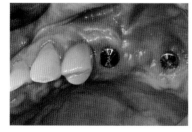
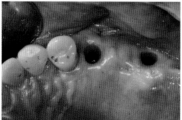
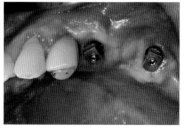

📷 11-42

수술 3개월 뒤 스캔바디(GeoMedi Co.)를 연결하고 구강스캔하였다.

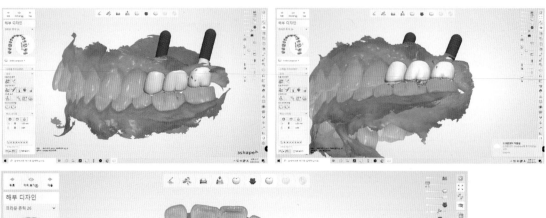

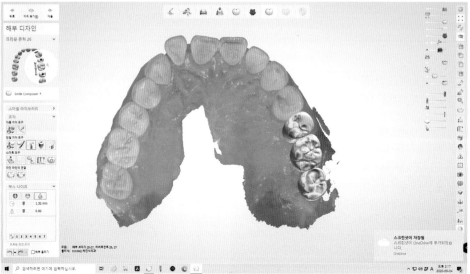

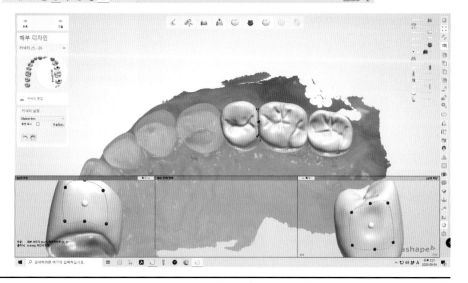

📷 11-43

개별지대주와 크라운을 동시에 디자인하였다. 지대주와 크라운의 형태를 보면 매우 이상적인 형태와 크기로 디자인이 되어있음을 볼 수 있다. 가이드를 활용한 치료계획과 수술을 통해 임플란트 위치를 최적화했기 때문이다.

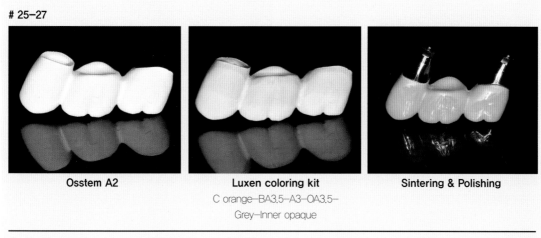

25-27

Osstem A2

Luxen coloring kit
C orange–BA3.5–A3–OA3.5–
Grey–Inner opaque

Sintering & Polishing

📷 11-44

오스템사의 지르코니아 디스크 색상 A2를 사용하였고, 루젠사의 컬러링 키트를 사용하여 색상을 표현하였다. 내면에 오패크 색상을 적용하였다. 치경부에 오렌지, 그 위로 A3.5, A3 색상을 점진적으로 적용하였다. 교합면에는 치경부와 동일한 A3.5 색상을 적용하였다. 소성 후 연마로 마무리하였다.

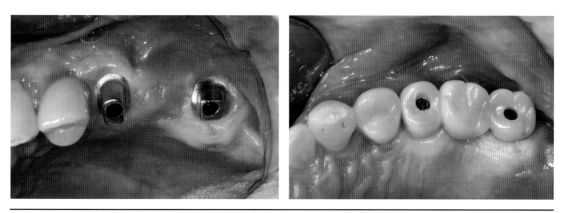

📷 11-45

개별지대주를 장착한 다음 최종보철물을 시적하였다. 개별지대주와 최종보철물을 동시에 디자인하고 동시에 가공하려면 개별지대주를 가공할 때 CNC 장비로 가공해야 한다. 지대주에 스푸루가 남는 환봉밀링 방식은 동시 가공에 적합하지 않다.

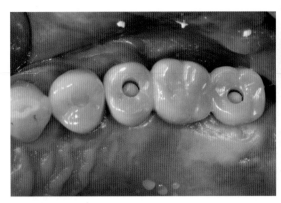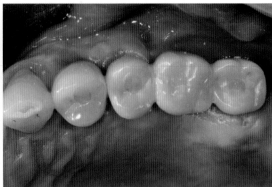

📷 11-46

나사홀을 과거에는 커튼이나 스톱핑 등을 이용해서 메꾸었던 적이 있었지만, 현재는 이와 같은 실리콘 플러그 (Osstem Co.)를 이용한다. 나사 풀림이 발생했을 때 후처치를 매우 쉽게 해준다.

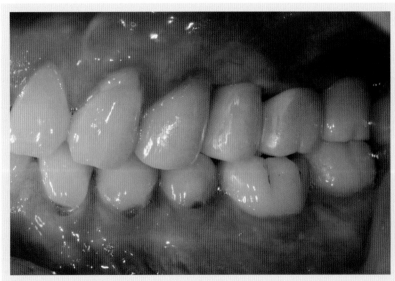

📷 11-47

대합치와의 수평피개와 수직피개 양상을 보면 자연치 상태를 잘 복원하고 있음을 볼 수 있다. 다중 색상 지르코니아를 적용한 제1소구치와 단일 색상 지르코니아에 채색을 한 임플란트 브릿지 보철의 색상을 비교해 보면 오히려 단일 색상 지르코니아에 채색을 한 보철의 색상이 더 자연스럽다. 환자의 치아색상을 보다 디테일하게 표현하는 보철은 다중 색상 지르코니아 디스크를 통해서는 얻기 어렵다. 개별화된 치아색상은 백지에 그림을 그리듯이 단일 색상 디스크에 소성 전 채색과 소성 후 스테인을 통해 표현하는 것이 더 자연스럽다.

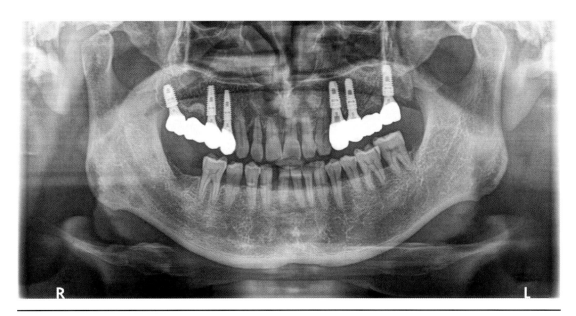

📷 11-48

통법대로 판막을 열고 임플란트를 식립했던 우측과 가이드를 통해 식립한 좌측을 비교해보면 가이드 수술의 장점을 여실히 확인할 수 있다. 특히 제2대구치의 경우 환자의 개구량에 제한이 있을 경우 식립 각도가 수술 도중 바뀌기 쉽다는 것을 경험하곤 한다. 가이드는 그런 부분들을 원천적으로 차단해 준다.

CASE 3

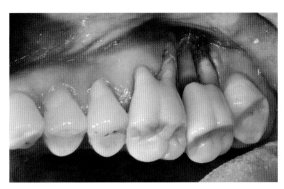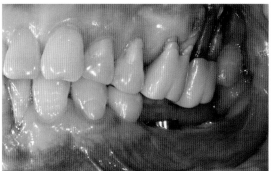

📷 11-49

하악에 식립한 임플란트 보철을 마무리하려고 할 때 치료 시작 전과는 다르게 상악 대합치의 정출이 심하게 진행되었음을 확인하였다. 상악 제1,2대구치는 환자에게 이전에도 수차례 발치를 권유하였지만 환자가 거부하였던 참이었다. 치아동요가 없었고 대합치아인 브릿지와 정상적인 저작기능을 수행하고 있었기 때문이었다. 그러나 하악 시내치 파절로 브릿지를 제거하고 임플란트를 식립한 시점이 되어시는 상악치아에 대한 고려 없이 하악의 보철을 마무리할 수는 없는 상황이 되었다.

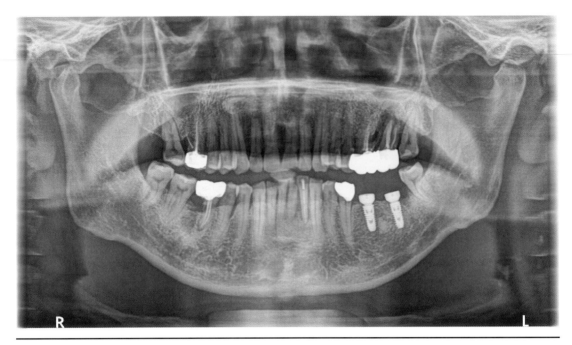

📷 11-50

파노라마 방사선 사진상에서는 제1대구치와 제2대구치 사이에 골파괴가 심함을 볼 수 있다. 협측골판의 완전 상실과 더불어 치간부에도 골소실이 심하다는 것은 임플란트 식립이 쉽지 않음을 말한다.

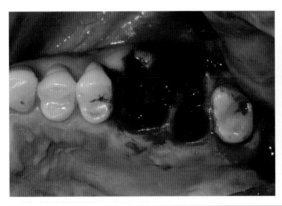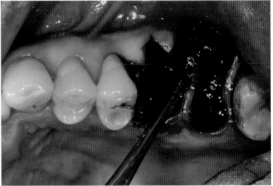

📷 11-51

제1,2대구치를 발치하고 발치와 내면에 붙어있던 육아조직을 골면으로부터 분리하여 신생골이 생성될 수 있는 공간을 만들어주고자 하였다.

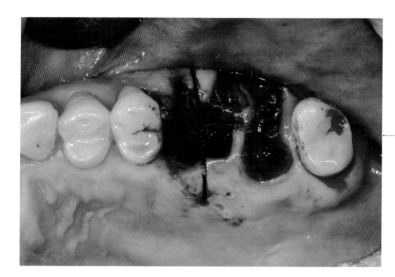

📷 11-52

별도의 뼈이식은 하지 않았다. 발치와의 형태가 매우 불규칙한 경우에는 육아조직의 분리가 완벽히 이루어지지 않을 수도 있기 때문에 이런 상황에서 골이식을 하면 뼈가 되지 못하고 연조직 내에서 캡슐화될 가능성이 크다. 따라서 이런 상황에서는 뼈이식을 하지 않고 육아조직만 분리한 다음 어느 정도 연조직 치유가 이루어진 후에 뼈이식을 진행하는 편이 좋다. 육아조직이 하방으로 처지는 것을 막고 혈괴가 발치와 공간 안에 유지되는 것을 도와주기 위해 봉합을 시행하였다. 봉합을 통해 초기 치유 시 육아조직이 꺼지는 것을 막아주고자 하였다.

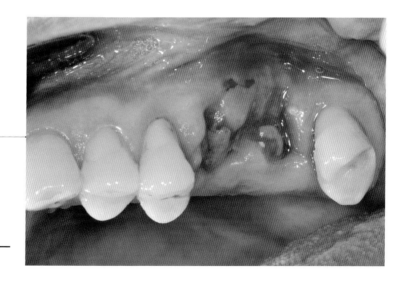

📷 11-53

발치 2주 후 모습이다. 연조직 외형의 치유가 바람직하게 이루어지고 있음을 볼 수 있다.

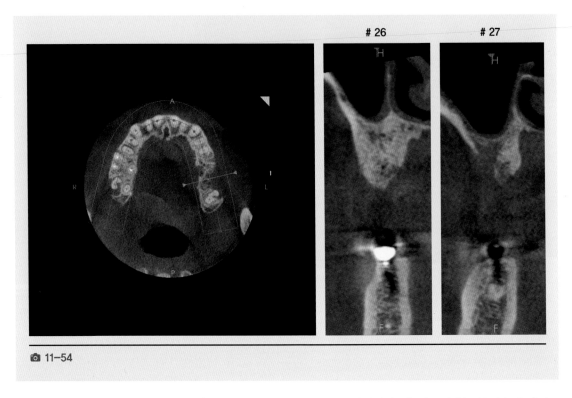

26   # 27

📷 11-54

발치 후 4개월이 경과하였다. 상악 좌측 제1대구치는 골외형이 정상적이지만 제2대구치에는 골결손이 아직도 많이 남아있다.

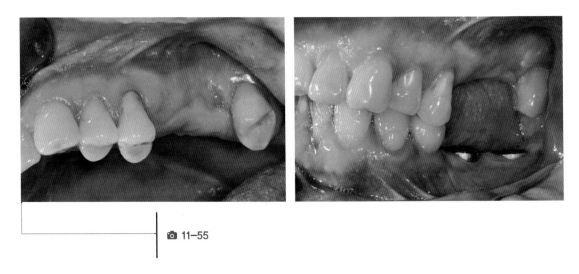

📷 11-55

발치 후 4개월이 경과하였다. 가이드를 통해 임플란트를 식립한 다음 판막을 열고 뼈이식을 하고자 하였다.

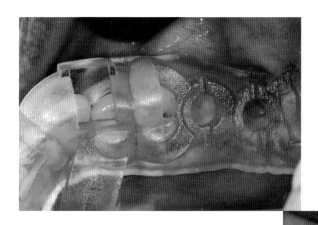

📷 11-56

가이드를 이용해서 티슈펀치를 하였다. 제1대구치의 상방의 점막 두께가 매우 얇고, 제2대구치는 점막의 두께가 골외형으로 인해 매우 불규칙함을 확인할 수 있다.

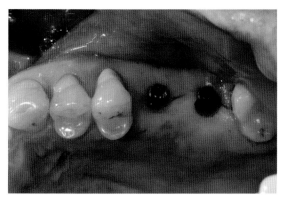 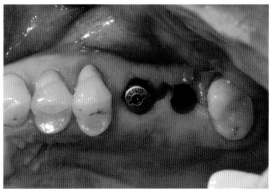

📷 11-57

골사면이 존재하고 골외형이 불규칙한 증례에서 가이드를 사용하려면 골평탄화 드릴(bone flattening drill), 패스 드릴(path drill)과 같은 가이드 키트 내 특수 드릴을 사용해야 한다. 임플란트(TS3, BA fixture, Osstem Co.) 식립 후 치유지대주를 연결하였다.

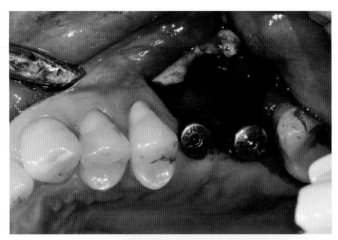

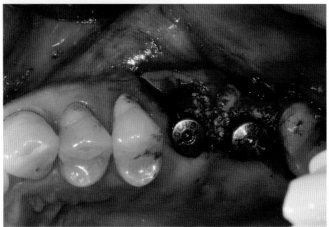

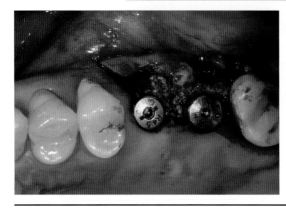
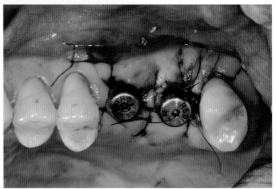

📷 11-58

임플란트 식립 후 판막을 열고 제2대구치 협측의 골결손 부위에 골이식(InterOss, SigmaGraft Co.)을 하였다.
골이식재 상방에 흡수성 교원질 차폐막(RegenoGide, Nibec Co.)을 사용하였다. 5-0 나일론 봉합사를 사용
하여 봉합하였다.

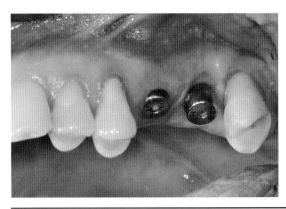
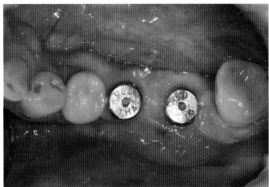

📷 11-59

임플란트 식립 3개월 후 모습이다. 제2대구치 치유지대주 주변에 일부 치은퇴축이 존재한다.

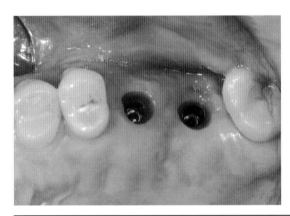
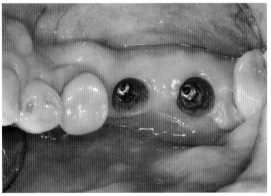

📷 11-60

임플란트 주위 점막의 치유가 상하악 모두 잘 완료되어 있다.

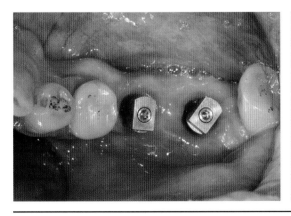
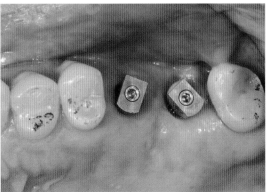

📷 11-61

스캔바디(GeoMedi Co.)를 연결하고 전악 구강스캔을 시행하였다.

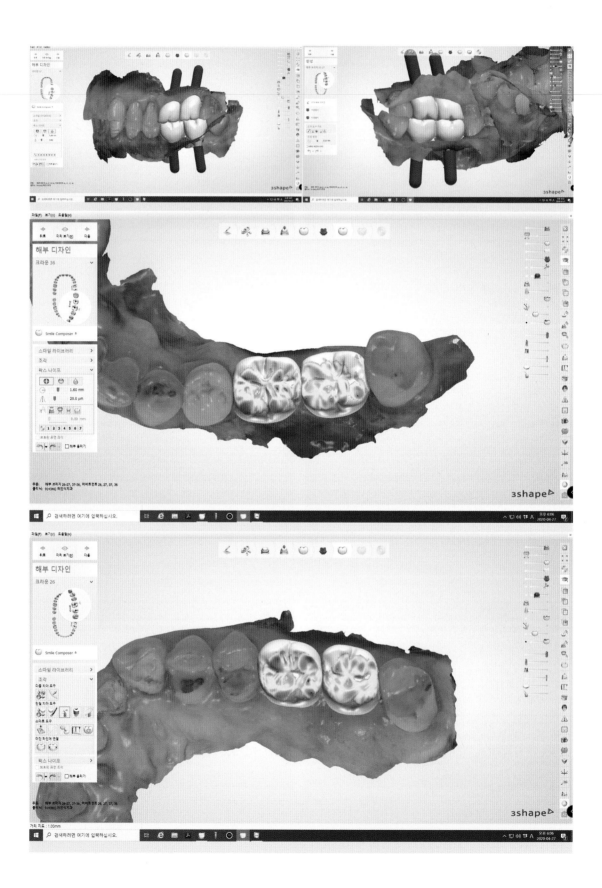

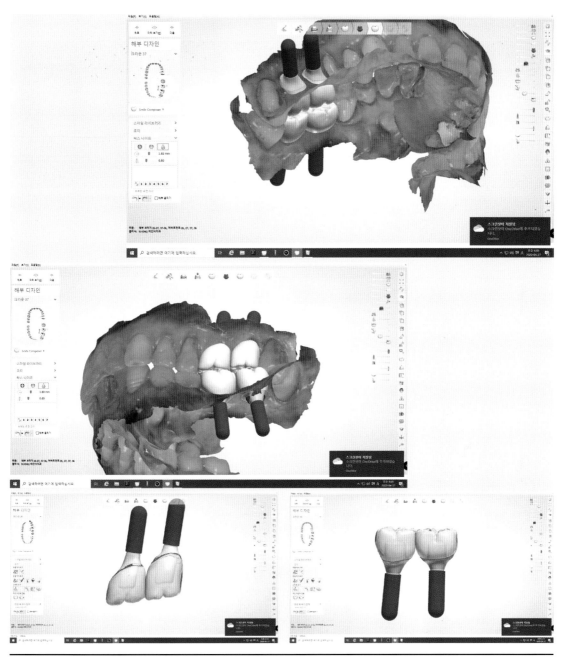

📷 11-62

보철 디자인을 직접 해보면 가이드를 통한 임플란트 식립이 얼마나 중요한지를 깨달을 수 있다. 식립 위치가 좋으면 수평피개, 수직피개의 부여가 정상적으로 이루어지고 크라운의 형태와 크기 등을 가장 적절한 형태로 만들어줄 수 있다. 임플란트와 크라운의 예후가 최적화될 수 있음은 두말할 필요가 없다. 3Shape사의 덴탈시스템은 개별지대주 디자인에 있어서 독보적인 장점을 가지고 있다. 보철 외형의 부여와 수정이 매우 직관적이고 원하는 형태를 마음대로 만들어줄 수 있다. 잇몸의 출현형태(emergence profile)도 잇몸 건강에 무리를 주지 않으면서 심미적인 필요성을 만족시킬 수 있게 기본 형태가 제시된다.

26, 27

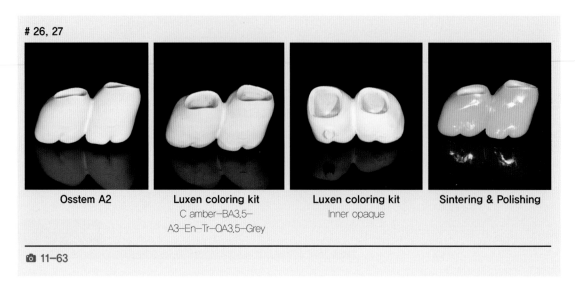

| Osstem A2 | Luxen coloring kit
C amber–BA3.5–
A3–En–Tr–OA3.5–Grey | Luxen coloring kit
Inner opaque | Sintering & Polishing |

📷 11–63

상악 보철 디자인으로 오스템사의 지르코니아 디스크 색상 A2를 사용하였다. 보철을 각각 개별 크라운으로 디자인하지 않고 스플린팅하는 데에는 여러 가지 이유가 있다. 가장 많이 언급되는 이유로 교합력의 분산을 예로 들지만, 필자는 그보다 다른 이유를 제시하고 싶다. 첫째, 보철물 시적 시 시간을 줄이기 위함이다. 임플란트 보철을 개별 크라운으로 각각 제작하면 치아별로 접촉점에 대한 수정을 해야 하기 때문에 접촉면 수정에 필요한 시간이 훨씬 증가한다. 둘째, 접착 시 위치의 틀어짐이 훨씬 크게 발생할 수 있다. 셋째, 식편압입의 가능성도 훨씬 증가한다. 임플란트 크라운을 스플린팅하여 디자인하면 지대주 각도가 자동적으로 최적화되어서 디자인하기 때문에 이런 문제점들로부터 벗어날 수 있다. 교합력의 분산은 어떻게 생각해보면 매우 부차적인 문제이다.

36, 37

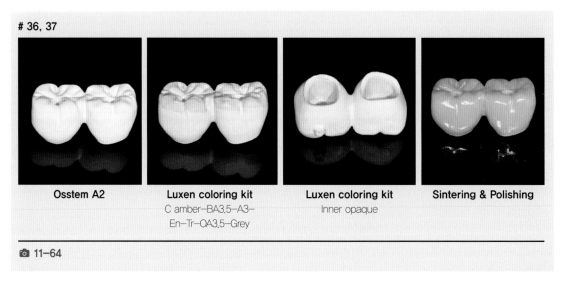

| Osstem A2 | Luxen coloring kit
C amber–BA3.5–A3–
En–Tr–OA3.5–Grey | Luxen coloring kit
Inner opaque | Sintering & Polishing |

📷 11–64

상악과 하악 보철 모두 동일한 방법으로 색상을 부여하였다. 루젠사의 컬러링 키트를 사용하였다. 치경부 하단에 앰버 색상을 부여하였고 상방으로 A3.5, A3 색상을 표현하였다. 교두 부위에는 에나멜과 투명 색상을 추가하였다. 내부에는 오패크 색상을 부여하였다. 소성 후 연마활택으로 마무리하였다.

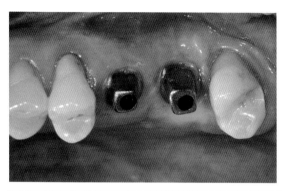
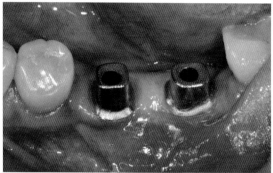

📷 11-65

개별지대주를 연결하였다. 개별지대주를 연결할 때에는 별도의 지그를 만들지 않고 최종 크라운을 활용한다. 최종 크라운에 존재하는 SCRP 홀을 이용하면 된다. 지대주를 연결할 때 실수로 입속으로 떨어뜨리고 환자가 이를 삼키는 사고가 발생할 수 있기 때문에 가능한 한 지그나 최종 크라운을 이용해서 지대주를 연결하는 것이 안전하다. 지대주의 변연폭과 각도를 주의 깊게 지켜볼 필요가 있다. 임플란트 디자인 부분에서 자세히 언급했지만 변연의 폭을 1.0 mm로 설정하고 각도를 20-30도 사이에서 설정하는 것을 제안하였다. 변연의 폭이 이 정도 되어야 충분한 지르코니아 두께를 확보할 수 있고 이를 통해 심미적인 색상 부여를 할 수 있다. 가공 측면에서도 이런 설정이 훨씬 좋은 밀링 결과를 얻을 수 있다.

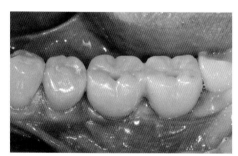
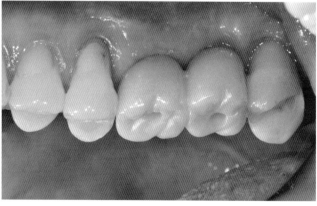

📷 11-66

최종보철이 시적된 모습이다. 모델 작업 없이 작업한 디지털 보철은 매우 일관성 있는 결과를 보여준다. 교합과 접촉면 설정에 있어서 예측 가능한 작업을 할 수 있게 해준다. 색상 부여도 인접치아와 잘 어우러지고 있다. 상악은 인접 자연치아 색상이 조금 더 밝다. 이런 경우에는 에나멜과 투명컬러 부여를 생략하는 것이 더 좋다.

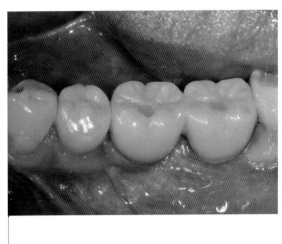

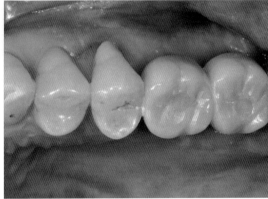

📷 11-67

SCRP hole에 실리콘 플러그를 삽입하고 레진충전으로 마무리하였다. 임플란트에 적용한 지르코니아 보철은 매우 어둡거나(greyish) 희고(whitish) 오패크(opaque)하다는 선입견은 작업 과정의 문제로 인해 발생하는 것이며 지르코니아 재료 자체의 문제가 아니라는 것을 명심해야 한다. 따라서 협업하는 기공소에 이런 부분들을 적극적으로 반영하도록 요청해야 한다.

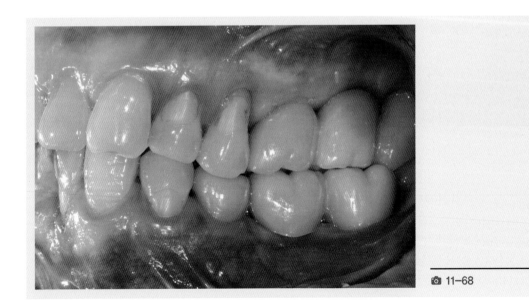

📷 11-68

인접치아와 유사한 수평 및 수직 피개를 표현하고 있다.

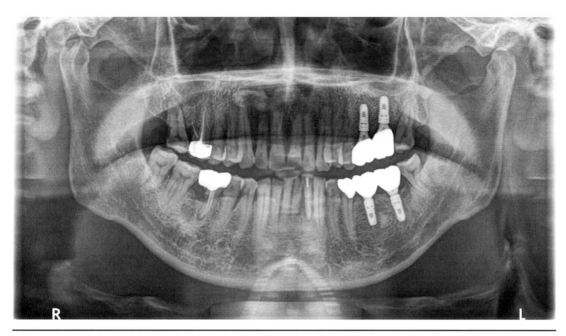

📷 11-69

최종보철이 종료된 후 촬영한 파노라마 방사선 사진이다. 가이드를 통해 식립한 상악 임플란트의 위치와 점막 두께 등이 매우 적절함을 볼 수 있다.

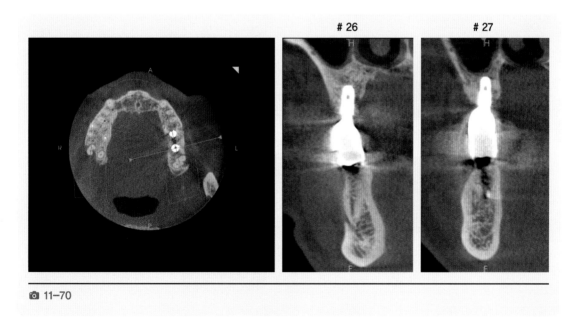

📷 11-70

치료를 종료한 후 촬영한 컴퓨터 단층촬영 영상을 보면 식립 위치와 깊이가 적절하고 뼈이식재가 잘 위치하고 있음을 확인할 수 있다. 제2대구치 임플란트의 협설측 위치는 가이드 사용이 왜 필요한지를 분명히 보여준다. 잔존골의 상황으로 인해 설측으로 치우쳐서 임플란트가 식립되기 쉬운 상황이었다. 그랬다면 보철의 수평피 개는 반대교합 양상으로 표현되거나 치경부가 설측으로 움푹 들어간 형태로 표현되었을 것이다. 위치가 좋지 못하면 기능적으로 완벽할 수 없다. 잦은 나사풀림과 음식물 저류의 원인을 제공하기 때문이다.

CASE 4

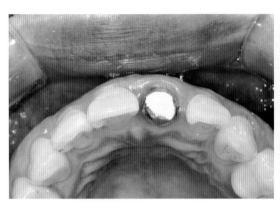
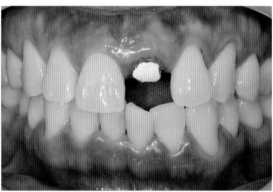

📷 11-71

상악 좌측 중절치의 수평파절로 임플란트를 해야 하는 상황이다. 기존 크라운 안에서 치아우식이 진행된 것이 파절의 원인이었다.

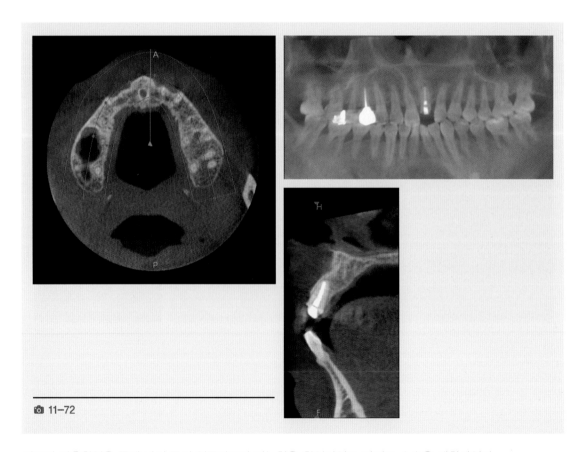

📷 11-72

컴퓨터 단층촬영을 통해 발치 즉시 임플란트가 가능함을 확인하였고 가이드 수술을 계획하였다.

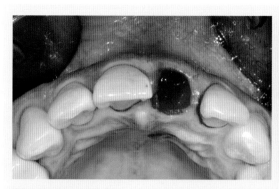
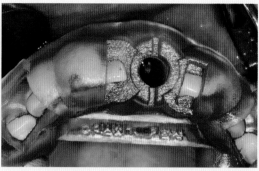

📷 11-73

조심스럽게 파절된 치근을 제거하였고 가이드를 이용해서 드릴링하였다. 드릴이 구개측 사면에서 미끄러지는 것을 방지하기 위해 오스템사 원가이드 키트 중 패스드릴(path drill)을 사용하였다. 기존에는 이런 목적으로 직경 2.5 mm 정도의 트레파인 드릴을 사용했지만, 가이드 수술에서는 패스드릴이 그러한 기능을 대신한다.

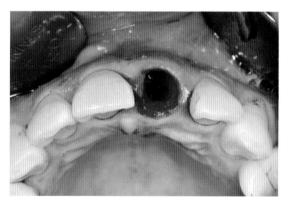
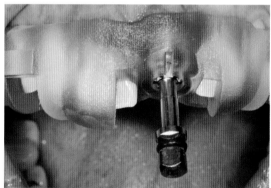

📷 11-74

드릴링 후 임플란트를 식립하였다. 계획된 깊이대로 임플란트가 식립되었음을 식립툴이 보여주고 있다. 최종적으로 임플란트를 집어넣을 때 임플란트 길이의 1/3 정도는 핸드피스가 아니라 수기구(rachet)를 이용해 마무리하는 것이 좋다. 주변 골질에 대한 확인을 통해 치유지대주의 연결 여부와 즉시 부하 등을 결정할 수 있기 때문이다.

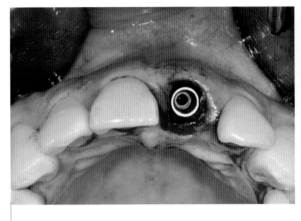

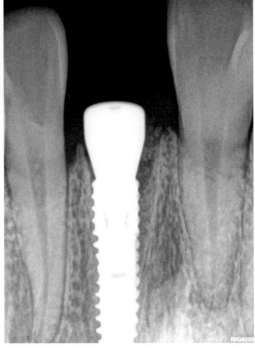

📷 11-75

임플란트 식립이 종결된 후 임플란트 매식체와 발치와 사이에 갭이 관찰된다. 이종골(TheGraft, Purgo Co.)로 갭을 채워주었다.

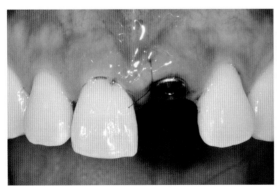

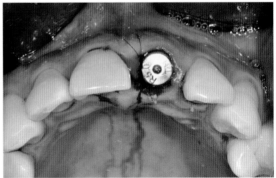

📷 11-76

발치와 입구 연조직이 치유지대주에 밀착될 수 있도록 5-0 나일론 봉합사를 이용하여 봉합하였다. 봉합사가 치간유두를 지나가지 않도록 하였다. 치간유두의 퇴축은 최종보철물의 비심미적 결과로 직결되기 때문이다.

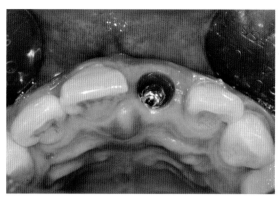
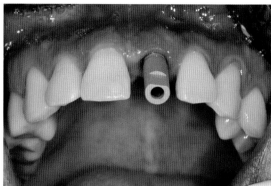

📷 11-77

3개월 치유 후 스캔바디(Osstem Co.)를 체결하고 구강스캔을 진행하였다. 향후 보철은 두 가지 방식으로 진행하였다. 개별지대주와 지르코니아 조합으로 하나를 만들고, 링크 어버트먼트와 지르코니아 코핑, 지르코니아 크라운으로 하나를 더 제작하여 상호 비교하였다.

📷 11-78

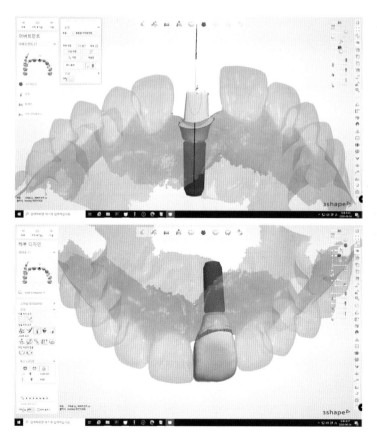

덴탈시스템을 이용해서 링크 어버트먼트에 연결되는 코핑과 크라운 디자인을 완성하였다. 덴탈시스템은 디자인 도중 잇몸 부위를 온전히 보존하면서 디자인 작업을 할 수 있기 때문에 전치부를 디자인할 때 특히 유리하다. 인접치아의 잇몸 외형을 참고하면서 디자인하려면 치은 부위가 온전하게 보존될 필요가 있다.

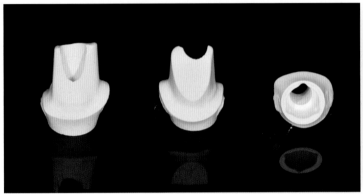
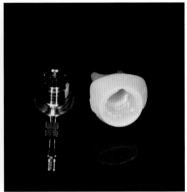

📷 11-79 Link abutment & Zirconia coping

좌측부터 순서대로 지르코니아 코핑을 세 가지 각도에서 촬영한 것이며 소성 전 사진이다. 링크용 코핑을 밀링할 때는 커넥터 위치를 어디에 달 것인지가 중요하다. 우선 크라운과 적합되는 상부에는 커넥터를 달기 어렵다. 커넥터 흔적으로 인해 크라운과의 적합에 문제가 발생할 수 있기 때문이다. 따라서 점막과의 접촉부에 커넥터를 위치시켜야 한다. 그런데 코핑의 크기가 작은 경우에는 밀링하거나 커넥터를 제거할 때 코핑의 파절이 발생할 가능성이 있다. 따라서 크라운과는 달리 커넥터 부위를 다듬는 과정은 소성 후 하는 것이 안전하다. 링크와 연결되는 코핑 내면에 3개의 홈이 파여져 있어서 코핑이 회전되는 것을 막는다. 특히 이 부위는 매우 얇기 때문에 파절 가능성이 매우 높다. 우측 사진은 링크 지대주를 소성한 이후 사진이다. 커넥터가 있던 자리를 자연스럽게 조정해 준다.

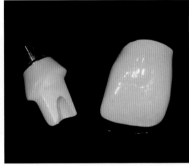
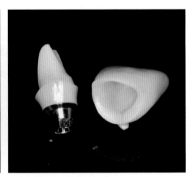

📷 11-80 Link abutment, Zirconia coping, Zirconia crown & MiYo staining

링크와 코핑을 레진 접착제로 접착하였다. 이때 잉여 접착제가 나사 홀로 흘러 들어가지 않도록 주의해야 한다. 외부에 묻어있는 잔여 접착제도 깔끔하게 제거해 주어야 한다. 최종 지르코니아 크라운은 MiYo 시스템을 이용해서 스테인과 글레이징 처리를 하였다. 지르코니아 코핑을 사용하였기 때문에 지르코니아 크라운 내면에 오패크 처리는 필요 없다.

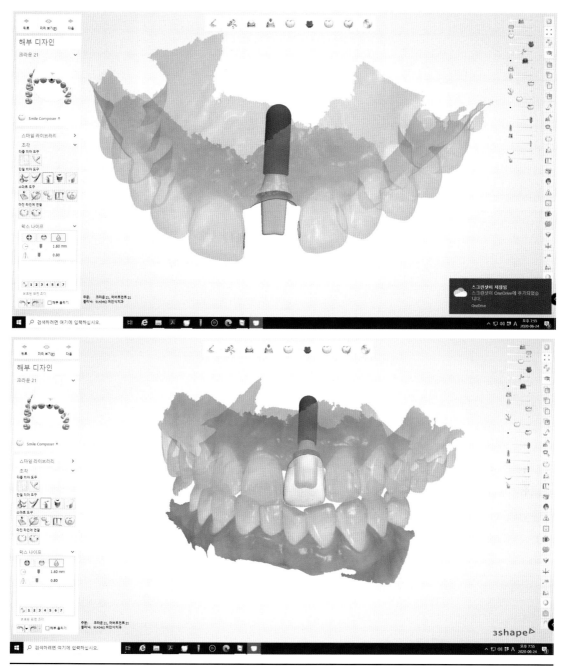

📷 11-81

비교를 위해 하나의 크라운을 더 만들었다. 티타늄 개별지대주와 지르코니아 크라운의 조합이다. 치은 퇴축시 금속이 노출될 가능성에 대비해서 협측 변연은 평소보다 0.5 mm 더 깊게 설정하였다.

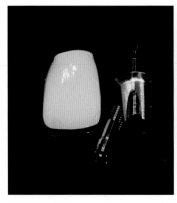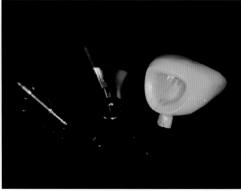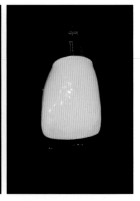

📷 **11-82 Customized abutment, Zirconia crown & MiYo staining**

전문 밀링센터에서 개별지대주를 밀링하였고 원내에서 지르코니아 크라운을 동시가공하였다. 크라운 표면에 MiYo 스테인 처리를 하였다. 전치부 크라운 내면에는 오패크를 너무 진하게 사용하면 크라운 바깥으로 오패크한 느낌이 비쳐 보일 수 있다. 반대로 하지 않거나 너무 약하게 처리하면 금속 색상이 비쳐 보일 수 있다. 이렇게 하나 저렇게 하나 티타늄 지대주로는 심미적인 표현에 한계가 있다.

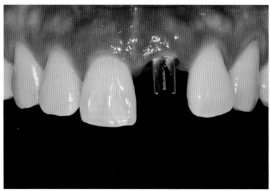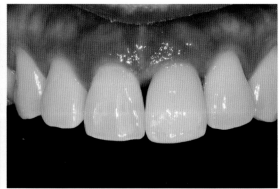

📷 **11-83**

티타늄 개별지대주를 연결하고 지르코니아 크라운을 연결하였다. 링크와 지르코니아 코핑, 지르코니아 크라운 조합보다 조금 어두운 느낌이 있다. 특히 변연치은 색상에서 큰 차이를 나타낸다.

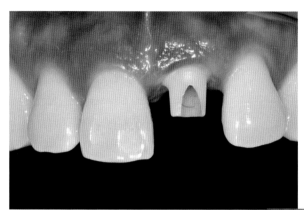

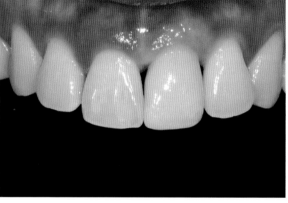

📷 11-84

변연치은의 색상이 티타늄 지대주보다 밝다. 크라운도 인접치아와 훨씬 잘 어울린다. 가급적 전치 임플란트 크라운은 '링크-지르코니아 코핑-세라믹 크라운' 혹은 '링크-지르코니아 코핑-지르코니아 크라운' 조합으로 마무리하는 것이 바람직하다.

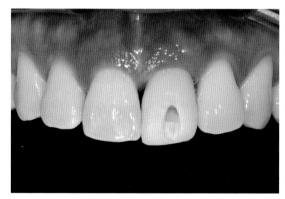

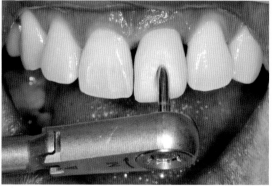

📷 11-85

전치는 식립 각도상 SCRP 홀을 만들어주기 어렵기 때문에 PMMA 크라운에 SCRP 홀을 만들어서 지그로 사용하였다. 이런 용도로는 3D 프린팅을 하는 것보다 밀링을 이용하는 것이 더 수월하다.

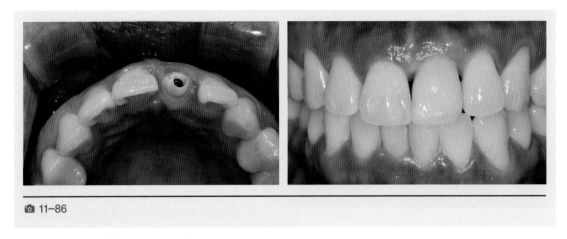

📷 11-86

교합면 방향에서 본 지르코니아 코핑의 모습이다. 최종 접착한 모습을 보면 풀지르코니아와 MiYo 스테인 조합으로도 전치부의 심미적인 보철이 가능함을 보여준다.

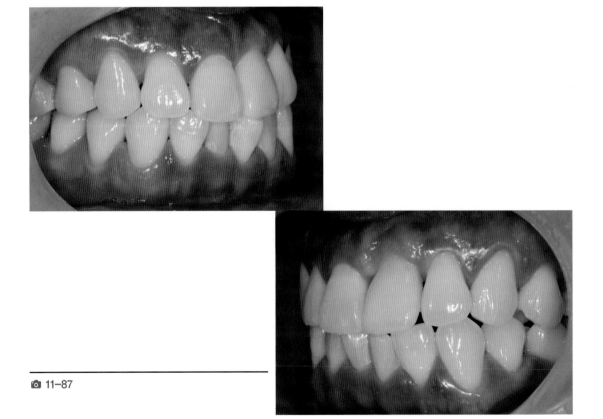

📷 11-87

측면에서 바라본 모습으로 절단면에 투명감을 부여하기 위해 스테인을 사용하였다. MiYo 시스템 중에서 스모크(smoke) 스테인이 주로 이런 표현을 위해 사용된다.

CASE 5

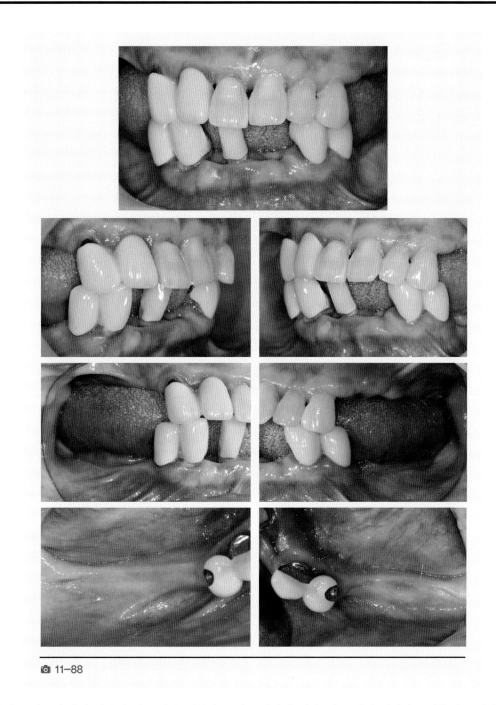

📷 11-88

상하악 구치부에 상실 치아가 많고 하악 전치에도 일부 치아가 없다. 기존 의치 지대치로 사용하고 있던 상악 잔존치도 일부 발치되어서 재치료가 요구되는 상황이다. 비록 완전한 상태는 아니지만 상악 우측 측절치와 견치 보철을 그대로 사용하기로 하였다. 상악은 가철성의치, 하악은 임플란트를 이용해서 고정성 보철을 하기로 하였다.

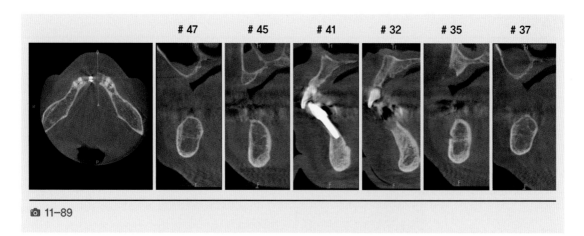

47   # 45   # 41   # 32   # 35   # 37

📷 11-89

총 5개의 임플란트를 하악에 식립하고자 하였다. 문제는 임플란트 식립 부위의 연조직과 경조직 상태였다. 하악구치부에 각화점막이 없고 점막의 두께가 매우 얇았다. 또한 하악 구치부 골질이 매우 좋지 않았다. 연조직의 두께를 생각하면 임플란트를 깊이 식립해야 하고, 경조직 상태를 고려해 깊이 식립하면 골수강내로 임플란트가 빠져 버릴 위험이 존재한다. 두 가지 조건을 모두 만족시키기 위해 전통적 1회법 수술 개념의 임플란트(SS3, Osstem Co.)를 사용하기로 하였다. 이런 디자인의 임플란트는 임플란트를 깊이 식립한다고 해도 상부 디자인이 와인병의 코르크 마개 같은 역할을 해서 골수강내로 임플란트가 빠지는 것을 막아준다.

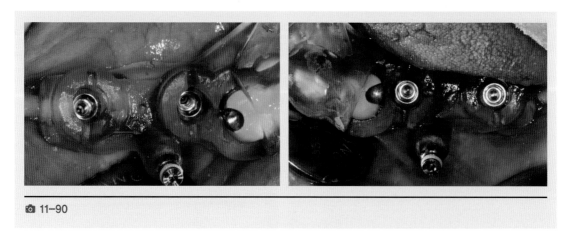

📷 11-90

가이드의 안정성을 보강하기 위해 앵커나사를 사용하였지만 골질이 워낙 불량하여 나사의 고정성이 평소와 같이 견고하지 않았다. 1회법 개념의 임플란트는 기존의 2회법 임플란트보다 가이드 이용 시 여러 가지로 제약이 존재한다. 사용하는 임플란트 직경에도 제한이 있을 수 있기 때문에 이를 확인하는 과정이 필요하다.

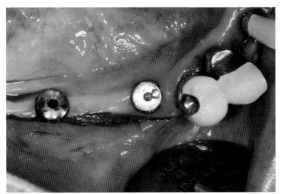
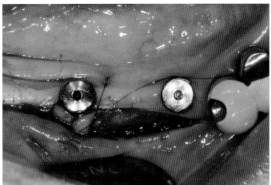

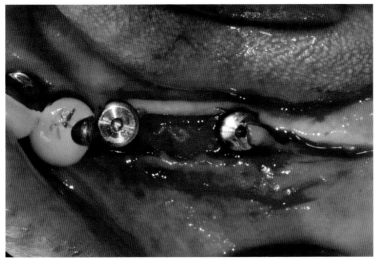

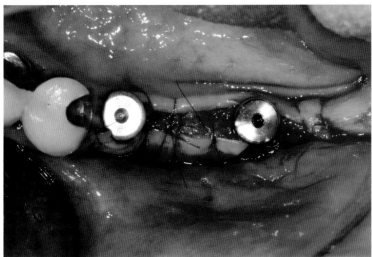

📷 11-91

임플란트를 식립한 후 부족한 각화점막을 보강하기 위해 유리치은이식을 시행하였다. 유리치은이식은 특별한 목적이 있지 않는 한 너무 두껍고 크게 하지 않는다. 환자의 연령이 고령일 경우 불필요하게 지나친 연조직 수술은 피하도록 노력한다.

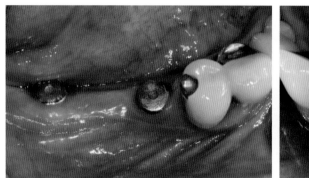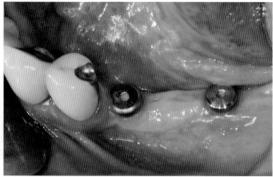

📷 11-92

임플란트 주위에 각화점막이 안착된 모습이다. 하악 좌측 제2대구치 협측에는 여전히 각화점막이 부족하지만 추가로 유리치은이식을 하지는 않았다.

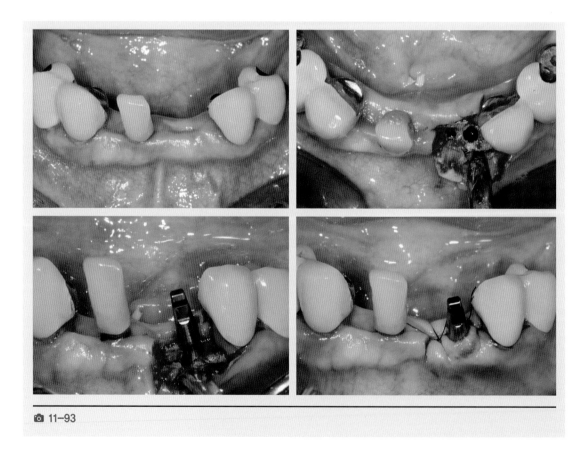

📷 11-93

하악 좌측 측절치에 지대주 일체형 임플란트(MS, Osstem Co.)를 식립하였다. 하악전치는 가급적 일체형 임플란트를 식립하는 것이 기능적으로 심미적으로 좋다. 기존 보철물이 많이 존재하는 경우에는 가이드의 정확성이 떨어질 가능성이 있기 때문에 가이드를 사용하지 않았다.

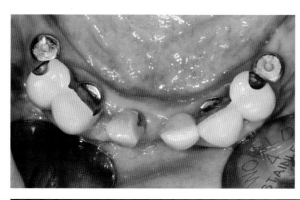
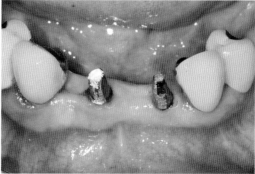

📷 11-94

3개월 후 지대주 일부를 다듬고 전치부 보철을 위한 스캔을 하였다. 치아가 없는 부위는 캔틸레버 디자인으로 마무리하였다.

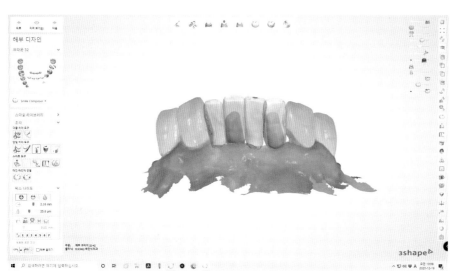

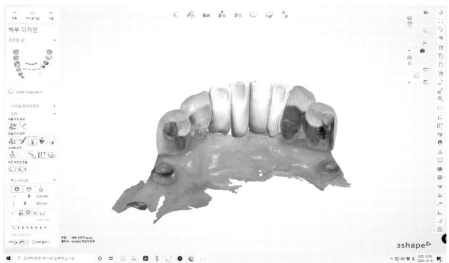

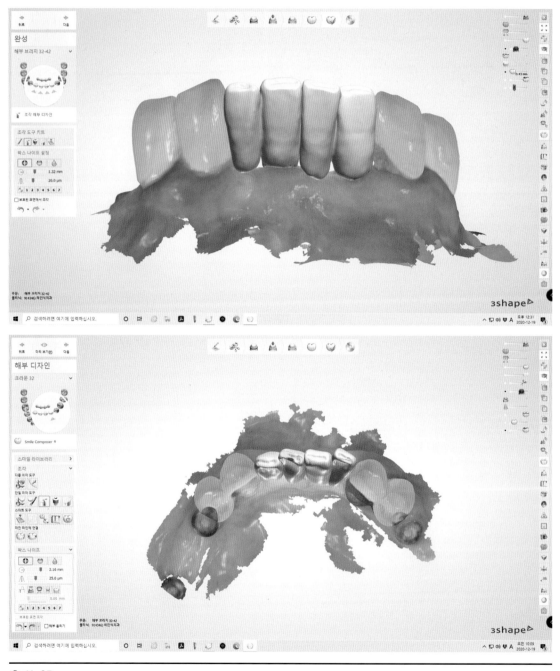

📷 11-95

하악 우측 측절치 공간이 부족하여 개개 치아들을 약간 회전된 형태로 디자인하였다.

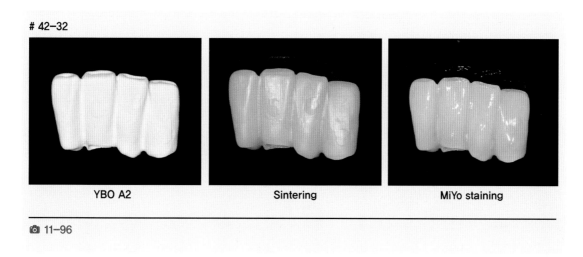

42-32

| YBO A2 | Sintering | MiYo staining |

📷 11-96

예스바이오사의 오션 A2 지르코니아 디스크를 이용하였고 소성 전 컬러링은 생략하였다. 소성 후 MiYo 스테인을 사용하여 인접치아 색상과 유사하게 표현하였다.

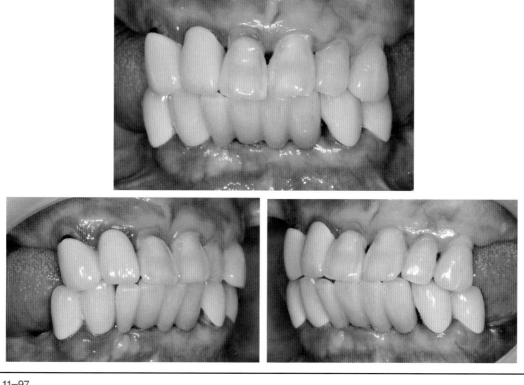

📷 11-97

기존의 PFM 보철보다 자연치아와 더 조화로운 색상 표현을 보여주고 있다. 상악전치의 투명감과 색상에 잘 어울린다.

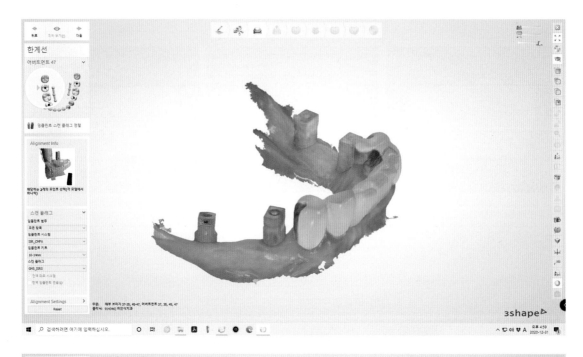

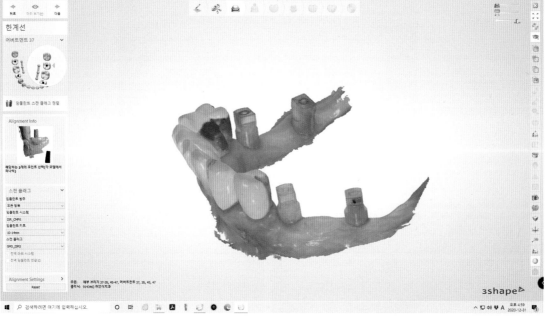

📷 11-98

하악구치에 식립한 임플란트에 스캔바디를 연결한 다음 스캔한 자료와 라이브러리의 스캔바디를 정합하였다. 그러면 구강내 상황이 그대로 재현된 모델이 디지털로 완성된다.

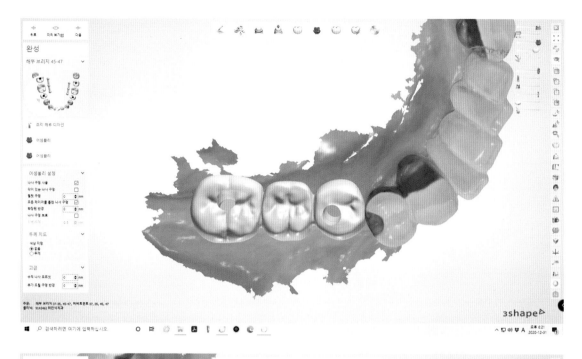

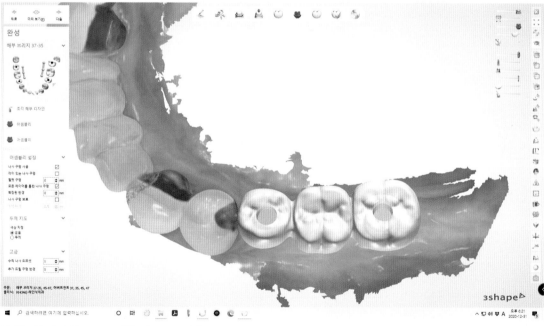

📷 11-99

좌우측 모두 SCRP 형태의 브릿지 보철을 디자인하였고 SCRP 홀을 갖는 보철이 완성되었다. 지대주는 개별
지대주로 디자인하였다.

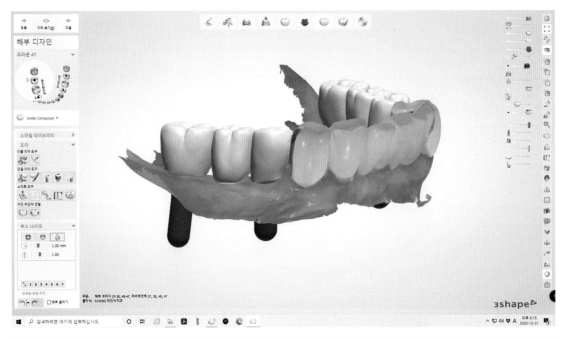

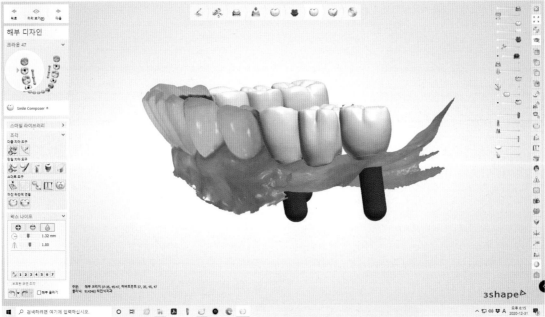

📷 **11-100**

오스템 SS형 임플란트에 호환되는 스캔바디(GeoMedi Co.)를 연결한 후 개별지대주와 크라운을 동시에 디자인하였다. 이런 유형의 임플란트는 잇몸 수준에서 보철물 외형이 시작하기 때문에 보철물의 출현외형(emergence profile)을 만들어주는 것이 어렵다. 따라서 치은언상변연의 보철을 만들어도 상관없는 보철을 제작할 때 적용하는 것이 좋다. 심미성보다는 기능성에 초점을 둔 임플란트 디자인이라고 할 수 있다.

45-47

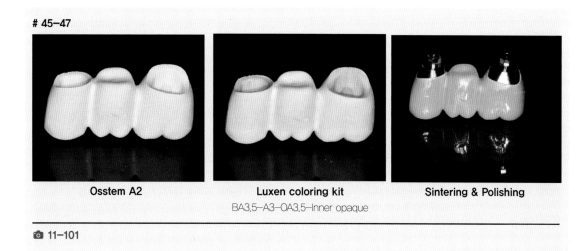

Osstem A2   Luxen coloring kit   Sintering & Polishing
BA3.5–A3–OA3.5–Inner opaque

📷 11-101

하악 우측 보철물에 오스템사의 지르코니아 디스크 A2 색상을 사용하였다. 루젠사의 컬러링 키트를 사용하였다. 내면에 오패크를 적용하였고 협측에 A3.5–A3를 점진적으로 적용하였다. 교합면에는 치경부에 적용한 A3.5 색상을 적용하였다. 지대주와 크라운 사이의 적합이 매우 양호함을 볼 수 있다. 소성 후 연마활택으로 마무리하였다.

35-37

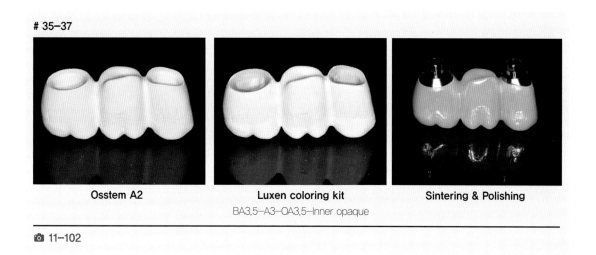

Osstem A2   Luxen coloring kit   Sintering & Polishing
BA3.5–A3–OA3.5–Inner opaque

📷 11-102

하악 좌측 보철도 우측과 동일한 방법으로 기공하였다.

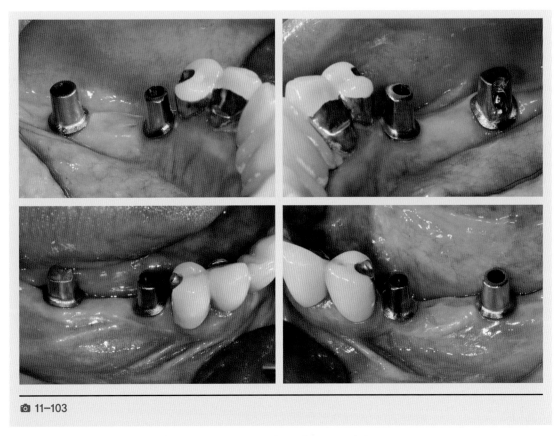

📷 11-103

개별지대주를 연결한 후 치은연상에 크라운 변연이 위치함을 볼 수 있다.

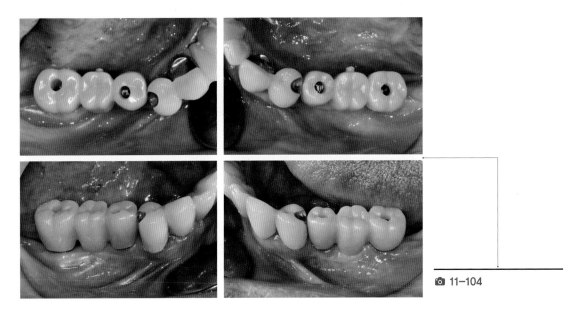

📷 11-104

최종 크라운을 시적하고 SCRP 홀을 통해 나사를 35N으로 조여주었다. 대합치가 가철성의치로 마무리되기 때문에 크게 교합조정을 할 필요는 없다.

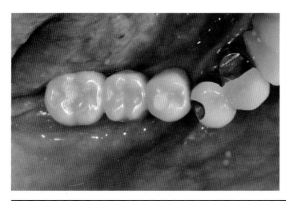
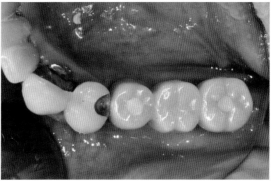

📷 11-105

실리콘 플러그로 홀을 채우고 글래스아이오노머로 마무리하였다. 상악 가철성의치를 마무리할 시간이 되었다.

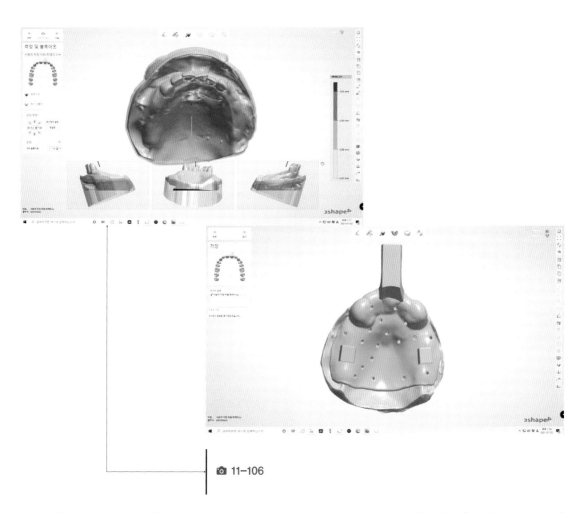

📷 11-106

상악 가철성의치 최종인상을 위해 개인인상 트레이를 디자인하였다. 구강스캐너가 아니라 모델스캐너로 스캔을 하였다. 핸들과 핑거스톱을 제외하면 레코딩베이스 제작 과정과 동일하다.

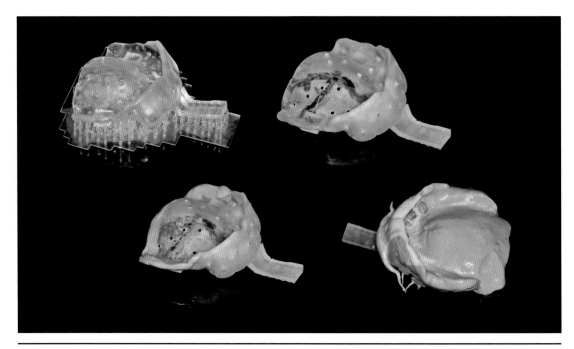

📷 11-107

3D 프린터로 출력한 후 보더몰딩하였고, 실리콘 인상재로 최종인상을 채득하였다.

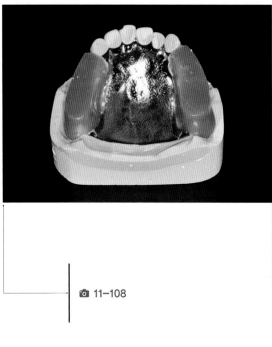

📷 11-108

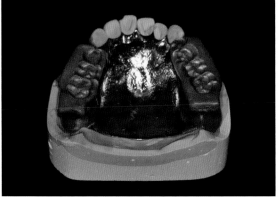

최종인상 모델에서 의치프레임을 만들고 도치배
열을 위한 바이트를 채득하였다.

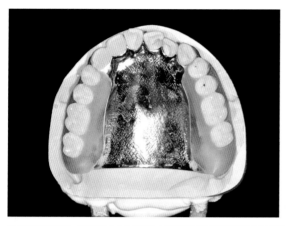
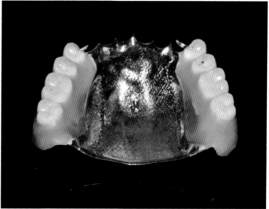

📷 11-109

도치배열로 교합을 확인하고 의치 제작을 완성하였다.

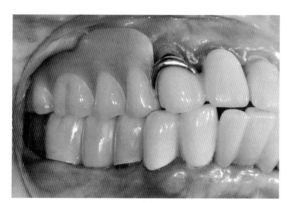
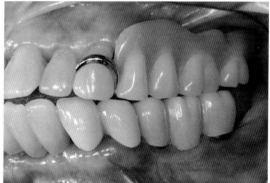
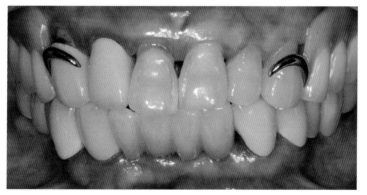

📷 11-110

최종 치료가 종결된 모습이다. 정상적인 저작기능을 통해 하악의 골질이 개선되고 전체적인 교합력 분산으로 상악 잔존 지대치 수명이 연장되었으면 한다.

CASE 6

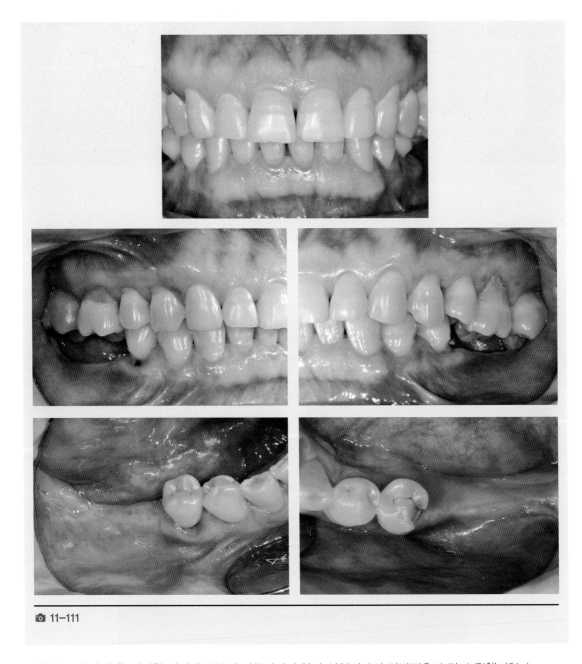

📷 11-111

하악 대구치 발치 후 적절한 시기에 수복이 이루어지지 않아 상악치이의 하방징출이 많이 진행되었다.

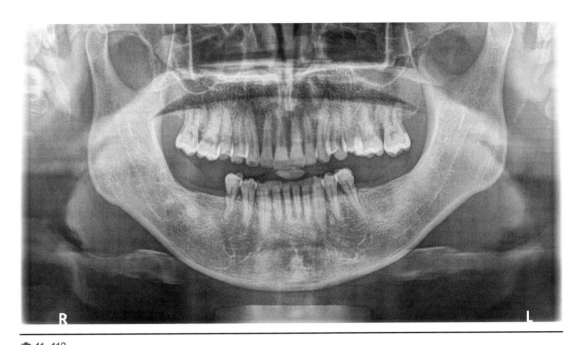

📷 11-112

파노라마 방사선 사진과 구강 내 상황을 보면 점막 두께가 얇고 수직적인 골량은 충분하다.

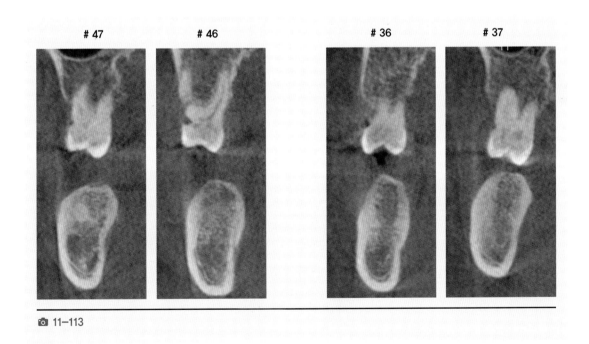

📷 11-113

컴퓨터 단층촬영을 보면 수평적 · 수직적 골량은 충분하다. 상악 좌측 제2대구치가 하방 치조제에 거의 맞닿아 있다.

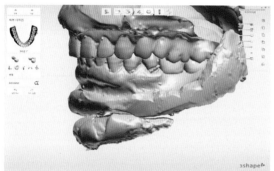
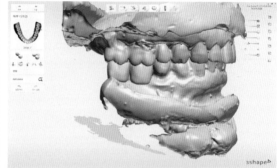

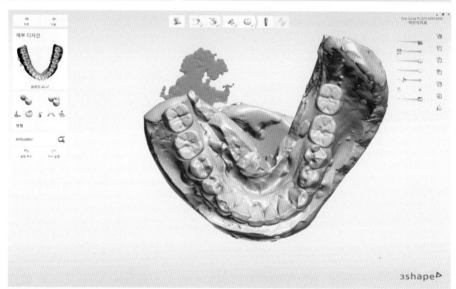

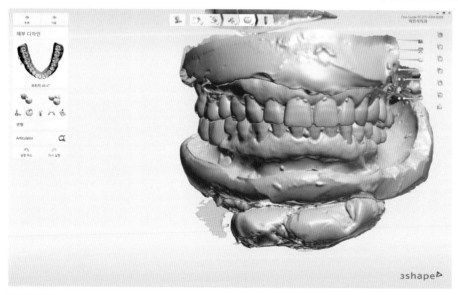

📷 11-114

가이드 수술을 위해 치아를 배열한 모습이다. 오스템 원가이드센터에서 가이드를 디자인하였다.

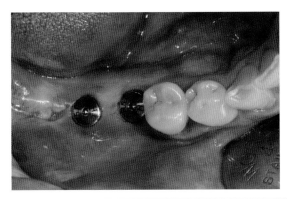
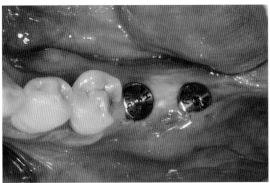

📷 11-115

가이드를 이용해서 임플란트(TS3, BA fixture, Osstem Co.)를 식립하였다. 가이드를 폐쇄형(closed type)으로 디자인하였으나 환자의 개구량에 제한이 있어서 최종 임플란트 식립 시에는 가이드를 제거하고 제2대구치 임플란트를 식립하였다. 그리고 가이드를 이용해서 식립 깊이를 최종적으로 확인하였다. 임플란트 식립 후 각화점막이 부족한 부위를 중심으로 유리치은이식을 계획하였다.

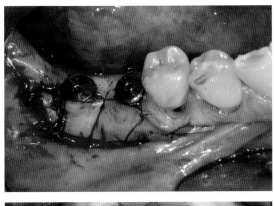
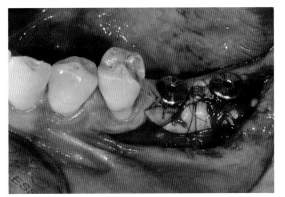
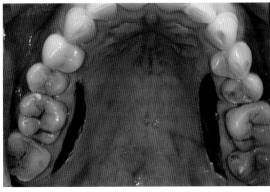

📷 11-116

임플란트를 식립한 후 상악 구개부 양측에서 각화점막을 채득하여 하악 임플란트 협측에 이식하였다.

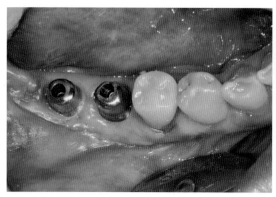 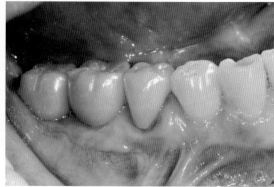

📷 11-117

유리치은이식 1개월 후 우측 상하악보철을 마무리하였다. 우측은 엑소캐드를 이용해서 디자인하였다. 엑소캐드와 3Shape사의 덴탈시스템은 여러 가지 면에서 디자인적 특징이 다르다. 잇몸 출현부의 외형을 디자인하고 수정하는 방법에도 차이가 있다. 술자에 따라 호불호가 엇갈릴 수 있지만 덴탈시스템이 훨씬 직관적이고 디자인하기 수월하며, 술자의 의도에 맞는 보철물을 디자인하기에 좋다. 치과의사가 디자인하는 경우라면 특히 더 덴탈시스템을 추천한다.

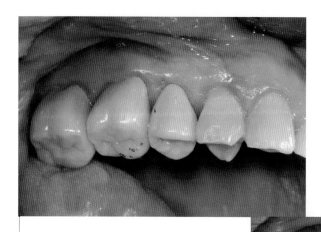

📷 11-118

대합치 정출 문제를 해결하기 위해 상악치아도 크라운을 하였다.

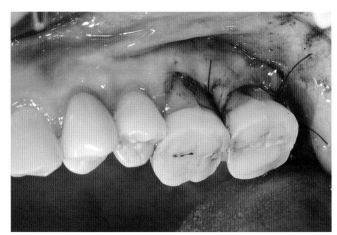

📷 11-119

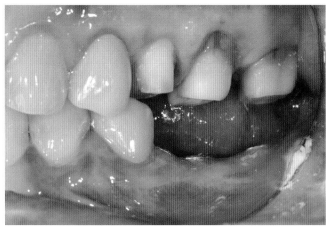

대합치아 정출이 심하게 일어난 상악 좌측 대구치에는 골삭제를 포함한 치관길이 연장술을 하였고 근관치료도 병행하였다.

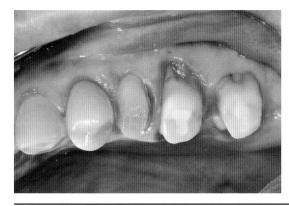
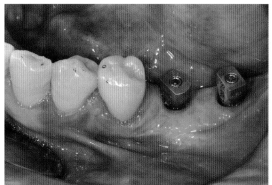

📷 11-120

하악에는 스캔바디(GeoMedi Co.)를 연결하고 상악에는 코드 없이 스캔을 진행하였다. 치관길이연장술을 시행한 지 1개월 되었을 때에는 코드가 삽입되지 않기 때문에 오히려 코드 사용이 스캔을 방해한다. 출혈을 야기하기 때문이다.

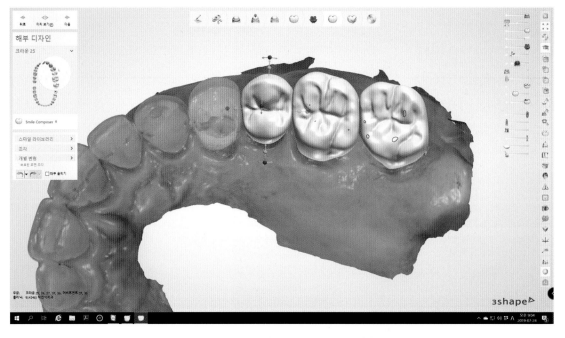

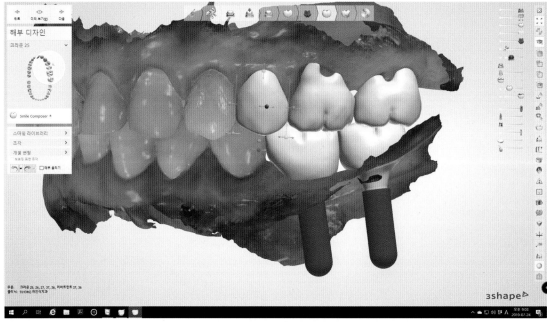

📷 11-121

상악좌측 대구치는 정출로 인해 치관길이연장술을 시행했기 때문에 크라운이 치근이개부와 치근 일부를 덮는 형태로 디자인되었다. 좌측은 엑소캐드가 아니라 덴탈시스템으로 작업하였다.

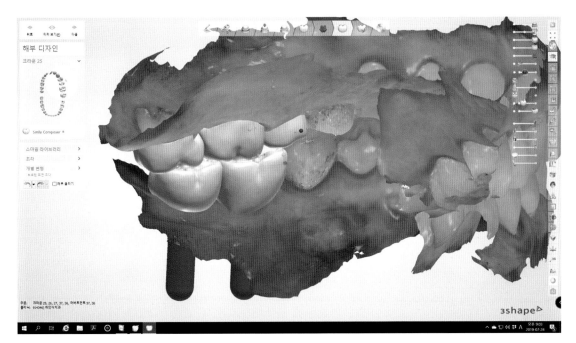

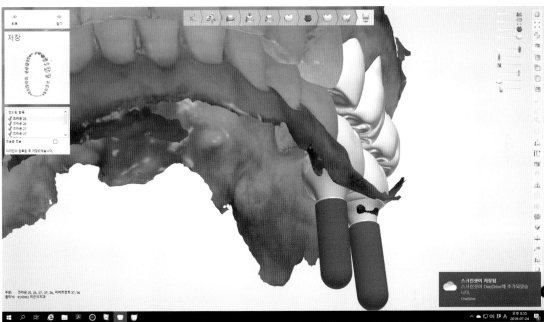

📷 11-122

적절한 수평-수직 피개를 가질 수 있도록 크라운을 디자인하였고 인접치아와의 측면 외형도 좋은 조화를 보이고 있다.

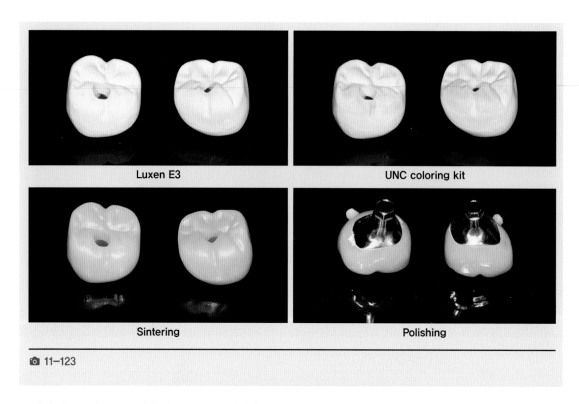

📷 11-123

루젠사의 E3 디스크를 이용하였고 UNC 컬러링 키트를 이용하여 색상을 표현하였다.

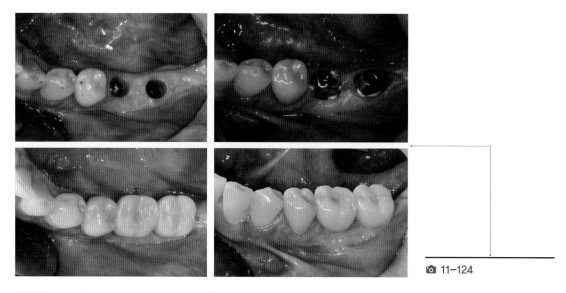

📷 11-124

동일 환자 우측의 지대주 디자인과 비교해 보면 지대주 변연과 상단 디자인에 상당한 차이가 존재함을 엿볼 수 있다. 동일한 사용자가 엑소캐드와 덴탈시스템 프로그램을 사용하였는데 표현되는 결과는 매우 다르다. 어느 한 쪽은 사용자가 표현하고 싶은 것을 아주 쉽게 표현할 수 있게 해주지만, 다른 한 쪽을 이러한 표현을 위해 매우 많은 작업을 해야 한다면 사용자의 선택은 쉬운 쪽으로 갈 수밖에 없다. 양쪽의 개별지대주와 크라운을 비교해보면 엑소캐드로 디자인한 것보다는 덴탈시스템으로 디자인한 쪽이 훨씬 술자의 의도를 잘 표현해 주었다고 생각한다.

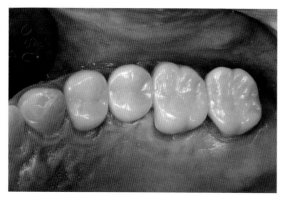
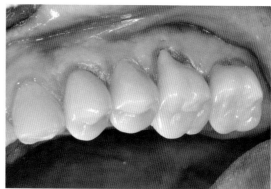
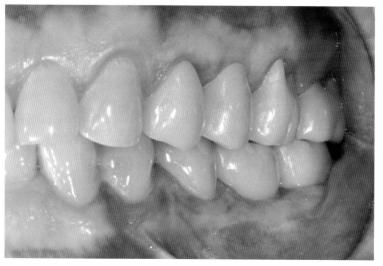

📷 11-125

좌측의 치료가 종결되었다. 좌우측의 최종 크라운 디자인을 최초 자연치아 형태와 비교해보면 좌측이 훨씬 자연치아 원형에 가깝다고 볼 수 있다. 특히 크라운의 교두 부위 형태와 경사, 외형 등을 디자인할 때 덴탈 시스템이 가지고 있는 디자인 요소가 더 적절하게 이를 표현할 수 있게 해준다.

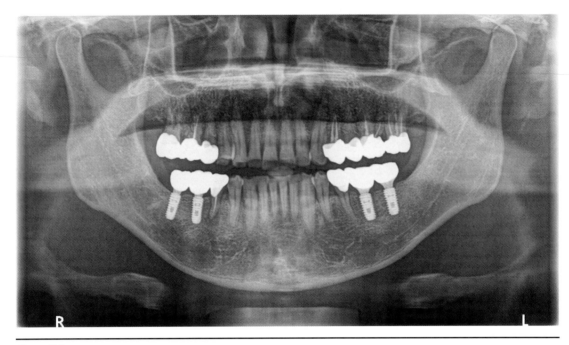

📷 11-126

치료가 종결된 후 촬영한 파노라마 방사선 사진을 보면 양쪽 임플란트의 개별지대주 디자인에 차이가 있음을 볼 수 있다. 환자의 우측 임플란트는 엑소캐드로 디자인하였고, 환자의 좌측은 덴탈시스템으로 디자인하였다. 개별지대주의 잇몸출현외형(emergence profile)은 좌측 임플란트가 보다 자연스럽고 건강한 결과를 유지할 수 있다고 생각한다.

CASE 7

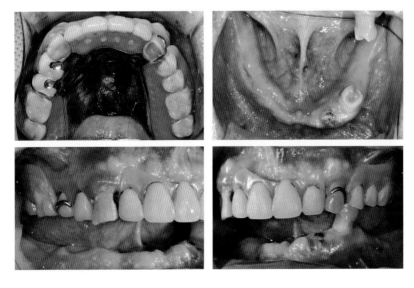

📷 11-127

하악의치 지대치로 사용하던 치아가 치아우식 등의 이유로 파절되었다. 더 이상 기존 의치를 사용할 수 없게 되었다. 하악 좌측 제1소구치 하나만 홀로 남아 수직고경을 유지한 채 저작기능을 수행하고 있다. 상악의치와 잔존치아 상태도 좋지 않지만 환자는 하악 치료만을 원하였다.

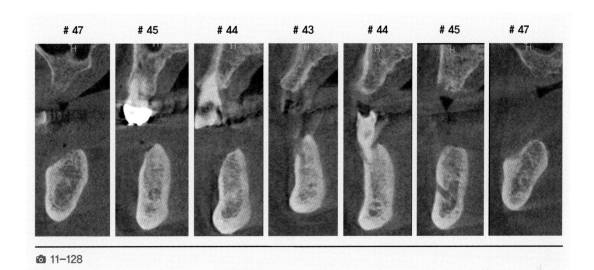

📷 11-128

컴퓨터 단층촬영 결과를 보면 하악치조제 상태가 양호해서 완전의치를 하기에는 아까웠다. 가이드를 이용해서 하악에 4개의 임플란트를 식립하고 이를 지대치로 가철성의치를 계획하였다.

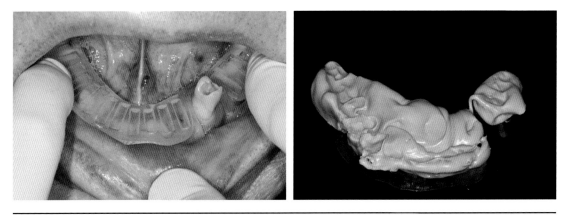

📷 11-129

정확한 가이드 디자인을 위한 정합을 위해 가이드 제작회사에서 필요로 하는 방사선촬영용 스텐트를 제작하였다. 구강 내에 위치시킨 후 실리콘 바이트로 고정한 상태에서 컴퓨터 단층촬영을 하였다.
무치악은 스캔자료와 CT 자료를 정확하게 정합하기 어렵기 때문에 CT 촬영 시 스캔과 중첩할 수 있는 이미지를 함께 포함할 수 있도록 촬영해야 한다. 따라서 이런 방사선 촬영용 스텐트를 이용하는 것이다.

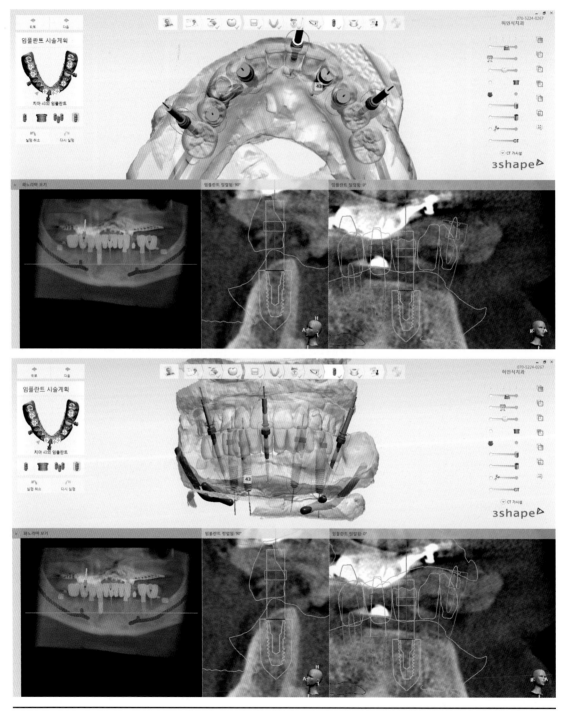

📷 11-130

병합된 이미지를 바탕으로 임플란트 4개의 식립 위치와 깊이를 확정하였다. 가이드가 제안한 임플란트 식립 위치를 보면 통법에 의해 식립하던 위치와 매우 차이가 있다. 당연히 보철을 위해서는 가이드가 제안한 위치가 좋은 위치이다.

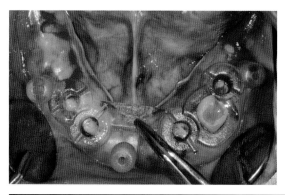
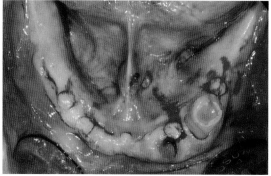

📷 11-131

고정나사(anchor screw)를 이용해서 가이드를 뼈에 고정하기 전에 티슈펀치를 이용해서 식립 위치의 연조직을 제거하였다. 가이드가 고정된 상태에서는 펀칭된 연조직을 제거하기 쉽지 않고 번거롭기 때문에 펀칭한 조직을 제거할 때는 가이드 없이 하는 것이 수월하다.

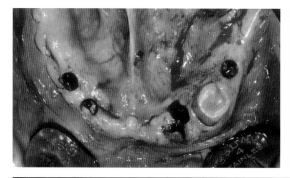
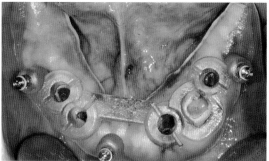

📷 11-132

펀칭된 조직을 제거하고 고정나사(anchor screw)로 가이드를 고정한 다음 드릴링을 진행하였다.

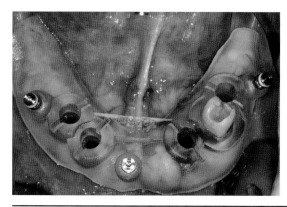
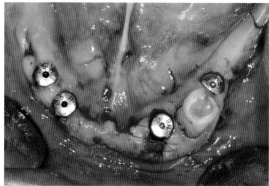

📷 11-133

임플란트 식립을 마치고 고정나사를 풀어준 다음 가이드를 제거하고 치유지대주를 연결하였다. 만약 통법대로 판막을 열고 임플란트를 식립하였다면 수술시간이 오래 소요됨은 물론이고 보철에 최적화된 위치에 임플란트를 식립하는 것도 쉽지 않았을 것이다.

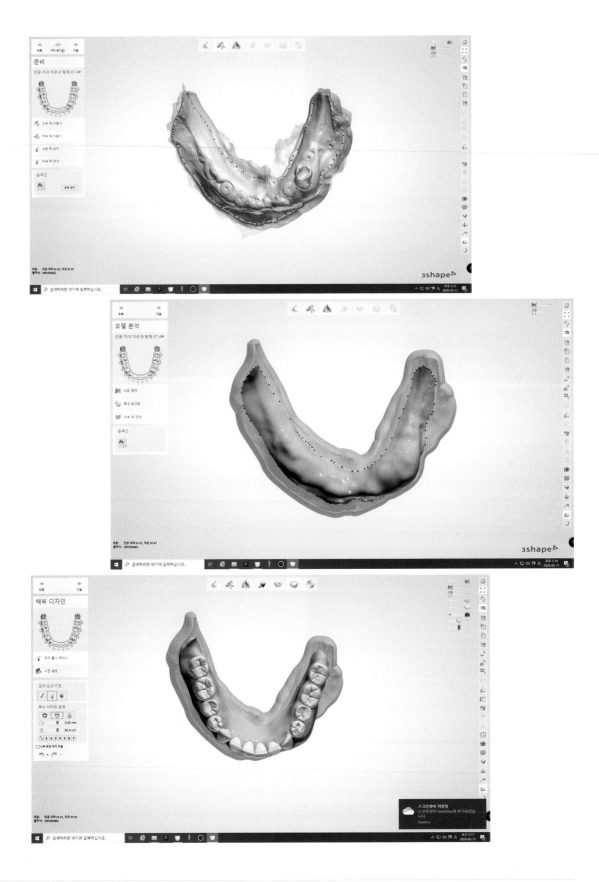

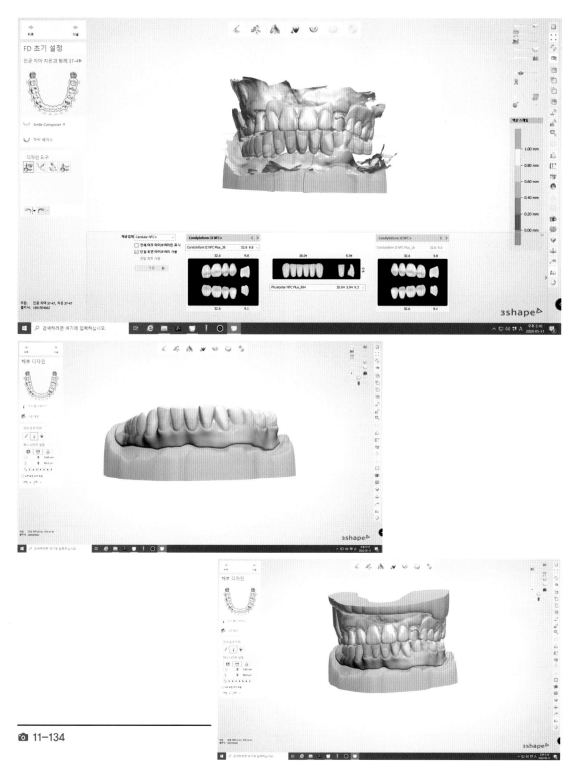

📷 11-134

임플란트 식립 후 치유기간 동안 사용할 임시의치를 제작하기 위해 모델을 스캔하였고, 이어서 임시의치를
디자인하였다.

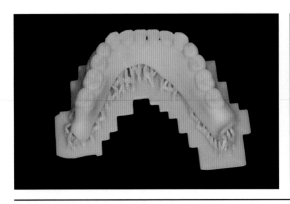
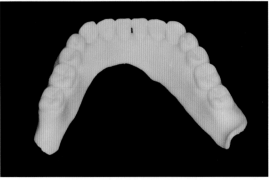

📷 11-135

치아와 의치상을 함께 3D 프린터로 출력하였다. 지지대는 의치 내면에 위치하도록 하였다. 의치 내면은 향후 리베이싱(rebasing)을 통해 수정해야 하므로 지지대가 있어도 상관없다.

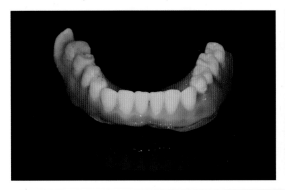
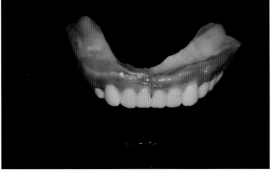

📷 11-136

내면에 위치한 지지대를 제거하고 잔존 치조제에 맞게 리베이싱 하였다. 의치 외면의 치은 색상은 치은재현용 레진(Crealign, Bredent Co.)을 사용하여 표현하였다. 치아와 의치상을 분리해서 출력한 다음 접착하는 방법도 있지만, 술자는 일체형으로 출력한 다음 리베이싱하는 방법을 선호한다. 어차피 임시의치의 리베이싱은 반드시 거쳐 가야하는 과정이기 때문에 오히려 일체형 출력이 더 효율적인 면이 있다.

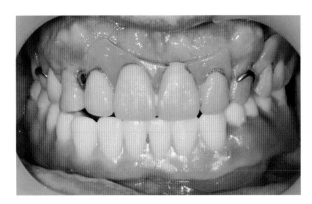

📷 11-137

임플란트의 골융합이 이루어지는 동안 환자는 수개월 동안 이 임시의치를 사용하였다.

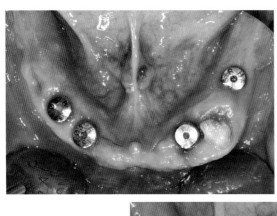
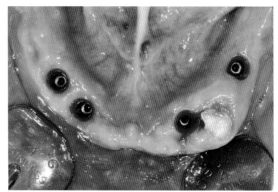

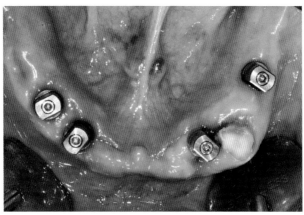

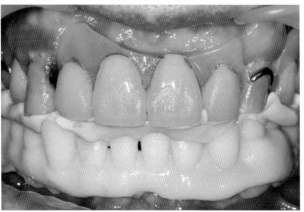

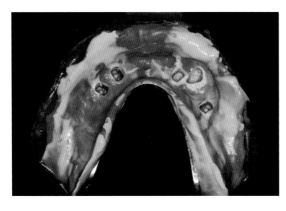
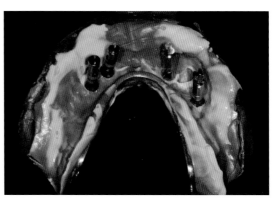

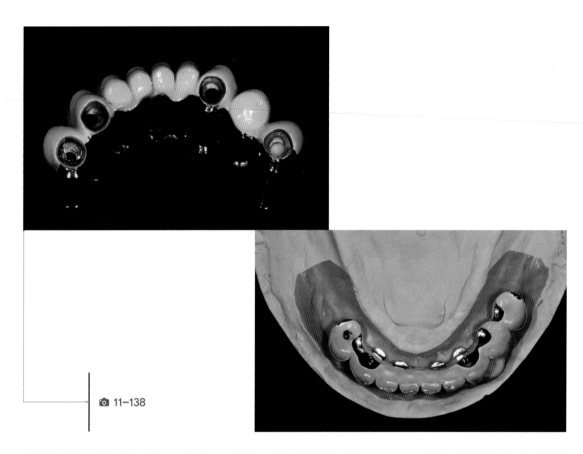

📷 11-138

가철성의치가 최종 목표이므로 아날로그 인상 코핑을 연결한 다음 PFM으로 보철을 진행하였다. 의치를 위한 서베이드 크라운을 제작하였다.

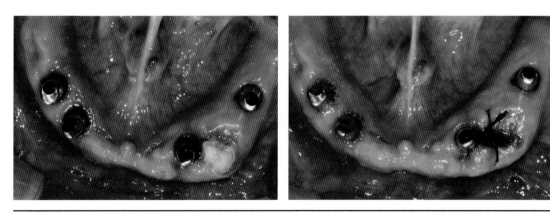

📷 11-139

서베이드 크라운 브릿지를 세팅하는 날 하악 좌측 제1소구치를 발치하고 의치 최종인상을 채득하였다. 개별지대주를 장착한 모습이다. 개별지대주와 크라운 브릿지는 기공소에 제작을 의뢰하였다. 필자가 선호하는 지대주 디자인보다 변연부 밀링 폭이 좁다. 이런 디자인에선 접착 후 변연하방에 잔존 접착제가 남아있는 경우가 많기 때문에 주의해야 한다.

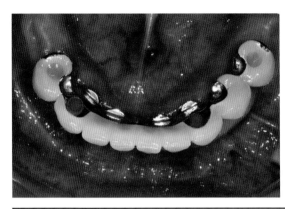
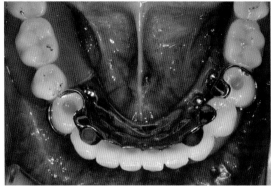

📷 11-140

최종의치가 장착된 모습이다. 임플란트를 이용해서 고정성 브릿지를 만들고 가철성의치를 만들면 자연치아와 유사한 의치기능과 예후를 가져갈 수 있다. 오버덴쳐 방식보다 의치로 인해 임플란트에 가해지는 부담을 줄일 수 있다.

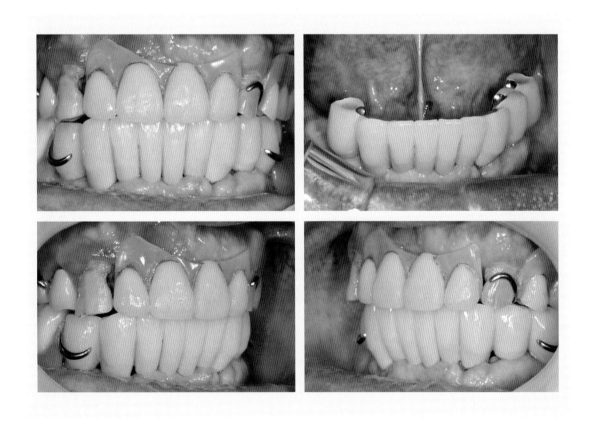

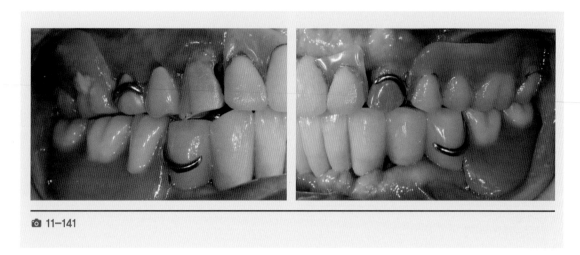

📷 11-141

최종 치료가 마무리된 모습이다. 상악의 잔존치아 상태가 좋지 않지만 조만간 재치료하게 될 것으로 예상한다.

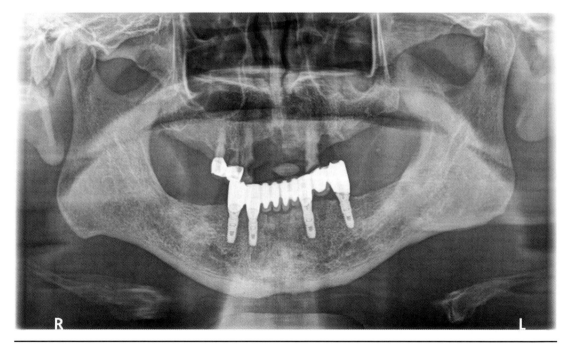

📷 11-142

최종 치료를 종결한 후 촬영한 방사선 사진을 보면 식립한 임플란트의 수직적·수평적 위치가 매우 이상적임을 확인할 수 있다. 보철을 고려한 임플란트의 이상적 위치는 가이드를 사용하지 않고서는 얻기 어렵다.

CASE 8

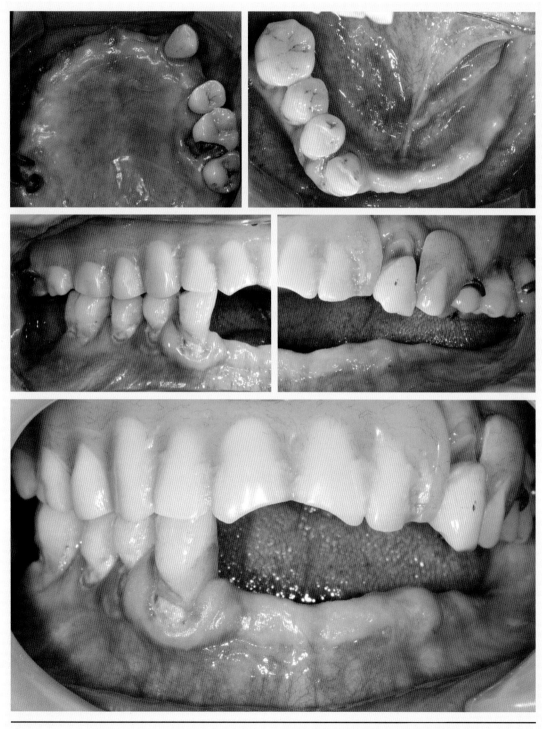

📷 11-143

상악과 하악에 잔존치아가 몇 개 남아있지 않다. 치주상태를 고려했을 때 상악은 전부 발치해야 하고, 하악 우측 잔존치아만 존속시키는 것이 가능하다. 상악 좌측에는 상악동염이 존재하고 잔존골량도 부족한 상태 이다. 환자의 거주지가 매우 멀어서 병원을 수시로 내원할 수 없는 상황이기 때문에 하악은 임플란트, 상악 은 완전의치로 계획하였다.

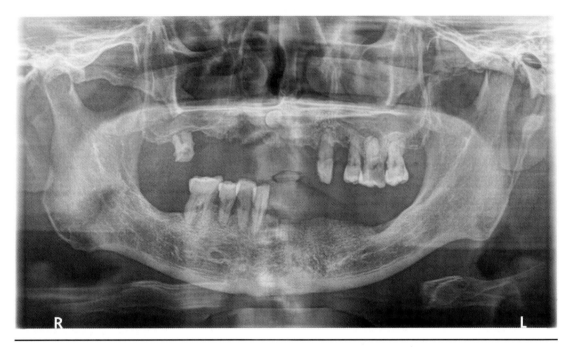

📷 11-144

파노라마 방사선 사진상으로 봤을 때 상악 잔존치아는 모두 발치, 하악은 치주치료 후 일단 유지하기로 하 였다.

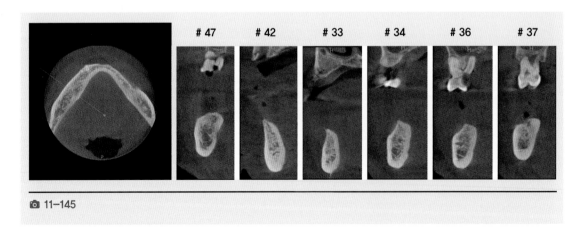

📷 11-145

컴퓨터 단층촬영을 보면 임플란트 식립을 계획하고 있는 부위의 골량이 제2대구치 부위를 제외하고는 충 분해 보인다. 제2대구치는 수직적 골량이 충분하지 않아 가이드 치료계획에서 일단 배제하였다.

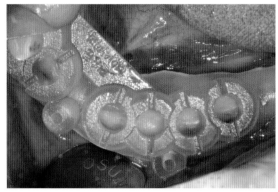

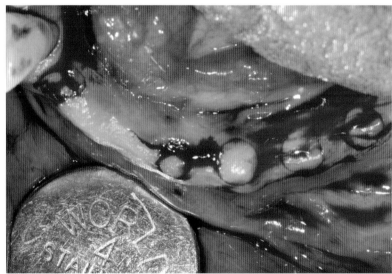

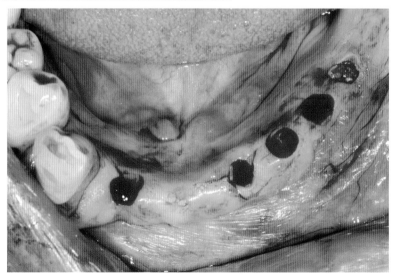

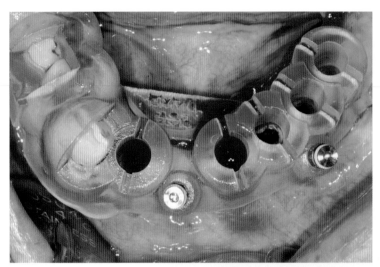

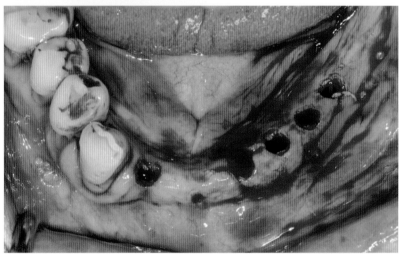

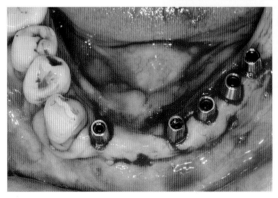
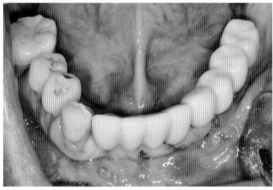

📷 11-146

가이드(OneGuide system, Osstem Co.)를 이용해서 하악 좌우 측절치와 좌측 견치, 소구치에 우선 임플란트
(TS3, BA fixture, Osstem Co.)를 식립하였다. 좌측 제1대구치는 하치조신경과의 거리가 너무 가까워 식립 대상
에서 제외하였다. 임플란트 식립 후 기성지대주를 연결한 다음 사전에 제작한 PMMA 임시치아를 연결하였다.

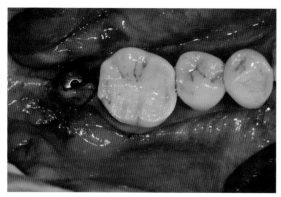
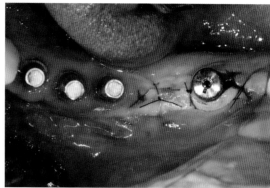

📷 11-147

좌우측 하악 제2대구치 부위에는 신경과의 거리를 고려하여 길이가 짧은 임플란트[Superline, short(길이 5 mm, 직경 4.5 mm), Dentium Co.]를 식립하였다.

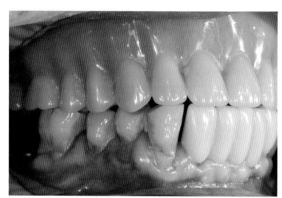
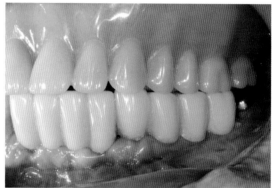
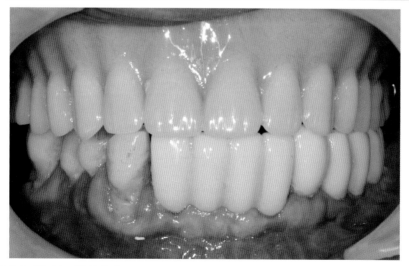

📷 11-148

상악에 임시완전의치를 새롭게 교체하였다.

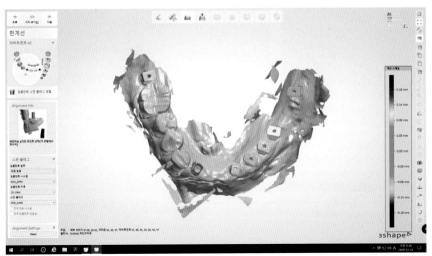

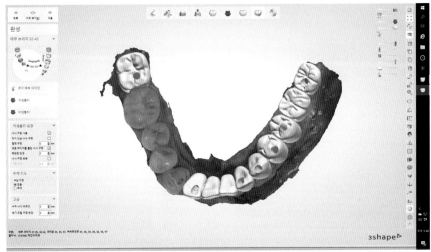

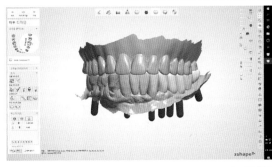
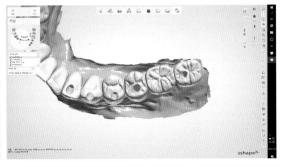

📷 11-149

최종보철 제작을 위해 스캔바디를 장착하고 구강스캔을 하였다. 서로 다른 회사나 연결 방식이 다른 임플란트를 혼합해서 식립했을 경우에는 호환되지 않는 스캔바디가 연결될 가능성이 있기 때문에 주의해야 한다. 개별지대주와 임플란트 보철 디자인을 완성한 다음 개별지대주는 밀링센터에 의뢰하였다. 원내에서는 최종보철을 진행하기에 앞서 3D 프린터로 해당 치아를 출력하여 임시치아 상태에서 환자의 평가를 받아보았다.

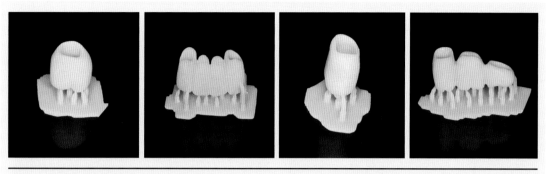

📷 11-150 3D printed temporary crown

다수의 치아를 보철할 경우 최종보철을 진행하기 전에 임시치아 상태에서 크라운의 형태와 크기 등을 비롯한 이모저모를 평가할 필요가 있다. 화면에서 본 이미지와 실제 출력된 이미지가 다를 수 있기 때문이다.

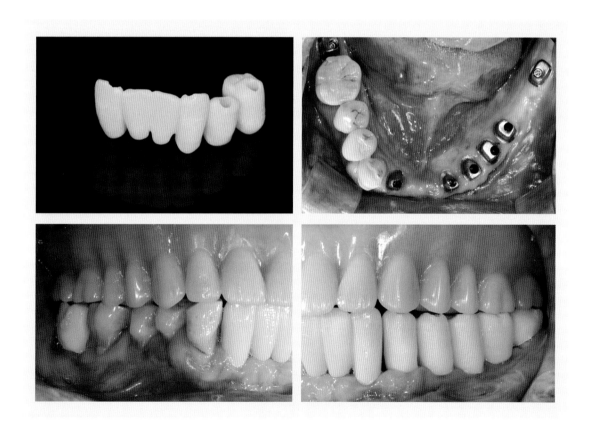

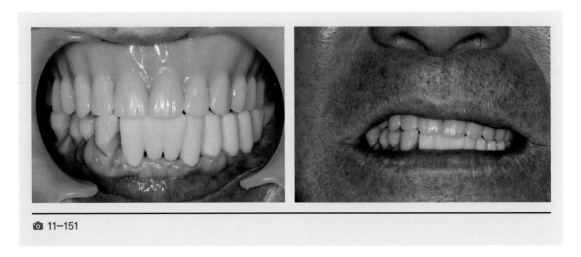

📷 11-151

개별지대주를 연결하고 3D 프린팅된 임시치아를 연결하였다. 구강사진으로 보철을 봤을 때에는 별문제 없이 최종보철을 진행할 수도 있다고 생각할 수 있다. 그러나 입술과 함께 보면 교합평면이 좌측으로 심하게 경사져 보인다. 환자는 이 부분의 개선을 요구하였다. 이런 문제가 존재하기 때문에 임시치아 과정이 필요한 것이다. 만약 이런 과정을 아날로그 방식으로 해야 한다면 임시치아 재제작에 정말 많은 시간과 노력을 다시 들여야 한다. 그러나 디지털 기법을 이용하면 디자인 프로그램상에서 교합을 수정하고 3D 프린터로 재출력하면 되기 때문에 예전에 비해 수월하게 이런 부분을 반영할 수 있다. 디지털 기법을 사용하면 환자 요구에 의한 재치료와 재평가 작업에 관대해질 수 있는 이유가 여기에 있다. 따라서 이런 증례는 서둘러서 치료를 마무리해선 안 된다. 큰 비용을 들여 멀리서 와서 치료했는데 눈에 보이는 결과가 환자에게 실망을 가져다줄 수 있기 때문이다. 설령 불만족을 표현하지 않는다고 만족하는 것은 아니다.

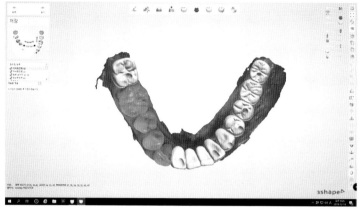

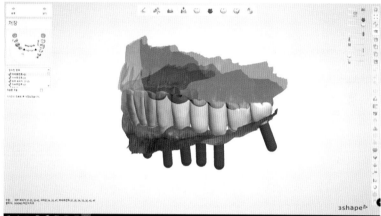

📷 11-152

환자의 요구를 디자인에 반영하여 좌측의 기울어진 교합평면을 올려준 다음, 다시 한 번 3D 프린팅하여 환자에게 피드백을 받았다.

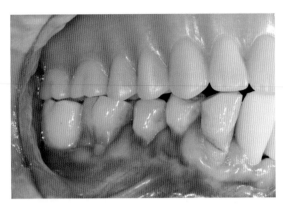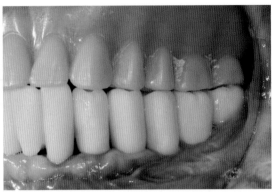

📷 11-153

새롭게 출력한 임시치아를 시적한 다음 상악의 임시의치 교합을 수정하여 교합평면을 바로잡았다. 사실 이런 문제가 발생한 근본 원인은 가이드를 이용해서 임플란트를 식립하는 당일 임시치아의 교합평면이 낮았기 때문이다. 낮고 좌측으로 기울어진 임시치아 교합평면에 맞추어서 임시의치를 만들고, 그것에 맞추어서 최종보철을 디자인했기 때문이다. 아무쪼록 첫 단추를 잘 끼워야 하는데 그렇지 못했기 때문이다. "오늘 할 일을 내일로 미루면 나중에 엄청 고생한다"라는 교훈을 가져다준 증례이기도 하다. 환자 입술에 약간의 반흔조직이 존재하는 것도 기울어진 교합평면 이슈에 기여하였다. 새로운 교합평면에 대한 환자의 피드백을 확인한 후 최종보철 단계에 진입하였다.

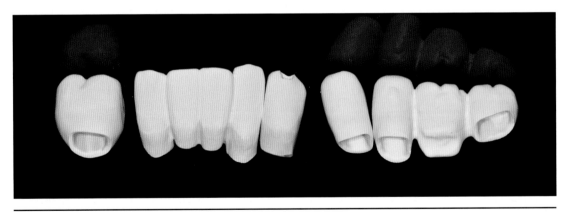

📷 11-154 YBO A2, UNC coloring kit

예스바이오사의 오션 A2 지르코니아 디스크를 이용하여 밀링하였다. UNC사의 컬러링 키트를 사용하여 치경부에만 색상을 표현하였다. 크라운 내면에는 오패크 처리를 하였다.

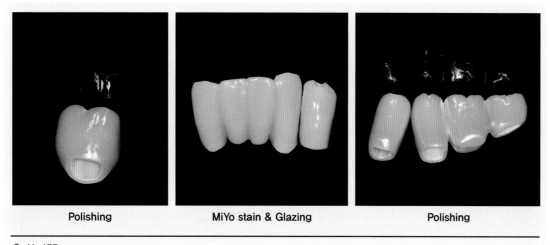

📷 11-155

전치부와 견치는 보다 자연스러운 표현을 위해 MiYo 스테인과 글레이징을 하였고 소구치와 대구치부는 연마활택으로 마무리하였다.

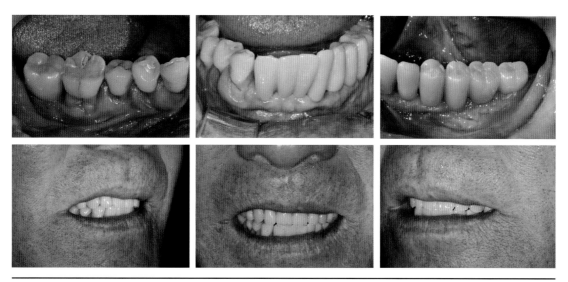

📷 11-156

최종보철을 마무리하였다. 상악에는 새로운 완전의치가 제작되었고, 하악은 지르코니아 보철로 마무리하였다. 상악의치와 하악 보철의 색상이 조화를 잘 이루고 있고 교합평면 이슈도 적절한 선에서 마무리되었다.

CASE 9

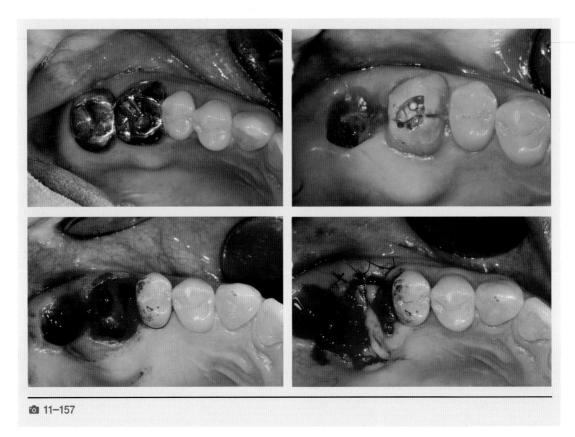

📷 11-157

상악 우측 제1,2대구치 모두 크라운 내부에서 치근 혹은 치관 파절이 심하게 발생하여 발치하게 되었다. 발치 후 제1대구치 치근과 상악동이 개통된 양상을 보였기 때문에 회전 판막을 이용하여 이를 폐쇄하였다.

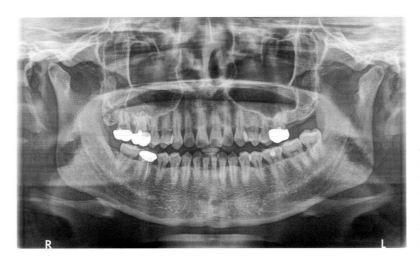

📷 11-158

초진 파노라마 방사선 사진을 보면 상악 우측 기존 크라운의 근관 치료가 불완전한 상태로 되어 있고 치아우식도 심하게 진행된 것을 볼 수 있다.

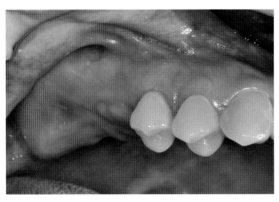
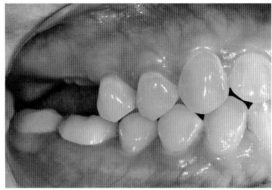

📷 11-159

발치 후 3개월이 경과하였고 연조직 치유는 완성된 상태이다. 컴퓨터 단층촬영을 보면 수평적 골량은 충분하지만 수직적인 골량이 부족하였다. 상악동막 거상이 필요한 상태였다. 상악동 거상술에 사용하는 원카스 가이드시스템(OneCAS Guide system, Osstem Co.)을 사용하기 위한 치료계획을 하였다.

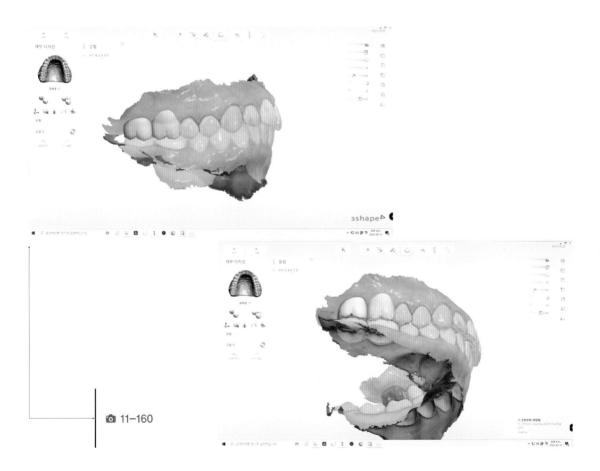

📷 11-160

가이드 식립에서 최종보철을 재현하는 이 단계가 매우 중요함을 여러 번 반복해서 강조하였다. 식립 위치가 적절해야 최적의 보철을 만들 수 있기 때문이다.

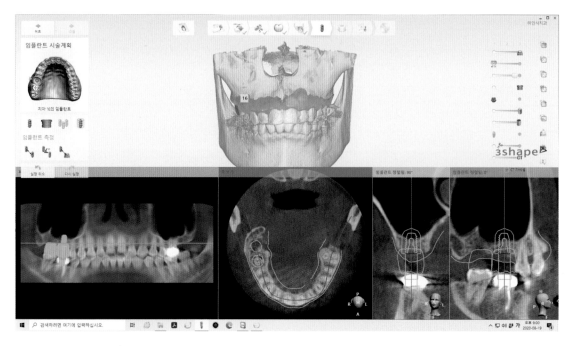

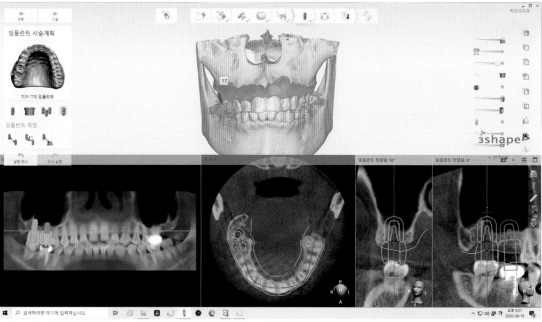

📷 11-161

임플란트의 수평적 위치, 즉 협설측이나 근원심 위치는 뼈가 지나치게 풍부할 때 오히려 실수할 가능성이 높다. 평소 습관대로 치조제 중앙에 임플란트를 식립하는 것이 이상적인 식립 위치가 아닌 경우가 존재하기 때문이다. 그러나 가이드를 이용하면 이런 문제를 크게 신경쓰지 않아도 된다. 상악동과의 거리가 가까 웠기 때문에 가이드 수술과 더불어 상악동 거상술을 동시에 진행하였다.

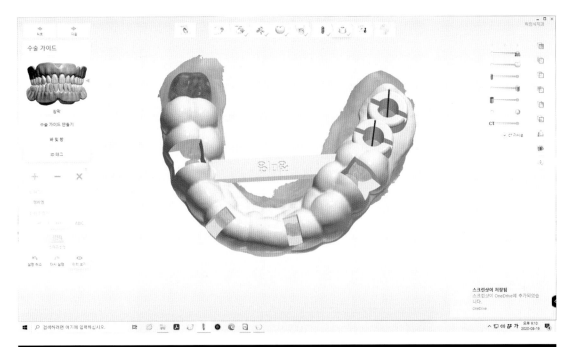

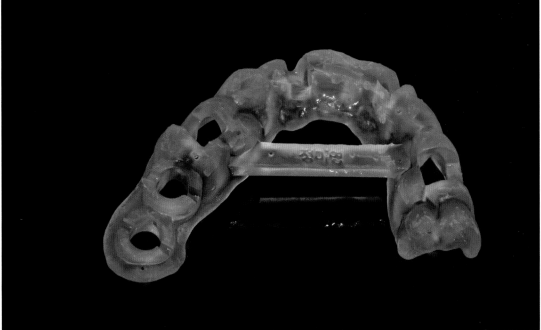

📷 11-162

최종적으로 가이드 디자인을 끝낸 후 원내에서 3D 프린터로 가이드를 출력하였다. 가이드 제작은 외부에 의뢰하기도 하고 내부에서 직접 디자인과 출력을 하기도 한다. 디자인만 외부에 의뢰하고 출력을 원내에서 하는 경우도 있다. 그것은 병원 상황과 증례에 따라 융통성을 발휘하면 된다.

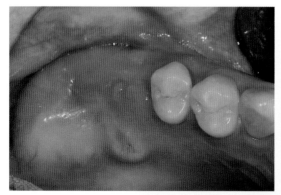 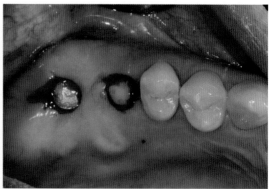

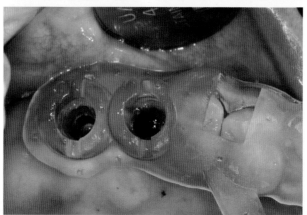

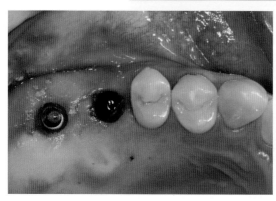 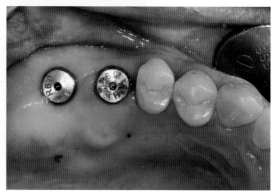

📷 11-163

가이드 수술과 상악동 거상술을 동시에 할 수 있는 오스템사의 원카스 가이드 시스템을 이용하여 수술을 진행하였다. 상악동 막을 들어 올릴 때에는 키트 내의 수압거상 도구를 이용하였고, 뼈이식재는 이종골(TheGraft, Purgo Co.)을 사용하였디. 상악동의 상부가 열려있는 상태이기 때문에 자칫 상악동 내로 임플란트를 빠뜨릴 가능성이 존재한다. 따라서 드릴링을 한두 단계 적게 하는 것이 좋다. 임플란트 식립 시 임플란트 길이의 절반 정도는 수기구를 이용해서 마무리하는 것이 안전하다. 만약 초기 고정이 좋지 않다면 무리해서 치유지대주를 연결하기보다는 피개나사를 매우 약하게 연결하고 판막을 덮는 방법을 사용하는 것이 좋다. 무판막 술식으로 진행했다면 펀칭한 연조직 뚜껑을 다시 이용해도 된다.

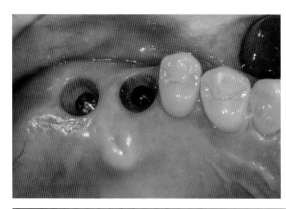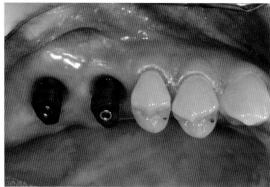

📷 11-164

3개월 정도의 치유 기간을 거친 다음 스캔바디(Osstem Co.)를 연결하고 스캔하였다.

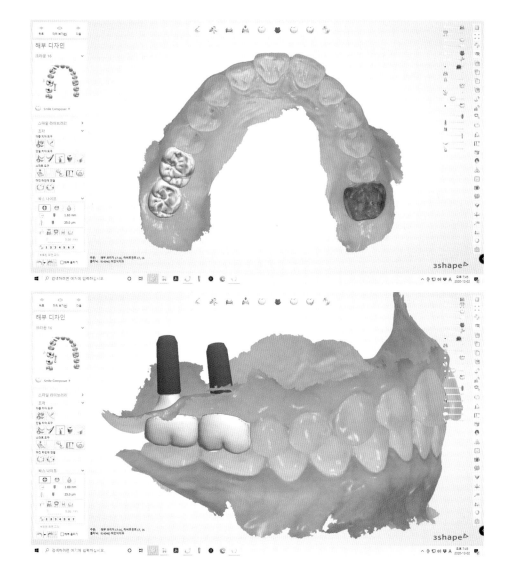

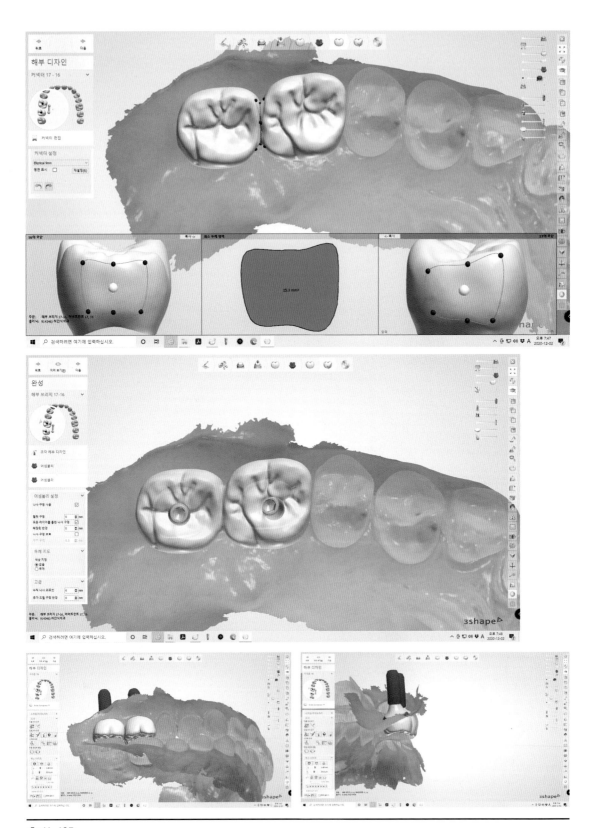

11-165

두 개의 크라운을 스플린팅하였다. 적절한 수평피개가 존재하는 보철디자인을 할 수 있었던 것은 가이드의 도움이 있었기 때문이다. 의외로 상악 최후방 구치 임플란트 보철의 수평피개를 확보하기 어려운 경우가 많다. 임플란트 식립 위치가 적절치 못했기 때문이다. 시야 확보가 어렵고 개구량 부족으로 적절한 식립 위치를 확보하지 못한 것이 원인이다.

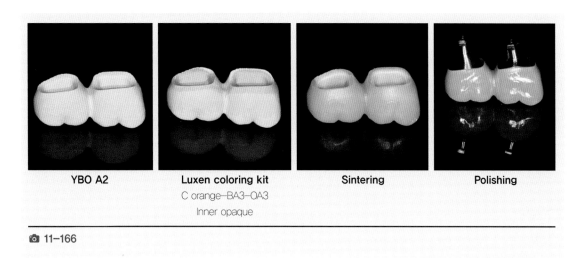

📷 11-166

예스바이오사의 오션 A2 디스크를 사용하였다. 루젠사의 컬러링 키트를 이용하였다. 내면을 오패크로 처리하였다. 오패크에 사용하는 컬러는 가급적 강한 색상이 바람직하다. 오패크 자체의 색상표현이 강하기 때문에 컬러링 색상이 너무 연하거나 투명하면 과도하게 오패크 컬러를 적용할 위험이 존재한다. 보기에 강한 색상이라고 하더라도 이 색소는 소성 시 다 휘발되기 때문에 큰 의미가 없다. 색상 자체와 소성 후 색상은 별반 상관이 없다는 말이다.

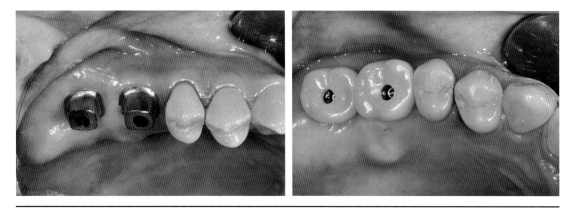

📷 11-167

전문 밀링센터에서 CNC로 가공한 개별지대주를 연결하였고 크라운을 시적하였다. 교합조정을 어느 정도 한 상태에서 크라운을 지그로 사용하여 나사를 조여주었다. 나사조임이 끝난 후 접착을 진행하였다. 잉여 접착제가 나사공간으로 들어가지 않도록 주의해야 한다. 접착제 경화가 완전히 이루어진 다음 교합조정을 구강 내에서 마무리하였다.

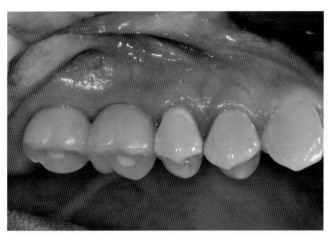
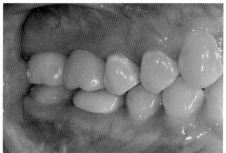

📷 11-168

임플란트 식립 위치의 중요성은 아무리 강조해도 지나치지 않을 만큼 중요하다. 좋은 위치가 좋은 보철을 만들고 좋은 보철이어야 예후가 좋다. 심미적인 예후와 기능적인 예후는 모두 좋은 식립 위치에서 출발한다. 다시 한 번 가이드 식립의 중요성을 강조하고 싶다.

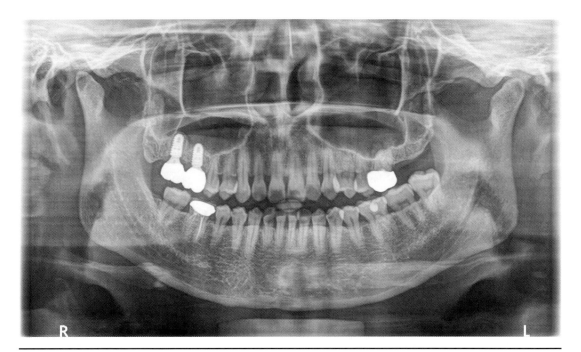

📷 11-169

치료 종료 후 파노라마 방사선 사진을 보면 상악동 거상술로 신생골이 잘 형성되어 있음을 확인할 수 있다.

CASE 10

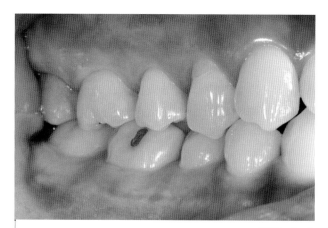

📷 11-170

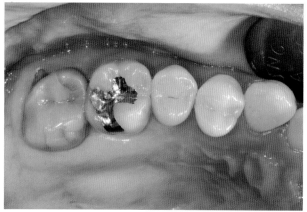

상악 우측 제2대구치 치근파절로 치아를 발치하게 되었다.

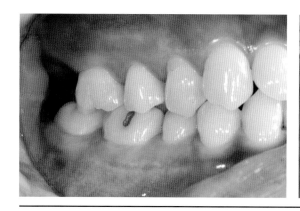

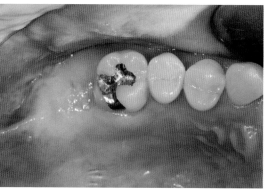

📷 11-171

발치 3개월 후 임플란트 가이드 식립을 계획하였다.

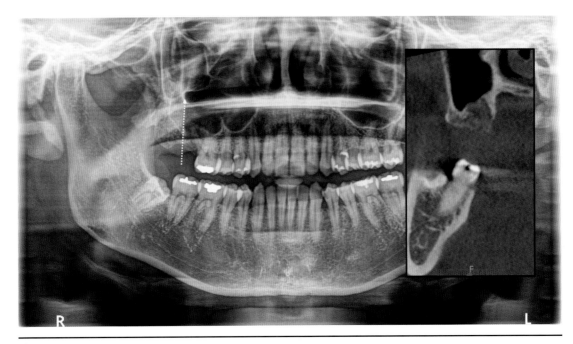

📷 11-172

임플란트 식립 부위에 대한 파노라마 및 컴퓨터 단층촬영을 보면 식립 위치의 결정이 쉽지 않은 상황이다. 상악 우측 제1대구치의 원심협측 치근이 2대구치 부위로 뻗어있다. 상악치조제의 폭이 넓지만 식립 위치에 따라 대합치와의 교합관계에 문제가 야기될 수 있고 상악동 거상술이 필요할 수도 있는 상황이다.

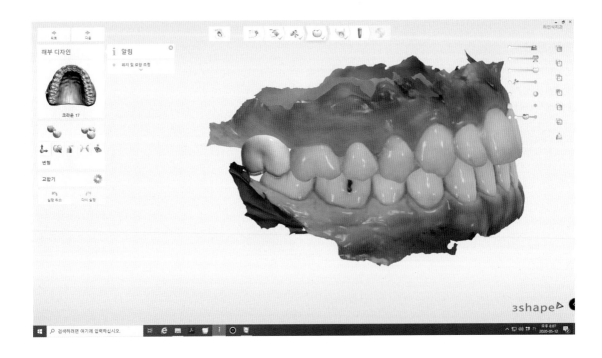

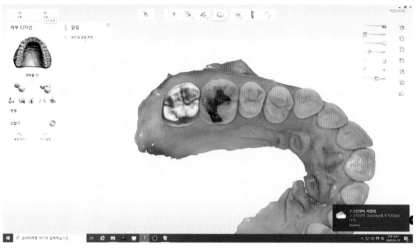

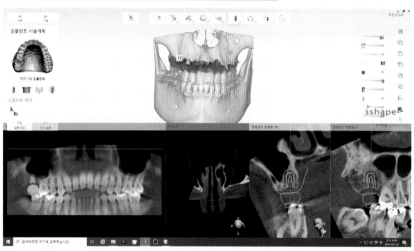

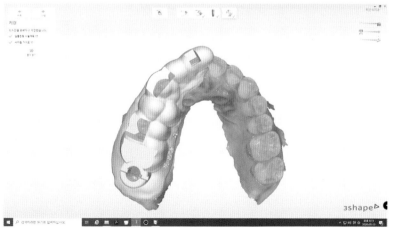

📷 11-173

이상적인 위치에 치아를 배열하고 이 위치에 맞게 임플란트 위치를 배치하니 상악동거상술을 하지 않아도
임플란트 식립이 가능했다.

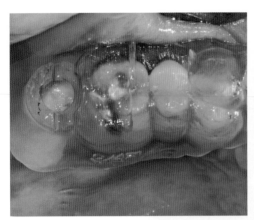
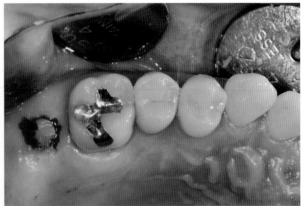
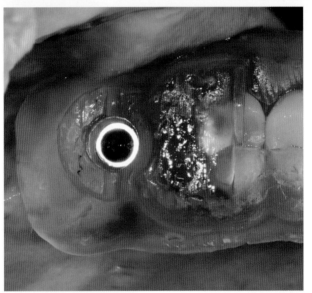
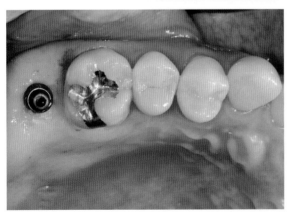
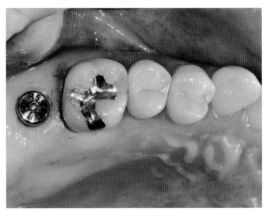

📷 11-174

통상적인 가이드 술식대로 티슈펀치를 한 다음 가이드를 장착하고 별도의 상악동 처치 없이 임플란트를 식립하였다.

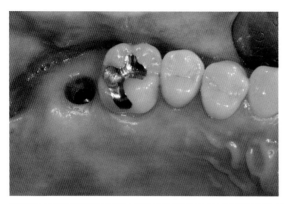
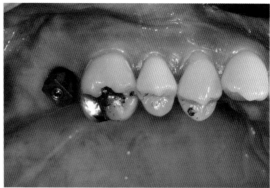

📷 11-175

임플란트 식립 3개월 후 스캔바디(GeoMedi Co.)를 연결하고 스캔을 진행하였다.

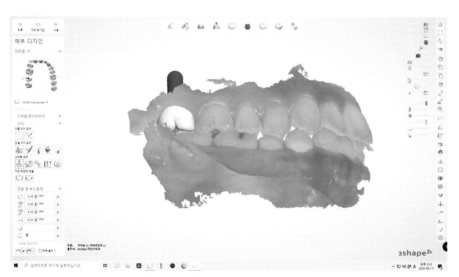

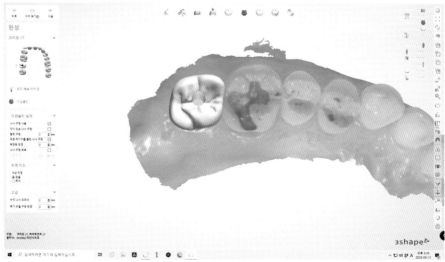

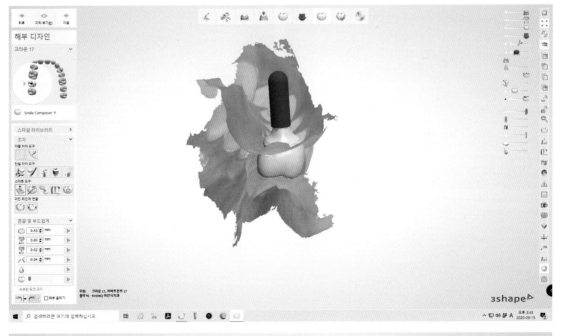

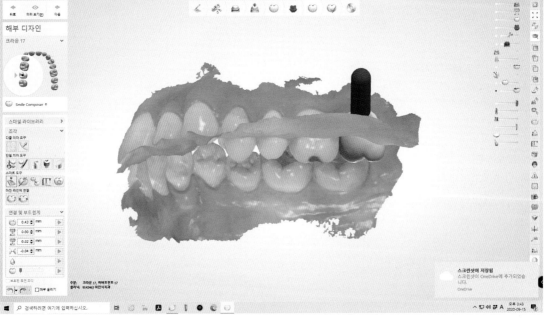

📷 11-176

임플란트 식립 위치가 좋으면 보철 디자인이 어렵지 않다. 개별지대주 형태도 이상적인 형태로 만들어줄 수 있다. 수평 및 수직 피개도 자연치와 유사하게 만들어줄 수 있다. 이상적인 임플란트 보철은 가이드로 식립하고 구강스캔을 통한 디지털 기법으로 완성한다고 볼 수 있다.

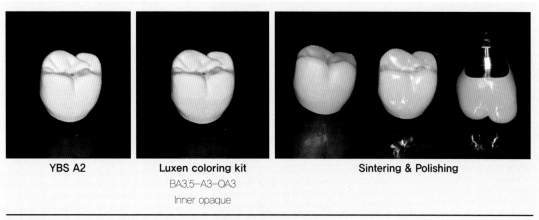

YBS A2 | Luxen coloring kit | Sintering & Polishing
BA3.5–A3–OA3
Inner opaque

📷 11-177

예스바이오사의 지르코니아 스카이 A2 색상을 이용해서 밀링한 후 루젠사의 컬러링 키트를 이용해서 색상을 표현하였다. 치경부를 중심으로 A3.5, A3 색상을 점진적으로 적용하였고, 교합면에는 치경부와 동일한 A3.5 색상을 적용하였다. 소성 후 연마활택으로 마무리하였다. 개별지대주와 크라운의 적합을 보면 기존 아날로그 보철에서는 보기 힘든 적합도를 나타낸다.

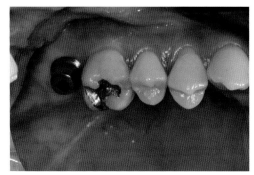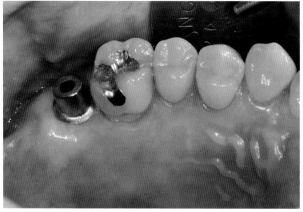

📷 11-178

개별지대주를 크라운을 이용해서 연결하였다. 나사를 조여준 후 교합조정을 완성하였고 이후 접착을 시행하였다.

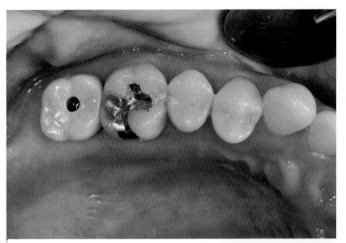

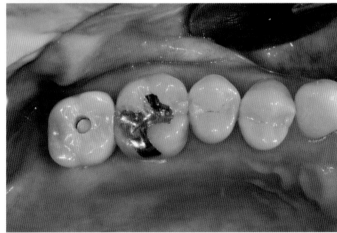

📷 11-179

접착 후 잉여접착제를 모두 제거한 후
실리콘 플러그로 나사홀을 채웠다.

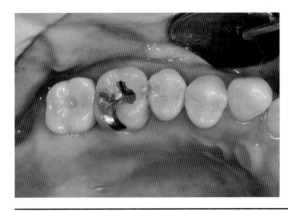

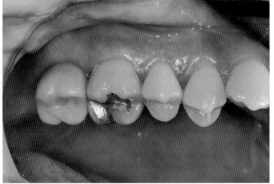

📷 11-180

최종적으로 SCRP 홀을 레진으로 충전한 다음 교합조정과 최종 언마를 마무리하었디.

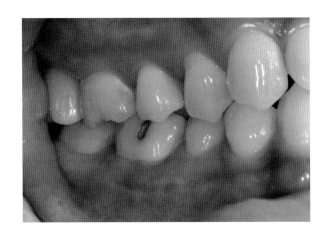

측면 사진을 보면 교두의 형태가 정상적인 모습을 나타내고 있고 수평피개도 자연치아와 유사한 형태를 나타내고 있다.

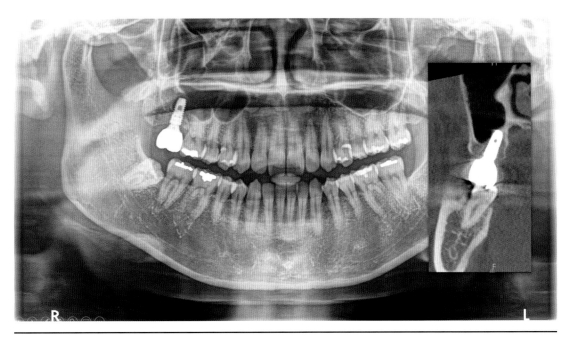

📷 11-182

치료가 종료된 다음 촬영한 컴퓨터 단층촬영 영상을 보면 상악동을 피해 절묘한 공간으로 임플란트가 식립된 것을 확인할 수 있다. 대합치 기능교두와의 교합관계도 매우 이상적인 위치를 나타내고 있다. 임플란트 중심축이 치조제 중앙에서 구개측에 위치해 있다. 판막을 열고 통법대로 임플란트를 치조제 중앙에 식립하려고 했다면 위치상 상악동 막을 올려주어야 했을 것이다. 가이드를 이용하면 이렇듯 가장 이상적인 위치를 찾아 임플란트를 식립할 수 있고, 복잡한 부가적인 술식을 생략하거나 단순화시킬 수 있다.

마무리하는 글

구강스캐너와 컴퓨터 단층촬영(CT), 가이드 제작 프로그램과 보철 디자인 캐드 프로그램, 3D 프린팅과 밀링 시스템과 같은 디지털 진료 장비의 보급은 임플린트 임상의 수준을 획기적으로 개선하고 있다. 가이드 수술 기법의 도입으로 인해 임플란트를 잘못된 위치에 식립할 가능성이 크게 줄어들고 있다. 식립 위치가 정확해진다는 것은 그만큼 양질의 보철을 제작할 수 있는 환경이 조성된다는 의미이다. 이는 임플란트의 장기적인 예후에 큰 유익을 가져다준다. 임플란트 주위염과 임플란트 파절 등과 같은 기계적 생물학적 부작용들 대부분이 잘못 식립된 임플란트로 인해 야기된다는 점에서 가이드의 보편적 사용이 가져올 미래는 매우 밝다고 할 수 있다. 가이드는 임플란트 시술 초보만이 사용해야 하는 술식이 아니라 임플란트를 시술하는 모든 치과의사들이 따라야 할 임상표준으로 자리 잡아야 한다고 생각한다. 잘 식립된 임플란트 위치를 바탕으로 구강스캔과 캐드 디자인으로 마무리한 모델 없는 디지털 보철 과정도 곧 모든 치과의사들의 임상표준으로 자리 잡을 것이라고 믿어 의심치 않는다. 디지털 보철은 해보지 않은 사람은 있어도 한 번만 해본 사람은 없다는 말이 나올 정도로 매력적인 결과를 가져다준다는 것을 끝으로 강조하고 싶다.

에필로그

개원의로서 진료와 보철기공을 병행하고 이미 오래전에 잡혀 있는 강의 스케줄을 소화하면서 책을 쓴다는 것이 쉽지는 않은 여정이었다. 코로나로 인해 많은 사람들의 일상이 잠시 멈추지 않았더라면 이 책을 쓰는 것은 어려웠을 것이다. 병에 대한 두려움… 낯선 사람에 대한 두려움 속에서 보낸 반 년이라는 시간이 있었기에 이 책이 나올 수 있었다. 디지털과 관련된 책을 쓰게 되기까지 많은 시행착오와 우여곡절이 있었지만, 그것들 역시 이 책을 쓰게 된 많은 동기와 기회를 부여해 주었다는 면에서 소중한 경험이었다고 생각한다. 어찌 보면 살면서 맞닥뜨렸던 고난들이 그 당시에는 매우 힘들고 고통스러웠지만 그 시간을 극복하고 일어서면 예외 없이 나를 성장시켰던 귀한 디딤돌이었음을 고백할 수밖에 없다. 이 책을 썼던 어려운 시간들 역시 동일한 결과를 가져다줄 것이라는 희망을 가져본다. 이 책의 상당히 많은 내용들은 저자의 임상적인 경험을 바탕으로 썼다. 구할 수 있는 선행자료들이 없었고, 임상적인 내용을 구체적으로 다루고 있는 책이 존재하지 않았기 때문에 많은 내용들을 필자의 주관적인 경험에 의존할 수밖에 없었다. 따라서 저자와 다른 의견 혹은 저자와 다른 임상술식이 존재할 수 있다고 생각한다. 여러 번 반복해서 확인했지만 미진한 부분이 존재한다. 저자가 기술한 내용 중 독자 여러분이 알고 있는 내용과 다른 내용이 있더라도 너그러이 양해해 주시길 부탁드린다. 아무쪼록 이 책에서 다루지 못했던 내용들과 술식들이 앞으로 많이 발표되기를 기대한다. 사용하는 기계와 제품에 대한 소개 역시 저자가 직접 경험했던 것들을 바탕으로 할 수밖에 없었다는 한계도 인정한다. 그러므로 가급적 경험하지 못했던 제품에 대해서는 구체적인 논평을 하지 않으려고 노력했다. 그러나 확실히 말할 수 있는 것은 디지털 진료와 연관된 장비와 재료의 수준이 이제는 범용화 단계에 접어들었다는 것이다. '무엇을 살 것인가'보다 '어떻게 운용할 것인가'에 주된 관심을 두는 것이 바람직하다고 생각한다. 디지털 진료를 하게 되면서 환자에게 보다 좋은 진료를 할 수 있게 됨은 물론이고 환자의 요구사항을 더 세심하게 진료에 적용할 수 있게 되었다. 병원의 진료내용이 좋아지는 것은 물론이고 환자와의 신뢰관계가 더욱 공고해졌다. 그러나 디지털 술식을 마케팅적인 접근으로 남용하면 환자에게 큰 피해를 줄 수 있다는 점을 언급하고 싶다. 주위에서 그런 오용으로 인한 폐해를 간혹 접하곤 하는데 참 마음이 아프다. 디지털 진료를 하는 목표가 우리 병원에 내원하는 환자에게 가장 좋은 진료를 제공하는 것에 있기를 바란다. 디지털 임상은 이제까지 경험했던 어떤 진료 양식보다 예측 가능하고 환자와 의료진 모두에게 큰 만족을 줄 수 있다는 것을 마지막으로 강조하고 싶다.

• 허인식 원장이 추천하는 디지털 제품 •

3D 프린터

모델명	Onejet DLP	ZENITH D	NEXTDENT 5100
제조사	오스템임플란트(주)	㈜덴티스	3DSYSTEMS
제조국	한국	한국	미국
판매처	오스템임플란트(주)	㈜덴티스	㈜바이오쓰리디
출력방식	DLP 방식	DLP 방식	DLP 방식
출력 가능 품목	국내외 허가 완료 기준(진행 중 포함)으로 • 서지컬 가이드 • 임시보철물 향후 소재 확장 예정 • 스플린트 • 덴쳐 베이스 • 캐스팅 등 가능 또는 가능 예정	국내외 허가 완료 기준(진행 및 준비 중 포함)으로 • 임시보철물 • 서지컬 가이드 • 교정용 모델 • 교정용 IBT • 스플린트 등 구강 장치 • 맞춤형 개인 트레이 • 덴쳐 베이스 • 주조용 레진 등 가능 또는 가능 예정	국내외 허가 완료 기준(진행 및 준비 중 포함)으로 • 임시보철물 • 서지컬 가이드 • 최종 보철물 • 교정용 모델 • 교정용 IBT • 스플린트 등 구강 장치 • 맞춤형 개인 트레이 • 덴쳐 베이스 • 고강도 덴쳐 베이스 • 진지바 마스크 • 캐스팅 등 가능 또는 가능 예정

모델명	카브(Ka:rv) LP550	cara Print 4.0
제조사	신원덴탈	Kulzer GmbH
제조국	한국	독일
판매처	신원덴탈	쿨저코리아(주)
출력방식	LED 방식	DLP 방식
출력 가능 품목	국내외 허가 완료 기준(진행 및 준비 중 포함)으로 • 임시 보철물 • 서지컬 가이드 • 교정용 모델 • 교정용 IBT • 스플린트 등 구강 장치 • 맞춤형 개인 트레이 • 덴쳐 베이스 등 가능 또는 가능 예정	국내외 허가 완료 기준(진행 및 준비 중 포함)으로 • 임시 보철물 • 서지컬 가이드 • 최종 보철물 • 교정용 모델 • 스플린트 등 구강 장치 • 맞춤형 개인 트레이 • 덴쳐 베이스 • 캐스팅 등 가능 또는 가능 예정

구강스캐너

모델명	TRIOS 4	CEREC Primescan
제조사	3Shape	DentsplySirona
제조국	덴마크	독일
문의처	• ㈜디오 • 오스템임플란트(주) • 3DBioCAD Asia	덴츠플라이시로나코리아(유)
스캔방식	동영상 방식	동영상 방식
안정적 스캔 범위	• 전악(풀마우스)도 안정적으로 스캔 • 최적 스캔 심도 15–17 mm로 매우 우수	전악(풀마우스)도 안정적으로 스캔

	CS3600(CS3700 출시 예정)	i500(i700 출시 예정)
모델명		
제조사	Carestream Dental	㈜메디트
제조국	미국	한국
문의처	• ㈜케어덴트 코리아 • ㈜포인트닉스	㈜메가젠 임플란트
스캔방식	동영상 방식	동영상 방식
안정적 스캔 범위	전악(풀마우스)도 안정적으로 스캔	전악(풀마우스)도 안정적으로 스캔

밀링기계

	OneMill 5X	CS Mill 5X	CEREC Primemill
모델명			
제조사	오스템임플란트(주)	㈜케어덴트코리아	DentsplySirona
제조국	한국	한국	독일
판매처	오스템임플란트(주)	• ㈜케어덴트코리아 • 포인트 임플란트	덴츠플라이시로나코리아(유)
사용 가능 재료	지르코니아, PMMA, 왁스, 하이브리드 레진세라믹	지르코니아, 하이브리드 세라믹, PMMA, 왁스	지르코니아와 하이브리드 세라믹 및 글라스세라믹, 모든 종류의 제작 허용 최대 70 mm 블록 밀링 가능
가공 형상 범위	크라운(싱글~풀 아치), 코핑, 인레이/온레이, 베니어	지르코니아 크라운 & 브릿지, 풀 크라운, 인레이/온레이, 임시치아, 스플린트, 서지컬 가이드, 풀덴쳐 등	온레이, 크라운, 베니어, 브릿지, 어버트먼트, 서지컬 가이드 등
밀링버 종류	• 지르코니아 가공용: Ball end-mill(2/1/0.5/0.3 mm) • 하이브리드 세라믹 가공용 Grind-mill(2.4/1/0.6 mm)	• 하이브리드 세라믹 [Ø2.0, Ø1.0, Ø0.5] • PMMA [Ø2.5, Ø2.0, Ø1.5, Ø1.0] • 지르코니아 [Ø2.0, Ø1.0, Ø0.5, Ø0.2] • Special Tool [1.0 Flat, T-cut]	• 밀링: Bur 2.5CS/Bur 1.0CS/Bur 0.5CS • 그라인딩: Diamond 1.4CS/Diamond 1.21CS
가공방식	건식 전용, 동시 5축 가공	동시 5축 가공	습식 및 건식, 동시 5축 가공
CAM 소프트웨어	MillBox	HyperDENT	CEREC SW 5/inLab CAM 21 (런칭 예정)

모델명	inLab MC X5	PrograMill PM7	DWX-52D
제조사	DentsplySirona	이보클라 비바덴트	DGSHAPE
제조국	독일	리히텐슈타인	일본
판매처	덴츠플라이시로나코리아(유)	• ㈜디오 • 리더스타	한국롤랜드디지(주)
사용 가능 재료	티타늄, 지르코니아 옥시드, PMMA, 글라스세라믹, 컴포짓 레진, 소결 메탈	지르코니아, 글라스세라믹, PMMA, Co-Cr / Ti, 왁스 등	지르코니아, 왁스, 컴포짓 레진, PEEK, PMMA, 석고, 유리 섬유 강화 수지, Co-Cr 소결 메탈
가공 형상 범위	인레이, 크라운, 브릿지, 전악재건, 덴쳐 등	인레이/온레이, 베니어, 파셜 크라운, 크라운, 브릿지, 하이브리드 브릿지, 디지털 풀덴쳐, 어버트먼트	크라운, 코핑, 브릿지, 인레이/온레이, 베니어, 어버트먼트, 서지컬 가이드 및 마우스가드, 임플란트 바, 나사 고정 크라운, 디지털 틀니, 모델링 등
밀링버 종류	티타늄, 지르코니아, PMMA, 글라스세라믹, 소결 메탈, 컴포짓 레진 등 6가지 종류의 버	• 지르코니아 [2.5C, 1.0C, 0.5C, 2.5, 1.0, 0.5] • 글라스세라믹 [g3.0, G20, G1.0, G0.5] • PMMA [5.0, f1.5c, 2.5c, 1.0c, 0.5c] • 왁스 [5.0,f1.5c,2.5,1.0,0.5] • CO-Cr/Ti [2.0c,1.5c, 10c, 0.6c]	• 수축 직경 4 mm (0.16 in.) • 길이 40~50 mm (1.57~2.17 in.) 사용
가공방식	습식/건식 모두 가능한 범용 동시5축 가공방식	동시 5축 가공	건식(dry) 전용, 동시 5축 가공 (세트 4개)
CAM 소프트웨어	inLab CAM	PrograMill CAM V4	오픈 타입 밀링기(국내 Millbox, HyperDent 주로 사용)

지르코니아 및 기타 소재들

	Estar-Z	LUXEN Enamel	Ocean
모델명			
제조사	오스템임플란트(주)	㈜덴탈맥스	㈜예스바이오
제조국	한국	한국	한국
판매처	오스템임플란트(주) 02-2016-7000	㈜덴탈맥스 02-363-2835	㈜예스바이오 02-304-4111

KATANA™ Zirconia STML	Razor™	Lava™ Esthetic	AIDITE® AT SHJ
노리타케(Noritake)	㈜유앤씨인터내셔널	3M	AIDITE
일본	한국	독일	중국
㈜신구덴탈 02-775-8855	㈜유앤씨인터내셔널 02-864-7715	한국쓰리엠 02-3771-4128	㈜라보테크 02-752-8402

*디스크는 보통 쉐이드에 따라 나뉘며, 단일 색조 디스크와 다중 색조 디스크가 존재합니다. 디스크별로 강도와 소성 시간에 차이가 있을 수 있으므로 자세한 내용은 판매처에 문의하시기 바랍니다.